JUDAS

Astrid Holleeder

JUDAS

Een familiekroniek

Lebowski Publishers, Amsterdam 2016

Eerste druk, november 2016
Tweede druk, november 2016
Derde druk, november 2016
Vierde druk, november 2016
Vijfde druk, november 2016

© Astrid Holleeder, 2016
© Lebowski Publishers, Amsterdam 2016
Omslagontwerp: Riesenkind, 's Hertogenbosch
Omslagfoto en fotokatern: Privécollectie familie Holleeder
Typografie: Krijnie Gerritsen, bijzee

ISBN 978 90 488 2502 8
ISBN 978 90 488 2503 5 (e-book)
NUR 339 | 402

www.lebowskipublishers.nl
www.overamstel.com

OVERAMSTEL
uitgevers

Lebowski Publishers is een imprint van Overamstel uitgevers bv

Dit boek is opgedragen aan mijn moeder. Ik heb het geschreven voor mijn dochter en de (klein)kinderen.

Een speciaal woord van dank wil ik richten aan Peter R. de Vries. Hij is de eerste die wij – mijn zus en ik, maar ook de rest van de familie – ooit in vertrouwen hebben genomen en aan wie we ons hele verhaal hebben verteld. Nooit heeft hij dat vertrouwen beschaamd. Vanaf de dood van Cor was hij er voor ons, en de gehele weg naar het afleggen en openbaar maken van onze verklaringen heeft hij ons gesteund. Peter, dank voor je vriendschap, je betrouwbaarheid, je oprechtheid, je steun en je moed. Ook namens mijn moeder en alle kinderen.

Inhoudsopgave

PROLOOG

College Tour (2012)

'Wat vond je ervan?' vroeg Wim. Hij had net deelgenomen aan het tv-programma *College Tour*, waarin studenten de gelegenheid krijgen spraakmakende gasten vragen te stellen.

'Heel goed,' loog ik.

'Goed, hè? Dat ik die gozer wegstuurde om strafwerk te maken, dat was ook goed, hè?' zei hij trots. 'Iedereen lachen!'

'Zeker. Je hebt jezelf goed neergezet.' Ik loog deze keer geen woord.

Er was veel heisa rond zijn verschijnen in *College Tour*. Het programma zou een zware crimineel geen podium moeten geven. Maar ik begreep goed dat een televisieprogramma, welk programma ook, de man die al sinds 2002 in de media als monster én als knuffelcrimineel werd neergezet, wilde interviewen.

Wim vond zijn optreden in het programma een groot succes. De Wim die hij (en de rest van Nederland) zag was oprecht, sympathiek, gevat en had de lachers op zijn hand.

De Wim die ik zag begon al te liegen op het moment dat hij aankondigde de waarheid te gaan vertellen, zat zichtbaar na te genieten van het leed dat hij zijn slachtoffers had aangedaan, en toonde een totaal gebrek aan empathie.

9

***

'Kun jij net 1 opzetten, mam? Wim komt zo op tv. Hij wilde dat ik ging kijken,' zei ik tegen mijn moeder, die een bord andijvie met ballen gehakt van slagerij Louman voor me aan het opwarmen was. Ze waggelde naar de afstandsbediening op het tafeltje naast haar stoel, zette de tv voor me aan en waggelde weer terug naar de keuken. Ze was al jaren slecht ter been, maar de laatste tijd was het erger geworden. Ze kon eigenlijk nauwelijks nog ergens zelfstandig heen. Vroeger kwam ze altijd bij ons, nu gingen we naar haar toe.

'Zegt ie dat hij eerlijk antwoord gaat geven op de vragen?!' riep ze vanuit de keuken.

'Ja, dat zegt ie.'

'Nou, dan ga ik ook wel even kijken.' Ze kwam teruggewaggeld, gaf me het bord eten en plofte neer in haar aangepaste stoel.

Een student (S) kreeg van Twan Huys (T) de gelegenheid om Wim (W) een vraag te stellen.

> S: Ik ben Vito en ik studeer strafrecht aan de vu. U werkte eerst in een kledingzaak, hè?
> W: Ja.
> S: Jaren gedaan?
> W: Ja. (wijst op zijn kleding)
> S: Op een gegeven moment bent u toen toch met die ontvoering meegegaan. Hoe kom je nou van een normaal leven naar dat leven?
> W: Eh ja, dat is een dun lijntje.

'Een normaal leven?' zei mijn moeder. 'Hij had allang geen normaal leven meer.'

Mijn moeder had gelijk. Wim deed alsof hij een nette jongen was die hard werkte in een kledingzaak en daarna zomaar in een ontvoering terechtkwam, maar in werkelijkheid roofde hij in die kledingwinkel al spijkerbroeken weg (en liet die door mijn zusje ophalen, zodat het niet op zou vallen als hij met gevulde tassen de winkel verliet), had hij vastgezeten voor koppelbazerij en was hij betrokken bij het plegen van overvallen.

S: Maar ik maak hem niet, die stap.
W: Ja, dat klopt.
S: Wat heeft u daar nou over te zeggen?
W: Die stap is gemaakt, omdat ik op dat moment toch anders dacht. Toen was ik jong, en toen dacht ik dat dat kon.

'Dacht dat dat kon?' zei mijn moeder. 'Iedereen weet toch dat zoiets niet kan, wat is dat nou weer voor opmerking?'

S: Wat wilde u dan? Geld of macht?
W: Geld.
S: Oké, maar u vond dat u nooit genoeg had of... Wat was het dat u zoveel geld wilde, die miljoenen...
W: Ja.
S: Waarom?
W: Ja... Lekker makkelijk, hè.

'Ja, lekker makkelijk om het van een ander af te pakken. Dat bedoelt ie!' riep mijn moeder.

T: Uw vader kwam aan bod. Wat was dat voor een man?
W: Mijn vader was een verschrikkelijke man.

Stilte.

W: Wat wilt u weten?

T: Nou, ik denk dat er meer te vertellen valt over iemand die u als verschrikkelijk aanmerkt.

W: Vroeger ben ik natuurlijk heel vaak in elkaar getrapt door mijn vader. En ja, dat is zo gegroeid.

T: Waarom?

W: Dat weet ik nog steeds niet, en volgens mij wist hij dat zelf ook niet.

T: En was u de enige? Want u heeft twee zussen en een broer?

W: Ik was de oudste, dus ik was het slachtoffer.

T: Dus de rest kreeg geen slaag, u wel?

W: (overtuigd) Ja!

'Is niet waar,' zei mijn moeder.

T: Uw moeder, werd die ook in elkaar geslagen?

W: Ja.

T: En tot hoelang heeft u dat verdragen, dat dat gebeurde?

W: Ik ben met een jaar of vijftien het huis uit gegaan. Toen ben ik bij mijn oma gaan slapen, ben ik gaan sporten, je hele leven word je dan al in elkaar geslagen, dus ik ging trainen. Ik was vrij groot geworden, en toen ik achttien was heb ik hem een pak slaag gegeven, omdat hij mijn moeder had geslagen. Hij rende weg en een kwartier later kwam hij terug – ik kan het nog steeds niet begrijpen – met de politie en hij zegt: u moet hem arresteren, hij heeft mij geslagen. Terwijl hij me mijn hele leven geslagen heeft, en dan denk ik: wat is dit nou voor gek?

T: Wat deed de politie?

W: Mijn moeder vertelde meteen hoe hij was en de politie zei: nou meneer Holleeder, u moet het zelf maar uitzoeken.

T: Dus u bent niet opgepakt?

W: Nee.

'Dat is nooit gebeurd,' zei mijn moeder verbaasd, 'hij heeft je vader niet in elkaar getrapt. Je broertje Gerard heeft je vader in elkaar geslagen, daarna kwam de politie aan de deur. Die waren gebeld door de buren. Wim was allang het huis uit. Toen wij nog bij je vader woonden, is alleen de militaire politie voor Wim aan de deur geweest, omdat hij niet naar dienst was teruggekeerd.'

T: Is geweld u met de paplepel ingegeven, was het normaal? Een vanzelfsprekende factor?
W: Nee, het tegendeel is waar.
T: Hoezo? Uw vader sloeg u in elkaar, zegt u.
W: Ja. Maar ik zou nooit een kind in mekaar slaan.

'Maar wel een vrouw,' zei mijn moeder scherp.

T: Nee, oké, dat is duidelijk, maar volwassenen dus wel?
W: Nou ja, ik ben op straat opgegroeid dus dan liggen de verhoudingen wat anders, dan geef je eerder een klap als niet. Dat waren wij ook zo gewend in de Jordaan, zo ging dat.
T: Eerst slaan, dan praten?
W: Ja, meestal wel. (lachend)

'Dat vindt ie nou leuk,' zei mijn moeder.

S: Ik vroeg me af waarom bewust gekozen was om meneer Heineken te ontvoeren en niet iemand anders.
W: Dat hebben we wel geprobeerd maar dat ging moeilijk, dus zodoende. (lachend)

'Hij vindt zichzelf nog grappig ook,' zei mijn moeder.

S: Waarom Heineken wel?

W: De optiek van de hele groep was dat hij het makkelijk kon ophoesten.

'Hoor je hoe hij dat zegt? Dat is toch onmenselijk?' reageerde mijn moeder.

W: Het ging om het geld, immers. En ik was natuurlijk ook een stuk jonger, veel naïever. Met de achtergrond dat je zelf weet dat als het fout gaat, dat je hem dan – stel dat ze niet betaald zouden hebben – losgelaten zou hebben. En met die gedachte maak je makkelijker zo'n beslissing, en dat is heel naïef en heel verkeerd, en dat had ik zo niet moeten doen.

T: Er is nooit een gedachte geweest van: als er niet betaald wordt, dan schieten we ze overhoop?

W: Nee, natuurlijk niet! Absoluut niet.

'Geloof je dat, mam?' vroeg ik.
'Nee!' riep ze.

T: U zegt: nee, natuurlijk niet, maar het gebeurt ook. Kijk naar Gerrit Jan Heijn.

W: Ja. Ik weet het, en ik vind dat ook belachelijk. Een van de redenen, en dat is iets waar ik me toch wel een beetje voor schaam, is die ketting die aan de muur zat.

T: Wacht even, voordat u daarover verdergaat, eerst een filmpje.

De omstandigheden waaronder Heineken en Doderer drie weken lang zijn vastgehouden komen in beeld: in geluiddichte cellen, op de grond liggend op een dun matras, met hun polsen vastgeketend aan de muur. Ik zag dat de ogen van mijn moeder zich vulden met tranen.

'Heb je dit nog nooit gezien, mam?'

'Nee,' zei ze, 'ik heb er nooit iets over willen zien.'

'Erg, hè?'

'Ja, we hadden hem eigenlijk toen al moeten laten vallen.'

T: Er wordt gezegd: het is middeleeuws, wat er is gebeurd.

W: Daar ben ik het mee eens en dat had ook niet moeten gebeuren. De enige overweging van die kettingen is geweest – niet omdat we bang waren dat ie gewelddadig zou kunnen zijn, of wat dan ook – dat hij zichzelf iets aan zou kunnen doen.

'O, wat zegt ie nou?' reageert mijn moeder vol ongeloof. 'Hij doet alsof hij ze er nog een plezier mee heeft gedaan ook!'

T: Hoe kwam u daarbij, dat hij dat zou doen?

W: Het is natuurlijk niet gering als je iemand ontvoert, daar moet je goed over nadenken, en het zou best kunnen zijn dat iemand suïcidaal wordt, omdat ie in zo'n situatie komt.

'Hoe krijgt ie het zijn strot uit!' riep mijn moeder verontwaardigd.

T: Maar u draait het om. U zegt: we beveiligden die twee met die kettingen, terwijl zij juist verklaard hebben na afloop dat het ontzettend pijnlijk was. De situatie wás al dramatisch en afschuwelijk.

'Dat zegt ie goed!' moedigde ze de presentator aan.

W: Ik wil het ook absoluut niet vergoelijken.

'Nee, maar hij doet het wel weer,' zei mijn moeder.

W: Ik ben het met u eens dat het middeleeuws is en dat het absoluut niet had moeten gebeuren. Wij hebben natuurlijk ook wel op een bepaald moment beseft dat we daarin te ver zijn gegaan. Wij hebben de heer Doderer en de heer Heineken later aangeboden om een gesprek te voeren, voor als er dingen waren die zij misschien zouden willen weten. Dat hebben zij toen geweigerd, maar dat heeft wel geresulteerd in een gesprek met Proseco. Proseco is het beveiligingsbedrijf wat Heineken gelijk heeft opgericht nadat hij is vrijgekomen. Met Proseco hebben wij wel afspraken gemaakt toen wij vrijkwamen.

T: Wat waren die afspraken?

W: Dat als meneer Heineken rechts in de P.C. liep, wij dan links in de P.C. gingen lopen.

'In de P.C.?'

'Ja, mam,' zei ik. 'Hij loopt in de duurste winkelstraat van Amsterdam, winkelt van het geld van meneer Heineken, en die moet ook nog blij zijn dat Wim aan de andere kant gaat lopen.'

Er wordt opnieuw een filmpje getoond, ditmaal is een van de betrokken rechercheurs aan het woord, de heer Sietsma. Hij vertelt op indringende wijze hoe ernstig de omstandigheden waren waaronder Heineken en Doderer vastzaten. Het publiek is diep onder de indruk en het is muisstil in de zaal. Twan Huys laat de stilte even voortduren. De camera registreert een lach op Wims gezicht. Glimlachend zegt hij tegen Twan Huys: 'U wilde een vraag stellen?'

T: Ja, ik wil u vragen om een reactie.

W: Ja, nu ik vierenvijftig ben, heeft die man natuurlijk ook gelijk.

'O, hij ziet op zijn vierenvijftigste eindelijk in hoe ernstig het is wat hij gedaan heeft? Daar is ie lekker vlot mee!'

W: Het ergste is het geweest voor Doderer, vind ik. Heineken was best wel sterk, sterker dan dat hij nu hier doet voorkomen. Maar dat neemt niet weg dat het gewoon niet had moeten gebeuren.

'Hoe durft hij het te zeggen! Hij bepaalt nog even dat het voor meneer Heineken allemaal niet zo erg was, dat het overdreven wordt.' Mama ontstak in razernij. 'Hij zegt nog net niet dat hij zich niet zo moet aanstellen! Ze hadden hem levenslang moeten geven. Ik kan dit niet meer aanzien.'

Ze stond op en liep weg, weg van de realiteit, omdat die haar te veel werd.

Na afloop van de uitzending ging ik bij haar zitten aan de keukentafel, waar ze stil voor zich uit zat te staren.

'En? Was het nog wat?' vroeg ze.

'Nee, altijd hetzelfde. Hij heeft geen losgeld gehad, hij is ten onrechte voor de afpersing van Endstra en anderen veroordeeld, al die mensen die verklaren liegen en hij spreekt de waarheid.'

Mama zat er verslagen bij. 'Hij zit gewoon te lachen als het gaat om het leed dat hij Heineken en Doderer heeft aangedaan. Hij kan er helemaal niet mee zitten. Hoe kan het, hè, As? Mijn kind. Ik denk dat het met hem mis is gegaan tijdens mijn zwangerschap. Je vader heeft mij in de negende maand op mijn kop geslagen en in mijn buik getrapt. Misschien heeft hij toen Wims hoofd geraakt en is ie daarom zo geworden.'

DEEL I

De klap in het donker

(2012-2013)

Tap (Willem & Astrid)

W: Ik ben zo doorregend. Ik ben doodziek. Maar dat geeft niet.

A: Hè?

W: Het geeft niet, want weet je wat het is: er komen andere tijden. Ik zal je zeggen, As, mensen kennen me dan nog niet goed genoeg.

A: Nou, ik denk het wel, hoor.

W: Ik zal je zeggen: d'r komt hier altijd een vervolg op.

A: Ja, dat weet ik.

W: 't Kan duren...

A: Ja.

W: 't Kan een tijdje duren, maar daar komt één miljoen procent een vervolg op.

A: Dat weet ik.

W: Dan zeg ik: zo jongen, weet je het nou? En dat vervolg komt. En al naar gelang hoe ik me voel en hoe mijn situatie is, en noem maar op, zal dat bepalen wat ik ga doen.

A: Ja.

W: Maar zoals ik me nu voel...

A: Ja.

W: Met dit weer...

A: Ja.

W: Daar helemaal naartoe, druipend...

A: Ja.

W: Dan moet ze zich maar goed realiseren wat haar dat waard is, want ze doet net of ze gek is, hè.

A: Ja.

W: Dat kan ze, hè. Ik zeg je dit, As (buigt naar mijn hoofd toe, fluiste-rend): als je hem op je af ziet stormen met dat ding, dan weet je hoe laat het is. Dan weet je het is klaar.

A: Tja.

W: Dit is echt een belediging.

A: Ga je weer.

W: Waarom hebben zij auto's, en waarom moet ik zo? Hoe kunnen ze nou denken dat ze slim zijn? Dat wordt toch altijd ellende? Dat wordt ook ellende, hè.

A: Ja.

W: Maar ja, zoals zij alles heeft gedaan in d'r leven... Alles wat ze heeft gedaan, heeft ze alleen maar ellende van. Bedankt, As. En As: jij hoeft je nooit zorgen te maken.

A: Nee, maar goed, niet dat ik er—

W: Nooit in je hele leven. Dag, lieverd.

A: Oké, doei.

De vrijlating (2012)

Het was vrijdag 27 januari 2012 en ik haalde Wim op van de carpoolplaats Arnhem Centrum, een plek die kort voor zijn vrijlating was afgesproken. Afgezien van Stijn Franken, zijn advocaat, die hem daarnaartoe zou brengen, wist niemand ervan. Stijn had met het Openbaar Ministerie geregeld dat Wim de laatste nacht niet in Penitentiaire Inrichting De Schie zou slapen, om te voorkomen dat ze 's morgens door de pers – of erger – zouden worden opgewacht. Met een simpele verwijzing naar zijn mediagevoeligheid én zijn veiligheid was dat vlot geregeld.

Ik heb voor die dag een 'schone' auto geregeld. Dan weet ik zeker dat er geen peilzender onder zit geplakt, en we niet gevolgd kunnen worden: hetzij door justitie, hetzij door criminelen. Alles moet zo veilig mogelijk.

Ik sta al even te wachten als ze aan komen rijden. Wim stapt uit de auto en komt bruisend van energie op me af lopen, blij als een kind.

'Dag, lief zusje!' schreeuwt hij opgetogen.

We nemen afscheid van Stijn en ik zeg: 'Stap in.'

'Is dit een schone auto?' vraagt hij.

'Ja natuurlijk.'

Ik rij met hem naar de locatie die ik op zijn verzoek heb geregeld, een chalet op een vakantiepark, ongeveer 80 kilometer van Amsterdam. Ik heb het gehuurd op naam van mijn moeder, want zodra ik mijn eigen naam noem is er geen sprake meer van anonimiteit. Ik heb een vrij luxe chalet uitgezocht, zodat hij voor het eerst sinds lange tijd weer van een beetje comfort kan genieten. En ik heb van tevoren een auto voor hem neergezet, zodat hij vervoer heeft.

Op weg naar het chalet komen we langs de McDonald's en stop ik op zijn verzoek om eerst een hamburger te scoren.

'O, wat lekker, Assie, wat heb ik dat gemist,' smult hij.

Tijdens zijn detentie kreeg mijn broer in 2006 ernstige problemen met zijn hart. Hij zweefde op het randje van de dood maar overleefde het, want, zoals mijn moeder altijd zegt: onkruid vergaat niet. Ik was verbaasd dat hij überhaupt een hart had, daar hadden wij nooit iets van gemerkt.

De artsen hadden hem, naar zijn zeggen, slechts een levensverwachting van twee jaar voorspeld. Het einde van zijn leven was in zicht. In werkelijkheid was hij er relatief snel weer bovenop, en kan hij gewoon honderd jaar oud worden. Maar zijn rol als terminaal hartpatiënt hield hij tot aan het einde van zijn detentie vol. Met een ijzeren discipline had hij zichzelf alles ontzegd; hij at geen zout en hield zich aan de maximale vochtinname van zes blikjes cola light per dag.

Hij was zo overtuigend, hij had er een Oscar voor moeten krijgen.

Nog geen uur na zijn vrijlating werd het dieet al aan de kant geschoven. Het was niet meer van belang voor zijn verhaal, noch om privileges te kunnen regelen in de gevangenis.

Nadat we zijn spullen hadden weggebracht en hij de locatie had beoordeeld – en goed had bevonden – maakten we een afspraak met misdaadverslaggever Peter R. de Vries. Wim wist dat er op hem gejaagd zou worden als hij vrij zou komen, voor commentaar en een eerste foto, en hij wilde dat voorkomen door ervoor te zorgen dat er direct een statement van zijn kant – waarvan de inhoud door hem zelf was geregisseerd – en een foto in de media zou verschijnen. Peter was uitverkoren. Hij mocht hem spreken en die foto maken. Zo zou de druk van de ketel gaan, hadden anderen geen trek meer om op hem te jagen en kon hij de inhoud sturen: hij wilde als zwakke man overkomen en hij zou Peter daarom voornamelijk informeren over zijn slechte gezondheid. Zijn hart zou helemaal kapot zijn, het functioneerde nog maar voor 25 procent, hij had een lage levensverwachting, de artsen hadden hem twee jaar gegeven. Er waren er al vijf voorbij, dus het kon elk moment afgelopen zijn.

Hij zou Peter zijn batterij aan pillen laten zien, hem vertellen over zijn strenge dieet en uitleggen dat hij daarom alleen maar at wat hij zelf kookte. Dát was wat hij naar buiten wilde brengen.

Over andere onderwerpen wilde hij nauwelijks praten. Hij was er enkel op uit ervoor te zorgen dat zijn vijanden hem zouden onderschatten. Een zieke oude man, de moeite niet waard om nog geld voor justitieel onderzoek of een liquidatie aan te besteden.

Hij had toch niet lang meer.

Bij de ingang van een bos, ergens in het Gooi, zouden we Peter ontmoeten. In afwachting van de misdaadverslaggever wilde Wim bijgepraat worden over de afgelopen jaren. In het bos konden we voor het eerst vrijuit over alles spreken – zonder gehinderd te worden door een bewaarder achter een spiegel die alles opnam – hoewel we nog steeds bedacht waren op richtmicrofoons en daarom voornamelijk fluisterden. We spraken over zijn huidige positie in de onderwereld, over elk onderzoek waarin zijn naam viel, over zijn vrouwen, over de noodzaak geld te verdienen.

Het wachten op Peter duurde en duurde maar. Wim raakte geleidelijk aan helemaal verziekt en van het ene op het andere moment sloeg zijn stemming om. Zo kende ik hem weer, het had niet lang geduurd voor zijn ware ik weer boven kwam drijven.

'Bel Peter! Waar blijft die kankerlijer? Wie denkt hij wel dat hij is om mij te laten wachten? Ik geef hem de primeur!' tierde hij.

Ik belde Peter, die zei dat hij onderweg was. Uiteindelijk arriveerde hij enkele minuten later.

'Hi, As,' zei Peter.

'Hi, Peet,' zei ik.

Ik voelde me heel ongemakkelijk. Niet lang daarvoor had ik met Peter besproken dat ik wilde dat Wim nooit meer vrijkwam, en nu stond ik hier weer als Wims vertrouweling.

Peter liet niets merken. Hij kende het gevaar dat ik zou lopen als Wim zou weten hoe ik werkelijk over hem dacht.

Wim draaide Peter een rad voor ogen, zoals alleen hij dat kan, en gaf hem de boodschap mee die hij via de media breed wilde uitdragen: hij was een ongevaarlijke, terminaal zieke man.

Na de ontmoeting met Peter gingen we in Naarden boodschappen doen voor in het chalet, bewust in een ander dorp, omdat hij anders zijn verblijfplaats prijs zou geven. Die eerste dag werd hij direct overal herkend.

In de tijd dat hij vast had gezeten en ten tijde van het proces was er zoveel over hem in de media verschenen – boeken, artikelen, tv-programma's – dat hij was uitgegroeid tot een Bekende Nederlander. Zijn beeltenis was een icoon geworden, hij werd overal herkend en aangesproken. Hij genoot van al die aandacht, en iedereen leek vergeten waaróm hij zo bekend was geworden.

Op de terugweg naar het chalet begon ik in bedekte termen, rekening houdend met afluisterapparatuur in de auto, over de liquidatie van Stanley Hillis, een kopstuk uit de onderwereld. Hij keek me aan en legde een vinger op zijn lippen. Ik stopte met praten. We reden over een N-weg en hij zei: 'Stop hier langs de weg.'

Ik parkeerde de auto op de vluchtstrook.

Stap uit, gebaarde hij.

We liepen langs de autoweg. Hij hield me op een veilige afstand van de auto staande, omdat – zo heeft hij mij geleerd – afluisterapparatuur die in een auto is geplaatst het geluid tot honderd meter verderop nog opvangt.

Hij ging voor me staan, met een verwilderde blik in zijn ogen: 'We hebben ze allemaal vermoord, allemaal!'

Ik schrok van de bloeddorst waarmee hij die woorden uitsprak. Het bevestigde mijn vermoeden dat hij nooit zou stoppen. Hij draaide zich om en liep terug naar de auto. Ik liep achter hem aan, stapte weer in, reed verder en begon snel over een ander onderwerp.

Terug in het chalet bekeken we verschillende televisieprogramma's. Zijn aandacht ging met name uit naar *De Wereld Draait Door*, waar Peter de boodschap over Wims gezondheid uitdroeg. Zijn missie was geslaagd: hij had het signaal afgegeven dat hij ongevaarlijk was. Hij had weer iedereen met succes zand in de ogen gestrooid.

'Ik ga weer gas geven,' zei hij.

Als ik niets tegen hem zou ondernemen, zou het allemaal opnieuw beginnen. Maar wat kon ik doen?

Het was al laat en Wim vroeg: 'Blijf je hier slapen?'

'Nou, nee,' zei ik, 'ik ga lekker naar huis.'

'Nee, je blijft toch gezellig hier? Je gaat me toch niet in de steek laten?' vroeg hij op zijn bekende, dwingende toon, die je geen keuze laat. 'Jij vindt het niet gezellig, hè, dat je bij me bent,' zei hij. 'Jammer voor je, want ík vind het wel gezellig dat jij er bent. Dus je kan niet weggaan.'

Die eerste nacht bleef ik met tegenzin slapen. Ik lag op de bank, die bij de glazen schuifdeuren stond. Ondanks alle veiligheidsmaatregelen die ik in acht had genomen, was ik toch bang dat we gevolgd waren en dat zijn criminele ex-vriendjes in de nacht het chalet zouden doorzeven. In zo'n boomrijke omgeving ga ik spoken zien. Ik ben een stadsmens en ken de schaduwen van de natuur niet. Ik zie overal gevaar.

Slapen deed ik die nacht niet. Niet omdat ik nou zo bang was om te sterven, maar omdat ik het zonde vond om te sterven vanwege hem.

Ooit was dat anders.

Er is een tijd geweest dat ik mijn leven voor hem had gegeven. Ik geloofde volledig in de mythe van familietrouw waar hij ons al die jaren in had onderwezen, in het 'wij-tegen-de-rest-van-de-wereld', sinds we door de Heineken-ontvoering in de samenleving als paria's werden behandeld.

Maar toen ik erachter was gekomen dat hij in staat was zijn eigen familie te vermoorden, wist ik: niet de buitenwereld was de vijand, híj was de vijand. Die familietrouw was één grote leugen, waardoor hij ongehinderd zijn gang kon gaan.

Ik heb naast mijn zwager Cor van Hout gestaan in het mortuarium, zijn koude, levenloze hand vastgehouden en hem gesmeekt weer tot leven te komen, het leven dat mijn broer hem had ontnomen. Wim, die ernaar uitzag de volgende dag zijn eigen zoon te kunnen zien, terwijl Cor zijn kinderen nooit meer zou zien.

Die nacht in het chalet werd ik beheerst door de gedachte dat niemand wist waar wij waren, dat hij al sliep en geen weerstand zou bieden, dat ik alle DNA-sporen kon vernietigen door de boel in brand te steken.

Dat ik nu de kans had hem te vermoorden.

Na een slapeloze nacht reed ik de volgende dag naar huis, waar mijn zus Sonja al op me zat te wachten. Ik vertelde haar dat ik op het punt had gestaan om hem te vermoorden, maar te laf was geweest om het te doen.

'Ik ben blij dat je het niet gedaan hebt, As,' zei ze. 'Ik wil niet dat hij er zo makkelijk vanaf komt. Die straf is te licht.'

Sonja wilde dat hij de rest van zijn leven in de gevangenis zou doorbrengen, dan zou hij elke dag ervaren hoe het voelde om te zijn verraden, zoals hij Cor had verraden.

Ze had gelijk. 'Maar dat kan alleen als wij tegen hem opstaan en gaan getuigen,' zei ik.

'Ja,' beaamde ze.

'Dan weet je wat er gaat gebeuren.'

'Ja, dat weet ik,' antwoordde Sonja. 'Maar misschien moeten we dat risico toch maar nemen.'

We hadden het er al vaak over gehad, maar telkens als we besloten hadden te verklaren, zagen we er toch weer vanaf – tot het moment dat ik geen keuze meer had.

Na zijn vrijlating had hij weinig vrienden meer over en daarom trok hij veel met mij op. Dat was ook wat ik wilde: hoe intensiever het contact met hem, des te meer informatie hij met mij deelde. Informatie die ik mogelijk tegen hem zou kunnen gebruiken. Maar veel contact bracht ook nogal wat risico's met zich mee. Met zijn staat van dienst in het criminele circuit kon ik de mogelijkheid niet uitsluiten dat hij uit het leven geschoten zou worden. Hij was daar direct na zijn vrijlating in ieder geval zelf bang voor. Door veel met hem om te gaan liep ik de kans dat ik per ongeluk, of voor de volledigheid, ook werd meegenomen.

Als ik al niet bang hoefde te zijn voor de risico's van een aanslag, dan moest ik wel bang zijn voor justitie: te veel omgang met Wim zou hun aloude waanbeeld bevestigen dat ik zijn consigliere was. Ik zou weer worden meegenomen in onderzoeken, en opnieuw geen privacy hebben. Getapt worden, gevolgd, spullen in beslag.

Het was iedere keer hetzelfde verhaal. En dat alleen maar omdat we ons niet openlijk van hem konden distantiëren, omdat justitie gewoon niet mocht weten hoe we werkelijk over hem dachten, omdat we dan het risico liepen dat hij daar – nota bene via hun eigen corrupte mensen! – achter zou komen.

Tenslotte gaf veel omgang met hem kennelijk ook zijn vijanden de indruk dat ik 'samen met hem' was, en gelet op mijn beroep misschien zelfs belangrijk voor hem was. Als je, zoals ik, strafadvocaat bent, zijn er maar weinig 'collega's' van mijn broer die denken dat wij over de kleur van een nieuw behangetje of de laatste gebeurtenissen in *Goede Tijden, Slechte Tijden* praten.

Uit zeer betrouwbare bron kreeg ik te horen dat Wim verantwoordelijk werd gehouden voor de dood van de broer van Martin Hillegers in november 2013. Martin was een bekende crimineel met wie Wim sinds zijn vrijlating weer contact had. Om die reden was de opdracht gegeven 'de zus van Willem Holleeder' te liquideren. Het zou gaan om vergelding.

Welke zus werd er niet bij verteld. In plaats van het gebruikelijke broer voor een broer, was het dit keer een zus voor een broer. Op zich apart, maar wel logisch, want Wim had al jaren ruzie met Gerard en hij sprak daar openlijk over, dus ze zouden hem niet raken door zijn jongere broer te liquideren.

Sonja twijfelde nog steeds, maar ik vond dat ik geen andere keuze meer had dan tegen Wim te getuigen. Het risico dat ik *om hem* vermoord zou worden was in mijn ogen inmiddels net zo groot als het risico dat ik *door hem* vermoord zou worden wanneer ik zou verklaren.

Dus nam ik me voor te doen wat hij zelf ook altijd deed: dubbelspel spelen. Ik was ervan overtuigd dat het de enige kans was om te overleven. Dubbelspel spelen: ik had het geleerd van de beste – Wim zelf. Keer op keer had hij het gedaan, en steeds kwam hij ermee weg. Het verschafte hem altijd het best denkbare alibi, maar het zou ook dé oplossing van al mijn problemen kunnen zijn. Door tegelijkertijd met justitie te spreken, kon ik met Wim blijven praten zonder dat ik als zijn verlengstuk werd gezien. Kon ik hopelijk ook een einde maken aan de dreiging waaronder ik leefde, én zou ik Wim kunnen laten boeten voor wat hij allemaal had gedaan.

Ik wist maar al te goed dat het een riskante onderneming zou zijn, en was me er ten volle van bewust dat degenen die eerder geprobeerd hadden Wim aan te pakken door met justitie te praten, in zijn opdracht waren vermoord.

Tegelijkertijd wist ik dat als ik niets deed, hij nooit gestraft zou worden voor de moord op Cor en alle anderen, en dat vooruitzicht was na meer dan tien jaar zwijgen net zo erg als de gedachte aan wat hij met mij zou doen, als hij erachter zou komen dat ik had gepraat.

Ik was het zat mijn leven door angst te laten bepalen. Ik had al zo vaak op het punt gestaan iets tegen hem te ondernemen, het moest er nu maar eens van komen.

Peter (2013)

'Ze willen graag een gesprek met je. Je kunt ze op dit nummer bellen,' zei Peter en hij gaf me een visitekaartje van de Criminele Inlichtingen Eenheid (CIE). Ik keek naar het nummer en raakte in paniek. Ik wist wat dit betekende: Peter R. de Vries had zijn contact bij justitie benaderd en gezegd dat Sonja en ik een afspraak wilden maken om met ze te praten. Ik had hem gevraagd dat te organiseren, maar nu het zover was, sneed de gedachte aan een gesprek met vertegenwoordigers van justitie mij de adem af. Ik hapte naar lucht en probeerde zo normaal mogelijk over te komen op Peter.

'Dank je. Ik laat je weten wat ik doe,' zei ik tegen hem en ik stak het kaartje in mijn zak.

In de auto zette ik het nummer onder een andere naam in mijn telefoon en at het visitekaartje op. Ik kon geen risico's nemen.

Onderweg naar huis werd ik overvallen door angst; angst die in mijn maag ronddraaide wanneer ik eraan dacht dat nummer te bellen, angst dat hij erachter zou komen dat ik overwoog met de CIE te praten, angst dat hij me dat niet zou laten overleven, een diepgewortelde, allesoverheersende angst voor Hem, voor Wim, voor Willem Frederik Holleeder alias 'De Neus', een van Nederlands meest gevreesde criminelen van de laatste twee decennia, en mijn oudste broer.

Met de ontvoering van biermagnaat Freddy Heineken en diens chauffeur Ab Doderer in 1983 had Wim zijn naam als keiharde crimineel gevestigd. Op 9 november 1983 werden zij bij het verlaten van het Heineken-kantoor met bruut geweld op straat overmeesterd en een bus in gesleurd. De details die naar buiten kwamen over de wreedheid waarmee zij waren behandeld waren stuitend. En dat had onze Wimpie gedaan.

Het was schokkend te vernemen hoe onmenselijk hij kon zijn. En juist díe eigenschap zorgde ervoor dat hij na zijn vrijlating in 1992 in korte tijd weer aan de top van de onderwereld stond en de schrik van de vastgoedwereld werd. Iedereen sidderde voor zijn meedogenloosheid.

In de jaren die volgden, ging er een golf van liquidaties door de Amsterdamse vastgoed- en onderwereld en telkens viel zijn naam als opdrachtgever.

Ook bij de liquidatie van Cor van Hout was dat het geval. Cor: de man van mijn zus Sonja, vader van hun kinderen Francis en Richie, mijn zwager, en sinds de middelbare school 'bloedgabber' van Wim. Ze deden samen alles wat God verboden had: koppelbazerij, overvallen en de ontvoering. Onze families waren hecht met elkaar verbonden door hun vriendschap en de relatie tussen Sonja en Cor.

Het leven van Cor eindigde op 24 januari 2003, op de koude straatstenen van een stoep in het Oude Dorp, in Amstelveen. Hij had net een ontmoeting gehad bij een Chinees restaurant en stond aan de overkant nog even na te praten toen twee mannen op een motor hem naderden en hem doorzeefden met kogels.

Sonja en ik wisten niet wie Cor had doodgeschoten, maar we wisten wel wie zijn moordenaar was: onze bloedeigen broer. Wim was degene die de wens koesterde dat Cor zou sterven, Wim was degene die Cors dood bestelde. En Wim was degene die zijn dood door een spervuur aan kogels liet uitvoeren. De schutter was slechts het wapen in zijn hand.

Te weten wie zijn moordenaar was, maakte voor ons het verlies van Cor nog ondraaglijker, en tegelijkertijd onze angst voor Wim oneindig veel groter. Wim was niet zomaar een moordenaar, hij was de moordenaar van de man van zijn zuster, van de vader van zijn neefje en nichtje.

Er was geen enkele reden te denken dat wij niet eenzelfde lot zouden ondergaan, een lot waaraan hij ons altijd herinnerde.

'Je weet wat ik doe, hè!' dreigde hij, als we ook maar even dachten ons leven zelf te kunnen bepalen.

Ja, we wisten wat hij zou doen als we niet onvoorwaardelijk naar hem luisterden. Alles binnen onze relatie met Wim werd bepaald door de angst voor zijn gewelddadigheid en dus voegden we ons naar zijn wensen. We liepen op eieren, deden er alles aan niet zijn volgende slachtoffer te worden, probeerden het leven met hem te overleven en hielden onze mond.

Maar elke dag voelde dat als verraad naar Cor, voelden we ons vies dat we omgingen met zijn moordenaar. We hoopten vurig dat Wim zou boeten voor wat hij Cor en ons had aangedaan, maar we durfden niets tegen hem te ondernemen. We werden steeds banger naarmate er meer liquidaties volgden. Liquidaties van mensen die, net als Cor, dachten zijn vriend te zijn.

Het werd ons duidelijk dat het gemak waarmee hij Cor had laten vermoorden niet op zichzelf stond, maar een patroon was. Mijn broer was uitgegroeid tot een seriemoordenaar die tot zijn enkels in het bloed stond.

We konden geen kant op, we konden alleen doen wat hij van ons verwachtte. Naar de politie stappen was geen optie. Als Wim erachter zou komen dat we met de politie spraken, zou hij het 'onmiddellijk oplossen'. En het risico dat hij erachter kwam was levensgroot.

Hij had mij al zo vaak verteld over zijn 'Petten', corrupte contacten bij de politie die hem informeerden over onderzoeken waarin zijn naam werd genoemd. Nee, hij zou geen moment aarzelen en ons direct uit de weg laten ruimen.

Niemand heeft met de politie over hem gepraat en het overleefd.

Vriend en vastgoedbaron Willem Endstra verklaarde maar liefst veertien keer heimelijk op de achterbank van een auto. Het leidde tot niets, maar ondertussen wist Wim ervan.

Endstra werd vermoord.

Collega-crimineel Kees Houtman verklaarde vertrouwelijk bij de politie. Hij werd voor de deur van zijn huis vermoord.

Van welke kant we de situatie ook bekeken, we kwamen steeds op hetzelfde uit; als we iets tegen Wim zouden ondernemen, zou het eindigen met onze dood. We konden alleen maar hopen dat justitie hem ooit eens zou vervolgen. Maar Wim bleef vrij rondlopen, of beter gezegd: rondrijden op zijn Vespa, die door de media tot 'Holleeder-scooter' was gedoopt.

Hij leek onaantastbaar.

Het duurde tot 2006 voor hij werd gearresteerd. Niet voor de liquidaties, maar 'slechts' voor de afpersing, mishandeling en bedreiging van onder anderen Willem Endstra, Kees Houtman en Thomas van der Bijl, ook een oude vriend van Wim. Hij werd het derde slachtoffer dat in het diepste geheim verklaringen had afgelegd over Wim. Wim wist dat Thomas met de politie over hem praatte en toen Thomas dacht veilig te zijn, omdat Wim vastzat, werd hij alsnog vermoord.

Maar liefst twee van zijn slachtoffers – Thomas van der Bijl en Willem Endstra – hadden bij de politie hun liquidatie voorspeld. Allebei hadden ze de verantwoordelijke daarvoor bij leven aangewezen: Willem Holleeder.

Desondanks slaagde justitie er niet in voldoende bewijs te verzamelen om hem ook maar voor één liquidatie te vervolgen.

Wim kwam er gunstig vanaf: hij werd slechts veroordeeld voor afpersing en kreeg een schamele negen jaar.

Zijn detentie veranderde voor ons niets.

Wim zat vast, maar hij beschikte nog steeds over een imposante achterban waar we net zo bang voor waren. In de gevangenis of daarbuiten, hij domineerde altijd ons leven. Wij wisten dat de gevangenismuren hem niet hinderden, en met de moord op Thomas van der Bijl had hij dat nog maar eens bevestigd.

Wim kende Thomas al zo lang als hij Cor kende. Thomas was getuige geweest van vrijwel al hun misdrijven en werd daardoor een bedreiging voor hem. Thomas beschuldigde hem rechtstreeks van de moord op Cor. Wim regelde dat, zodra hij vastzat, zijn achterban Thomas voorgoed het zwijgen zou opleggen.

En zo gebeurde het.

Het was voor ons het ultieme machtsvertoon; iemand laten vermoorden terwijl je gevangenzit in de zwaarst beveiligde gevangenis van Nederland. Dus voegden we ons naar zijn wensen. Dat betekende dat we vierentwintig uur per dag voor hem klaar moesten staan en vooral niet mochten praten over wat we wisten.

Zo werd het 2011 en kwam zijn vrijlating in zicht.

In de jaren tussen 2006 en 2011 hadden we gehoopt dat justitie alsnog voldoende bewijs zou vergaren om hem te vervolgen voor de moord op Cor, of andere liquidaties. Een aantal uitvoerders werd inmiddels al wel vervolgd, maar hij niet. Niemand durfde over hem te verklaren.

Een van de uitvoerders, Peter La Serpe, bekende samen met Jessy Remmers Kees Houtman te hebben geliquideerd; in ruil voor die bekentenis wilde justitie hem een nieuwe identiteit en alle bescherming geven die je bedenken kunt, maar zelfs hij durfde niet in het openbaar over Willem Holleeder te verklaren. La Serpe had Wim aangewezen als opdrachtgever voor de moord op Kees Houtman, maar bedong dat zijn verklaring niet mocht worden gebruikt – uit angst voor zijn leven en dat van zijn familie. Weer ontsprong Wim de dans.
Het knaagde aan ons, maar we deden niets.

In februari 2011 werd Stanley Hillis geliquideerd, Wims compagnon in het kwaad voordat hij in 2006 vast kwam te zitten. Wim sprak altijd met ontzag over 'die Ouwe', zoals hij hem noemde. Hij had alleen ontzag voor iemand die nog meedogenlozer was dan hij. Hillis was een machtige crimineel met internationale connecties, vertelde Wim vol trots. Hij was vooral heel groot in Joegoslavië: hij kon een 'heel leger' aan Joegoslaven op de been krijgen, en beschikte zelfs over tanks.

Wim vertelde over zijn betrokkenheid bij de afpersing en liquidatie van Endstra. Hillis was volgens Wim degene die in een laatste gesprek met Endstra had bepaald dat hij 'niet meer mocht betalen'. Het betekende dat betalen Endstra's leven niet meer verlengde; hij zou worden geliquideerd. Met Hillis in vrijheid en indachtig wat Thomas van der Bijl was overkomen, had ik erin berust dat verklaren over Wim én het overleven was uitgesloten. Maar met het overlijden van Hillis viel er een machtsblok weg waarop Wim vanuit de gevangenis een beroep zou kunnen doen.

Het was de eerste keer dat Sonja en ik serieus overwogen of we nu een verklaring over Wim zouden moeten afleggen.

Ik vond dat als we iets tegen hem wilden ondernemen, we het vóór zijn vrijlating in januari 2012 moesten doen. Hij zat nu immers nog vast en uit informatie uit het criminele circuit – en door mijn bezoeken aan hem – wist ik dat zijn positie in het milieu behoorlijk was verzwakt. Zodra hij buiten kwam zou hij, hem kennende, binnen *no time* weer op zijn oude machtsniveau zitten en dan was getuigen sowieso uitgesloten.

Sonja was gevoelig voor dat argument.

We besloten advies te vragen aan Peter de Vries. Sonja en ik waren het erover eens dat Peter als geen ander kon inschatten of wij de stap konden zetten. Hij had als misdaadjournalist talloze strafzaken opgelost, zaken waarvan zelfs justitie het bewijs niet rond kreeg. Hij had inzicht in de familierelaties, kende Wims ware aard, en was tot aan Cors dood goed met hem bevriend geweest. Zijn loyaliteit lag bij Cor, en hij wist dat Cor en Wim al lang geen vrienden meer waren.

Na Cors overlijden in 2003 was Peter, anders dan alle andere zogenaamde vrienden van Cor, de enige geweest die zich onbaatzuchtig en blijvend om Cors kinderen had bekommerd. Peter stelde geen prijs op een vriendschap met Wim. We hoefden dus niet te vrezen dat hij hem bewust zou informeren over ons gesprek met hem.

Ik had uitvoerig met Sonja alle risico's besproken die het delen van onze kennis met Peter met zich mee zouden kunnen brengen. Mijn enige twijfel was dat hij uiteindelijk toch ook een journalist bleef – had hij immers niet, ondanks zijn vriendschap met Cor, in Paraguay mede-ontvoerder Frans Meijer opgespoord? – en misschien de journalistieke waarde van ons verhaal boven onze vriendschap zou laten prevaleren. Daar zou hij onze levens mee in gevaar kunnen brengen. Maar Sonja twijfelde geen seconde aan Peter.

'Dat zou hij nooit doen, As. Hij zou ons nooit verraden. Hij weet hoe Wim is en wat er voor ons op het spel staat. Geloof me, dat doet hij niet.'

'Oké,' zei ik, 'maar wat als hij per ongeluk zijn mond voorbij praat? Hij zal geen enkele kwade bedoeling hebben, maar je weet hoe Wim is: hij is een meester in het inpakken van iedereen met wie hij in contact komt. Of het nou de buurman, de bakker, jouw beste vriend of zijn ergste vijand is, hij pakt ze in en zonder dat ze er erg in hebben ontfutselt hij ze allerlei informatie, zelfs iemands diepste geheimen. Dat risico kunnen we niet nemen.'

'As, Peter is niet gek. Hij kent Wim al meer dan vijfentwintig jaar, hij weet hoe hij in elkaar zit. En je moet toch een keer iemand vertrouwen,' zei ze, 'en ik vertrouw Peter voor duizend procent.'

'Goed,' antwoordde ik, 'ik ben overtuigd. Als jij zegt dat het goed zit, doen we het.'

Toch zag ik met angst en beven het moment tegemoet dat ik voor het eerst in mijn leven iemand buiten de familie in vertrouwen zou nemen. Nooit hadden Sonja en ik met een buitenstaander gesproken over wat wij wisten, en als Wim daar achter zou komen, dan zou hij geen minuut aarzelen en het 'gelijk oplossen'.

Peter was op verzoek van Sonja naar haar huis gekomen. We vroegen hem een stukje met ons te gaan wandelen, omdat we niet afgeluisterd wilden worden.

'Peter,' zei Sonja, 'kunnen we je wat vertellen, zonder dat je dit aan iemand doorvertelt? Je mag er ook niet over publiceren, want dan breng je ons in gevaar.'

'Natuurlijk niet, als jullie dat niet willen, blijft het tussen ons,' zei Peter.

Sonja keek mij aan en zei: 'Vertel jij het maar.'

'Peter,' begon ik, 'we willen je vertellen dat wij al lange tijd weten dat Wim de opdrachtgever van de moord op Cor is en dat wij niet langer kunnen leven met die wetenschap. We willen dat Wim boet voor wat hij heeft gedaan. We zijn van plan om, voordat hij vrijkomt, naar justitie te stappen, in de hoop dat hij gearresteerd wordt voor het geven van de opdracht. Wij vinden dat hij nooit meer vrij mag komen, want Cor is niet zijn enige slachtoffer. Die man is een gevaar voor de samenleving en ik vrees dat hij opnieuw gaat beginnen met moorden als hij vrijkomt. Daarom willen we over alles wat we weten bij justitie een verklaring afleggen, maar graag eerst jouw mening daarover horen.'

Peter reageerde niet geschokt of verbaasd, eerder verdrietig. Hij vroeg naar details, alsof hij hoopte dat onze verhalen niet zouden kloppen, dat wij maar wat verzonnen, dat wij dit niet allemaal echt hadden meegemaakt. Maar toen onze antwoorden en uitleg ervoor zorgden dat hij er niet meer omheen kon, dat dit de realiteit was waarin we leefden, werd hij stil en toonde zich onmiddellijk bezorgd om ons, en om Francis en Richie.

Peter vond de overweging ermee naar justitie te gaan erg gevaarlijk.

'Kijk naar Endstra, kijk naar Thomas,' zei Peter, 'ze hebben hun gesprekken met justitie allebei niet overleefd.'

'Maar,' zei ik tegen Peter, 'dat was toen hij op de top van zijn macht was en hij en Hillis nog vrij rondliepen. Nu zit hij nog vast en is zijn achterban zo goed als verdwenen. Als we iets tegen hem willen ondernemen, moeten we het juist nu doen.'

Peter had zijn bedenkingen. 'Je weet niet wat hij nog allemaal kan,' zei hij. 'Het is een enorme gok waarvan de risico's niet te overzien zijn.'

De boodschap van Peter was duidelijk. Voor onze veiligheid en die van de kinderen zouden we voor de rest van ons leven moeten zwijgen.

Ik was teleurgesteld, maar het was waar. We hadden er niets aan ons verhaal te vertellen en de risico's maar op de koop toe te nemen, dat zou zelfmoord zijn. De opluchting die het misschien zou geven eindelijk eens de waarheid te vertellen, zou al snel niet meer opwegen tegen de angst waarmee we zouden leven.

Die reactie begreep ik, maar Peter zei ook: 'Hoe bewijs je dat hij deze informatie met jou gedeeld heeft?'

Hoe bewees ik dat? Wat was dat nou voor een vraag? Ik vertel dat toch niet zomaar? Waarom zou men mij niet geloven? Alsof ik zomaar voor niets mijn leven op het spel zou zetten.

Maar Peter had gelijk; al vertelde ik wat ik allemaal wist, dan nog betekende dat niet dat hij ook daadwerkelijk zou worden veroordeeld. Peter herinnerde me eraan dat Willem een meester is in het verdraaien van de werkelijkheid. Hij zou ontkennen wat hij mij verteld had en ik zou het niet kunnen bewijzen. Hij zou de verklaring dat wij bang voor hem waren belachelijk maken, want uit het feit dat we altijd met hem omgingen zou toch het tegendeel blijken? Hij zou ontkennen dat hij mij verteld had dat hij de opdrachtgever was, want dat ging hij zijn kleine zusje – een vrouw, nota bene – toch niet vertellen? Hij zou er alles aan doen om de feiten zo om te draaien dat het leek alsof ik er belang bij zou hebben hem ten onrechte achter slot en grendel te laten verdwijnen.

Even was ik zwaar teleurgesteld. Maar het was goed dat Peter mij wakker schudde, dat hij duidelijk maakte dat ik niet hoefde te verwachten dat mijn verhaal met enthousiasme zou worden onthaald als het ontbrekende stukje in de puzzel, en er gegarandeerd een goede afloop zou zijn. Peter had wederom gelijk, ik kon niet bewijzen dat Wim mij in vertrouwen nam over zijn misdaden en dat hij mij had verteld opdracht te hebben gegeven voor verschillende liquidaties. Zonder dat bewijs, en met het onweerstaanbare charisma van Wim, zou niemand mij geloven. Als men mij in het gunstigste geval wél zou geloven, was het de vraag of mijn verklaringen voldoende bewijs opleverden.

Sonja nam onmiddellijk de argumenten van Peter over: 'Als Peter het al zegt, moeten we het niet doen. Peter heeft er verstand van. Hij kent Wim goed en werkt ook veel met de politie samen. Ik ben blij dat we zijn advies hebben gevraagd. We doen het niet.'

'Laat het aan justitie over,' zei Peter.

Maar justitie kon niets of deed niets. Over niet al te lange tijd zou Wim gewoon vrijkomen. Ik besloot het heft in eigen hand te nemen.

Wim gebruikte mij al jaren als klankbord. Net als iedereen binnen ons gezin was ik door Cor en Wim opgevoed in horen, zien en zwijgen. Ik kende het klappen van de zweep in de onderwereld en toen ik eenmaal strafrechtadvocaat was geworden, begon hij de waarde daarvan in te zien, mijn waarde voor hem. Voor hem was ik de ideale combinatie; iemand met juridische kennis die crimineel kon denken, en onze familieband verzekerde hem van mijn onvoorwaardelijke trouw en zwijgzaamheid.

Hij begon steeds meer met mij te delen. Ik ontwikkelde me van zijn kleine vervelende zusje tot een volwaardige gesprekspartner.

Zelf was ik helemaal niet blij met die positie, maar had daar geen invloed op. Ik bepaalde het contact niet. Wim komt wanneer hij daar behoefte aan heeft, en dat is altijd als hij jou kan gebruiken. Jouw behoefte telt niet, het gaat om zíjn behoefte. Daardoor krijg je hem ook niet uit je leven. Hij bepaalt wanneer het contact er is en jij moet beschikbaar zijn. Ben je dat niet, dan zoekt hij je op en torpedeert bewust je sociale leven of je werk. Dan weet je dat je de volgende keer wél beschikbaar moet zijn. Doe je daar moeilijk over, dan zal hij zich tegen jou keren: 'Als je niet met me bent, ben je tegen me.'

En dan loopt het slecht met je af.

Het contact kon ik dus niet vermijden, en om zo lang mogelijk in zijn gratie te blijven en niet als tegenstander te worden gezien, had ik de positie van vertrouweling geaccepteerd. Hij kon op mij vertrouwen, althans: het was van levensbelang dat hij dat dacht.

Met zijn vrijheid in zicht besloot ik die positie uit te bouwen, in de hoop dat het me genoeg bewijsmateriaal op zou leveren om hem achter de tralies te krijgen. En alsof Cor een handje mee wilde helpen, deed zich plotseling een situatie voor die daarbij weleens van dienst kon zijn.

***

Eind 2011, in de aanloop naar zijn invrijheidstelling, vond er een incident plaats tussen Wim en Dino Soerel, die net als Wim werd vervolgd voor de afpersing van Willem Endstra. Soerel vertelde dat Wim zijn naam had misbruikt tijdens het afpersen van Endstra, maar dat hij er niets mee te maken had. Hij wilde Wim hierover als getuige horen en had hem via zijn advocaat laten vragen of hij daartoe bereid was.

Wim weigerde dat, omdat hij de afpersing van Endstra nooit had bekend en ook nooit zou bekennen, bang als hij was dat hij daarmee aan de liquidatie van Endstra gelieerd zou worden, en dat wilde hij hoe dan ook vermijden.

Om Soerels verklaring – dat Wim zijn naam had misbruikt – als ongeloofwaardig neer te zetten, maakte Wim er een incident van. Hij zou onder bedreiging door Soerel gedwongen zijn 'valse verklaringen' af te leggen. Hij riep dit verhaal tegen zijn advocaat en mij bewust over de telefoon van de inrichting, omdat zo zijn verhaal – dat tegelijk zijn alibi zou zijn als Soerel (ongunstig) over Wim zou verklaren – bij justitie bekend zou worden. Wim verwachtte dat dit 'opzetje' hem niet in dank zou worden afgenomen, en inderdaad vonden bepaalde criminele collega's hem een matennaaier.

Wim durfde zijn oude vrienden niet langer te vertrouwen, en ik greep deze kans aan om mijn rol als zijn vertrouweling te verstevigen. Hij had mij nodig: vrienden komen en gaan, maar onze bloedband verzekerde hem van mijn onvoorwaardelijke trouw. Althans, daar rekende hij op, en ik wilde hem dat laten geloven.

Maar precies zoals híj met Cor en zijn beste vrienden had gedaan, hield ik er dit keer óók een eigen agenda op na. Het was wel duidelijk dat we het verzamelen van voldoende bewijs niet aan justitie konden overlaten. Zij konden het niet, of misschien wilden ze het niet? Als we gerechtigheid wilden, moesten wij bewijzen wat wij al zo lang wisten.

Willem Holleeder: Bekende Nederlander (2012/2013)

Het wrange was dat Wim, toen hij vrijkwam in 2012, als een Bekende Nederlander door de samenleving werd onthaald. Mensen riepen hem na, iedereen wilde met hem op de foto. Zijn misdaden hadden hem een sterrenstatus opgeleverd, het leek wel of het de mensen niet uitmaakte wat hij had gedaan. In een mum van tijd werd hij de knuffelcrimineel van Nederland. Hoe vaak hebben wij niet moeten aanhoren hoe aardig en leuk men hem vond, terwijl hij ons enkel terroriseerde? Doordat wij daar zelf niets over zeiden, bleef die valse illusie over zijn persoon bij het publiek logischerwijs in stand.

Ik wist zeker dat ze hem niet zo zouden aanbidden als de waarheid over hem aan het licht kwam: een man die zijn zusje afperste, een pistool op het hoofd van haar zoontje zette en dreigde haar en haar kinderen dood te schieten.

Dát was onze pater familias.

Hij hield ons al die jaren dicht bijeen, we waren inderdaad een gesloten maffiafamilie, maar allemaal met maar één doel: dat hij ongestoord zijn gang kon gaan, dat de waarheid over hem niet bloot kwam te liggen, de waarheid over de man met wie iedereen op de foto wilde.

Geloof me: leven met de maatschappelijke veroordeling voor de Heineken-ontvoering was voor onze familie minder erg dan leven met zijn nieuw verworven sterrenstatus.

Zijn populariteit leverde hem zelfs een baantje op als columnist bij *Nieuwe Revu*. Het verschafte hem de gelegenheid zijn handen nog meer in onschuld te wassen. Via zijn columns kon hij zijn alibi's nog beter oppoetsen, en met de opbrengst van zijn schrijverij kon hij een deeltje van de zeventien miljoen euro die zijn afpersingspraktijken hadden opgebracht, en die hij van de rechter aan de Nederlandse staat moest afstaan, betalen, zodat hij later kon zeggen: 'Meneer de rechter, ik heb geen geld om aan de staat te betalen, dus sluit u mij niet op, want u ziet: als ik wat verdien, betaal ik meteen.'

Voor een man die was veroordeeld voor de brute ontvoering en afpersing van Heineken en Doderer, de afpersing van Endstra, Kees Houtman en anderen, had hij het ver geschopt, en hij nam die status zeer serieus. Toen hij mijn zusje weer eens openlijk op straat verrot schold en zij zachtjes terug piepte, schreeuwde hij dat zij haar stem niet tegen hem mocht verheffen: 'Zo praat jij niet tegen mij. Ik ben een Bekende Nederlander, ik laat me door niemand hier uitkafferen. Denk erom, vuile kankerhoer!'

Sterven 1 (2013)

Wim en ik liepen van de Scheldestraat naar de Ferdinand Bolstraat. Een man kwam ons tegemoet en terwijl hij ons aankeek, stopte hij zijn hand in een klein schoudertasje.

Instinctmatig, zonder iets tegen elkaar te zeggen, splitsten we op, Wim liep aan de ene kant van de straat en ik aan de andere kant. Het heeft geen zin bij elkaar te blijven als er geschoten gaat worden. Liever dat er een geraakt wordt, dan twee.

Onze ogen waren gericht op het tasje. Allebei scanden we de persoon en de situatie. Was het wel of geen schutter? Afgaande op zijn uiterlijk en manier van bewegen kon het, hij voldeed aan het profiel.

Je ontwikkelt er in de loop der jaren een zesde zintuig voor. Op een kantoorklerk of studentikoos type slaan wij niet aan, maar het is niet alleen het uiterlijk waar wij op letten: het gaat ook om de gerichtheid van een blik en de doelbewustheid tijdens het lopen.

De jongen haalde zijn hand uit zijn tas. Het was niets. Ik ging weer naast Wim lopen.

'Niks aan de hand,' zei hij.

'Maar beter het zekere voor het onzekere,' zei ik.

We hadden weleens over zijn dood gepraat, toen hij problemen met zijn hart kreeg. Ik had met hem afgesproken dat Sonja, Sandra en ik de beslissing om de stekker eruit te trekken met z'n drieën zouden nemen als hij er door zijn hartproblemen als een kasplantje uit zou komen.

'Heb je het geregeld?' vroeg hij vanachter het glas, tijdens het bezoek in de gevangenis in Scheveningen. 'Wel met z'n drieën, hè? Want ik weet hoe jij bent, Assie, jij trekt de stekker er bij mij al uit als je er een ziet. Sonja kan niet kiezen, en dan kan Sandra mooi de doorslag geven. Die houdt het meest van me.'

Dat hij geen kasplantje wilde worden had hij uitgebreid met ons besproken, maar we hadden het nog nooit over het einde van zijn leven door een mogelijke liquidatie gehad. Daar was weliswaar zijn hele leven, en daarmee dat van ons, op afgestemd, maar er werd nooit over gepraat. Voordat hij voor de afpersing van Willem Endstra vast kwam te zitten en hij vanuit verschillende hoeken bedreigd werd, was ik er ooit een keer over begonnen.

'Ben je soms uit op mijn geld, dat je dat vraagt? Wil jij me soms om laten leggen?' zei hij toen.

Hij kreeg die bekende zwarte blik in zijn ogen en ik zag dat hij meende wat hij zei. Ik stopte er direct over, want ik wilde niet riskeren dat hij dat echt zou gaan denken.

Toen we daar in de Scheldestraat liepen en de situatie ernaar was, probeerde ik het nog een keer. Ik wilde van hem weten hoe iemand die zo makkelijk over andermans leven beslist, zelf over de dood denkt.

'Ben jij niet bang om dood te gaan?' vroeg ik.

'Nee,' zei Wim. 'Ik heb het al eens meegemaakt, toen mijn hart ermee stopte. Ik werd een beetje duizelig, en ineens liep ik door de straat richting een wit licht, het was heel relaxed, best lekker eigenlijk. Ik voelde me toppie en ineens hoorde ik Sonja roepen: "Wim, kom terug, kom terug, Wim, kom hierheen!" Ze wenkte me, dat ik haar kant op moest lopen. Toen ben ik naar Sonja gegaan en ben ik blijven leven.'

'Dat meen je niet,' zei ik. 'Sonja?' En ik dacht: wat een drama is die zus van me, heeft ze hem nog teruggebracht ook! Ze wordt bedankt.

'Dus nee,' vervolgde hij, 'ik ben niet bang voor de dood. Je merkt het niet als het gebeurt, en je hebt er zelf geen last van.'

Wat hij vertelde stond haaks op de psychologische en psychiatrische rapportage, waarin hij liet optekenen dat hij bang was om in de inrichting dood te gaan, dat hij zo graag bij zijn familie wilde zijn, om samen met hen zijn uitzicht op zijn korte levensduur te kunnen verwerken.

Toen ik hem daarnaar vroeg, zei Wim: 'Dat heb ik alleen gedaan om een beetje prettiger te kunnen zitten. Die rapporten konden daarvoor altijd nog van pas komen.'

Met de dood kon je hem dus niet raken.

'Vastzitten is erger,' voegde hij eraan toe.

Nou, dan moet dat 'm toch maar worden, bedacht ik. Ik moest niet zo soft zijn en zorgen dat ik de eerste 'klap in het donker' uitdeelde, voor Francis, voor Richie, voor Cor.

Ik staarde naar het nummer dat Peter me had gegeven.

Bellen voor een afspraak betekende dat ik bevestigde wat hij de CIE over Sonja en mij had verteld tijdens zijn voorgesprek. Bellen betekende dat ik misschien wel bereid was over hem te verklaren. Bellen betekende dat er ten minste één rechercheur was die dat zou weten en dat aan mijn broer zou kunnen vertellen.

Als Wim via zo'n bevriende Pet te horen zou krijgen dat ik had gebeld, dan was het voor mij direct afgelopen. Ik zou het nooit zien aankomen. Want zo gaat dat bij hem: 'Nooit laten merken wat je weet, Assie.' Opdracht geven, aardig blijven doen, dicht bij je houden en als er dan wat gebeurt, huilend op de bank gaan zitten.

Dat hij te weten zou komen dat ik met justitie in gesprek was, kon ik niet voorkomen. Ik kon er beter van uitgaan dat het zou gebeuren en hem een plausibele reden voor dat contact geven. Daarom had ik hem op eigen initiatief en op voorhand al verteld dat ik 'een goed contact' met een CIE-officier had. Het was een alibi dat ik vlak na zijn vrijlating had gecreëerd, toen ik hem vertelde in zíjn belang met deze officier te praten. 'Dat is altijd handig, toch?' zei ik geheel in zijn lijn.

'Altijd handig, Assie,' zei hij.

Mijn werk als advocaat in strafzaken maakte aannemelijk dat ik een dergelijke connectie had, en hij slikte mijn verhaal. Mocht justitie nu laten lekken dat ik contact met hen had opgenomen, dan zou dit mijn alibi zijn: 'Je wist toch dat ik met de CIE sprak? Maar dat doe ik alleen maar voor jou.'

Het was het maximale wat ik kon doen om me in te dekken tegen corrupte rechercheurs, maar het bleef een risico.

De volgende dag maakte ik een afspraak.

De afspraak (2013)

Op 21 februari 2013 belde ik gespannen het nummer. Een vrouwenstem nam op: 'Met Michelle.'

'Hallo, ik heb jullie nummer via Peter de Vries en ik wil een afspraak maken,' zei ik.

Zij begreep onmiddellijk wie ik was en vroeg of ik morgen kon afspreken.

'Ik kan,' antwoordde ik.

Ze zouden mij terugbellen over het tijdstip.

Ik zei: 'Wil je mij een sms sturen, ik praat liever niet over de telefoon.'

Aan het eind van de ochtend stuurden zij de tijd en de locatie: 18.00 uur, Newport Hotel, Amstelveen.

De afspraak was gemaakt.

Die middag reed ik naar Sonja om haar te vertellen dat ik het had gedaan.

'Heb je echt een afspraak gemaakt?' vroeg ze.

'Ja,' zei ik, 'ik zie geen andere mogelijkheid meer. Ik ga het aftasten en dan zie ik het wel.'

'Zal ik met je meegaan?'

'Nee,' zei ik, 'wacht maar even af. Het is toch kit. Het is beter dat ze jou nog niet hebben gezien, dan kunnen ze ook nooit zeggen dat jij hierbij betrokken bent geweest. Bovendien: jij kunt niet verantwoorden waar je bent. Als hij belt en je bent niet bereikbaar, krijgt hij weer allerlei gekke gedachten in zijn kop. Van mij is hij het gewend, door mijn werk ben ik altijd al moeilijk bereikbaar, maar jou gaat hij wantrouwen. Dus ik ga wel even alleen.'

Op weg naar mijn afspraak met de Criminele Inlichtingen Eenheid keek ik voortdurend in mijn spiegels of ik niet werd gevolgd. Ik had een andere auto genomen, want als Wim toevallig mijn auto zou zien, zou hij zich afvragen wat ik in dat hotel deed.

Ik was zenuwachtig. Hij gebruikte hotels ook als ontmoetingsplaats, voor hetzelfde geld had hij daar net afgesproken en kwam ik hem tegen. Of stond hij, zoals zo vaak, ineens vanuit het niets naast mij. Ik wist nooit hoe hij mij op het spoor kwam en het gaf me altijd de rillingen.

Ik kreeg een berichtje op mijn telefoon. 'Hoi, laat even weten als je er bent, dan vangen wij je op in de lobby.'

Ik arriveerde bij een groot, statig hotel niet ver van de plaats waar Cor was omgekomen. Ik reed de parkeergarage binnen en parkeerde mijn auto. Een trap naar boven leidde naar de ingang van het hotel. Ik moest al mijn moed bijeen rapen om naar binnen te gaan en putte kracht uit de wetenschap dat we dit voor Cor deden.

Ik liep naar binnen en schrok. Het was een compleet onoverzichtelijke ruimte met overal nissen, in- en uitgangen. Als hij hier zat, of binnen zou komen, zou ik dat nooit in de gaten hebben. Wat een waardeloze locatie en wat een slecht begin: ik kreeg onmiddellijk spijt. Als dit de manier was waarop ze met mijn anonimiteit omgingen, dan had ik daar weinig goeds van te verwachten.

Ik nam plaats in de lobby. Elke seconde dat ik daar zat,

nam mijn onrust toe. Ik nam geen risico door langer te blijven, stond op om weer weg te gaan en liep naar de uitgang. Een blonde vrouw kwam me tegemoet en zei: 'Astrid?' Ik knikte. 'Ik ben Michelle. Wij hebben elkaar aan de telefoon gehad.' Ze was duidelijk van de politie, ze oogde fris en keek zuiver uit haar ogen. Geen Pet, zo op het eerste gezicht. Ik besloot in een fractie van een seconde om met haar mee te gaan. Zonder verder te praten liepen we naar de lift en stapten in. De deuren gingen dicht en de muren kwamen op me af. Ik kreeg het benauwd en begon te zweten.

Daar stond ik dan, in de lift, *samen* met een vertegenwoordiger van justitie in plaats van *tegenover* justitie. Dat laatste was ik zowel privé, vanuit mijn familie, als professioneel, vanuit mijn werk als strafrechtadvocate, gewend. Geen ideale omstandigheden voor een warme relatie met het opsporingsapparaat.

Justitie bekeek mij ook al jaren met argusogen, in hun beleving stond ik met een been in de onderwereld en met het andere in de bovenwereld. Zij vertrouwden mij net zo min als ik hen vertrouwde.

Ongemakkelijk stonden we naast elkaar.

'Wat fijn dat je gekomen bent,' probeerde de blonde vrouw het ijs te breken.

Ik knikte beleefd, maar het voelde zeker niet 'fijn'. Eenmaal in die lift wilde ik niets liever dan weer weggaan. In onze familie wordt het als een schande beschouwd om met justitie te praten, dat gaat tegen al onze principes in. Wij zijn geen 'verraders'.

Mijn moeder had ons dat met de paplepel ingegoten. Haar vader was tijdens de oorlog meegenomen door de Duitsers. De vader van mijn vader was een NSB-er; een vieze verrader, fluisterde mijn moeder altijd zodat mijn vader het niet kon horen.

Tegelijkertijd wist ik dat ik hier niet had gestaan als Wim mij daar niet toe had gedwongen, en ik hield me vast aan mijn beweegredenen.

'Je bent moeilijk te bereiken, hè?' ging de blonde vrouw verder in haar poging het gesprek op gang te brengen. 'We proberen het al langer maar zowel privé als via je werk kwamen we er niet doorheen.'

'Dat kan. Ik heb het niet zo op vreemde mensen,' antwoordde ik kortaf.

Het was een hele summiere samenvatting van de manier waarop ik al zoveel jaren leefde. Met een familie als de onze kan ik het mij niet permitteren dat onbekenden zomaar met mij in aanraking kunnen komen. Ik weet nooit met welke bedoeling er contact gezocht wordt: het kan pers zijn op zoek naar een sensationeel verhaal, een informant van de politie die probeert te infiltreren in de familie, collega's van mijn broer die contact met hem zoeken of juist vijanden die hem via mij iets duidelijk willen maken. Ik doe mijn uiterste best om bij geen van deze mensen in beeld te komen, want het gaat ze niet om mij.

'Mijn secretaresse legt ieder verzoek om contact aan mij voor. Ik maak geen afspraken met onbekenden, en mijn privéleven beperk ik tot mijn familie,' lichtte ik toe, in een poging wat toegankelijker te zijn. Ik realiseerde me dat ik bij de eerste vraag die zij stelde het contact al afweerde.

Maar daar was ik niet voor gekomen. Ik stond niet voor niets in deze lift, hield ik mezelf voor. Niet dichtklappen nu. Voor Cor wilden wij het zwijgen doorbreken.

De lift stopte op de tweede verdieping en de deuren gingen open. Ik liep mee de gang over en de blonde vrouw klopte op de deur van een hotelkamer. Weer voelde ik die angst dat ik een bekend gezicht zou zien. Wat als ik net de Pet trof bij wie

Wim zijn informatie haalde? Dit was geen toevallig treffen, dit was een heuse ontmoeting met de kit, een gesprek met de politie, een gesprek over hem. Wat als deze persoon het wel interessant zou vinden om aan de eettafel thuis of in de kroeg te melden dat hij of zij met 'de zus van' had gesproken? Wat als die informatie ging zwerven? Ik zou dood zijn voordat ik er erg in had.

Al deze gedachten raasden door mijn hoofd, in afwachting van de deur die open zou gaan.

Een lange, rossige jonge vrouw vroeg of ik binnen wilde komen. Gelukkig: ze kwam me niet bekend voor en het accent waarmee ze sprak verraadde dat ze van buiten de stad kwam. Het was niet iemand die contact met Wim zou hebben. Daarvoor was ze te 'gewoon'.

Ze stak haar hand uit. 'Ik ben Manon. Fijn dat je er bent,' zei ze, maar het stelde me niet op mijn gemak. Mijn god, wat deed ik hier? Ik blokkeerde helemaal, ik werd bij mijn keel gegrepen door de gedachte dat ik Wims regel doorbrak dat je *nooit* met de politie praat en het voelde of ik zou stikken.

'Wil je wat drinken?' vroeg de roodharige vrouw.

'Wat water graag,' antwoordde ik.

Ik voelde dat mijn mond droog was van de spanning en dat ik snel en oppervlakkig ademhaalde. Ik wilde mijn gedachten loslaten, maar ik werd overspoeld door alle negatieve ervaringen met justitie die mijn wantrouwen tegen hen zo hadden gevoed. De reacties van mijn familie op mijn plan met justitie in zee te gaan speelden door mijn hoofd.

'Denk je dat justitie gaat geloven hoe onze familierelaties werkelijk zijn? Zij hebben daar een heel ander beeld van. Zij zien ons als een gesloten maffiafamilie. Ze denken misschien wel dat je gestuurd wordt door Wim, om een spelletje te spelen. En als ze je al willen geloven, word je alleen maar door hen gebruikt. Kijk hoe zij Thomas van der Bijl erin hebben gegooid. Hij legde verklaringen af over Wim, ze boden hem geen enkele bescherming, en niet veel later werd hij vermoord toen hij stond te stofzuigen in zijn café. Justitie is net zo slecht als Wim. Waarom zou je het doen? Wij zijn schorem in hun ogen. En als het wel lukt en hij blijft vastzitten? Wat dan? Je weet dat hij je laat vermoorden als je praat, hoe dan ook. En gaan zij je dan beschermen? Kijk naar Thomas, ze doen niks voor je. Ze denken over jou zoals ze over Caroline van der Bijl denken; haar man, Thomas van der Bijl, heeft zijn leven gewaagd – en gelaten – door tegen Wim te verklaren, maar als ze het over haar hebben noemt de officier van justitie haar "die hoer van de Gelderse kade". Caroline had dat gesprek op haar voicemail opgenomen toen de officier dacht dat haar telefoon na het gesprek al uitstond. Dat is luid en duidelijk afgespeeld op televisie. Denk je dat ze over jou anders denken, omdat je advocaatje bent? Je bent een Holleeder!'

Ze hadden gelijk. Sinds de Heineken-ontvoering had ik alleen een achternaam, en bij de naam Holleeder dacht iedereen automatisch aan Wim en, erger nog, dat ik net zo was als hij.

Justitie rekende mij, net zoals iedereen in onze familie, tot zijn kamp, tot de onderwereld. In elk onderzoek naar Cor of Wim werd ik meegenomen, tapten ze mijn telefoon af, kreeg ik invallen te verduren en namen ze mijn spullen in beslag.

Tegelijkertijd wist ik dat er geen andere oplossing was dan met hen in gesprek te gaan. De oplossing die het criminele milieu bood – liquidatie – was uitgesloten, omdat Sonja dat niet als straf zag: zo makkelijk mocht hij niet wegkomen met zijn misdaden, vond zij.

'Laat hem ook maar lijden, wij lijden al jaren,' vond ze.

Het was een kwelling dat hij overal maar onderuit kon komen, zijn armen in de lucht kon gooien, een zielig gezicht kon trekken en roepen: 'Maar ik krijg overal de schuld van! Als er een liquidatie wordt gepleegd, heb ik het gelijk gedaan!'

'Dat kan hij goed,' zei Sonja, 'zielig doen. Weet je wat zielig is? Dat Cor zijn laatste seconden op de koude stenen van het Oude Dorp lag. Dat is pas zielig. Dat mijn kinderen geen vader hebben, dat is pas zielig. Hij mag er niet mee wegkomen door over de rug van Cor zielig te doen. Laat iedereen maar weten hoe hij echt is. Ik wil eindelijk een keer de waarheid vertellen.'

Ze wilde dat iedereen kon zien wie hij werkelijk was, wat hij had gedaan. Al jaren strooide hij iedereen zand in de ogen met zijn schijnheilige gedrag. Alles deed hij voor zijn imago.

Sterven als een Godfather hoorde daarbij.

Sonja wilde niet dat hij kon sterven als een mythische figuur.

Met het laatste was ik het wel eens, maar ik vond het humaner voor Wim als het voor hem ook zou eindigen op de koude straatstenen. Ik had erg veel moeite met de gedachte dat hij elke dag in een cel moest doorbrengen. Beter dat hij dat niet meemaakte, vond ik, en het voordeel daarvan was dat we nooit meer achterom hoefden te kijken.

'Hij heeft altijd gezegd dat als hij levenslang krijgt, hij er een eind aan maakt,' zei Sonja. 'Laat hem dat maar doen, dan mag hij sterven, wetende dat wij de dood van Cor hebben gewroken.'

Het was simpel. Om Wim op de door Sonja gewenste manier te bestrijden, hadden we justitie nodig. Ik moest mijn emoties opzijzetten en het wat zakelijker bekijken.

'Fijn dat je er bent,' zei Manon opnieuw. Ze verstoorde mijn gedachten. 'We hebben gehoord dat er een dreiging speelt, klopt dat?'

'Ja, dat klopt, er is een dreiging,' herpakte ik mijzelf. 'Maar daar kom ik niet voor. Het probleem is niet de dreiging, het probleem is de oorzaak van die dreiging.'

Inwendig moest ik lachen. Deze mensen hadden echt geen idee hoe ons leven eruitzag. Wij leefden al zo lang met dreiging, dat we niet beter wisten. Daarover gingen wij echt niet lopen janken.

'De oorzaak?' vroeg Michelle.

'Ja, de oorzaak. Mijn broer.'

'Je broer? Welke broer bedoel je: je hebt er twee, toch?'

'Ik bedoel Wim,' zei ik, 'je weet toch wel wie ik bedoel?'

Ja, dat wisten ze zeker wel en zo waren we op het onderwerp terechtgekomen waar we allemaal voor kwamen. Ik stond op het punt het verstoorde beeld dat er van onze familie bestond recht te zetten.

'Als mijn broer niet altijd ellende zou veroorzaken, hadden wij ook geen probleem. Maar hij blijft doorgaan. En dan is het logisch dat er vergelding komt.'

'Wat moet dat vervelend voor jullie zijn,' zei Michelle, maar van haar gezicht was af te lezen wat zij in werkelijkheid dacht: je hebt altijd voor je broer gekozen, en nu heb je last van hem en kom je zeiken?

Daar zat ze verkeerd. Last van Wim hebben we al zo lang ik me kan heugen, daar konden we goed mee omgaan, die problemen losten wij altijd op onze eigen manier op, daar hadden wij justitie niet voor nodig. Integendeel, bemoeienis van justitie zou onze problemen alleen maar groter maken. Ik kwam niets van justitie vragen, ik kwam justitie wat brengen. Het enige wat zij hoefden te doen was hun taak als opsporingsinstantie uitvoeren. Maar wat ik haar precies kwam brengen, dat hield ik nog even voor me.

'Wij zijn het gewend, maar het wordt wel tijd dat het een keer stopt. Die man is een blijvend gevaar voor de openbare orde.'

Voordat ik verder ging met vertellen sprak ik hen aan op hun verantwoordelijkheid tegenover mij: 'Ik neem een groot risico door met jullie in gesprek te gaan. Jullie moeten weten dat als mijn broer achter ons gesprek komt, dat alleen maar bij jullie vandaan kan komen. Als jullie ons gesprek op de een of andere manier laten uitlekken, dan overleef ik dat niet. Mijn broer weet wat ik van en over hem weet en hij zal geen seconde aarzelen me uit de weg te laten ruimen.'

Ik zag dat ze mijn woorden niet heel serieus namen; ik was toch zijn zuster? Hun enige beeld over hoe het er in de onderwereld aan toeging, baseerden ze kennelijk op maffiafilms als *The Godfather*, waarin de pater familias voor niemand liefde en mededogen kan opbrengen, behalve voor zijn eigen familie.

Maar ons leven was geen *Godfather*-film, geen romantisch portret van het boevenleven, het was een keiharde realiteit waarin één persoon het leven van ons allemaal verziekte.

Hun gedachtegang was levensgevaarlijk voor mij. Ze waren gemakzuchtig, en in mijn ogen niet waakzaam genoeg om te voorkomen dat ons gesprek zou uitlekken. Als zij dat niet in konden zien, hoefde ik niet verder te praten. Dan stopte ik het gesprek.

'Nee,' haastten ze zich te zeggen, 'we begrijpen het heel goed. Je hoeft je echt geen zorgen te maken. Behalve de officier van justitie, Betty Wind, weet niemand van onze ontmoeting en niemand komt dat ook te weten. We begrijpen je ongerustheid heel goed.'

'Dat hoop ik maar,' zei ik, 'want anders speel ik hier met mijn leven. Het is allemaal heel anders dan jullie denken. Voor ons geldt net als voor ieder ander dat als je niet met hem bent, je tegen hem bent. En als je tegen hem bent, dan weet je wat er met je gebeurt. Wim maakt geen uitzondering omdat we toevallig familie zijn, integendeel. Juist omdat we familie zijn, verwacht hij meer dan onvoorwaardelijke loyaliteit. Maar onze "loyaliteit" is niet gebaseerd op liefde, maar wordt afgedwongen door pure angst. Die loyaliteit staat altijd in het teken van zijn belangen, nooit is die loyaliteit wederzijds, hij verraadt ons wanneer het hem uitkomt.'

Ik vertelde dat mensen denken dat wij één grote gelukkige familie zijn met hem als het stralende middelpunt, dat wij dezelfde normen en waarden delen, maar dat de werkelijkheid heel anders is en dat wij daar als familie allemaal hetzelfde over denken.

De verbazing bij de beide dames was groot. Zo hadden ze zich onze 'hechte familie' niet voorgesteld. Ze wilden verder. Ze hadden begrepen dat ik ook kon verklaren over strafbare feiten die hij had gepleegd en vroegen of ik daar iets over kon vertellen. Dat kon ik wel, maar dat deed ik op dit moment nog niet. Ik wilde eerst kijken wat voor mensen ik tegenover mij had.

Ik had me voorgenomen inzicht te geven in de familieverhoudingen, maar niets inhoudelijks over strafbare feiten te vertellen. Mochten ze lekken, dan konden ze hooguit lekken dat ik hem een psychopaat en een klootzak voor zijn familie vond. Daarvan kon ik hem altijd nog zeggen dat het leugens waren, bedoeld om ons tegen elkaar op te zetten. Maar als ik informatie over een van de liquidaties zou geven dan wist hij direct dat het bij mij vandaan kwam, want hij weet wat hij met mij bespreekt en dat doet hij niet met (veel) anderen.

Maar misschien kon ik dan in ieder geval de onderwerpen aangeven waarover ik kon verklaren? vroegen ze.

'Ik kan vertellen dat het om heel ernstige feiten gaat,' antwoordde ik.

Misschien kon ik daar de volgende keer over verklaren?

'Misschien,' antwoordde ik. 'Ik ga het eerst met mijn zusje bespreken. Als zij niet getuigt, doe ik het ook niet.'

We gingen uit elkaar met de afspraak dat zij het met hun officier gingen bespreken en dat ze graag een volgende afspraak wilden maken.

Na het gesprek voelde ik opluchting: ik kon eindelijk eens kwijt dat wij niet Wims verlengstuk zijn, dat wij zelf kunnen denken en oordelen, zij het dat we dat nooit openlijk kunnen doen. Maar dat gevoel van opluchting was van korte duur, want zodra ik één voet buiten die hotelkamer zette, stapte ik weer de realiteit in. Míjn realiteit, die beheerst werd door hem. Beheerst werd door de angst over wat ik nu had gedaan: ik had zijn ijzeren wet overtreden. Mijn maag draaide om. Ik rende de trap af naar het toilet en spoog de inhoud eruit. De opluchting die ik even had gevoeld, was binnen een seconde verdwenen.

Ik ging dit nooit meer doen.

Ik ging nooit meer 'snitchen'.

Ik stapte in mijn auto en reed direct naar Sonja om haar verslag uit te brengen van mijn gesprek. Ze stond me al bij de deur op te wachten.

'Tjeetje, wat zie jij eruit! Je bent spierwit! Wat is er gebeurd? Was het zo erg? Waren het Petten?'

'Nee, niks ergs, het gaat wel. Ik ben alleen zo misselijk. Ik heb alles ondergespogen. Ik voel me niet lekker. Het gaat wel over,' zei ik.

'Komt omdat je hebt gepraat.'

'Ja,' zei ik, 'ik vind het heel moeilijk.'

'Denk je dat het Petten waren?' vroeg ze nog eens.

'Ik weet het niet. Je weet het natuurlijk nooit. Maar ik heb nog niks belangrijks verteld, niks waaruit Wim zou kunnen afleiden dat ik over hem gepraat heb.'

'Beter,' zei Sonja. 'Wat heb je dan wel verteld?'

'Dat wij niet langer op willen draaien voor de ellende die hij veroorzaakt. En een beetje over hoe hij in elkaar zit en dat wij helemaal niet een grote gelukkige familie zijn.'

'Hoe reageerden ze daarop?'

'Ik kreeg de indruk dat ze wel verbaasd waren.'

'En nu?'

'Nu ben ik als de dood dat hij erachter komt,' antwoordde ik.

'Dat bedoel ik niet. Hoe nu verder?' vroeg Sonja.

'Ze willen nog een afspraak. Ze willen natuurlijk horen wat we te vertellen hebben, om in te kunnen schatten of ze het kunnen gebruiken. Maar ik doe het alleen als jij ook meedoet. Anders heeft het geen zin.'

'Dat begrijp ik. Ik wil ook heel graag, As. Maar de kinderen...'

'Maar die lopen nu ook gevaar. Ik weet het ook niet. Ik moet het allemaal laten bezinken.'

'Ga even liggen,' zei Sonja.

'Nee, ik moet naar huis, voor het geval hij aan de deur komt. Als ik er niet ben, gaat hij weer zoeken. Beter dat ik even bereikbaar ben.'

'Oké, ik hou van je.'

'Ik hou van jou, zusje.'

Ik stapte in mijn auto, reed naar huis en dook mijn bed in.

Diezelfde avond ging de bel. Daar stond Wim. En als hij beneden stond, dan betekende het dat ik naar beneden moest komen, omdat we niet in huis praatten. O nee, niet nu, dacht ik. Was hij hier omdat hij het al wist? Hij weet het! Ik was ervan overtuigd dat hij het wist.

'Schiet op!' riep hij. Het ging hem weer niet snel genoeg. Het gaat hem nooit snel genoeg.

'Ik kom eraan,' riep ik terug.

Ik voelde me betrapt, onzeker, bang dat hij erachter was gekomen wat ik had gedaan. En als hij het niet al wist, was ik bang dat ik zou laten merken wat ik had gedaan. Ik voelde me zwak. Maar ik wist dat ik moest doen alsof er niets aan de hand was, om zijn argwaan niet te wekken. Ik had nu geen tijd voor zwakte.

Voordat ik naar beneden ging keek ik snel in de spiegel of hij aan mijn gezicht zou kunnen zien wat ik had gedaan. Ik moest vooral mijn zenuwen de baas blijven, want anders zou hij zeker merken dat er wat speelde en dat zou voor hem een reden zijn te gaan onderzoeken waar mijn afwijkende gedrag vandaan kwam. Hij kende me door en door. Oké, de laatste trede, gezicht in de plooi en gaan!

'Hey, lief broertje,' zei ik zo ongedwongen mogelijk.

We liepen de trap af, de Deurloostraat in, tot hij het veilig genoeg vond om te praten.

'Nog nieuws?' vroeg hij.

Nog nieuws? Het was de zin waar hij vrijwel al onze ontmoetingen mee begon, altijd op zoek naar informatie over hem of over anderen, die hij kon gebruiken. Het beschikken over informatie over zijn collega's, justitie en zijn slachtoffers is zijn kracht. Hij zorgt dat hij alles weet wat er te weten valt, bij voorkeur van iemand uit het vijandelijke kamp.

Ik was die vraag gewend, hij kwam altijd.

Maar deze keer klonk die vraag in mijn oren heel anders. Het was alsof hij zei: moet je me niet vertellen dat je met de kit hebt gesproken?

In de seconde die daarop volgde, voelde het alsof al het bloed uit mijn lichaam vloeide. Ik werd draaierig en dacht om te vallen. Ik moest blijven denken, dit was angst, angst voor ontdekking van wat ik had gedaan, maar, zei ik tegen mezelf:

hij weet het niet! Dat kan hij niet weten! Kom op, As, je moet jezelf herpakken.

'Nee, niets, geen nieuws,' antwoordde ik zo natuurlijk mogelijk. 'Bij jou alles rustig?'

'Ja, altijd scherp blijven, hè.'

Hij vertelde dat hij de hele avond bij een voormalige vijand thuis had gezeten, wat betekende dat die vijand hem alweer in vertrouwen had genomen en dat hij daar niks meer van te vrezen had.

Hij vertrouwde me nog steeds zijn positie toe. Gelukkig, dat betekende dat hij nog niets in de gaten had. Zolang hij zijn wel en wee met mij deelde, zat ik nog aan de goede kant. We namen zijn positie door, hij moest nog ergens anders langs en we namen afscheid.

Eenmaal weer thuis werd ik overweldigd door een enorm schuldgevoel. Ik was mijn eigen broer aan het verraden. Mijn broer die mij in vertrouwen nam en niets in de gaten had. Nietsvermoedend liep hij mee aan mijn hand, zijn eigen ondergang tegemoet.

In de spiegel zag ik de tranen over mijn wangen lopen: 'Ik haat jou!' riep ik tegen mijn spiegelbeeld. 'Je bent net zo erg als hij!'

Ik zou nooit meer naar een gesprek met de CIE gaan, want ik wist niet wat erger was: de haat om wat hij allemaal had gedaan, of mijn zelfhaat door hem zo uit te leveren aan justitie.

Ik voelde de vaten in mijn hersenen samenknijpen. En zoals zo vaak als mijn lichaam mijn geest niet meer aankon, kreeg ik een kanjer van een migraine, die een einde maakte aan het denken.

Hersendood tot de volgende ochtend.

Toen het opnieuw begon.

De bel ging, Wim stond er weer.

'Assie, kom je buiten spelen?' schreeuwde hij naar boven.

O nee, nu ging hij op zijn manier nog grappig doen ook, wat was er aan de hand? Hij doet nooit grappig. Hij wist het! Dat kon niet anders.

'Sssst,' siste ik, 'schreeuw niet zo voor de buren. Het is pas zeven uur in de ochtend!'

Ik had nog geen tijd gehad me aan te kleden, greep wat er lag van gisteren, en ging snel naar beneden. Ik wilde hem niet laten wachten, en zo snel mogelijk weten waarom hij zo jolig deed.

Het was een waardeloos idee van mij, dat gesprek. Ik had spijt als haren op mijn hoofd. Ik zou vanaf nu altijd met de onzekerheid moeten leven dat hij er ooit achter zou komen.

Waarom moest ik zo nodig laten weten hoe hij werkelijk was? Wat was ik daar nou mee opgeschoten? Alsof die mensen iets voor ons konden doen. Ik heb ze een voorstelling gegeven en ze hebben even kunnen genieten van onze ellende.

Wat had ik een spijt.

'Je moet even langs Sonja,' zei hij.

'Oké,' zei ik.

'Zeg haar dat ze om 11 uur op het Gelderlandplein is. Ik moet haar daar even hebben.'

'Is goed. Ik regel het,' zei ik. En ik dacht: gelukkig, ik ben nog steeds nodig, hij weet nog niets.

'Ik moet nu even de stad uit. Regel het. Ze moet er zijn. En niet bellen.'

'Ja, komt goed,' zei ik.

Ik stapte gelijk in mijn auto en reed naar Sonja. Ik liet mezelf binnen en riep haar bij de bijnaam die Cor haar vanwege haar kickbokshobby had gegeven: 'Boxer, waar zit je?'

'Ik lig nog in mijn bed!' riep ze terug.

Ik liep naar haar toe: 'Je moet even wat voor hem doen.'
'Nee,' zei ze. 'Ik ga niks meer voor hem doen. Alles wordt
ellende bij hem. Ik ben blij dat ik overal vanaf ben.'
'Ga je hem dat dan zelf vertellen, Boxer?' vroeg ik. 'Want ik
ga dat niet doen. Hier, bel.'
Ik gooide mijn toestel op haar bed. Het was halfacht in de
ochtend, ik had een kanjer van een migraine achter de rug en
Boxer moest zo nodig opstandig doen terwijl ze wist dat ze
toch niet kon weigeren.
Als ze niet om 11 uur op het Gelderlandplein zou zijn, brak
de pleuris uit. Dan zou ze een patroon doorbreken en zou hij
wantrouwig worden. Omdat ik had gezegd dat ik het zou regelen, zou zijn woede zich vervolgens ook op mij richten en dat
kon ik nu echt niet gebruiken.
'Boxer, ik heb net met de kit gesproken, dit is niet de tijd
om bijdehand te gaan doen tegen hem. Laten we even niet van
de normale patronen afwijken. Dat hebben we genoeg gedaan,
meer kan ik niet aan. Dus doe wat je normaal ook doet.'
Ze zag dat ik heel gespannen was: 'Oké. Ik ga wel weer.
Vertel me over gister. Hoe was het?'
'Tja,' zei ik, 'doodeng. Hij heeft sindsdien ook alweer twee
keer aan de deur gestaan. Ik ben bang dat hij het weet.'
'Nee gek, hoe dan?'
'Dat weet je toch nooit bij hem? Het waren twee jonge,
knappe vrouwtjes, voor hetzelfde geld kent hij ze vanuit de
kroeg. Ik weet niet, ik lul maar wat, ik ben gewoon bang. Ik
had gisteren gelijk migraine. Ik zie spoken.'
Sonja probeerde me kalm te krijgen: 'Hij kan het niet weten,
in ieder geval nu nog niet, want dan had hij gister met een van
die meiden in bed moeten liggen.'
'Nou, dat kan toch?' zei ik. 'Hij neukt toch iedereen die hij
kan gebruiken?'

'Nee,' zei ze, 'hij kan het nog niet weten.'

'Ja, dat zeg jij. Maar de afspraak was een dag van tevoren gemaakt en wat als die meiden het in een agenda zetten waar anderen ook in kunnen gluren? Box, ik zweer het je: ik heb spijt, dat wil je niet weten. Wat heb ik gedaan? Hij gaat me vermoorden!'

'Doe rustig, As. Er is niks aan de hand. Hij laat je nog steeds dingen doen, dus maak je niet druk.'

'Ik maak me wel druk. Als hij erachter komt, ben ik dood. Ik doe dit nooit meer. Ik praat niet meer met ze.'

Mama (2013/1970)

Het was zeven uur in de ochtend toen mijn moeder belde, erg vroeg voor haar doen. Normaal gaat ze klokslag acht uur uit bed en begint haar dagelijks ritueel met de zorg voor de kat, ontbijt maken, het innemen van medicijnen voor haar hart en haar bloeddruk, en vervolgens het bellen van haar dochters. Dat ze zo vroeg belde, betekende dat er iets aan de hand was.

'Hi mam, wat ben je vroeg? Ben je al uit bed?' vroeg ik.

'Ja,' antwoordde ze, 'ik ben al vanaf halfzeven wakker. Je lieve broertje kwam vroeg langs.'

Met die schijnbaar alledaagse mededeling vertelde ze me dat er weer een probleem met Wim was.

'Oké, gezellig,' antwoordde ik, daarmee zeggend dat ik begreep dat het allesbehalve een gezellig bezoekje was geweest.

'Kom je nog langs vandaag? Ik heb gedroogde ananas voor je gehaald,' zei ze, maar het betekende: kom naar me toe, ik moet je iets vertellen en het kan niet wachten.

'Ja, is goed, ik zie je vandaag wel,' antwoordde ik, maar het betekende: ik kom gelijk, want ik begrijp dat je me nodig hebt. 'Tot later, mam.'

'Fijn. Tot later.'

Het is de manier waarop wij al sinds 1983 met elkaar communiceren: ieder gesprek is versluierd, achter ieder 'normaal' gesprek gaat een compleet andere betekenis schuil, die alleen onze familie kent.

Die manier van praten is begonnen nadat Cor en Wim werden geïdentificeerd als de ontvoerders van Freddy Heineken. Vanaf dat moment lag onze familie doorlopend onder een vergrootglas van justitie en werden al onze telefoongesprekken afgeluisterd. Om veilig met elkaar te kunnen communiceren zonder dat justitie begreep wat er gezegd werd, ontwikkelden we in de loop der jaren een manier van praten die alleen wij als familie begrepen.

Naast de versluierde taal waarin wij met Wim spraken, hadden we buiten Wim om onze eigen variant ontwikkeld, die wij gebruikten als we het over hem wilden hebben. Want zoals justitie een gevaar voor Wim was, zo was Wim een gevaar voor ons.

Zo wist ik dus precies wat mijn moeder tegen mij zei, terwijl een eventueel meeluisterende buitenstaander een heel ander gesprek hoorde.

Ik regelde wat voor mijn werk en reed naar haar huis. Na een tijdje in Amsterdam-Zuid te hebben gewoond, was mijn moeder weer terug in haar oude buurtje, de Jordaan, de plek waar wij als gezin woonden en als kinderen zijn opgegroeid. Ik kende elke straatsteen van de Palmgracht tot de Westertoren, het gebied waarbinnen mijn leven zich vanaf mijn geboorte in 1965 tot aan mijn vijftiende, toen we naar de Staatsliedenbuurt verhuisden, had afgespeeld.

De Jordaan was vroeger een volksbuurt, eigenlijk een achterstandswijk. De bewoners noemden zich Jordanezen, een eigenzinnig volkje dat het hart op de tong droeg, maar elkaar in hun waarde liet: het was leven en laten leven. Door het historische karakter en het pittoreske aanzicht van de buurt raakte het vanaf de jaren zeventig in trek bij jongeren en hoger opgeleiden en werd het een zeer gewilde wijk. Veel Jordanezen verdwenen en 'types van buiten' kwamen. Mijn moeder woonde er graag, zo tussen de mensen die zij van vroeger kende. Ik parkeerde de auto op de Westerstraat en liep naar haar huis. Daar stond ze mij bij de deur al op te wachten. De aanblik van dat lieve, oude mensje vertederde mij. Achtenzeventig was ze inmiddels en zo kwetsbaar.

'Hi mam,' zei ik en kuste haar op haar zachte, gerimpelde wang.

'Dag lieverd.' We gingen zoals altijd in de keuken zitten.

'Wil je thee?'

'Ja, lekker,' antwoordde ik.

Ze scharrelde door de keuken en zette twee bekers thee voor ons op tafel.

'Nou, wat is er aan de hand? Ik zie dat je gehuild hebt. Was hij weer vervelend tegen je?' vroeg ik.

'Heel erg. Hij wil zich op mijn adres laten inschrijven, maar dat wil ik niet, dat kan niet zomaar, het is hier een woongroep voor ouderen en er mogen geen kinderen inwonen. Als ik het toch doe krijg ik daar ellende van, dan moet ik misschien wel mijn huis uit en sta ik op straat. Hij werd woest toen ik zei dat het niet kon, hij ging weer tekeer als een beest. Ik was een slechte moeder, ik had niks voor mijn eigen kind over. Hoezo, kind? Hij is zesenvijftig!

Ik moest me schamen dat ik mijn eigen zoon niet eens wilde helpen. Hij bleef maar schreeuwen, zo hard dat ik dacht dat de buren het zouden horen. Ik schaamde me dood. Wat is het toch ook een secreet. Hij is precíes zijn vader, precies zijn vader,' herhaalde ze hardop, alsof ze het moest horen om het te kunnen geloven.

Ze was moe van de terreur die van vader op zoon was overgegaan. Van jongs af aan had Wim haar getiranniseerd, en zij had het altijd geweten aan zijn slechte vader. Daarom stond ze toe dat hij haar, ook nu ze al zo oud was, vaak als oud vuil behandelde. Daarom liet zij haar zoon, ondanks de ernst van zijn misdrijven, nooit vallen en bleef zij hem altijd trouw in de gevangenis opzoeken: na zijn veroordeling voor de Heineken-ontvoering, in de hoop dat hij zou veranderen, en na zijn tweede veroordeling, voor afpersing van diverse vastgoedmagnaten – omdat hij nu eenmaal haar kind was.

Bij elkaar heeft ze hem zo'n zevenhonderdtachtig keer in de gevangenis bezocht. Zevenhonderdtachtig keer in de rij gestaan, zevenhonderdtachtig keer haar schoenen uit gedaan en haar spullen op de band gezet voor de scanner. Van 1983 tot 1992, toen Wim voor de ontvoering vastzat in de Santé-gevangenis in Parijs, reisde ze wekelijks duizend kilometer naar Frankrijk en terug, en toen hij werd uitgeleverd aan Nederland bezocht ze hem hier. In totaal negen jaar lang en daarna, toen hij voor verschillende afpersingen gevangen zat, nog eens zes jaar achtereen.

'Wat zou het fijn zijn als jij een keer rust kreeg, mam,' zei ik en pakte haar hand.

'Ik denk niet dat dat ooit nog gebeurt,' verzuchtte ze.

'Dat weet je niet. Misschien komt hij weer eens vast te zitten en dan voorgoed.'

'Maar dan ga ik niet meer op bezoek,' zei ze direct. 'Daar ben ik te oud voor. Dat red ik niet meer, dat is me te veel.' Ze wierp haar leeftijd op als excuus om niet naar die vreselijke bezoeken te hoeven gaan, waarbij hij haar alleen maar vernederde en verwijten maakte om alles wat híj fout had gedaan.

Ik realiseerde me dat als hij vast zou komen te zitten door mijn verklaringen, ze niet eens meer op bezoek kón, want dan zou hij haar gebruiken om mij te vinden en te vermoorden.

Nee, als ik zou doorzetten wat ik van plan was, kon zij haar zoon nooit meer zien, dan zou ze pas echt rust krijgen.

Ik zou mijn moeder het liefste vertellen dat ik van plan was om tegen hem op te staan, om te horen hoe zij daarover dacht, maar ik kon het risico niet nemen dat ze haar mond voorbij zou praten. Zolang ik er zelf nog niet uit was wat ik zou doen, moest ik haar niets vertellen en vooral niet afwijken van mijn normale gedrag, en ondertussen deed ik wat ik altijd heb gedaan in het gezin: degene die niet aan de eisen van Wim voldeed, beschermen tegen zijn woede.

Ik stelde mijn moeder dus gerust: 'Luister mam, je gaat hem hier niet inschrijven, hij zoekt maar een ander adres. Ik ga wel met hem praten. Het komt goed, maak je geen zorgen.'

Ik dronk mijn beker thee leeg, stond op en gaf mijn moeder een kus.

'Ik ga hem zoeken. Het komt goed.'

'Dank je, lieverd,' sprak ze opgelucht.

Ik liep richting mijn auto. Als kind zat ik in de Westerstraat op de basisschool. In plaats van in mijn auto te stappen liep ik de route die ik al die lagereschooljaren naar mijn huis had gelopen, het huis waar ik was opgegroeid. Ik kon de groene lantaarn die aan de gevel hing al van grote afstand zien. Het was de markering van een naargeestige plek en hoe dichter ik het huis naderde, hoe kouder ik het kreeg. De kilte die daar vroeger binnen heerste, deed mijn lichaam nu nog bevriezen.

Ik ging aan de overkant van het smalle straatje staan en de aanblik van het huis bracht een vloed aan herinneringen boven; hier had ik het grootste deel van mijn kindertijd doorgebracht. We woonden er met mijn moeder, mijn vader, mijn broer Wim, mijn zus Sonja, mijn broertje Gerard en ik. Mijn broer Wim was de oudste en ik de jongste. Wim noemde ik mijn broer, omdat hij mijn oudste broer was. Gerard noemde ik mijn broertje, omdat hij jonger was dan Wim.

Mijn moeder had mijn vader ontmoet bij een sportevenement, waar hij een wielerwedstrijd reed. Hij was een aantal jaar ouder dan mijn moeder, knap en bijzonder innemend. Hij was lief, vriendelijk, altijd attent voor zijn omgeving en een harde werker. Ze hadden enige tijd verkering, verloofden zich netjes en gingen bij de ouders van mijn moeder inwonen. Het was allemaal leuk, gezellig en ontspannen.

Toen mijn vader werk en een woning kreeg bij de Hoppefabriek in de Jordaan, trouwden ze en gingen daar wonen. Mijn moeder was vervuld van geluk en blijdschap met haar eigen nestje en haar positie als getrouwde vrouw. Ze verhuisden van mijn opa en oma in Amsterdam-West naar de Eerste Egelantiersdwarsstraat in de Jordaan.

Maar al snel veranderde haar attente verloofde van Dr. Jekyll in Mr. Hyde: een onberekenbare en onvoorspelbare tiran, een kant van hem die ze nooit eerder had gezien en die hij pas tentoonspreidde toen ze in zijn web gevangenzat en er niet meer uit kon ontsnappen.

Hij stopte met wielrennen en ging steeds meer drinken. Hij begon haar te slaan en dwong haar haar werk en al haar sociale contacten op te geven. Het duurde niet lang voordat hij haar ook het contact met haar familie verbood.

Mijn oma van mijn moeders kant had hem beledigd door tegen hem te zeggen dat hij 'zeker geen koffie wilde'. Haar moeder wílde hem geen koffie geven, maakte hij daarvan en mijn moeder mocht geen contact meer onderhouden met haar ouders; ze heeft mijn opa en oma de vijftien jaar daarna niet meer gezien.

Hij was erin geslaagd haar compleet te isoleren. Hij hield haar gevangen in haar huwelijk en bepaalde het regime waarbinnen zij diende te leven. Dat regime was gebaseerd op zijn grootheidswaan en de minderwaardige manier waarop hij over vrouwen dacht. In zijn beleving was hij 'de baas': de baas over haar, de baas van het huis, de baas van de straat en de baas op zijn werk. 'Wie is de baas?' schreeuwde hij iedere dag en liet mijn moeder antwoorden: 'Jij bent de baas.' Nadat hij haar had geïsoleerd, hersenspoelde hij haar. Ze moest doen wat hij zei, ze had niks te vertellen. Ze was 'maar' een vrouw, en vrouwen waren minderwaardige wezens, bezit van hun man, en van nature allemaal hoeren. Om te voorkomen dat mijn moeder kon 'hoeren en snoeren' mocht ze niet in contact komen met andere mannen. Ze moest de hele dag thuisblijven en mocht nergens heen. Als ze het huis uit wilde om boodschappen te doen, moest ze een briefje voor hem neerleggen waar ze precies naartoe ging.

Hij was ziekelijk jaloers. Hij kwam onder werktijd naar huis en als zij even niet thuis was, verstopte hij zich in de gangkast om haar te kunnen bespieden. Ze wist nooit of hij daarin zat, en durfde de kast niet open te doen, want dat legde hij dan vervolgens uit als een voornemen om vreemd te gaan. Als zij niet van plan was vreemd te gaan hoefde ze hem toch niet te controleren op zijn aanwezigheid in die kast? Zelfs een noodzakelijk bezoek aan een arts werd gevolgd door kruisverhoren en – ik noem het maar gewoon – martelingen om vast te stellen of zij niet 'knoeide' met de dokter. Haar hele leven werd door hem gecontroleerd en beheerst.

Ze was als de dood voor haar man. Ieder weerwoord kwam haar op verbale agressie te staan. Zij mocht 'de baas' niet tegenspreken, want dan kreeg ze klappen.

De eerste keer dat dat gebeurde, was ze volledig verbaasd. Ze kon het niet geloven; hoe kon deze altijd zo lieve en sympathieke man ineens zo wreed zijn? Ze had vast en zeker iets verkeerd gedaan, dat kon niet anders. Dat vertelde hij haar ook, in urenlange monologen: wat een slechte huisvrouw ze was, een vieze hoer, hoe blij ze mocht zijn dat hij haar nog als zijn vrouw wilde, maar dat zij dat eigenlijk niet waard was. Ze had geluk dat hij zo ruimhartig was, maar dat verdiende ze eigenlijk niet, want ze stelde niks voor. Hij liet haar denken dat het allemaal aan haar lag, dat zij klappen verdiende omdat ze een slechte vrouw was en alles expres verkeerd deed om hem het leven zuur te maken.

Ze ging zich nog meer naar zijn wensen voegen in de hoop dat ze het daarmee wel goed deed, en om te voorkomen dat hij haar sloeg. De klappen vond zij niet eens het ergste, het was die constante dreiging die haar zo angstig maakte, daardoor deed ze steeds maar weer wat hij wilde, want bij hem weggaan durfde ze niet. De onophoudelijke terreur had haar identiteit en wil vermorzeld.

Toen ze zwanger werd van haar eerste kind hoopte ze dat het aanstaande vaderschap hem zou veranderen, maar dat deed het niet. Zelfs tijdens haar zwangerschap bleef hij haar mishandelen, en dat ging na haar bevalling en de daarna volgende zwangerschappen en bevallingen gewoon door. Vier kinderen kreeg mijn moeder van deze man.

Tante Cor, onze buurvrouw, die naar Jordanees gebruik zoals alle buren 'tante' of 'oom' werd genoemd, trok zich het lot van mijn moeder aan. Er werd nooit over gesproken, maar de huizen waren zo gehorig dat iedereen in de straat wist hoe mijn vader 's avonds tekeerging tegen mijn moeder.

Tante Cor wees haar op het bestaan van de anticonceptiepil. 'Stop met die koters,' had ze tegen mijn moeder gezegd, wetende hoe haar kerel haar behandelde. Maar mijn moeder mocht niet aan de pil. Anticonceptie was volgens mijn vader alleen maar voor hoeren, en voor vrouwen die buiten de deur wilden neuken zonder kinderen te krijgen. Maar na de vierde bevalling kon tante Cor het niet langer aanzien en heeft ze zelf de pil voor haar gehaald.

'Nou is het genoeg,' had ze gezegd toen ze op kraamvisite ging, en duwde een doosje pillen in haar hand. Vanaf die tijd nam mijn moeder stiekem de pil.

Daarmee was ik de laatste koter in de rij.

Mijn vader behandelde zijn kinderen net zoals hij zijn vrouw behandelde. Hij sloeg ons, hoe klein en weerloos we ook waren. Net als bij mijn moeder had hij daar geen reden voor nodig, een aanleiding verzon hij ter plekke. Zo rechtvaardigde hij voor zichzelf dat hij tegen je mocht schreeuwen en je mocht slaan. Het was altijd 'onze eigen schuld', wij dwongen hem ertoe. Mijn moeder beschermde ons zo veel mogelijk tegen hem. Wanneer hij ons sloeg, sprong zij ertussen en ving de klappen op. Vaak kon zij de volgende ochtend niet lopen of haar armen bewegen.

Van kleins af aan deden we allemaal onze uiterste best om niet de aandacht van mijn vader te trekken, want aandacht van mijn vader betekende het risico op schelden, schreeuwen en slaan. Thuis waren we voorbeeldig. Op school waren we braaf, gehoorzaam, letten we op in de les en deden ons best. Op straat waren we nooit brutaal of baldadig. We waren in onze kindertijd stuk voor stuk volgzame, brave kinderen, die nooit een regel overtraden.

Wij wisten al heel jong dat geen van ons het risico kon lopen dat een schoolmeester of een buurman naar mijn vader ging om over ons gedrag te klagen, want dan waren de rapen gaar. Niet alleen voor onszelf, maar ook voor mijn moeder en de andere kinderen van het gezin, die dan ook moesten lijden onder het juk van mijn vader.

Zo lang als ik me kan herinneren probeerde ik het contact met mijn vader te vermijden, omdat hij volstrekt onvoorspelbaar en onberekenbaar was. In de contacten die ik toch met hem moest hebben, deed ik lief en was ik vooral niet lastig. Klagen en zeuren tolereerde hij niet, huilen mocht niet. Dat deed ik dan ook niet.

Nadat bierbrouwer Heineken de Hoppe-fabriek had overgenomen, werkte mijn vader bij de reclamedienst van het concern, op de Ruysdaelkade. Toegewijd als hij aan zijn baas was, ging hij ook op de zaterdagen naar zijn werk. Soms nam hij ons mee. Wij speelden er tussen de geparkeerde auto's van meneer Heineken.

Een keer stond daar een grote houten kuip met een zeil eroverheen. Ik was vier jaar en dacht dat ik op dat zeil kon zitten. Toen ik dat deed zakte ik erdoorheen. De kuip bleek gevuld met vloeistof en mijn broek was zeiknat.

Na verloop van tijd begonnen mijn benen steeds meer pijn te doen, maar het enige waar ik me druk om maakte was of ik iets verkeerds had gedaan. De pijn werd met het uur erger, maar ik liet mijn vader niets merken. In de loop van de dag droogde mijn broek op en was er niets meer te zien van mijn ongelukje. Die avond zette mijn moeder mij zoals altijd op het aanrecht om mij te wassen. Een douche hadden wij niet. Toen ze mijn broek naar beneden deed, scheurden de vellen van mijn benen, mijn huid was op sommige plaatsen losgeweekt. Ik was in een kuip met caustische soda gevallen. Maar ik had de hele dag geen krimp gegeven, want wij mochten niet huilen van mijn vader.

Allemaal probeerden we zo min mogelijk op te vallen, om maar niet bij hem in beeld te komen. De beste oplossing was om gewoon niet thuis te zijn.

Wim en Sonja zochten hun toevlucht bij de gezinnen van

vriendjes, Wim bij Japie en Sonja bij Monique. Gerard en ik trokken elke dag met elkaar op. Ik was net een jongen en mocht altijd met hem mee. Gerard en ik waren overal samen op straat te vinden: voetballen op het pleintje om de hoek, blikkie trappen op de gracht of gewoon rondzwerven door de buurt.

Maar elke dag kwam het onvermijdelijke moment dat we naar huis moesten. 's Avonds kwam mijn vader thuis en moesten wij er ook zijn. Als hij thuiskwam begon de ellende, dan had hij al de hele dag gedronken op het werk, waar hij en zijn collega's in de kantine flesjes Heineken-bier tegen inkoopprijs konden kopen. Dat was een regeling ten behoeve van werknemers en mijn vader maakte daar excessief gebruik van.

Elke avond kwam hij dronken thuis, ging in zijn antieke stoel zitten en dronk de hele avond en een groot deel van de nacht verder. Mijn moeder moest de aanvoer van koude flesjes bier verzorgen. 'Stien! Biertje!' riep hij constant. Hij dronk makkelijk een krat halveliters op een avond weg.

In onze kindertijd konden we aan die avonden niet ontkomen. Ieder voor zich probeerden we zo onzichtbaar mogelijk te zijn in die huiskamer van vier bij vijf, we wilden allemaal zo vroeg mogelijk naar bed om zo kort mogelijk in zijn directe aanwezigheid te verkeren.

Eenmaal in bed was je wel uit beeld, maar nog niet veilig. Elke avond lagen we met gespitste oren te luisteren naar zijn geschreeuw en getier. We konden aan de toon van zijn stem en zijn manier van praten feilloos inschatten of het weer een beetje, erg of vreselijk uit de hand zou lopen die avond en nacht, en luisterden nauwgezet of een van ons in zijn getier voorkwam, want we vreesden het moment dat hij naar de slaapkamer zou komen om te gaan slaan.

Als hij in de slaapkamer stond, deden we allemaal alsof we sliepen, in de hoop dat hij weer weg zou gaan. Maar eenmaal in de slaapkamer was er geen ontsnappen meer aan. De avonden en de nachten kropen voorbij, elk halfuur hoorde ik de Westertoren slaan en wachtte op het moment dat het geschreeuw voorbij was en hij naar bed zou gaan. Ik heb er een gruwelijke hekel aan klokkengelui aan overgehouden.

De avonden en nachten waren erg, maar de zondagen waren vreselijk. Op zondag was hij thuis. De hele dag.

Aan die dagen, vervuld van de geur van drank en de onvoorspelbaarheid van mijn vader, leek geen einde te komen. Het enige wat zeker was, was dat er weer geschreeuwd en geslagen zou worden. Soms begon dat al vroeg in de middag en met een beetje geluk wat later.

Ik vreesde vooral het avondeten, want op de zondagen schepte hij het eten op. En wat hij had opgeschept moest je opeten, want je bord leegeten, dat hoorde zo. Deed je dat niet, dan was je een ondankbaar schepsel en liep je grote kans op klappen. Met angst en beven keek ik naar de hoeveelheid eten die hij op mijn bord kwakte. Altijd een hele berg, veel te veel voor een klein meisje, het lukte mij vaak niet om dat bord leeg te eten.

Ik had inmiddels allerlei tactieken ontwikkeld om die berg eten ongezien weg te werken. Afhankelijk van de kleding die ik aan had en de structuur van het voedsel, stopte ik het in mijn zakken of propte stiekem mijn wangen vol en vroeg of ik even naar de wc mocht. In de wc spoog ik het dan uit.

Of je iets wel of niet lustte werd niet gevraagd, je at wat de pot schafte. Er waren twee dingen waar ik echt van walgde: spinazie, en jus over mijn eten. Die avond aten we spinazie, van die snotterige, die je niet in je zakken kon proppen zonder dat het aan je handen bleef plakken en het vocht uit je zakken liep. Net als altijd was er jus bij het eten en hij gooide tijdens het opscheppen zoveel jus op mijn bord, dat al het eten erin bleef drijven. O nee! dacht ik. Dit ging me niet lukken, ik zou dit nooit op kunnen eten. Ik begon vol te raken en ging steeds langzamer eten.

Mijn vader zag het en schreeuwde: 'Bord leegeten! Of wil je een pak op je sodemieter?'

Nee, natuurlijk wilde ik dat niet, maar ik wist gewoon niet hoe ik dat reusachtige bord met eten weg moest krijgen. En dan de gore smaak van die spinazie en die vette jus!

'Opeten!' schreeuwde hij en gaf me een lepel waarmee ik de jus op moest eten, alsof het soep was. Ik werd misselijk en probeerde het kokhalzen te onderdrukken. Als hij dat zou zien, waren de rapen helemaal gaar. Maar ik kon het niet meer stoppen, mijn maag duwde die vieze spinazie en die gore vette jus terug mijn slokdarm in. Ik probeerde het nog tegen te houden maar het eten spoot recht mijn bord in.

Hij werd woest. Ik was een ondankbaar onderkruipsel! Hoe haalde ik het in mijn hoofd om mijn eten uit te spugen? Maar ik moest niet denken dat ik er door die aanstellerij onderuit kon komen mijn bord leeg te eten: ik moest mijn eigen kots opeten. Ik verstijfde en keek strak naar de gore substantie op mijn bord. Op zijn bevel schepte ik aarzelend mijn lepel vol.

'Eet op, ondankbaar kreng, vreten zal je!' schreeuwde hij.

Ik deed mijn ogen dicht en nam een hap. De wereld om mij heen vervaagde en het werd zwart voor mijn ogen. Toen ik weer opkeek, zag ik hem met mijn moeder bezig. Zij had het bord eten onder mij weggetrokken en kreeg daar nu klappen voor. Toen mijn moeder bewegingloos op de grond lag, riep mijn vader mij bij zich: 'Kijk eens wat je gedaan hebt! Dat is allemaal jouw schuld!'

Niet alleen wat hij mij aandeed was mijn eigen schuld, maar ook wat hij een ander aandeed.

Hijzelf had nooit ergens schuld aan.

Ik leefde in de veronderstelling dat mijn thuissituatie normaal was, dat alle vaders waren zoals mijn vader. Pas toen ik acht jaar oud was, kwam ik erachter dat dat niet het geval was.

Ik ging spelen bij Hanna. Zij was gedurende de hele lagere school mijn beste vriendinnetje. Zij was het kleinste meisje van de klas en ik het langste. Elke dag haalde ik haar van huis op om samen naar school te gaan, de Theo Thijssenschool in de Westerstraat. Zij woonde op een bovenwoning en ik was nog nooit bij haar geweest. Spelen deden wij altijd buiten op straat, maar die dag vroeg ze me bij haar thuis te komen spelen. Haar moeder, oma en zusje waren er ook.

We waren druk een dansje aan het oefenen om op het schoolplein te laten zien, toen de deurbel ging. Alle vier riepen ze in koor: 'Papa is thuis!' Ik trok wit weg en begon over mijn hele lichaam te trillen. Papa is thuis? Er komt nu een papa naar boven? Ik raakte volledig in paniek en keek rond waar ik me kon verstoppen. Maar dat ging niet. Zij begrepen niet waarom ik plotseling door de kamer begon te rennen en zeiden dat ik niet zo gek moest doen. 'Ga zitten,' zei Hanna, en duwde me in de bank. 'Papa is er.'

Ja precies, papa is er. Dat was nu net het probleem.

Hanna's oma sloeg haar arm om me heen en zei: 'Gezellig, hè?'

Gezellig? Helemaal niet! Ik hoorde voetstappen de trap op-komen, zag de deur open gaan en daar stond een man met een blij gezicht. 'Hallo, lieve kinderen.'

Hij zoende zijn vrouw en om de beurt zijn koters. Zij leken het allemaal echt leuk te vinden. Wat was hier aan de hand? Tot overmaat van ramp liep hij op me af.

'Dag, moppie. Zijn jullie leuk aan het spelen?'

Ik kon geen woord uitbrengen en Hanna zei: 'Ja, papa. Kijk, we kunnen een dansje.'

Ze danste en sprak heel blij tegen haar vader en haar vader praatte vrolijk terug. Ik had nog nooit met mijn vader gesproken, ik kan me niet één dialoog met hem herinneren. Het was altijd alleen maar eenzijdig geschreeuw.

Maar het kon dus ook anders, ik zag nu met eigen ogen dat vaders ook leuk konden zijn. Vanaf die dag wist ik dat mijn vader niet was zoals een vader hoorde te zijn en bad ik elke avond voor het slapen gaan tot God om hem te vragen of mijn vader alsjeblieft dood kon gaan.

Maar mijn gebeden werden niet verhoord.

Allemaal wensten we hem dood, hoopten dat hij een ongeluk zou krijgen of tegen de verkeerde aan zou lopen, maar dat gebeurde niet. We zaten met z'n allen opgesloten in de gekte van mijn vader.

We behandelden elkaar zoals mijn vader mijn moeder en ons behandelde. Als een van ons de woede van mijn vader over zich af had geroepen, kon hij of zij niet op medelijden van de anderen rekenen, integendeel: diegene had daarmee de ellende voor de anderen veroorzaakt. 'Jouw schuld!' werd er dan geroepen, terwijl we wisten dat het gedrag van mijn vader op pure willekeur berustte.

Boos worden op mijn vader was onmogelijk en dus werden we boos op elkaar, verweten elkaar een situatie waar we geen van allen iets aan konden doen. We waren gespannen kinderen, en de constante dreiging in huis maakte dat er geen ruimte was voor verdraagzaamheid en begrip voor elkaar.

Het geweld van mijn vader sijpelde door alle lagen van ons gezin en doordrenkte ons allemaal. Agressie en geweld waren een manier van communiceren geworden. Als kinderen waren we thuis allemaal agressief en in meer of mindere mate gewelddadig tegen elkaar.

Zo ging dat.

We wisten niet beter.

Het geweld ging over van generatie op generatie.

Mijn vader sloeg mijn moeder. Naar het voorbeeld van mijn vader sloeg mijn broer Wim mijn zus Sonja. En mijn broertje Gerard sloeg mij. Zelf begon ik nooit met vechten, want ik wist dat ik het toch nooit kon winnen. Niet van mijn vader, niet van mijn broer en niet van mijn broertje. Ik was de kleinste en ook nog eens een meisje en hoe hard ik ook mijn best deed om een jongetje te zijn, ik kwam altijd kracht tekort.

Mijn broertje Gerard en ik vochten elke dag. Als mijn vader en moeder na het eten hun dagelijkse wandeling maakten, was dat het startsein voor Gerard om met mij te beginnen. Elke avond voltrok zich hetzelfde ritueel, elke avond speelden Gerard en ik vader en moedertje. Hij deed – onbewust – mijn vader na en ik moest zeggen dat hij de baas was, zoals mijn vader mijn moeder altijd liet zeggen dat hij de baas was. Deed ik dat niet dan kreeg ik klappen, net als mijn moeder. Ik deed dat niet. Ik kon het niet. Ik incasseerde de klappen, maar ik pakte hem wel terug. Hij was misschien sterker, maar ik was slimmer.

Gerard was een schuchtere jongen. Hij zei vrijwel nooit iets. Zodra je hem aankeek, sloeg hij dicht. Ik was twee jaar jonger, maar wel een stuk brutaler en nam altijd het voortouw. Ik regelde alles voor hem. Zo zette ik mijn fysieke achterstand om in geestelijk overwicht. Ik maakte gebruik van zijn zwakten. In ruil voor informatie over het meisje dat hij leuk vond wilde ik zijn zakgeld hebben, 50 cent per dag. Hij gaf het, want hij durfde niet tegen haar te praten. Als ik zijn 50 cent in mijn hand had, genoot ik van de macht die ik over hem had. Ik was liever dader dan slachtoffer.

***

Ik liep de straat weer uit richting de Egelantiersgracht. Mijn gedachten waren bij Wim, en de redenen dat het allemaal zo ver had kunnen komen. Rechts om de hoek stond de wissel-woning waar we naartoe verhuisden omdat ons huis, zoals vele huizen in de Jordaan in die tijd, op de monumenten-lijst werd geplaatst en gerenoveerd werd onder toezicht van Monumentenzorg. Het was een ruim herenhuis aan een van de grachten van Amsterdam, een licht pand met ruime ka-mers en hoge plafonds, heel anders dan ons huis aan de Eerste Egelantiersdwarsstraat, dat een arbeiderswoninkje was met hele kleine, smalle kamers waar een volwassene net rechtop kon staan. We sliepen met drie kinderen op een kamer en ik sliep aan het raam met uitzicht op de gracht. Alleen Wim had een kamertje voor zichzelf.

We hadden als gezin geen sociaal leven. Mijn vader had geen sociale contacten en mijn moeder mocht ze niet hebben. Er kwam nooit visite, er waren nooit feestjes, elke verjaardag of feestdag was een hel en we zagen daar alleen maar tegenop. Bij ons thuis werd nooit gelachen, mijn vader gunde ons geen plezier. Als wij vrolijk waren, verpestte hij de stemming. Hij was er altijd op uit ons het leven zuur te maken. En zo was ons leven dan ook: zuur.

Wim had inmiddels de leeftijd bereikt dat hij naar de middel-bare school ging. Hij was uitgegroeid tot een lange, knappe jongen met donkerbruin haar dat prachtig afstak tegen zijn mooie, grote blauwe ogen. Hij ging trainen op een sportschool, werd gespierder, steeds meer een man. Zijn wereld beperkte zich niet meer tot die paar straten rondom ons huis, hij begon zich meer en meer buiten ons kleine wereldje te begeven en kwam zo in aanraking met allerlei mensen, waardoor zijn beeld van onze vader veranderde. Hij begon zich af te zetten tegen diens regels. Wim weigerde langer te voldoen aan de eisen die vader aan ons stelde. De aantrekkingskracht van de wereld buiten het gezin werd groter en groter, want buitenshuis was het wél leuk, en wél gezellig. Wim liet het zich niet langer onmogelijk maken er een eigen leven op na te houden en ging zijn eigen weg. Hij kwam vaak te laat thuis.

Ik keek omhoog naar het raam waar ik vroeger lag te slapen en waar Wim mij wakker maakte om te vragen of mijn vader al sliep.

'Assie, slaap je al?' fluisterde Wim zachtjes in mijn oor.

'Nee,' fluisterde ik terug.

Ik had de hele avond wakker gelegen tot het schreeuwen eindelijk ophield en mijn vader naar boven ging. Maar ook toen lukte het niet de slaap te vatten. Gerard en Sonja sliepen inmiddels al wel, maar ik lag nog steeds wakker toen Wim de kamer binnen sloop.

'Is papa al naar bed?' fluisterde hij.

'Ja, allang,' zei ik.

'Was hij weer gek?'

'Ja.'

'Ging het over mij?'

'Ja, hij schreeuwde dat je te laat thuis was, maar mama had de klok teruggedraaid. Dus hij heeft je niet betrapt.'

'Mooi zo.'

Het was niet de eerste keer dat mijn moeder de klok verzette en het zou niet de laatste keer zijn. Wim had dankzij haar weer eens mazzel gehad.

Hij ging nauwelijks naar school, maar slaagde er wel in geld te verdienen. 'Kijk As,' zei hij, 'hier verdien ik mijn geld mee,' en hij stopte een bruinkleurige, vettige brok in mijn handen.

Ik wist niet wat het was, alleen dat het stonk, maar Wim verdiende daar geld mee, dus was het goed. Ik was blij voor hem. Met het verdienen van geld nam zijn onafhankelijkheid toe. Die groeiende zelfstandigheid stuitte op hevig verzet bij mijn vader, die met een nog grotere verbetenheid zijn 'regels' ging handhaven.

Het kwam Wim telkens op klappen te staan.

Mijn moeder had het zwaar met haar zoon, die de regels van zijn vader aan zijn laars lapte en zich ontwikkelde naar het evenbeeld van haar man. Zo kreeg ze het van twee kanten te verduren. Ze wist zich geen raad.

Sinds hij op de middelbare school zat, was haar zoon veranderd. In de omgang was hij nors en onaardig en net zo onberekenbaar en agressief als zijn vader. Corrigeren kon ze hem niet, hij had maling aan haar. Hij wist dat ze nooit de hulp van mijn vader in zou roepen. Ze zou haar zoon nooit uitleveren aan die gek. Om hem te beschermen tegen de klappen van zijn vader bedekte ze al zijn wangedrag.

Wim wist met welk duivels dilemma hij zijn moeder had opgezadeld en maakte daar gebruik van. Hij deed waar hij zin in had en vroeg altijd om geld. Hij had nooit genoeg. Als mijn moeder weigerde, werd hij gewelddadig en sloeg gaten in de deuren en muren. Hij ontwikkelde net als zijn vader een ziekelijke jaloezie en sloeg al zijn vriendinnetjes in elkaar. Als mijn moeder er wat van zei, werd hij nog agressiever en begon nog harder te slaan. Ze kon maar beter haar mond houden. Ik was bang voor zijn agressie en probeerde hem te ontwijken, zoals ik mijn vader ontweek.

In de tijd dat Wim naar de middelbare school ging, nam hij

overdag, als mijn vader er niet was, Cor mee naar huis. Ze zaten allebei op de Van Houweningen-mavo en kwamen tussen de middag brood met Hema-worst eten, dat mijn moeder voor ze klaarmaakte. Ik vond het altijd gezellig als Cor er was. Hij maakte grapjes en was van nature vrolijk. Als Cor er was, verdween de spanning in huis om plaats te maken voor gezelligheid.

Cor stond heel anders in het leven dan Wim. Hij nam alles licht op en zag altijd oplossingen. Hij maakte 'van iedere narigheid een kleinigheid', was in staat van het leven te genieten en Wim keek die kunst bij hem af. Wim won er aan vrolijkheid door. Als Wim alleen was, ontweek ik hem altijd, maar in de combinatie met Cor was Wim best leuk.

Cor stak de draak met al onze gebreken en gaf ons allemaal een bijnaam. Hij noemde Wim 'De Neus', vanwege zijn grote neus. Mijn vader noemde hij 'De Kale', omdat hij afgezien van een klein kransje haar rondom zijn schedel geen haar meer had. Al snel werd dat 'De Kale Gek' vanwege zijn bizarre gedrag. Mijn moeder noemde hij heel brutaal bij haar voornaam: Stientje. Sonja noemde hij 'Boxer', omdat ze aan kickboksen deed en zich van hem afsloeg als hij haar probeerde te versieren. Gerard noemde hij 'De Deuk', om een deukje in zijn neus dat hij aan de waterpokken had overgehouden. En ik was heel voorspelbaar 'De Professor', omdat ik goed kon leren.

Mijn vader had een hekel aan Cor, die niet onder de indruk van hem was en om zijn geschreeuw en getier stond te schaterlachen. De Kale had geen greep op hem en ook steeds minder op Wim. Hij kon die ondermijning van zijn dictatuur niet aan en wilde Wim het huis uit hebben.

Toen Wim vertrokken was zagen we hem alleen nog overdag als hij met Cor bij mijn moeder kwam eten. Dat had hij goed voor elkaar, vond ik. Hij was ontsnapt aan mijn vader.

Dat wilde ik ook graag. Dus bad ik nog steeds elke dag tot God of mijn vader alsjeblieft dood kon gaan. Tevergeefs. Ik moest wachten tot ik oud genoeg was om uit huis te kunnen gaan.

De basisschool was bijna achter de rug en ik zou naar de middelbare school gaan. Gedurende de lagereschooltijd ging het leren mij heel makkelijk af en verslond ik boek na boek. Dat was ongewoon bij ons thuis. Op school noemden ze mij 'intelligent', daar werd ik thuis behoorlijk mee gepest. Volgens mijn broers en zus was ik 'raar' en deed ik altijd 'bijdehand'. Bij elke wat slimmere opmerking hoorde ik: 'Heb je háár weer,' en werd ik afgeserveerd als een 'wijsneus'. Om mijn leed te verzachten legde mijn moeder mij uit dat ik niet raar was en 'dat ik zo intelligent was, omdat ik direct na de geboorte was opgetild door een student van de universiteit'. Die had zijn talent voor goed leren aan mij doorgegeven. Ik moest me van al het gepest maar niks aantrekken, want ik kon er immers niks aan doen. Mijn broers en zus hadden een andere verklaring voor mijn afwijkende gedrag. Volgens hen kwam het doordat ik een vondeling was. Ik was geen kind van mijn moeder en vader, en geen zusje van hen. Ik hoorde eigenlijk niet bij het gezin, vertelden ze mij. Dit had mij als klein meisje misschien vreselijk moeten kwetsen, maar ik vond het logisch klinken.

Natuurlijk hoorde ik niet bij dit gezin. Ik had vast familie die ook slim was en het leuk vond om te lezen. Dus zat ik als klein meisje elke dag te wachten op mijn echte ouders die mij op zouden komen halen. Tevergeefs. Ik moest het doen met dit gezin. Een gezin waarin een meisje huisvrouw werd en niet hoefde te leren.

Mijn hoofdmeester, de heer Jolie, schreef mij in voor het Ingenieur Lely Lyceum – gelegen aan een van de grachten in het centrum van Amsterdam – om atheneum te doen, en zei tegen mijn moeder dat het zonde was om mij naar de huishoudschool te sturen. Mijn moeder vond het goed, zij zag in dat er van mij met geen mogelijkheid een huisvrouw te maken was. De hoofdmeester had haar verzekerd dat ik na het lyceum makkelijker werk kon vinden en mama, die geen idee had waar ze toestemming voor gaf, stemde in. Voor mijn vader werd het verborgen gehouden, want een meisje hoefde volgens hem niet te leren. Mijn moeder vertelde het hem pas na een nacht waarin hij weer 'heel erg' was geweest.

'Heel erg' was de benaming voor nachten waarin de mishandeling van mijn moeder zo heftig was geweest, dat het de volgende ochtend voor hem niet te ontkennen viel: het was zichtbaar aan haar armen, benen, rug, schouders, gezicht. Niet dat mijn vader ermee zat dat hij haar verrot had geslagen, maar hij vond het vervelend dat het zo zichtbaar was voor de buurt. Hij wilde zijn zelfbedachte imago van goede man en toegewijde vader graag hooghouden. Na die 'heel erge' nachten was hij de volgende ochtend altijd iets milder.

Op een van die ochtenden vertelde mijn moeder hem tussen neus en lippen door dat ik naar het lyceum zou gaan. Niet omdat ze ervan uitging dat die boodschap tot hem zou doordringen, maar omdat ze dan later kon zeggen dat ze het hem toch echt had verteld, mocht hij er ooit moeilijk over gaan doen.

Mijn moeder had het erdoorheen gekregen.

Ik was twaalf en voordat ik naar het lyceum ging, riep hoofdmeester Jolie mij bij zich en vertelde dat omdat ik na de zomer naar het lyceum zou gaan, ik vast aan mijn uitspraak moest gaan werken. Ik sprak plat Jordanees en dat kon op die school niet. Ik moest beschaafd leren praten, dat was beter voor me.

Het was voor het eerst dat iemand me daar attent op maakte. Maar waar moest ik dat leren? Iedereen in mijn buurt sprak zo en ik kwam die buurt nooit uit, mijn wereld bestreek het gebied van de Palmgracht tot aan de Westertoren. Verder kwamen wij niet.

Het toeval wilde dat ik die zomer door buurvrouw Pepi mee werd gevraagd naar haar zomerhuis in Noordwijk. 'Het huis tegenover het huis van meneer Heineken', zoals wij het noemden. Mevrouw Pepi was geen echte Jordanese maar iemand van buiten, import dus. Zij kwam oorspronkelijk uit Wassenaar en sprak Algemeen Beschaafd Nederlands. Men noemde haar geen tante, ook geen tante Pepi, maar gewoon Pepi. Pepi, die naam alleen al was het helemaal. Zij werd mijn grote voorbeeld.

Pepi kon autorijden, ze had geen man maar wel een kind, ze had werk en bezat voldoende geld. Bij ons in de Jordaan was ze daardoor een vreemde eend in de bijt. Een alleenstaande moeder met kind, die ook nog eens buitenshuis werkte, dat was een schande. Maar ze was alles wat ik wilde worden.

En ook ben geworden.

Die zomer ben ik een aantal weken onder haar hoede geweest en toen ik tegen het einde van mijn vakantie mijn beste vriendinnetje Hanna belde, wilde ze gelijk ophangen, omdat ze dacht dat ze in de maling werd genomen. Ze geloofde niet dat ze met mij sprak, omdat ik zo raar praatte. Toen ik haar kon overtuigen dat ik het echt was, schrok ze. 'Wat is er met jou gebeurd, wat hebbe ze met je gedaan? Wat proat jij raar! Doe es normoal! Je bent de konigin niet. Heb je een hete oardappel ingeslikt?'

Ongemerkt had ik mijzelf beschaafd leren praten en op het Lely Lyceum viel ik dus niet uit de toon.

Ik vond het een heerlijke school, met mensen die, anders

dan ik thuis gewend was, rationeel in het leven stonden. Er was daar geen willekeur, er heerste oorzaak en gevolg. Je had invloed op wat je overkwam en wat je overkwam had je zelf veroorzaakt. Ik vond dat een verademing. Ik hoefde me niet te schamen dat ik het leuk vond om alle spieren van het menselijk lichaam uit mijn hoofd te leren; dat ik het leuk vond nieuwe woorden uit het woordenboek in me op te nemen, dat ik alle vogelsoorten, boomsoorten en kruidensoorten uit mijn hoofd wilde leren. Interesse in kennis was daar heel normaal. Iedereen had diezelfde 'afwijking'. Het werd gewaardeerd als je een eigen mening had en naar die mening werd geluisterd. Je mocht zelfs een volwassene tegenspreken, als je het maar goed beargumenteerde. Alles waarom ik thuis werd afgekeurd, werd hier gewaardeerd. Het was alsof ik eindelijk was opgehaald door de mensen die me bij deze vreselijke familie te vondeling hadden gelegd.

Overdag op school was mijn leventje prima, maar de avonden werden nog altijd beheerst door die Kale Gek, zoals we hem onder elkaar noemden.

Inmiddels waren wij terugverhuisd naar de Eerste Egelantiersdwarsstraat, waar mijn vader zijn eigen troon in de huiskamer had. Hij zetelde op de grote antieke fauteuil en zijn vrouw en kinderen zaten voor hem op een rij op de bank. Hij had zijn slachtoffers zo voor het uitpikken en die dag was mijn zusje aan de beurt. Sonja was net als Wim op een leeftijd gekomen dat mijn vader bang was zijn greep op haar te verliezen. Anders dan ik had ze zich ontpopt tot een echt meisje, met verzorgde nageltjes, make-up en haar dat makkelijk kon concurreren met het kapsel van Farrah Fawcett.

Ik vond haar prachtig en stond altijd vol verbazing te kijken naar de manier waarop ze voor de spiegel haar steile haren omtoverde in weelderige krullen. Tot afschuw van mijn vader was ze een heel mooi meisje geworden. Ze werkte in schoenenwinkel Taft op de Kalverstraat en had die dag een bos bloemen gekregen van haar werkgever, omdat ze zo goed haar best had gedaan.

Ze was trots.

Mijn vader gunde haar dat positieve gevoel over zichzelf niet. Die maakte uit die bloemen op dat ze een relatie met haar baas had en dat mocht niet, dat was vies. Ze was, zoals elke vrouw, een hoer. Mijn zus had helemaal geen relatie met haar werkgever, maar zijn gezochte aanleiding tegenspreken had geen enkele zin, want: hij was de baas.

Sonja zat op de bank, hij stond op, liep op haar af, greep Sonja bij haar haar en zei: 'Je bent gewoon een vieze hoer!'

Hij pakte haar arm vast en sloeg haar in haar gezicht, maar ze wist zich los te rukken. Ze probeerde te vluchten door naar haar kamer boven te rennen, maar hij rende achter haar aan en kreeg haar daar weer te pakken. Ik hoorde Sonja gillen en schreeuwen. 'Nee papa, nee papa. Niet doen!' Ik was achter hen aangerend en stond ook in haar kamer.

Daar stond een antiek dressoir met een marmeren blad. Ik zag dat mijn vader haar bij haar haren daar naartoe sleurde en haar hoofd tegen het marmeren blad sloeg. Ik dacht dat haar schedel zou breken, ik zag haar ogen wegdraaien en op dat moment doken mijn moeder en ik op mijn vader om hem van haar af te trekken.

Toen we hem van haar los hadden gekregen stond hij ineens recht voor mij. Ik keek hem in zijn ogen en vroeg: 'Waarom doet u dit nou? Wij doen toch alles wat u zegt?'

Hij beantwoordde die vraag door mij links en rechts in mijn gezicht te slaan.

Sla me maar, klootzak. Ik voel toch geen pijn, dacht ik. De angst was te groot om pijn te voelen. Ik was tegen hem opgestaan en wist dat ik de consequenties daarvan moest ondergaan. Door mijn angst hadden zijn klappen niet het gewenste effect en hij werd kwader en kwader.

'Eruit!' schreeuwde hij uiteindelijk. 'Eruit en er niet meer in!' Ik was dertien en dakloos.

Door mijn opstand tegen mijn vader had ik mijn moeder in een hele moeilijke positie gemanoeuvreerd. Omdat ik niet meer thuis mocht komen, moest ze kiezen tussen berusten in het leven dat mijn vader voor haar bepaalde en afstand nemen van haar kind, of haar lot in eigen hand nemen en zonder een cent op zak weggaan bij haar man.

Sterk als ze was, koos mijn moeder voor het laatste.

De voorzienigheid hielp haar een handje bij het zetten van die stap. Doordat tante Wim, de buurvrouw aan de overkant, net een nieuwe liefde had, ome Gerrit, die bij haar ging wonen, kon mijn moeder in zijn woning aan de Lindengracht terecht.

'Het moet zo zijn,' zei ze. Ze mocht de huurbetaling even uitstellen. Ik werkte toen al op de markt en leverde al het geld dat ik verdiende in bij mijn moeder. Zelf kon ze direct aan de slag als verzorger van een oude vrouw en zo kwamen we rond.

We woonden er met zijn vieren: Sonja, Gerard, mijn moeder en ik, hemelsbreed duizend meter van mijn vader vandaan. Niet ver, maar in ieder geval op veilige afstand. Mijn moeder sliep op een stretcher in de huiskamer en wij in ziekenhuisbedden die we van Louis 'De Sloper' hadden gekregen, een kennis van mijn vader, die medelijden met ons had. Hij had een sloopbedrijf en had die bedden bij de sloop van een ziekenhuis voor ons meegenomen.

Douchen deden we op het balkon, waar in een kast een douche was gebouwd. Het was piepklein en ijskoud, maar ik vond het een paradijs. Geen angst meer, geen geschreeuw meer, geen geweld meer.

Heerlijk.

Maar dat duurde niet lang.

Mijn vader begon er via de buren op aan te dringen dat mijn moeder terugkwam. Ze vonden het zo zielig voor mijn vader, hij was helemaal ontreddered, hij zag er verwaarloosd uit en vertelde dat hij niet buiten zijn vrouw kon. Hij wilde alles doen – als ze maar terugkwam.

De buren kwamen met dat verhaal bij mijn moeder, die zich aangesproken voelde op haar plicht als echtgenote en met mijn vader ging praten. Hij verzekerde haar dat hij zou veranderen, hij zou niet meer drinken, niet meer schreeuwen en niet meer slaan. Mijn moeder wilde dat maar al te graag geloven. Wat bijdroeg was dat we uit de woning op de Lindengracht moesten: tante Wim werd gek van ome Gerrit en wilde hem haar huis weer uit hebben, dus moest hij terug naar zijn eigen huis en konden wij vertrekken.

Mijn moeder ging terug naar mijn vader. Ik werd gedwongen daar ook weer te wonen. Ik heb mijn moeder daarom gehaat. Ik had destijds geen enkel begrip voor haar moeilijke situatie: ze had nauwelijks geld, geen ander huis en jonge kinderen waar ze voor moest zorgen. Pas toen ik zelf een kind had en alleen kwam te staan, begreep ik haar.

Maar niet toen ik dertien was.

Mijn moeder had nog geen voet over de drempel van het huis gezet of de terreur begon alweer. Na mijn 'opstand' tegen hem was ik zijn voornaamste mikpunt en ik kreeg het steeds zwaarder te verduren. Ik probeerde zo veel mogelijk van huis weg te zijn, maar als ik niet thuis sliep, reageerde hij dat af op mijn moeder. Om dat te voorkomen, moest ik wel thuis slapen. Wim was al jaren het huis uit, Sonja ging niet mee terug maar ging op de Van Hallstraat wonen en Gerard was voornamelijk bij zijn vriendin Debbie. Mijn moeder alleen laten met die Kale Gek kon ik niet, bang als ik was dat hij haar een keer dood zou slaan.

Zijn terreur ging opnieuw vaak de hele nacht door. Hij liep schreeuwend en tierend mijn kamer in en uit. Ik sliep nauwelijks en kwam dus slaap tekort, terwijl ik voor school en mijn basketbalsport moest presteren. Ik speelde eredivisie (hoewel, ik zat op de bank, maar ik was met veertien jaar al een belofte). Hij dreigde alles wat ik zelf had bereikt kapot te maken, en dat alleen maar omdat mijn moeder had gehoopt dat hij zou veranderen.

Ik raakte zo oververmoeid dat ik geen angst meer kon voelen, alleen nog maar haat. Ik zocht naar een uitweg uit deze situatie en vond die in een groot, scherp Tefal-mes dat ik onder mijn bed verstopte. Ik was van plan hem te vermoorden.

'Dat is gewoon zelfverdediging,' zei Ilse, mijn vriendinnetje, toen ik haar vertelde over mijn plan het mes in zijn buik te steken. Ilse wist hoezeer mijn vader mij terroriseerde.

'Denk je?' vroeg ik.

'Ja, zeker,' zei ze. 'Moet je gewoon doen.'

Ilse vond het een goed plan, maar ik moest hem recht in zijn hart steken, dat zou beter zijn. Het klonk makkelijk, maar zo eenvoudig kon het niet zijn. Het raken van zijn buik leek mij toch het makkelijkst, want die was zo groot als een skippybal en stak een flink eind naar voren. Maar of ik hem daarmee ook dodelijk zou raken, was nog maar de vraag. Ik begreep ook wel dat zijn hart meer kans op succes zou bieden, maar zo'n actie vereiste precisie en dat was alweer een stuk moeilijker. Wat nou als ik verkeerd prikte? Het moest echt in een keer raak zijn. Wat nou als hij het mes afpakte? Dan zou hij mij misschien vermoorden. Nachtenlang heb ik uit liggen denken hoe ik dat het beste kon aanpakken. Ik heb zelfs geoefend in mijn slaap. Maar ik kon geen enkel geschikt moment vinden om mijn plan uit te voeren. Dan was hij weer niet dronken genoeg, dan stond hij weer te ver van me af, dan bewoog hij weer te druk. Ik slaagde er niet in hem te vermoorden. Niet omdat ik dat niet wilde, maar omdat het lot anders had bepaald.

Tussen mijn dertiende en vijftiende jaar werd mijn vader gedetacheerd naar Lage Vuursche. Hij was niet meer te handhaven op de werkvloer. Altijd tijdens werktijd drinken. Altijd in een permanente staat van dronkenschap, altijd in conflict met iedereen, omdat hij in zijn grootheidswaan vond dat hij de leiding over het bedrijf had.

Ze waren hem na jaren ellende eindelijk zat, er was geen plek meer voor hem binnen de reclameafdeling. Het was even heel spannend voor mijn moeder, mijn broertje en mij of de ellende alleen nog maar toe zou nemen, als mijn vader ook nog eens zonder werk zou komen te zitten en mijn moeder niet meer in staat zou zijn de lasten te betalen. Als dat er ook nog eens bij kwam, was het leed helemaal niet meer te overzien.

Het Heineken-concern had een elegante oplossing bedacht voor een man die ze eenvoudig op staande voet had kunnen ontslaan wegens wangedrag op het werk. Hij werd keurig naar een plek gedirigeerd waar hij weinig met mensen in contact kon komen, en zijn conflictgedrag voor zo min mogelijk overlast zou zorgen. Mijn vader kreeg een andere baan, met behoud van zijn volledige salaris, in een prachtige bosrijke omgeving.

De Kale was uiteraard gekwetst. In zijn beleving was hij de meest toegewijde werknemer die een bedrijf zich kon wensen, en had hij met respect beloond moeten worden en juist promotie moeten krijgen. Vanuit die gedachte was het voor hem heel moeilijk te worden geconfronteerd met de werkelijkheid.

Hij was een dronken, agressieve, conflictueuze ondergeschikte, die heel veel geluk had gehad dat hij niet al veel eerder was ontslagen. Wij wisten heel goed dat hij blij mocht zijn dat het Heineken-concern hem nog in dienst hield, zo bont als hij het had gemaakt.

Dat mijn vader een andere dienstbetrekking kreeg, was iets wat Wim niet interesseerde en volledig aan hem voorbijging. Hij bekommerde zich geen seconde om ons, de achterblijvers, en wilde ook niet met onze ellende – wat ooit ook zíjn ellende was geweest – geconfronteerd worden. Hij had nooit zin om over De Kale te praten, hij kwam alleen langs als er voor hem gewassen of gestreken moest worden.

Hij was ons al vergeten vanaf het moment dat hij zijn ouderlijk huis de rug had toegekeerd.

Mijn vader legde op zijn nieuwe werkplek al snel eenzelfde, op grootheidswaan gebaseerde territoriumdrift aan de dag. Bij aanvang van zijn nieuwe dienstbetrekking had hij twee ganzen meegebracht die waren uitgegroeid tot een enorme, overlast veroorzakende kolonie. De hele omgeving had last van het lawaai en de stront die ze produceerden. Van de bedrijfsleiding moesten de ganzen verdwijnen, maar mijn vader was het daar niet mee eens.

Uit woede heeft hij ze een voor een de nek omgedraaid en er een paar op de stoep van zijn direct leidinggevende gelegd. Dat werd hem niet in dank afgenomen en zodoende was er weer een probleem. Mijn vader leek dat te begrijpen, en bedacht een uitweg door mij de schuld ervan te geven.

Elke keer als ik thuiskwam, moest ik voor hem gaan zitten en dan vroeg hij mij waarom ik die ganzen bij zijn baas op de stoep had gelegd. Als ik hem vertelde dat ik dat niet was geweest, zei hij me niet te liegen, want hij had me daar zelf in een lange zwarte jas – zíjn jas! – zien lopen, met de dode ganzen in mijn armen. Hij zou zoiets zelf nooit doen, en nu kreeg hij de schuld.

Ik mocht dan wel een 'hogere' opleiding volgen, maar ik was gewoon een achterlijk kind en ik kon hem niet laten opdraaien voor wat ik had gedaan. Hij deed zijn uiterste best mij te hersenspoelen door dit verhaal telkens te herhalen. Hij betrok mijn moeder erbij, en vertelde dat zij hem had verteld dat ook zij had gezien dat ik het was geweest.

Hij geloofde zo in zijn eigen waarheid dat ik hem op het eind van zo'n sessie bijna begon te geloven.

Ik was vijftien en kwam terug van een trainingskamp. Thuis aangekomen zag ik dat de toegangsdeur van het huis was dichtgespijkerd. Terwijl ik naar die deur keek werd ik door tante Wim geroepen. 'Kom vlug,' zei ze en trok me mee haar huis in, 'voordat je vader je ziet!'

Ze vertelde dat mijn vader de nacht ervoor de deur eruit had getrapt en dat Gerard en mijn moeder waren gevlucht, omdat hij weer helemaal was doorgedraaid. Ze zei dat mijn moeder met Gerard naar een woning in de Bentinckstraat kon en daar nu woonde. Toen ik daar heen ging, hoorde ik dat mijn vader door Gerard in elkaar was geslagen nadat De Kale weer dronken thuis was gekomen. Ik was er niet, en dus begon hij mijn moeder te treiteren. Hij had een huishoudinspectie gehouden.

Ons huis in de Eerste Egelantiersdwarsstraat had een begane grond, daarop drie verdiepingen en een zolder, en hij veegde dan op elke etage met twee vingers langs alle oppervlakken van de tafels, de kasten, de bovenkant van de lambrisering, overal waar stof zou kunnen liggen, om te controleren of mijn moeder wel alles goed had afgestoft.

Dat had mijn moeder als toegewijde huisvrouw natuurlijk altijd, ook omdat zij wist dat een beetje stof aanleiding voor hem was om weer te meppen. Stof kon hij dus niet vinden en daarom ging hij verder, op zoek naar een excuus om haar het leven zuur te maken. En als hij dat niet kon vinden, omdat alles piekfijn in orde was, creëerde hij wel een huishoudelijke misser door het beddengoed uit de kast te trekken en vervolgens quasi-verbaasd te vragen wat die rommel daar op de grond deed. Mijn moeder kon dit spelletje nooit winnen. Ook die dag niet.

'Wat doet dat papiertje daar in de asbak?' had hij haar indringend gevraagd.

Niemand bij ons thuis rookte en omdat die asbak niet gebruikt werd, had mijn moeder er een spaarpunt van Douwe Egberts in gelegd. Daar was die asbak niet voor bedoeld, schreeuwde hij en trok vervolgens alle kasten open om de complete inhoud daarvan over de reling van de trap van de tweede naar de eerste verdieping te gooien. Servies, bestek, bijzettafels, stoelen, alles wat hij te pakken kreeg ging naar beneden, want 'ze had het huis niet netjes opgeruimd en nu moest ze alles maar opnieuw doen'.

Gerard lag boven in bed en rende op het geschreeuw van mijn vader, het gegil van mijn moeder en het lawaai van brekend servies af. Hij zag dat mijn vader mijn moeder achter het servies aan van de trap af probeerde te gooien en toen knapte er iets in hem. Hij stormde op hem af. De Kale probeerde nog naar hem uit te halen, maar Gerard sloeg hem vol op zijn kin. Hij viel naar achteren, plat op zijn achterhoofd en bleef gedurende enige seconden bewegingloos liggen.

Met één klap had Gerard een einde gemaakt aan zijn dictatuur en het leek alsof De Kale daarin berustte. Niemand van ons gezin had het ooit aangedurfd hem fysiek aan te pakken.

Moeder niet, Wim niet, Sonja niet, en ik niet. Gerard is de eerste en de enige geweest.

Gerard, die stille, timide jongen, was tegen mijn vader opgestaan. Alles had hij zwijgend ondergaan, totdat ook bij hem de maat vol was.

Ik moet eerlijk zeggen dat ik dat nooit van hem had verwacht en ik wilde dan ook alle smeuïge details horen over hoe hij hem een lesje had geleerd, maar weinig spraakzaam als altijd zei hij alleen maar: 'Het is niet leuk.' Meer dan dat kwam er niet uit en dat hoefde ook niet. Gerard was mijn held en ik was blij dat ik die nacht niet thuis was geweest, want het was hoe dan ook uit de hand gelopen en dan had ik misschien alsnog naar dat Tefal-mes onder mijn bed gegrepen en wie weet hoe dat was afgelopen.

Gerard had dus niet alleen mijn moeder van mijn vader gered, maar ook mij van mezelf.

Opnieuw vluchtten mijn broertje Gerard, mijn moeder en ik weg van mijn vader. Mijn moeder zou nooit meer bij hem teruggaan. Ik was eindelijk aan mijn vader ontsnapt. Eindelijk rust! Althans, zo leek het even. Maar geheel onverwacht bracht die lang gewenste rust zo zijn eigen problemen mee.

Ik was gewend aan tirannie. De mishandelingen thuis waren dagelijkse routine. Ik wist niet beter. Iedere dag, ieder uur van de dag alert zijn, op je hoede. Het hield nooit op. Die continue stress vormt je geest, je zintuigen, je emoties. En hoe vreemd dat ook klinkt, het is een situatie waarin je je thuis voelt. Van kleins af aan heb je mechanismen ontwikkeld om in die situatie te overleven. Die overlevingsmechanismen zijn wat en wie je bent geworden. Als die situatie wegvalt ben je ontredderd, weet je niet hoe te functioneren.

Ik was stress gewend, ondraaglijke spanning, ruzies. Ik had

behoefte aan situaties die de spanning die ik thuis had gekend enigszins nabootsten. Wim was daar volledig in geslaagd. Hij had, nadat hij uit huis was gegaan, zijn nieuwe thuis in de onderwereld gevonden. Het was een warm nest waarin hij kon blijven herhalen wat hij gewend was: spanning, agressie en geweld. Een wereld waarin een beroep werd gedaan op zijn overlevingsdrang en zijn vermogen tot zelfbehoud.

Sonja was het ook gelukt haar leven op oude voet voort te zetten. Sonja wist niet beter dan dat de man in een relatie in alle opzichten het leven van zijn vrouw domineerde en dat vond zij volledig terug in Cor. Hij werd de invulling van haar leven. De hele dag was ze met hem bezig. Gerard deed het op zijn eigen voorzichtige manier. Hij was opgenomen in de liefdevolle familie van zijn vriendin Debbie.

Daar had ik geen behoefte aan en ik kwam niet, zoals Wim, voor de misdaad in aanmerking. De zelfkant van de samenleving bood mij enkel een rol als prostituee of gangsterliefje. Maar een vrouwenrol zoals Sonja die vervulde was, gelet op mijn ervaringen thuis, het laatste wat mij aantrok.

Ik kon met mezelf geen kant op. Ik was agressief. Om het minste of geringste barstte ik in woede uit. Nadat ik op een dag mijn lieve moedertje in blinde woede in de gangkast had opgesloten, wist ik dat ik zo niet door kon gaan. Ik was precies mijn vader geworden. Ik deed haar alleen maar verdriet, terwijl ik zoveel van mijn moeder hield.

Ik was zestien en liep van huis weg. Weg van de situatie die het slechtste in mij naar boven bracht. Ik kwam in een crisiscentrum terecht, kreeg een ernstig ongeluk, ging weer terug naar huis en vertrok begin 1983 op zeventienjarige leeftijd naar Israël om daar in een kibboets te werken, de enige manier om zonder geld in het buitenland te kunnen verblijven en ver weg van huis te kunnen zijn.

In Israël voelde ik mij op mijn gemak. Door de constante dreiging van hernieuwd oorlogsgeweld hing er altijd een zekere spanning in de lucht, een alertheid waarmee ik vertrouwd was. Ik werkte er en speelde basketbal, maar toen bleek dat ik alleen deel mocht nemen aan de competitie als ik joods was, ben ik aan het einde van de zomer teruggegaan naar huis om daar weer aan het nieuwe basketbalseizoen te beginnen.

Met mijn vader uit ons leven had Wim het regime overgenomen, en hij bepaalde vanaf dat moment alles. We waren allemaal weer 'thuis' en ik begon opnieuw aan mijn ontsnapping. Het gesprek met de CIE legde pijnlijk bloot dat ik daar vijfendertig jaar later nog steeds niet in was geslaagd.

Niemand van ons gezin was erin geslaagd aan het verleden te ontsnappen.

***

Ik liep terug naar het huis in de Eerste Egelantiersdwarsstraat, gluurde door het raam naar binnen om te kijken of daar wel iets was veranderd, maar het zag er nog steeds zo uit als in mijn herinnering. De deur van het huis ging open.

'Zoekt u iemand?' vroeg een vriendelijk ogende jongeman. 'U kijkt zo.'

'Nee niemand, sorry. Ik keek even, ik ben in dit huis opgegroeid, vandaar,' antwoordde ik.

'O, wat leuk, wilt u even binnenkomen?' vroeg hij opnieuw heel vriendelijk.

Naar binnen? De angst bekroop me al bij de gedachte.

'Nee hoor, dank u. Heel vriendelijk van u, maar ik moet weer gaan. Dag!' antwoordde ik gehaast.

Ik wilde nooit in mijn leven meer een voet in dit huis zetten, deze kraamkamer van ellende.

Ik liep terug naar mijn auto. Nu eerst mama's probleem oplossen. Ik pakte mijn telefoon en stuurde Wim een berichtje: 'Kopje thee?'

'Oké, 30 minuten,' stuurde hij terug.

Een locatie spraken wij liever niet af via de telefoon. Als die bekend zou zijn dan was het eenvoudig een observatieteam te sturen en ons af te luisteren. Daarom hadden we van tevoren benamingen voor bepaalde plaatsen afgesproken. Als we bijvoorbeeld 'Kopje thee' zeiden, wisten we allebei waar we heen moesten. In dit geval was dat de Gummmbar, een koffietent in de buurt van mijn kantoor.

Wim kwam aanrijden op zijn scooter, zoals altijd helemaal in het zwart gekleed, zijn blik nors en verongelijkt. Hij voelde zich weer eens tekortgedaan.

'Is toch niet normaal!' begon hij gelijk. 'Wil d'r eigen kind niet eens inschrijven. Schandalig! Wat moet ik nou?'

'Wim, luister nou. Doe even rustig. Die vrouw is bijna tachtig. Als jij je inschrijft krijgt ze misschien weer een keer een inval, of problemen met de woningbouw. Die ouwe kan die stress niet meer aan.'

'Ja, dat zal wel weer en wat moet ik dan? Wat een kankeregoïst. Er moet toch een oplossing komen anders—'

'We vinden een oplossing,' stelde ik hem gerust en al pratende kwamen we uit op het adres waar hij 'beter' ingeschreven kon blijven staan dan bij mama. Als Wim ergens voordeel in zag, was hij al snel weer rustig.

Na het gesprek met Wim stapte ik in mijn auto en belde gelijk mijn moeder.

'Hi mam.'

'Hi lieverd,' zei ze.

'Alles goed?'

'Ja, hoor,' zei ze.

'Hier ook alles goed. Ga je zo eten?'

'Ja, straks. Dank je, lieverd.'

'Dag mam.'

Via deze boodschap gaf ik mama door dat het was geregeld.

Hij hoefde niet bij haar ingeschreven te staan.

Nu kon ik eindelijk aan het werk.

Cor & Sonja (1977)

Sonja leerde Cor bij ons thuis kennen. Zij was zestien en hij twintig. Na enige tijd als vrienden met elkaar te zijn omgegaan, kregen ze een relatie. Van mijn vader mocht dat niet en daarom zagen ze elkaar alleen stiekem, bij ons thuis als De Kale aan het werk was, of buiten de deur. Cor had op dat moment al een vriendinnetje en verbrak die relatie toen Sonja zwanger werd en hij met haar ging samenwonen.

Sonja wilde net als mijn moeder huisvrouw worden. Iedere vrouw in de Jordaan werd huisvrouw. Vrouwen die werkten waren zielig, of met een waardeloze vent getrouwd die hen niet eens kon onderhouden. De kwaliteit van een huwelijkspartner werd afgemeten aan de welstand waarin hij zijn vrouw kon laten leven. Sonja was voorbestemd om iemands vrouw te zijn. Ze had zichzelf al jong huishoudelijke vaardigheden aangeleerd, zoals bedden opmaken, opruimen en de was doen. Ik zag het mijn moeder elke dag doen, het was onderdeel van het vrouw-zijn. Dat vrouw-zijn betekende ook dat je klappen kreeg.

Dus weigerde ik van kinds af aan categorisch elke huishoudelijke taak, met als gevolg dat ik in mijn volwassen leven volledig in paniek kan raken bij een volle wasmand, een rommelige keuken of een stoffige huiskamer. Het huishouden doen is een kunde die volledig wordt onderschat.

Ik zie het elke dag weer, als mijn zusje het keukenblad omtovert van een dof, zielig oppervlak naar blinkend, zwart marmer. Of mijn woonkamer ordent van een uitdragerij tot een kamer uit *VT Wonen Magazine*. Het is een vak. En Sonja vond het een leuk vak. Haar leven draaide om de verzorging van Cor. De hele dag was ze met hem bezig, ze leed aan 'Corologie'. Gedurende hun hele relatie was het vanzelfsprekend dat Cor precies deed wat hij wilde en dat hij haar niets vertelde. Al haar vragen werden door Cor altijd weggelachen met het antwoord: 'Je mag wel alles eten, maar niet alles weten.'

Het maakte Sonja vaak achterdochtig. Niet omdat ze dacht dat hij met verkeerde dingen bezig was, maar omdat ze wilde weten of hij vreemdging, want dat was haar enige zorg. Dus volgde ze elk spoor als een bloedhond.

Vaak nam ze mij mee en vond ze hem nog ook, plukte hem weg uit de verschillende hoerenhuizen in de stad. Nee, vreemd ging hij niet, lachte hij dan, hij had zich toch zeker eerst netjes voorgesteld voordat hij hem erin hing?

Cor was er de man niet naar ook maar iets met zijn vrouw te delen. Ze was er om hem te verzorgen, meer zocht hij niet. Over werk praten deed je met mannen, dat waren geen vrouwendingen, daar hadden vrouwen ook geen verstand van. En het was alleen maar beter dat vrouwen niets wisten, want wat ze niet weten, kunnen ze ook niet doorvertellen. Een vrouw is altijd een risico en een vrouw met kinderen helemaal, die wordt door de politie met haar kinderen onder druk gezet om te vertellen wat ze weet. Of ze houden haar voor dat haar man ook nog andere vrouwen heeft, waardoor ze vaak doorslaat. Nee, een vrouw werd niets verteld en Sonja wist dus ook van niks.

We zouden allemaal volledig verrast worden door wat stond te gebeuren.

Het was november 1983. Ik was nog niet zo lang terug van mijn verblijf in Israël en zat meestal bij Sonja thuis. Zij was het jaar daarvoor zwanger geraakt van Cor en verhuisde van de Van Hallstraat naar de Staalmeesterslaan, om daar met hem samen te gaan wonen. Ze was er in februari bevallen van Francis, hun prachtige dochter.

Cor genoot van de kleine aap, maar was vooral erg druk. Hij en Wim waren dag en nacht samen aan het werk en tussendoor kwamen ze bij Sonja langs om te eten en Francis een knuffel te geven. Sonja was dat gewend, als hij onderweg was met Wim kwam hij alleen thuis om te eten en te slapen. Ik at ook vaak bij Sonja en daar zag ik dan Cor en Wim.

We zaten met zijn allen aan tafel toen Wim zei: 'Hier, voor jou,' en hij gaf me een biljet van honderd gulden over een bord andijvie. Wat was dat nou? Wim die mij iets gaf, dat had hij op een kermisknuffel na nog nooit gedaan. Wim was niet gul. Hij had altijd veel geld op zak, maar nooit voor ons. Mijn moeder sloofde in andere huishoudens, maar het zou niet in hem op komen haar wat te geven. En nu gaf hij me geld. Honderd gulden? Waar had ik dat nou aan te danken?

'Ben je ziek?' vroeg ik.

'Als je bijdehand doet, geef je het maar weer terug,' beet hij me toe.

'Nee, echt niet. Gegeven is gegeven. Bedankt hè, broertje!'

Ik vond het zo vreemd. Hij hield wel vaker geld voor mijn neus en vroeg dan: 'Moet je geld hebben?' Maar als ik dan 'ja' zei en het aan wilde pakken, trok hij het snel weg en zei: 'Dan moet je gaan werken.'

Het klopte niet. Of hij was echt ziek, of er was iets aan de hand waardoor hij plotseling zo aardig tegen me deed.

Er klopte inderdaad iets niet en het zou niet lang duren voordat ik erachter kwam wat dat was.

De Heineken-ontvoering (1983)

Het was groot in het nieuws: Freddy Heineken en zijn chauffeur Ab Doderer waren ontvoerd. Heineken, de man om wie het leven van mijn vader draaide. Meer dan vijfentwintig jaar werkte hij al voor het Heineken-concern en avond na avond, jaar in jaar uit, heb ik aan moeten horen wat hij allemaal moest doen voor 'de Brouwerij', hoe hij er op zijn eigen krankzinnige wijze aan wilde bijdragen. Ik schaamde me altijd voor zijn bizarre toewijding aan het bedrijf, maar in zijn respect voor meneer Heineken kon ik hem goed volgen.

Ik was dan ook oprecht geschokt door het nieuws. Zelfs zijn chauffeur hadden ze meegenomen, 'die klootzakken', zei mijn moeder. Dat was onbegrijpelijk, een gewone arbeider die was ontvoerd, iemand zoals wij, geen rijke man, maar een gewoon iemand. Ook zij was overdonderd door het nieuws.

Wim kwam op een avond bij Cor en mijn zus eten en ik was er ook. Op de televisie kwam op dat moment het laatste nieuws over de ontvoering.

'Wat vind je daar nou van?' vroeg Wim.

'Ongelooflijk stom,' antwoordde ik. 'Wie gaat er nou Heineken ontvoeren, die man is machtiger dan de koningin. Degenen die dit hebben gedaan komen daar nooit mee weg. Die worden de rest van hun leven opgejaagd.'

'O, denk jij dat?' vroeg hij.

'Dat weet ik wel zeker.'

'Hoe weet je dat dan?' vroeg hij bits.

'Wim, die man heeft miljarden, die man is oppermachtig, hij heeft contacten met wereldleiders, hij is de beste vriend van de koningin. Echt, die gasten hebben zich wat op de hals gehaald, die hebben de hele wereld tegen zich.'

'Wijsneus,' beet hij me toe.

Hij was zoals altijd geïrriteerd over mijn mening, dus daar was niets vreemds aan. Hij veranderde van onderwerp. 'Koop even een typelint voor me. Weet je waar je dat moet halen?' vroeg hij streng.

'Ja,' zei ik.

'Ik moet het morgen hebben. Hier heb je geld. Niet vergeten, hè!' drong hij aan.

'Nee, ik vergeet het niet.'

'Jawel, jij vergeet altijd alles, maar dit mag je niet vergeten, dit is heel belangrijk.'

Wim had gelijk, ik vergat altijd alles. Maar ik begreep heel goed dat ik dit niet mocht vergeten.

'Leg het bij mama neer.'

'Is goed,' zei ik.

De volgende dag fietste ik naar de boekhandel op de hoek van de Jan Evertsenstraat, kocht het typelint en fietste terug naar mijn moeders huis, waar hij al op mij zat te wachten.

'Hier,' zei ik en gaf hem het doosje met het typelint erin, niet wetende waarvoor hij dat zou gebruiken.

'Goed gedaan, Assie.' Hij ging gelijk weg.

Die avond sliep ik weer eens bij Sonja. Francis lag in het kinderkamertje in haar wiegje en ik lag samen met Sonja in het tweepersoonsbed in de ouderslaapkamer. Ik schrok wakker van een enorme knal bij de voordeur, gevolgd door snelle, luide voetstappen, die steeds dichterbij kwamen. Op het moment dat ik mijn ogen opendeed om te kijken waar dat lawaai vandaan kwam, zag ik rondom ons bed zeker zes grote kerels, hun gezichten verborgen door bivakmutsen. Allemaal hadden ze een groot vuurwapen in hun hand dat ze op ons richtten. Sonja en ik konden geen kant op.

In blinde paniek grepen we elkaar vast en gilden het uit. Ik ga dood, was het enige wat ik kon denken. Binnen een fractie van een seconde volgde nog meer lawaai en met een enorm geschreeuw stormde een tweede delegatie de kamer in en trok alle kasten en deuren open.

Wat was er aan de hand? Waarom zouden zij ons vermoorden? Ik werd van Sonja losgetrokken, het bed uit gesleurd en op de grond gegooid.

'Liggen! Op je buik! Liggen!' werd er geschreeuwd. 'Handen achter je hoofd!'

Ik lag op mijn buik, met mijn handen achter mijn hoofd. Ik probeerde te zien wat er achter mij gebeurde en zag vanuit mijn ooghoek een van die mannen boven mij staan, zijn wapen op mijn hoofd gericht. Voor mij zag ik het kamertje waar Francis lag, ik hoorde haar huilen en zag een grote gewapende kerel haar babykamertje in gaan. Mijn nichtje! Wat gingen ze met mijn nichtje doen?

Ik hoorde Sonja gillen: 'Mijn kind, mijn kind!'

Ze probeerde zich te ontworstelen aan de sterke grote kerel die haar in bedwang hield. Uit pure wanhoop probeerde ik over de grond naar Francis' kamertje te kruipen om haar te pakken, te beschermen, iets te doen, maar de man die boven mij stond schreeuwde: 'Liggen blijven!' en trok mij aan mijn benen terug, plaatste zijn voet in mijn nek en duwde mijn hoofd omlaag met mijn wang in het tapijt.

Met mijn actie had ik de situatie waarschijnlijk alleen maar verergerd. Ik probeerde zijn blik te vangen, om te zien wat hij zou doen. Ik zag het wapen en wist zeker dat hij mij dood zou schieten. Ik kon onmogelijk aan hem ontkomen, kneep mijn ogen dicht en wachtte op het schot.

Op hetzelfde moment hoorde ik weer geschreeuw, mannen in normale kleding kwamen binnen en riepen: 'Politie! Politie!' Politie? dacht ik. O, gelukkig! Het is politie. Het zijn geen overvallers, geen moordenaars. Het is politie, die zullen ons toch niet doodschieten, we gaan dit overleven!

Ik lag nog steeds op mijn buik op de grond met de schoen van de agent in mijn nek en hoorde dat ze het hele huis doorzochten. Ze schreeuwden tegen Sonja.

Ze schreeuwden dat ik moest vertellen waar Cor was. Maar Cor was hier niet en ik wist niet waar hij was. Cor was wel de laatste die Sonja of mij zou vertellen waar hij heen zou gaan. Ik moest opstaan en mee naar de woonkamer. Ik vroeg wat er aan de hand was, maar ze gaven geen antwoord. Sonja werd in een andere kamer apart van mij gehouden. We mochten niet met elkaar praten. Ik moest me aankleden en liep onder begeleiding van een rechercheur naar de slaapkamer.

Op dat moment ging de telefoon.

Sonja en ik keken elkaar aan en dachten allebei hetzelfde. Dat was Cor! Cor, naar wie ze kennelijk op zoek waren.

Sonja wilde niet, maar moest opnemen van de rechercheur.

'Hey,' zei ze en ze hoorde de stem van Cor. Voordat ze kon zeggen wat er in haar huis gebeurde, werd de telefoon uit haar handen getrokken door de rechercheur.

'Ja hallo, met Piet,' zei hij.

Cor wist wat dit betekende, een vreemde vent in huis bij Sonja, die de telefoon van haar overnam. Wij hadden nog steeds geen idee wat er aan de hand was.

Nadat we allebei aangekleed waren moesten we mee naar het bureau. We wilden weten waarom, maar kregen nog steeds geen antwoord. We werden in aparte auto's afgevoerd. Francis ging met Sonja mee in de auto.

Op het politiebureau werden we met z'n drieën in een gemeenschappelijke ruimte gezet. Zich niet bewust van de ernst van de situatie haalde Sonja een fototoestel uit haar tas en maakte foto's van Francis. Voor haar plakboek, grapten we. Enkele uren later zaten we er nog steeds.

'Wat zou er zijn?' vroeg Sonja voor de zoveelste keer.

'Ik heb geen idee,' zei ik. 'Heeft Cor wat verkeerds gedaan, denk je?'

'Ik weet het niet,' zei Sonja, 'ik kan niets bedenken wat het kan zijn, maar ze moeten wel Cor hebben.'

Dat ze Cor moesten hebben was inderdaad duidelijk. Terwijl Sonja en ik zochten naar de reden waarom we waren meegenomen, ging de deur open en moest ik mee naar een aparte cel met een betonnen bed en een wc ernaast. Het was er koud en op de muren stonden allerlei teksten gekrast, ik voelde me ongemakkelijk. Ik ging op het beton zitten en deed het enige wat daar te doen was: de teksten lezen die in de muren gekerfd stonden. Hier hadden duidelijk mensen gezeten die niet dol waren op de politie. En met wat mij zojuist was overkomen kon ik mij dat goed voorstellen.

Ik had alle muren van mijn cel al snel uitgelezen en de uren verstreken, maar nog steeds wist ik niet waar dit nou allemaal om ging. Wat ik wel wist, was dat het buiten al licht werd en dat het inmiddels zeker acht uur in de ochtend moest zijn, zo niet later, tijd om naar school te gaan. Ik had die ochtend een proefwerk Duits van mevrouw Jansen-Sprikman, zo ongeveer de strengste lerares van de school, en ik kon dat proefwerk zeker niet missen. Ik drukte op de intercom.

'Ja,' zei een afgemeten stem.

'Dag mevrouw, ik heb zo een proefwerk Duits, ik wil graag weg.'

Stilte.

Ik drukte weer op de intercom.

'Ja.'

'Ja mevrouw, kunt u mij hieruit halen, want ik moet naar school.'

'Nee,' klonk het donker.

Daarna kon ik drukken op het belletje tot mijn vinger er blauw van werd, maar er werd helemaal niets meer gezegd. Ik begreep dat ik dat proefwerk niet zou halen. Hoe ging ik dat uitleggen aan de juf? Zeggen dat ik in een politiecel zat? Dat zou ze nooit geloven. Ik zag de strenge, ongelovige blik van mevrouw Jansen-Sprikman al voor me. 'In een politiecel, jongedame? Is uw fantasie een beetje op hol geslagen?' Ik zou zeker een onvoldoende krijgen. En ik kon haar wel begrijpen, ik was altijd serieus en braaf, zeker geen raddraaier. Waarom zou ik in een politiecel zitten?

Ik wist zelf niet eens waarom ik daar zat.

Meer uren verstreken. Mijn hoofd tolde van het malen. Het moest wel heel erg zijn wat Cor gedaan had, maar ik kon me niet voorstellen wat. Cor was altijd heel lief voor mij, en ik zag hem alleen maar lief zijn voor zijn moeder, zijn zusje, zijn halfbroertje, voor iedereen. Hij was grappig en gezellig. Wat kon hij nou voor kwaad hebben gedaan? Hoe zou het verder gaan? Hoelang moest ik hier nog zitten en waarom? Wat kon ik eraan doen als Cor wel iets verkeerds had gedaan?

Ik dacht aan Sonja en Francis. Of ze nog samen waren of dat ze Francis aan de kinderbescherming hadden gegeven, waar ze mee dreigden toen ze ons in Sonja's huis arresteerden. Ik vroeg me af of dit alles misschien met Wim te maken kon hebben. Cor en hij waren toch altijd samen?

Na weer een aantal uur werd de celdeur opengegooid en stormde een grote vent binnen. 'Tekenen!' schreeuwde hij, terwijl hij een papier onder mijn neus hield.

'Tekenen?' vroeg ik verbaasd.

'Ja, tekenen!' schreeuwde hij opnieuw en ik las het papier dat hij voor me hield. Daarop stond te lezen dat ik gearresteerd was in verband met de Heineken-ontvoering.

De Heineken-ontvoering? Wat was dit nou? Ik werd bang en in een flits ging de film die ik de dag daarvoor gezien had door mijn hoofd: *Het proces* van Franz Kafka. Ik was zelf in een kafkaëske film terecht gekomen, en ik weigerde te tekenen. Ik was bang dat als ik dat zou doen, ik nooit meer vrij zou komen.

Maar die weigering accepteerde de reusachtige vent niet. Hij bracht zijn hoofd tot op een centimeter van mijn gezicht en bulderde: 'Tekenen! Jij gaat tekenen!'

Ik was zo overdonderd door dit verbale geweld dat ik niet wist hoe snel ik mijn krabbel moest zetten. Waar ik voor tekende wist ik niet, maar vervolgens moest ik mee naar een kamertje, waar ik mijn handen moest uitsteken en vinger voor vinger mijn nagels werden afgeknipt. Ik was bang. Waarom knipten ze mijn vingernagels af? Wat gingen ze nog meer met me doen?

Pas vijfentwintig jaar later, toen ik inzage kreeg in het oude dossier, zou ik erachter komen waarom ze dat hadden gedaan. Ze zochten naar sporen van het chemische goedje dat het Heineken-concern op het losgeld had gespoten. Zo wilden ze onderzoeken of ik het losgeld in mijn handen had gehad.

Ik was doodsbang. Ik was met geweld meegenomen van huis, ik wist niet waar ik was, ik werd opgesloten, niet te woord gestaan, mocht niet naar huis en was overgeleverd aan wildvreemde mensen die met mij konden doen wat zij wilden. Beangstigender dan dat kon niet. De gedachte dat het politie was, was allang geen geruststellende gedachte meer.

Na het knippen moest ik naar een volgende kamer, voor verhoor. Ik was zeventien, minderjarig, en had nog geen advocaat gezien. Ik wist destijds natuurlijk niet dat dat niet kon.

Ik werd verhoord. Ze lieten me foto's zien van Rob Grifhorst, Frans Meijer, Jan Boellaard, Cor en zijn halfbroer Martin Erkamps. Ik kan me absoluut niet herinneren wat ik heb verklaard, maar veel kan het niet zijn geweest. Ik wist immers niks.

Daar was de recherche kennelijk ook snel achter. De volgende dag ging mijn celdeur open en werd ik zonder enige toelichting buiten het pand gezet. Ik wist niet hoe snel ik weg moest komen en rende naar huis, bang dat ze zich misschien zouden bedenken.

Thuis aangekomen – we waren inmiddels van de Bentinckstraat alweer verhuisd naar de Marco Polostraat – kwam ik in een leeg huis terecht. Waar was iedereen? Op dat moment werd er op de deur geklopt. Het was de buurvrouw van boven, ze had Francis in haar armen. Die had ik in ieder geval gevonden, dat was het belangrijkste, de rest kon voor zichzelf zorgen. Ze was op verzoek van Sonja zolang bij de buurvrouw ondergebracht, vertelde ze.

'O, gelukkig. Dank u, buuf!' zei ik opgelucht. Ik vroeg haar of zij wist waar de rest was.

'De politie heeft Gerard ook meegenomen. Ik hoorde een enorm kabaal op de trap, het hele pand stond zwart van de mensen in gevechtskleding. Het was net een film. Uit het raam zag ik dat Gerard werd meegenomen in een auto. Je moeder ging vanmorgen naar Sonja's huis en die is niet meer teruggekomen. Maar als ik afga op het nieuws, zit zij ook op het politiebureau.'

'Sonja is ook op het bureau,' vulde ik haar aan, 'zij is samen met mij meegenomen.'

'Wat een ellende, hè kind?' zei de buurvrouw met medeleven in haar stem.

De warmte waarmee ze dat zei stond in zo'n schril contrast met de hardheid waarmee ik zojuist was behandeld, dat het me even te veel werd.

'Wat gebeurt er allemaal, buurvrouw? Wat is er aan de hand? Ik wil mijn moeder terug, maar ik weet niet wat ik moet doen. Wat kan ik doen?' huilde ik.

'Doe maar rustig, het komt allemaal wel goed,' zei ze. 'Ik heb boven nog een kaartje van een rechercheur die mij allemaal vragen kwam stellen over jullie. Misschien moet je hem even bellen.'

Ik was zeventien, wist van toeten noch blazen, en had net ervaren wat er met je kon gebeuren, zonder dat je ook maar iets verkeerd had gedaan. Bellen voelde hetzelfde als je hand reiken naar de beul die hem er vervolgens afhakt. Ik haalde het niet in mijn hoofd om uitgerekend die mensen te gaan bellen, die mij zo onrechtvaardig hadden behandeld. Wat kon ik verwachten?

'Nee, buurvrouw, dat durf ik niet. Straks komen ze me weer halen. Ik wacht wel af. Dank buuf, voor alles. Ik kan nu wel voor Francis zorgen tot Sonja terug is.'

'Dat is goed, lieverd. Als er wat is, ik ben boven,' zei de buurvrouw.

Nog geen tien minuten later ging de deurbel. Ik had Francis nog steeds in mijn armen en deed open. Beneden stond een vent. 'Kinderbescherming, ik kom Francis van Hout halen!'

Francis halen? Ik dacht het niet. Mijn zus zou me wurgen als ik haar mee liet nemen.

'Dat is niet nodig. Ze blijft bij mij,' riep ik en rende met Francis in mijn armen naar boven, de trap op, naar de buurvrouw. De vent van de kinderbescherming rende achter mij aan.

'Buurvrouw, doe open!' schreeuwde ik. De griezel had me bij mijn been te pakken en ik schopte hem los, rende het laatste stukje de trap op, stoof bij de buurvrouw naar binnen en duwde de deur achter me dicht. Net op tijd.

'Doe open,' zei de vent.

'Nee,' zei ik, 'ze blijft hier.'

'Dan kom ik terug met de politie,' zei hij.

'Je doet maar!' riep ik en dacht: dan smeer ik 'm ondertussen met Francis.

Maar de buurvrouw zei: 'Doe rustig, zo gaat dat niet,' en ze begon met die vent te praten. Hij zei haar dat ik niet voor Francis mocht zorgen, omdat ik bij die criminele familie hoorde. Ik wist niet wat ik hoorde. Was de hele wereld gek geworden? De buurvrouw overtuigde hem ervan dat zij de zorg op zich zou nemen. Daar ging hij mee akkoord.

Ik was opgelucht. Sonja was woest geworden als ik Francis zomaar had meegegeven aan vreemden. Ik kon de kleine Francis maar niet kalmeren, ze was door de gebeurtenissen helemaal van slag, maar de buurvrouw was een echte moeder en wist Francis kalm te krijgen.

Francis lag boven bij de buurvrouw te slapen en ik zat beneden toen ik gerommel aan de deur hoorde. Ik verstijfde van schrik. Was het nog niet afgelopen? Zouden ze me weer komen halen? Ik kroop achter de bank. De deur werd geopend. Wie was dit? Ik hoorde iemand binnenkomen, maakte me zo klein mogelijk en hield mijn adem in.

'Is er iemand thuis?' Het was Gerard!

Ik stond op vanachter de bank en riep: 'Ik ben er!'

Gerard schrok zich kapot: 'Wat doe je daar, imbeciel, ik schrik me dood!'

Zijn hatelijke woorden klonken dit keer als muziek in mijn oren. Ik had mijn kleine broertje terug!

'Wat is er allemaal aan de hand, Geer?' vroeg ik in de hoop dat hij het antwoord zou weten.

'Ik weet het niet maar het is wel heel erg,' zei hij met trillende stem. 'Ík ben gearresteerd door de politie,' zei hij, alsof hij het nog steeds niet kon geloven. Hij vertelde dat hij had gezien hoe gewapende mannen onze etagewoning binnendrongen en dat hij nog geprobeerd had zich te verstoppen op het balkon. Maar ze hadden hem al snel gevonden en onder bedreiging van een wapen meegenomen, een auto in. Pas in die auto werd hem verteld dat ze van de politie waren. Hij was doodsbang geweest. Dacht dat hij werd ontvoerd.

'En nu?' vroeg ik. 'Waar is mama, waar zijn Sonja, Cor en Wim?'

'Ik weet het niet, As, ik weet het niet,' antwoordde hij wanhopig. We waren allebei verlamd door wat ons net was overkomen. 'Ik ga maar even naar Debbie, vertellen dat alles goed met me is.'

'Ja, doe maar. Kom je wel snel terug?' antwoordde ik, bang om alleen te zijn.

'Ja, tot zo.'

Die avond waren we allebei thuis en konden niets anders doen dan afwachten: nog steeds waren Sonja, mijn moeder, Cor en Wim er niet en niemand vertelde ons iets. We tastten volledig in het duister en probeerden van het nieuws wijzer te worden. Maar dat joeg ons alleen maar meer angst aan. We herkenden niets van wat er over Cor, Wim en onze families werd gezegd. We waren volledig verward en ontredderd.

Ik wilde zo graag naar mijn moeder.

De buurvrouw vroeg ons te eten. De tv stond aan, met doorlopend nieuws over de daders van de ontvoering. Het was onwerkelijk te horen dat het ging over mensen die ik kende; Cor, Wim en Martin, de halfbroer van Cor. Hoe konden zij dit hebben gedaan? Het was niet te bevatten. De buurvrouw was lief en probeerde ons te troosten.

'Wat moeten we nou?' vroeg ik, en op dat moment hoorden we mijn moeder roepen: 'Is er iemand thuis?'

'Mam, we zitten hierboven!'

Mijn moeder, eindelijk! Ze vertelde dat ze was gearresteerd op het moment dat ze bij het huis van Sonja aankwam. Wij waren toen net afgevoerd.

Het huis stond vol leden van het arrestatieteam en een van hen bewaakte de toegangsdeur. Mijn moeder zag dat de deur openstond en wilde naar binnen lopen. Een lid van het arrestatieteam wilde dat verhinderen, hij ging voor haar staan en richtte een pistool op haar hoofd.

'Staan blijven,' zei hij.

Maar mijn moeder was er niet van onder de indruk en zei boos: 'Zeg, doe jij even normaal,' duwde zijn hand met daarin het pistool opzij en liep door. 'Wat doen jullie hier? Hebben jullie niks beters te doen? Jullie moeten achter die Heineken-ontvoerders aan gaan,' zei ze in alle oprechtheid, niet wetende dat dat nou precies hetgeen was waar ze mee bezig waren. 'Die kolere gozer, die Cor, waarom heeft ie dat gedaan? Heineken ontvoeren, is ie helemaal gek geworden? En dat komt bij ons thuis? Hij gaat eruit! Sonja mag niet meer met hem omgaan. Wat een foute jongen is dat. Waarom heb ik dat niet eerder gezien? Dat secreet!'

'Hoe bedoel je, mam?' vroeg ik.

'Cor heeft Heineken ontvoerd!' riep ze.

'Ja, maar Wim toch ook?' antwoordde ik.

Op het moment dat ik dat zei, kromp ze ineen en stortte neer op de bank. 'Wim?' vroeg ze volledig verbaasd. 'Heeft Wim er ook mee te maken?'

'Mam, hebben ze je dat op het bureau dan niet verteld?'

'Nee,' zei ze. 'Wat?'

'Dat Wim ook mee heeft gedaan.'

'Nee,' stamelde ze en staarde wezenloos voor zich uit. 'Nee, dat hebben ze niet verteld, ze hebben alleen over Cor gesproken.'

Haar wereld was zojuist ingestort, en ze begon te huilen. 'Mijn jongen, mijn jongen, hoe kan mijn kind zoiets doen? Wat erg, wat erg. Waar is hij? Zit hij ook op het bureau?'

'Ik weet het niet,' antwoordde ik.

Op dat moment verscheen op televisie het bericht dat een aantal daders van de Heineken-ontvoering was gepakt, maar dat er nog twee voortvluchtig waren.

Ik keek naar mijn moeder en zag het verdriet in haar ogen. Dit ging over haar zoon. Haar zoon was op de vlucht, probeerde te ontsnappen aan de straf voor wat hij had gedaan.

'Die zien we misschien nooit meer terug,' mompelde ze. 'Ze gaan ervandoor en laten ons achter met de ellende.' Ze keek om zich heen. 'Sonja is nog niet terug. Waar blijft ze toch?'

De volgende dag kwam Sonja vrij. Thuis rende ze meteen op kleine Francis af en liet haar niet meer los. De recherche had continu gedreigd dat als ze niet de waarheid zou vertellen over wat zij van de ontvoering wist, ze haar kind in een kindertehuis zouden plaatsen. Ze zou Francis nooit meer terugzien.

Maar Sonja wist helemaal van niets en pas toen ze daar van overtuigd waren, mocht ze gaan. Sonja was heel erg in de war, verdrietig, boos op Cor, boos op Wim. Hoe konden ze iedereen dit aandoen? Hoe konden ze tot zoiets vreselijks in staat zijn, zonder dat wij er ook maar iets van wisten? Het had zich allemaal achter onze rug om afgespeeld. Wij werden aangekeken op wat zij hadden gedaan. Ze hadden haar haar kind wel af kunnen pakken!

We waren boos op ze, maar toch ook bezorgd. Waar zouden ze zijn? Wat zou er gebeuren als ze gevonden werden? Zouden ze de kans lopen gedood te worden tijdens hun arrestatie? Uit het nieuws bleek dat er met man en macht naar ze werd gezocht, en naar het deel van het losgeld dat nog niet was teruggevonden.

Wij werden vanaf dat moment achtervolgd door de politie, in de hoop dat wij ze naar Cor en Wim of het ontbrekende losgeld zouden leiden. Als we in een winkel wat kochten, controleerden ze of we geld uitgaven dat van het losgeld afkomstig was.

We waren losgelaten, maar niet vrij. We werden geobserveerd en afgeluisterd. We hadden geen enkele privacy meer en dat was een heel naar gevoel. Ik kon begrijpen dat ze deden wat zij nodig achtten om de zaak op te lossen, maar het voelde als een onrecht dat we dat allemaal moesten ondergaan, terwijl wij niks verkeerds hadden gedaan.

We werden publiekelijk afgeschilderd als een maffiafamilie en door iedereen met de nek aangekeken. Toen de voorzitter van mijn basketbalvereniging mij bij zich riep voor een gesprek en mij mededeelde dat het bestuur had besloten dat de misdaad van mijn broer mij niet zou worden aangerekend, en dat ik bij de vereniging mocht blijven spelen, wist ik niet wat ik hoorde.

De misdaad van mijn broer werd mij niet aangerekend? Ik mocht blijven spelen? Waarom zou ik daar überhaupt niet mogen blijven spelen? Ik had Heineken en Doderer toch niet ontvoerd? Waarom zou ik daarvoor moeten boeten?

Die logica bleek echter niet alleen bij mijn basketbalvereniging ver te zoeken, maar overal elders ook. Ik was ineens 'familie van de Heineken-ontvoerders' en dus mede schuldig aan wat er was gebeurd. Ons hele leven hadden we nog niet door een rood stoplicht durven lopen, onder de knoet van mijn vader, en nu waren we ineens allemaal crimineel, dankzij Wim.

We kregen te horen dat het terecht was dat wij ook waren gearresteerd, dat was immers 'logisch in zo'n belangrijke zaak'. Natuurlijk is dat logisch, maar als het je zelf overkomt, voelt dat toch heel anders. Maar zelfs dat durfden we niet uit te spreken en we zwegen over wat ons was overkomen.

We werden door een volkstribunaal veroordeeld voor een verschrikkelijke misdaad waar we part noch deel aan hadden. Het was een vies gevoel om als daders te worden bekeken, voor een misdrijf waar we zelf ook van walgden. Het was een smet op onze persoonlijke integriteit, terwijl ook wij alleen maar slachtoffer waren van de daad van mijn broer en Cor.

Maar voordat we ons konden verdedigen had de samenleving al voor ons bepaald dat wij bij Cor en Wim hoorden, en dat we dus crimineel waren. De media ondersteunden dat gretig. Ontkennen had geen enkele zin. We werden bij 'het kwaad' gezet en 'het goede' was voor ons afgesloten. Overal waar we kwamen waren wij 'familie van', geen zelfstandig individu, nee, 'familie van'.

We hadden alleen nog maar een achternaam.

Ik wilde er ook niet om liegen, doen alsof ik iemand anders was en dan achteraf moest vertellen 'waar ik vandaan kwam'. Dus zei ik altijd heel eerlijk mijn naam en antwoordde bevestigend als men mij vroeg of ik 'familie van' was, waarop ik meestal werd aangekeken alsof ik besmet was met een vreselijke ziekte.

Het overkwam ons allemaal, we deelden allemaal dezelfde ervaring en raakten daardoor sterker met elkaar verbonden. Binnen die verbondenheid was het veilig, dus kropen mijn moeder, Sonja, Gerard en ik nog meer naar elkaar toe.

Mijn familie, waar ik voorheen altijd werd behandeld als 'raar', werd de enige plek waar ik geen vreemde eend in de bijt was.

Francis & Wim (2013/1983)

Wim had in de ochtend al gebeld, maar ik was aan het werk. Eenmaal 's avonds thuis stond hij weer voor mijn deur. 'Kom even naar beneden,' commandeerde hij nors. Wat zou er nu weer zijn? Ik liep naar beneden waar hij op straat bij zijn scooter stond te wachten. Zijn gezicht stond op onweer en zodra ik bij hem was, stak hij gelijk van wal.

'Ik zag Sonja en ik vroeg haar: "Hoe is het met Frannie?", want ik wist al dat die baby geboren was, en ik wilde even kijken wat ze zou zeggen. Zei ze: "Ze heeft een meissie," en ik kan volgende week even komen als ze uitgerust is. Assie, het is geen respect om te zeggen: "Je kan van de week even komen." Begrijp je, As, dat is geen respect. Wie denken ze wel dat ze zijn!'

Hij was boos. Boos op Sonja en boos op Francis, zijn nichtje dat hij vanaf haar geboorte heeft meegemaakt tot aan het moment dat hij naar Frankrijk moest vluchten vanwege de Heineken-ontvoering.

Na Wims arrestatie kuste de kleine dreumes elke dag zijn foto en ging ze iedere week samen met haar moeder en haar oma bij hem op bezoek in de Santé-gevangenis in Parijs. Ze vertrokken om halfdrie in de nacht om op tijd bij de Santé aan te komen, en om acht uur in de ochtend in de rij te gaan staan voor het bezoek van die dag. Die rij werd geformeerd langs een van de gevangenismuren. Buiten, dus. Er was geen beschutting tegen regen, wind, sneeuw, hitte of vrieskou. De plaats in de rij werd bepaald door de volgorde van aankomst.

Vanaf twaalf uur openden de bewaarders de poort en werd de eerste in de rij binnengelaten. Om één uur sloot de poort en was je voor die tijd niet binnen, dan mocht je niet op bezoek en kon je weer vertrekken. Het was dus zorg om vooraan in de rij te staan en dat deed Francis met haar moeder en haar oma door er al om acht uur in de ochtend te zijn. Binnen de poort leidde een middeleeuwse stenen trap naar de bezoekersruimten: koude, kleine kamertjes van een meter bij een meter, waar bezoekers en gevangenen door een glazen wand van elkaar gescheiden waren. Aanraken kon niet.

Sonja en Francis gingen op bezoek bij Cor, mijn moeder bij Wim. Wisselen tijdens het bezoek was niet toegestaan. Vaak moesten ze wachten op de bezoektijd voor Wim, omdat ze niet op hetzelfde moment bezoekuur hadden, maar soms, als Cor en Wim naast elkaar een bezoekerscel hadden en als de bewaarder even niet keek, wisselden Sonja en Francis snel met mijn moeder en gingen bij Wim op bezoek.

Later, toen Cor en Wim in afwachting van hun uitlevering in een hotel werden geplaatst, mochten hun vrouwen bij hen blijven en was Francis ook weer van de partij. Ook in Nederland bezocht ze haar Oompie, zoals ze haar ome Wim altijd noemde. Vanaf dat ze tien maanden oud was tot aan haar negende levensjaar was ze altijd mee op bezoek, en na zijn vrijlating zag ze haar Oompie altijd thuis bij haar vader. Wim had de gewoonte brood en beleg voor Cor te halen, en nam haar dan mee.

Totdat Wim in 1996 nauwelijks nog kwam.

Kinderen zijn voor Wim interessant zolang ze de volwassene die hij op het oog heeft kwetsbaar maken. Wil hij bij die volwassene in het gevlei komen, dan is hij fantastisch voor de kinderen. Dat lukte altijd, want iemand die zo lief voor kinderen is, kan toch alleen maar een vreselijk aardige man zijn? Was hij eenmaal ergens binnen, dan diende het kind als dreigmiddel om gedaan te krijgen wat hij wilde. Speelde hij het ene moment nog zo leuk met de kinderen dat het vertederde, het volgende moment werden ze bedreigd met de dood als pappie of mammie niet deed wat hij wilde.

We probeerden onze kinderen zo ver mogelijk bij hem vandaan te houden en dat lukte over het algemeen prima, want uit zichzelf had hij geen enkele belangstelling voor ze. En zodra hij interesse voor een van hen toonde, wisten we dus dat het mis was.

Wim vertelde me dat hij van een buitenstaander had moeten vernemen dat Francis bevallen was, en wilde weten waarom wij dat niet hadden verteld, en waarom hij niet gevraagd was naar de baby te komen kijken? Het was een vraag waarop hij het antwoord zelf al wist: omdat Francis doodsbang voor hem was.

Sonja en ik hebben Francis en Richie nooit woordelijk verteld dat Wim Cor had laten omleggen. Dat zou voor hen een levensbedreigende wetenschap zijn geweest, want volgens Wim moet je kinderen die 'het' weten 'niet groot laten worden, omdat ze dan misschien wraak gaan nemen'.

Maar Francis wist het. Zij was achttien toen Cor overleed en getuige geweest van vele ingrijpende gebeurtenissen voor en na Cors overlijden.

Als ze met haar vader in het zwembad lag en de littekens van de kogelinslagen op zijn lichaam telde, zei hij altijd tegen haar: 'Dat heeft je oompje gedaan. Je oompje is een judas.'

Ze had gehoord dat Cor meteen na de tweede aanslag had geroepen dat Wim daar verantwoordelijk voor was.

Direct na de dood van haar vader waarschuwden we haar

dat ze Wim niet mocht vertrouwen, dat ze voor hem op moest passen, nooit met hem mee mocht gaan en Richie bij hem weg moest houden. We vertelden haar niet waarom, maar ze begreep heel goed wat wij bedoelden.

Ze zag hoe hij met ons omging, hoe wij eraan toe waren als we terugkwamen van een afspraak met hem.

Wij maakten ons grote zorgen. We konden haar niet letterlijk voor hem waarschuwen, maar tegelijkertijd moesten we er wel voor zorgen dat zij hem ontweek en niet in zijn web terechtkwam. Want hij kwam niet voor haar, hij was alleen maar uit op het vermogen van Cor en dacht dat via zijn kinderen te kunnen incasseren. Toen dat niet lukte, was hij al snel weer klaar met haar.

En nu had hij opeens belangstelling voor Francis. Dat kon niet goed zijn en dat was het ook niet.

Volgens Wim had Francis tegen een van zijn vriendinnetjes gezegd dat 'hij haar vader had gedaan'.

'Ik heb je verleden keer al verteld dat Francis heeft gezegd dat ik Cor gedaan zou hebben. Het gaat erop lijken dat ze dat willen, dat ze dat denken. Dus ik zal je bij dezen zeggen—'

'Ik kan het niet geloven, Wim. Denk jij dat echt?' Ik onderbrak hem en probeerde hem op andere gedachten te brengen. Hij wist toch dat wij nooit iets over hem durfden te zeggen. Daarom kon ik niet geloven dat Francis dat gezegd zou hebben.

Hij was er zeker van.

'Assie, luister. Je moet met haar praten. Een miljoen procent: degene die dat zegt, vertelt geen onzin. Prima, mag ze denken hè, daar is d'r gedrag ook naar. Want ze is in mijn detentie maar een keer geweest. Asociaal. Weet je wat het is, As: ik wil helemaal niet naar Francis toe, maar ik weet wel wat ze heeft gezegd. Maar weet je wat het is—'

'Wim, ze had die avond wat gedronken en was emotioneel.' Maar dat maakte voor hem geen verschil.

'Ze heeft het ook dronken verteld. En dan mag ik de ellende hebben? Dat gaat niet, Assie.'

Hoe kon Francis zo stom zijn geweest? We hebben al onze kinderen altijd gewaarschuwd: drink nooit, want als mensen drinken, worden ze loslippig, weten ze niet meer wat ze zeggen. En praat nooit met contacten van hem, die vertellen alles door. Het is haar met de paplepel ingegoten, en dan gebeurt het haar toch.

Met haar uitlatingen vormde Francis voor hem een bedreiging, die hij onder controle moest zien te krijgen. Als justitie er lucht van kreeg, zouden ze haar misschien als getuige tegen hem gebruiken.

Ik moest aan Francis de boodschap doorgeven dat als zij hem 'erin zou douwen', hij haar moeder 'erin zou douwen'. Als hij door het praten van Francis veroordeeld zou worden voor de moord op Cor, zou hij gewoon zeggen dat Sonja hem de opdracht had gegeven en dan was Francis haar moeder kwijt. 'Ga haar dat maar zeggen. Ze moet goed weten wat ze doet, hoor!'

Maar hij was nog niet klaar, want uiteraard was Sonja verantwoordelijk voor wat Francis had gezegd en moest zij daarvoor boeten.

'Ik hoef niet naar dat kind, maar weet je wat het is: zo praat je niet tegen me, want ik ben geen mongool. En weet je wat je dan krijgt, As: dat ik boos ga worden. En als ik boos word, dan kan ik straks niet meer lief zijn, en dan moet je gewoon afdragen.'

Zijn zoetsappige manier van dreigen maakte me misselijk: dat ik boos ga worden. En als ik boos word, ben ik niet meer lief.

Het klinkt zo kinderlijk, alsof hij een onschuldige kleuter is die vanuit zijn primaire gevoelens reageert. Een kleuter wordt boos en een kleuter vindt je niet lief meer, hij maakt zichzelf klein en onschuldig door de emotionele ontwikkeling van een kleuter te veinzen. Maar in zijn woorden is niets lieflijks, niets kinderlijks te bespeuren want hij is geen onschuldige kleuter. Hij is de moordenaar van haar vader.

Hij weet dat, wij weten dat en al zijn woorden krijgen door die achtergrondkennis een heel andere lading, worden door hem ook bewust uitgesproken in die context, zodat wij weten wat de gevolgen zijn, zonder dat hij dat expliciet hoeft te zeggen.

Na de dreiging komt de afpersing, die hij laat klinken als het goedbedoelde advies van een oude wijze man die het allerbeste voor heeft met zijn zusje.

'Weet je wat het is, As, het is allemaal een kwestie van gunnen. Maar als de gunfactor wegvalt, houdt ze niks over en dan is ze gewoon een slachtoffer en dan heb ze recht op niks, het is gewoon de gunfactor en de gunfactor moet ze respecteren. Dat doet ze niet, en dan heb je recht op niets.'

Toegegeven: hij is een woordkunstenaar. Hij zegt alles, zonder iets te zeggen. Hij perst af, zonder dat ook maar een keer te benoemen. Alleen als je zijn achtergrond én zijn daden kent, kun je zijn woorden plaatsen en begrijpen. Wat hij zegt, is dat hij bepaalt of Sonja iets (de erfenis van Cor, de opbrengst van de verfilming van het boek *De ontvoering van Alfred Heineken*, geschreven door Cor en Peter de Vries) mag hebben, of niet.

Zij mag dat hebben, zolang hij het haar gunt.

Hij ís de gunfactor.

Zij moet alles doen wat hij wil, op de manier zoals hij het wil. En als zij dat niet doet, dan gunt hij het haar niet meer, en is zij een slachtoffer.

Zijn slachtoffer.

Het is een algemene regel, die geldt voor iedereen die hij afperst.

'Maar begrijp je, As, ze moeten niet denken dat ze slim zijn, ze moeten niet denken dat ze me kunnen beledigen. Doen ze dat wel, dan ga ik gewoon mijn maatregelen treffen, dan zijn ze voor mij precies hetzelfde als ieder ander en dan weten ze wel hoe laat het is. Want dit kan gewoon niet.'

'Dan ga ik gewoon mijn maatregelen treffen. Dan zijn ze precies hetzelfde als ieder ander.' Woorden die vlijmscherp door mijn ziel sneden. Woorden die verwezen naar zijn eerdere daden, naar de geschiedenis die wij met hem deelden: naar Cor.

Het betekende: dan laat ik ze niet met rust, ondanks dat ze familie zijn en hun leven lang voor me klaar hebben gestaan, dan zijn ze voor mij net als alle anderen, dan weten ze wat er gaat gebeuren, dan worden ze net als mijn andere slachtoffers, net als Cor, geliquideerd.

Dat is wat hij zegt, en die boodschap moest ik overbrengen aan Francis, een boodschap waarin de moord op haar vader en tegelijk de dreiging dat hij haar en haar moeder ook zou vermoorden, zat verpakt. En alsof dat al niet genoeg impact zou veroorzaken, koos hij ervoor die boodschap bewust op het meest kwetsbare moment in het leven van een jonge vrouw over te brengen – bij de geboorte van haar kind.

Het maakte me zo boos. Hij kent geen enkele emotie, alles is altijd een doordachte zet in zijn schaakspel.

Om te voorkomen dat hij zou vragen waar Francis woonde en zelf bij haar aan de deur ging staan, zei ik: 'Ik ga het ze gelijk zeggen, komt goed.'

We hadden hem nooit verteld waar Francis woonde en wilden dat zo houden. Als hij eenmaal weet waar je woont, komt hij zijn terreur op ieder willekeurig moment aan de deur bezorgen.

Hij komt op de meest ongepaste tijden langs en gaat aan de deur staan schreeuwen en tieren. Buren die geschrokken of verbaasd komen kijken wat er aan de hand is, trakteert hij op verbale agressie en het interesseert hem niet dat hij daarmee iemands sociale omgeving vernietigt.

Ik fungeerde als tussenpersoon, een taak die ik vaker op mij had genomen uit bescherming van anderen. Geen fijne taak, maar liever dat dan dat hij bij Francis aan de deur kwam.

'Ik zie je later,' zei ik, nam gehaast afscheid en stapte in mijn auto, zodat hij niet om het adres kon vragen.

In de auto belde ik Francis dat ik 'even langskwam'.

Die mededeling was genoeg om ervoor te zorgen dat ze me even later met angst in haar ogen tegemoet liep op de galerij, want ze wist dat ik alleen langskwam als er wat aan de hand was. En als er wat aan de hand was, betekende dat altijd dat er ellende was met Wim.

'Wat is er?' vroeg ze met een wit weggetrokken gezicht. Sonja, op bezoek bij Francis, kwam achter haar aan.

'Hij loopt te zeiken dat jij wat gezegd zou hebben over Cor.'

Ze wist onmiddellijk waar ik het over had, want we hadden dat al eerder besproken. 'Hij zegt dat ik jou moet zeggen dat je daar nooit meer over mag praten.'

Francis raakte in paniek.

'Maar As, ik zeg niks, tegen niemand, echt niet. Wil je hem zeggen dat ik niets over hem zeg? Wat gaat hij nu doen? Komt hij achter me aan, As, en achter Nora?'

Ze raakte volledig overstuur, bang dat hij dacht dat zij hem zou verraden. Bang voor haar kind. Sonja stond er verslagen bij, ontsteld door de bedreiging van haar dochter.

'Maak je maar niet druk. Het waait wel weer over,' zei ik zo luchtig mogelijk tegen Francis.

Ze keek me recht in mijn ogen en ik zag dat ze wist dat ik loog. 'Je weet dat het niet zo is, As. Je hoeft me niets wijs te maken. Ik ken hem toch. Je weet dat het niet over zal waaien.'

'Je hebt gelijk, Fran. Ik beloof je alleen dat het goed komt. Ik laat jou en Nora nooit iets overkomen. Ik heb je vader beloofd voor jullie te zorgen. Heb ik dat niet altijd gedaan?'

'Ja,' zei ze met tranen in haar stem.

'Doe ik niet altijd wat ik zeg?'

'Jawel.' Ze fluisterde bijna onhoorbaar.

'Nou dan, als ik zeg dat ik zorg dat jullie niets overkomt dan doe ik dat. Geloof je me?'

'Ja,' zei ze zacht.

Ik keek Sonja aan. 'Ik ga dat echt niet laten gebeuren,' zei ik tegen haar en ze begreep onmiddellijk dat ik doelde op mijn gesprek met justitie.

'Komt goed,' zei ik nogmaals tegen Francis in een poging haar gerust te stellen, maar ik zag de angst in haar ogen toen ik haar achterliet bij de deur.

Mijn hart huilde.

Ik reed terug naar Wim om hem te verzekeren dat Francis niets meer zou zeggen.

'Ik hoop het voor haar en voor haar moeder,' zei hij, nog nagenietend van de angst die hij hen aan kon jagen.

Het was opgelost, voor dat moment.

Maar het is altijd een kwestie van tijd voor hij er weer op terugkomt. Hij is echt een hond, een valse hond, die je niet bij je kinderen kan laten, omdat hij ze anders bijt.

Een valse hond moet je in laten slapen, of de rest van zijn leven in een hok stoppen.

Wim in laten slapen kon wettelijk gezien niet, hem in een hok stoppen wel, maar dan had ik justitie nodig. Gisteren riep de gedachte samen te werken met justitie nog een enorme weerzin op, maar na vandaag wist ik dat er geen andere mogelijkheid was. Ik moest het voor Francis doen, voor onszelf, voor ons allemaal.

Ik sms'te de volgende dag mijn contact bij de CIE: 'Woensdag zelfde tijd, zelfde plaats, zelfde verhoorkoppel?'

Ze sms'ten terug: 'Is prima. Zelfde tijd en koppel. We doen alleen even een andere plek. Laat ik je morgen weten. Fijne avond.'

Het gesprek met de dames, die Sonja en ik onder elkaar 'Die Twee' noemden, vond uiteindelijk toch op dezelfde locatie plaats en de zenuwslopende onderneming om er te komen zonder door Wim te worden gezien, begon opnieuw.

Ter plaatse zag ik dat Michelle al zat te wachten en kon ik meteen doorlopen. We voegden ons bij Manon, die boven in een hotelkamer zat te wachten.

'Fijn dat je gekomen bent,' zei ze.

Dit keer, met de angstige blik van Francis nog vers op mijn netvlies, vond ik het ook bijna fijn om het gesprek aan te gaan.

In dat tweede gesprek kwam de vraag naar voren of ik met de CIE-officier in gesprek wilde over de mogelijkheden en de onmogelijkheden van een bijzonder getuigentraject. Ik moest dan wel de onderwerpen aangeven waarover ik kon verklaren.

Tot aan dat moment had ik nog steeds niet gesproken over mijn kennis van bepaalde feiten. In cryptische bewoordingen gaf ik aan dat ik kon verklaren over de rol van Wim bij verschillende liquidaties, maar wilde nog niet zeggen welke – en wat ik daarvan afwist. Ik wilde daarover liever praten met hun baas, de CIE-officier van justitie. Ik was uiterst voorzichtig in het delen van mijn informatie.

De dames hoorden mij aan en zouden het doorgeven aan de officier en een afspraak maken.

'Dan hoor ik wel wanneer die plaatsvindt,' zei ik en we namen afscheid van elkaar.

Die avond verwachtte ik Wim elk moment aan de deur, maar het bleef stil.

De volgende ochtend zat ik net als elke ochtend al om halfzeven aangekleed en wel op hem te wachten. Wim staat vanwege de altijd aanwezige kans op een inval vrijwel elke dag om vijf uur op en gaat dan de weg op. Hij wil niet in zijn slaap overvallen worden en is dus vaak heel vroeg op pad, en er zijn maar weinig mensen bij wie hij op dat tijdstip aan de deur kan komen.

Ik ben een van die weinige.

Ik zorgde er altijd voor dat ik niet door hem in mijn pyjama werd overrompeld, want ik had dan nog zeker een uur nodig om me aan te kleden en ik wilde hem niet een uur in mijn woning hebben, omdat hij die tijd gebruikt om al mijn privéspullen te doorzoeken. Iets wat hij trouwens doet bij iedereen die hij beter kent: 'Dat mag toch wel?' zegt hij dan quasi-verbaasd. 'Je hebt toch niks te verbergen?'

Maar die ochtend gebeurde er niets. De volgende dag ook niet en de dag daarop had ik nog steeds niets van hem gehoord. Nu begon ik me echt zorgen te maken.

Hem niet zien was paradoxaal genoeg nog erger dan hem wel zien. Ik had hem liever elke ochtend om halfzeven op de stoep staan, dan niets van hem te horen. Als ik hem zag kon ik hem peilen, aan zijn reacties merken of hij iets wist, of hij mij nog vertrouwde. Als ik hem niet zag, was ik die controle kwijt, wist ik niet wat hij dacht en wat hij van plan was. Misschien zag ik hem niet, omdat hij al wist dat ik met de politie praatte. Wilde hij 'liever niet in de buurt zijn voor als er wat ging gebeuren', zoals hij mij al eens eerder had aangekondigd.

De volgende ochtend ging om halfzeven de bel. Gelukkig, hij was er weer! Ik snelde naar beneden.

'Goedemorgen, broertje!' zei ik vrolijk, want ik was een moment echt blij hem te zien, na de spanning van het wachten. Ik keek hem recht aan, om te zien of ik enig wantrouwen kon bespeuren. Mijn indruk was van niet.

'Goedemorgen zussie, stukkie lopen?' vroeg hij.

'Is goed,' zei ik, 'lang niet gezien.'

'Nee,' zei hij, 'ik had dingen te doen.'

Tijdens onze wandeling observeerde en peilde ik hem verder uit. Aan de hand van de toon van zijn stem, zijn manier van kijken, zijn bewegingen, zijn reacties op mij en de inhoud van ons gesprek, trachtte ik op te maken of hij mij al doorhad. Hij leek ontspannen en nog steeds niets te vermoeden. Ik kreeg de indruk dat hij nog niets wist.

Ik had een tweede gesprek met justitie overleefd, de dames met wie ik sprak hadden nog niet gelekt. Ik wilde geen overhaaste conclusies trekken, maar het leek erop dat ze woord hielden.

Thuis aangekomen haalde ik het prepaid telefoontje tevoorschijn dat ik uit voorzorg had aangeschaft om het contact met de CIE-medewerkers te onderhouden. Bellen met mijn abonneenummer deed ik niet, dat nummer was gekoppeld aan mijn naam. Door gebruik te maken van een prepaid nummer kon aan de hand van het telefoonnummer niet achterhaald worden dat ik degene was die contact met hen had. Ik wilde zo min mogelijk sporen achterlaten. Het was toch kit, dus ik bleef voorzichtig.

Ik zag dat ze me een datum en een tijd doorgegeven hadden. De afspraak met hun officier was gemaakt.

Gijzelen in angst: de methode

Mijn beslissing met justitie samen te werken betekende niet dat ik van plan was mijn lot in hun handen te leggen. Mijn beeld van hen was niet veranderd, en ik verwachtte ook niet op ze te kunnen bouwen. Hoe zou ik kunnen vertrouwen op een justitieel apparaat waarvan ik wist dat corrupte agenten zand in de opsporingsmachine strooiden?

Ik zou wel gek zijn ervan uit te gaan dat zij 'het probleem Wim' van me overnamen, en dat deed ik dan ook niet. Ik koos voor samenwerking met justitie om zo mijn eigen koers te kunnen varen, om mijn dubbelspel te kunnen spelen. Om veelvuldig contact met Wim te kunnen hebben, zonder het risico te lopen door justitie als zijn verlengstuk te worden gezien en in een onderzoek naar hem meegenomen te worden. Als ik tegelijkertijd met justitie én met Wim in contact bleef, kon ik ongehinderd bewijs verzamelen en zou ik wel zien waar de samenwerking met justitie toe zou leiden.

Natuurlijk hoopte ik dat het Openbaar Ministerie Wim zou arresteren en, terwijl hij opgesloten zat, zou vervolgen, want een vervolging zonder dat hij in de gevangenis zat zou levensgevaarlijk voor ons zijn. Maar ik rekende er niet op dat het zo zou verlopen. Nee, mocht ik om wat voor reden dan ook tegenover een onwillig vervolgingsapparaat komen te staan, dan wilde ik in ieder geval over een plan b beschikken: zelf voldoende bewijs verzamelen om een vervolging af te kunnen dwingen via de rechter of met behulp van de media.

Welke variant het ook zou worden, ik moest er rekening mee houden dat als het tot een vervolging zou komen, dat nog geen veroordeling garandeerde. Wim zou zich nooit zomaar gewonnen geven, hij is een overlever pur sang. Zestien jaar opgroeien bij een verknipte vader en ruim veertig jaar leven aan de top van de onderwereld hadden van hem een expert in overleven gemaakt. Door zijn intelligentie, zijn manipulatieve vaardigheden en zijn totale gebrek aan naastenliefde was hij uitgegroeid tot de nummer een in zelfbehoud. Hij overleefde alles en iedereen door zijn onvermogen emotionele banden met anderen aan te gaan.

Dat is wie hij is.

En daar moesten we rekening mee houden.

Hij zou werkelijk alles in de strijd gooien om onder een veroordeling uit te komen. Hij zou moeiteloos liegen, bedriegen en andere getuigen onder druk zetten als hij daardoor vrij zou blijven. Dat laatste zou rampzalig zijn, want eenmaal vrij had hij alle kansen en mogelijkheden om ons te vermoorden. We moesten daarom anticiperen op zijn verdediging, rekening houden met wat we van hem konden verwachten.

Ons voordeel was dat we wisten wat ons te wachten stond. Gedurende Wims gehele criminele loopbaan waren wij getuige van, en soms betrokken geweest bij Wims uitgekookte manieren waarop hij het bewijs van zijn misdrijven probeerde te verdoezelen. Hij was een meester in het 'vooruit verdedigen', en hij begon daar al mee bij de keuze van het misdrijf dat hij ging plegen.

Van de Heineken-ontvoering had Wim geleerd dat afpersing van welgestelde personen veel geld opleverde, maar dat het ontvoeren, gijzelen en het incasseren van het losgeld allemaal momenten waren met een hoog risico op ontdekking van betrokkenheid. Voor Wim dus geen ontvoeringen meer. Hij ging over op een geraffineerdere manier van afpersen; afpersen zonder iemand fysiek van zijn vrijheid te beroven.

Wim selecteerde zijn slachtoffers nog steeds op hun financiële vermogen, maar anders dan bij Heineken en Doderer bracht hij ze niet meer onder zijn invloed door ze te grijpen op straat, een auto in te sleuren en op te sluiten – zijn nieuwe slachtoffers kende hij al.

Het waren zijn vrienden of zijn familie, mensen bij wie hij thuis kwam, met wier kinderen hij speelde, aan tafel zat te eten bij hun vrouw. Allemaal dachten ze bevriend met hem te zijn en geen van allen hadden ze zien aankomen dat Wim plotseling van vriend in vijand veranderde. Integendeel, zij hadden het volste vertrouwen in hem, en geloofden hem dan ook toen hij kwam vertellen dat hij je als goede vriend kwam waarschuwen voor de snode plannen van een aantal enge criminelen die het op je vermogen, je leven of dat van je gezin voorzien hadden.

Er is een conflict!

Maar hij weet wie erachter zitten, dus geen zorgen.

Hij komt je als goede vriend te hulp.

Omdat hij het beste met je voor heeft, wil hij wel bemiddelen in het conflict, een conflict waarvan je vermoedelijk nog niet eens wist dat je erin beland was. En door zich als bemiddelaar op te stellen, kon hij de partijen verdeeld houden.

Dan begon het betalen.

Hij was degene die als boodschapper optrad en dus had hij volledig in de hand wat hij over de een tegen de ander vertelde.

'Je bent verraden door je beste vriend, je kunt beter op mij vertrouwen.'

'Je moet betalen, anders vermoorden ze je.'

Die verdeeldheid stelde hem in de gelegenheid iedereen tegen elkaar op te stoken en tegen elkaar uit te spelen. Zo had geen van beide partijen in de gaten dat ze allebei door hem gebruikt werden, dat ze inmiddels allebei slachtoffer van hem waren. Het is een rol die hij in al zijn verdere afpersingen zou blijven spelen. En zolang mensen verdeeld blijven, kan hij die rol spelen. Niemand die daardoor zag dat hij, en hij alleen, de oorzaak van het conflict was.

Als zijn slachtoffers eenmaal doorhadden dat hun beste vriend hun ergste vijand was geworden, konden ze niet naar de politie stappen, omdat zij zelf van alles op hun kerfstok hadden, al dan niet in samenwerking met hem gepleegd. Als hij dan toch moest zitten voor afpersing, dan had hij de politie ook nog wel wat over hen te vertellen, en zou hij ervoor zorgen dat ook zij vast kwamen te zitten. Waren ze hiervan niet onder de indruk, dan maakte hij hun duidelijk dat op praten met de politie de doodstraf staat en dat hij daar altijd achter kwam via zijn Petten. Wanneer ze door zijn terreur inmiddels zo levensmoe waren dat ze ook dat risico op de koop toe wilden nemen, dan bedreigde hij hun dierbaren en zette zijn dreigementen kracht bij door voor de school van hun kinderen te gaan staan posten.

Het was een meesterlijke perfectionering van de klassieke ontvoering: mensen gijzelen in angst, zonder daarvoor de risico's van een fysieke ontvoering te hoeven nemen.

Maar het meest briljante aan deze vorm van afpersing was dat hij van zijn rol als bemiddelaar zijn alibi maakte. Hij had geen ruzie, zíj hadden ruzie, hij gaf alleen maar de boodschap door en wilde helpen.

Hij koppelde aan zijn afpersing een heuse marketingstrategie, die hem jarenlang ongrijpbaar maakte. Hij zorgde ervoor dat het verhaal over zijn 'bemiddelende rol' terechtkwam bij zowel justitie, de onderwereld als de media, zodat het communicerende vaten werden. Hij voedde iedereen met zijn boodschap dat hij juist het conflict wilde oplossen en daar was toch niets strafbaars aan? Al zijn contacten met verdachten en slachtoffers duidde hij als volgt: 'Ik probeer alleen maar te helpen.'

Justitie moest eigenlijk heel blij met hem zijn.

Dat inmiddels een aantal van de personen voor wie hij had 'bemiddeld' het leven hadden gelaten en sommigen onder hen nog voor hun dood hem niet alleen als hun afperser maar ook als hun toekomstige moordenaar hadden aangewezen, deerde Wim niet. Anders dan bij afpersing was de liquidatie bij uitstek een misdrijf waarvoor hij zelf niet bij het slachtoffer in de buurt hoefde te komen. Hij hoefde enkel de opdracht te geven en kon zelf op afstand blijven, liefst in het buitenland.

Heel geraffineerd zorgde hij ervoor dat zijn uitvoerders hem niet als opdrachtgever konden aanwijzen. Daar zette hij schakels tussen. En die tussenschakels gingen hem zeker niet als opdrachtgever noemen, want 'dan zitten ze er zelf tot over hun oren in'.

Wim wist dat niemand die hij in zijn plannen had betrokken een moord ging bekennen, laat staan meerdere, want daarmee zouden ze zichzelf levenslang geven. Voor degenen die hem als opdrachtgever konden aanwijzen, hoefde hij dus niet te vrezen.

Het was zijn vaste strategie: geef iedereen een rol, of dwing ze in een rol, en ze moeten voor altijd over je zwijgen.

Een getuige die zou verklaren te weten dat Willem Holleeder de opdrachtgever was, kon dat enkel van een tussenschakel hebben gehoord, alleen van 'horen zeggen', maar nooit uit Wims eigen mond.

Aangezien dat gerucht al zo vaak ging – 'Bij elke liquidatie valt mijn naam!' riep hij voortdurend – hadden die getuigen het alleen maar uit de media, was Wims weerwoord: 'Ik word er flauw van, van al die beschuldigingen.'

Hij was geen dader, maar het slachtoffer van de media.

Het was een knap staaltje 'vooruit verdedigen', en hij had dat uitgevoerd met een ijzeren discipline: hij hield bij het plegen van zijn misdrijven vooraf, tijdens en achteraf altijd rekening met justitie.

Het verzamelen en manipuleren van informatie was daarbij van groot belang, in het criminele circuit en bij justitie. 'Je kunt informatie kopen en je kunt informatie laten maken,' zei hij over dat laatste. En beide deed hij via zijn Petten.

Zo is hij op de hoogte waartegen hij zich moet wapenen, en kan hij vooruit verdedigen door het verspreiden van 'desinformatie', onjuiste informatie die hij bij justitie terecht laat komen om hen zo op het verkeerde spoor te zetten.

Tegelijkertijd 'legt hij zijn verhalen neer' in het criminele milieu. Zo bevestigt hij via dat milieu de desinformatie die hij aan justitie heeft gegeven en omgekeerd, waardoor zijn verhaal aan geloofwaardigheid wint.

Hij vangt hiermee twee vliegen in een klap: hij leidt de verdenking van zich af en stuurt justitie in de richting van een criminele tegenstander.

Volledig op de hoogte van de opsporingsmethoden van justitie, anticipeert hij op hun manier van werken en zorgt ervoor dat geen traceerbare ontmoeting, geen observatie, geen zichtbaar contact, geen gesprek of telefoongesprek hem kan belasten. Integendeel, hij gebruikt de opsporingsmethoden van justitie om zijn eigen verhaal te bevestigen. Voortdurend erop bedacht te worden afgeluisterd, zegt hij luid en duidelijk wat hij wil dat justitie hoort; het verhaal dat hij kan gebruiken om justitie op het verkeerde spoor te zetten. Het 'maken van tapjes', noemt hij dat. Wat justitie niet mag horen gebaart of fluistert hij, zodat het op opnameapparatuur niet te horen valt.

Hij leeft zijn eigen alibi en doet er alles aan om te zorgen dat er geen bewijzen van de misdrijven zijn. En hij leek daar aardig in geslaagd; hij was nog voor geen enkele liquidatie vervolgd. Op zijn minst was het hem gelukt alternatieve scenario's de wereld in te brengen, waar hij voor zijn verdediging uit zou kunnen putten.

Wij hadden in dat opzicht dus een enorme achterstand en hij zou over onze beschuldigingen hetzelfde beweren; alles wat we zeggen hebben we uit de media.

Tegelijkertijd zou hij proberen onze geloofwaardigheid tot de grond toe af te breken, door ons van van alles en nog wat te beschuldigen, en ons als leugenaars neer te zetten die er belang bij hebben hem uit de weg te ruimen. Hij zou er alles aan doen om twijfel te zaaien, want Wim weet dat een rechter het bewijs niet alleen wettig, maar ook overtuigend moet vinden.

Aan overtuigingskracht heeft Wim geen gebrek.

Binnen een halfuur wint hij je sympathie.

Binnen drie kwartier hersenspoelt hij je met zijn complottheorieën.

Binnen het uur laat hij je twijfelen aan alles wat ik je verteld heb.

Binnen vijf kwartier denk je: deze vriendelijke, charmante man kan dat soort dingen toch niet gedaan hebben?

En binnen anderhalf uur heeft hij je zo gemanipuleerd dat je het zielig voor hem vindt dat hij zo door zijn zusters genaaid wordt.

Het was verbazingwekkend hoe hij altijd weer in staat is anderen ervan te overtuigen dat de door hem geschetste werkelijkheid de waarheid is.

Nee, we hoefden niet te verwachten dat Wim zich zonder slag of stoot gewonnen zou geven. We moesten dus een manier verzinnen waarop we de buitenwereld konden laten zien dat zijn 'geloofwaardigheid' slechts een zorgvuldig opgebouwde façade was, een verdedigingswal die hij om zich heen had opgetrokken om zijn daden te verhullen.

'Misschien staan er ook nog andere getuigen op als wij ons verhaal hebben gedaan,' had Sonja gezegd, maar ik wist dat we daar niet op hoefden te rekenen. Een belangrijk onderdeel van zijn verdediging is dat hij iedereen die iets over hem kon zeggen al bij voorbaat klem heeft gezet.

Zijn criminele collega's hadden zelf allemaal boter op hun hoofd en zwegen, uit angst dat hij over hun strafbare activiteiten begon. En ieder contact met 'fatsoenlijke mensen' corrumpeerde hij direct om hen chantabel te maken. Met zijn charmes is hij in staat contact te leggen met de rijkste, slimste en de meest ontwikkelde mensen. Met zijn ongekende sociale vaardigheden weet hij ze te laten vergeten wat een vreselijk misdrijf hij heeft begaan en dan komt de volgende stap; zijn misdadige geschiedenis, zijn nadeel, buigt hij om in een voordeel. Hij is zo zielig, er is hem zoveel onrecht aan gedaan, hij is altijd onterecht behandeld, onterecht veroordeeld en justitie maakt hem het leven onmogelijk.

Hij is maar een hulpbehoevende man, geen stoere boef en geloof het of niet, ook al is zijn geschiedenis met afpersing en zijn associatie met liquidaties alom bekend, mensen gaan van hem houden. Nietsvermoedend lopen ze zijn web in, om hem te hulp te schieten. Een scooter, auto of loods op naam nemen, een huis huren: hij kan dit immers allemaal niet, omdat justitie hem ten onrechte het leven onmogelijk maakt.

Geef je Wim een vinger, dan pakt hij niet alleen je hele hand, maar je hele arm en, als je pech hebt en hij daar behoefte aan heeft: alles. Heb je hem een keer geholpen, dan vindt hij het vanzelfsprekend dat je dat blijft doen. Doe je niet wat hij wil, dan geldt: net zo snel als hij je vriend is geworden, is hij je vijand. Het verleiden is dan afgelopen en hij gaat over op dwang, onder bedreiging van je dierbaren. Naar de politie lopen is geen optie, want dan gaat hij wel even vertellen wat je allemaal voor hem gedaan hebt en dat je daardoor betrokken bent bij zijn strafbare feiten. En als je niets voor hem hebt gedaan dat hij tegen je kan gebruiken, dan verzint hij wel wat. Want doordat je met hem omgaat heb je in ieder geval de schijn tegen, en die schijn dreigt hij vervolgens in te vullen met leugens: 'Als je met de politie praat, dan trek ik je mee.'

Het is zijn woord tegen jouw woord.

'En wie denk je dat ze gaan geloven? Haha, degene die bekent natuurlijk!'

Niemand, vooral degenen met een wat hogere positie op de maatschappelijke ladder, neemt dat risico en dat weet hij, want hoe hoger het aanzien van de ander, hoe groter de angst voor het verlies daarvan. Een reputatie is zo vernietigd.

Het is de optimale verdediging vooruit.

Niemand zou ons bijvallen als we gingen getuigen. En met ons leven op het spel konden we ook niet het risico nemen te vertrouwen op anderen. Als we het deden, moest het in een keer goed zijn, we kregen geen tweede kans. Was het niet genoeg, dan zou dat pas echt een menselijk drama opleveren: we zouden het niet overleven, en hij zou ook nog eens een lange neus naar ons kunnen trekken en wegkomen met zijn misdaden.

Ik wist van tevoren dat Wim zou ontkennen ooit met mij over zijn liquidaties te hebben gesproken, wat hij makkelijk kon beweren, omdat er vrijwel nooit iemand anders bij onze gesprekken aanwezig was. Als er al een ander bij was, dan was het Sonja. Over haar zou hij zeggen dat zij in mijn kamp zat, en in het complot tegen hem.

Getuigen betekende dat we op zijn verdediging moesten anticiperen. Dat kon alleen op de manier zoals hij die zelf al sinds begin van de jaren negentig toepaste; door het opnemen van mijn gesprekken met hem.

'Alleen als mensen het hem zelf horen zeggen, zullen ze ons geloven,' zei ik tegen Sonja.

Problematisch voor ons plan was alleen dat Wim zichzelf en ons had getraind in het voeren van gesprekken op een manier die het vastleggen ervan vrijwel onmogelijk maakte.

Sinds de Heineken-ontvoering vertrouwen we niemand buiten de familie en praten we nooit met vreemden. We houden altijd, maar dan ook echt altijd rekening met het feit dat we worden afgeluisterd door justitie of door iemand die justitie kan inlichten.

Daardoor bestaat communiceren voor ons uit meer dan met elkaar praten. We communiceren via mimiek, door intonatie, door pauzes en door zwijgen.

Al ons gedrag is communicatie.

Onze boodschappen komen over, door alles wat we samen hebben meegemaakt en gedeeld.

Wij spreken nergens waar de mogelijkheid bestaat dat justitie er afluisterapparatuur heeft ingebouwd. We praten dus nooit in huis, niet in of rond onze auto's of scooters, we gaan nooit op een vaste plek in uitgaansgelegenheden zitten, nergens. Als we praten doen we dat nooit in de directe omgeving van andere mensen, omdat dat mogelijk 'stillen' van justitie zijn. We vermijden eventuele richtmicrofoons door nooit op één plek met elkaar te spreken, maar door te blijven lopen.

We praten enkel lopend op straat, soms met onze hand voor de mond, nadat we erachter kwamen dat justitie eens liplezers had ingezet.

Via non-verbale communicatie maken we betekenissen aan elkaar kenbaar, die justitie niet kan afluisteren. We communiceren deels met handgebaren en met onze ogen. We hebben gebaren waar we personen mee aanduiden en gebaren waar we werkwoorden mee uitbeelden. Maar verreweg de belangrijkste manier waarop wij belastende onderwerpen bespreken, is door te fluisteren in elkaars oor. Nooit spreken we hardop informatie uit, nooit kan justitie onze communicatie opnemen. Hardop praten doen we alleen als we willen dat het in ons voordeel wordt gebruikt. De woorden die wij uitspreken, zijn er slechts om justitie te misleiden, om ons verhaal op de tap te laten komen. Ook elk telefonisch contact. Omdat we weten dat de kans groot is dat wij getapt worden, wordt dit opsporingsmiddel alleen maar gebruikt om ontkenningen en gebrek aan betrokkenheid vast te laten leggen door justitie. Nooit zal er in een telefoongesprek van ons iets belastends kunnen worden geregistreerd. We praten alleen versluierd met elkaar.

'Je weet wel.'

'Die ene, weet je.'

'Dat ene, weet je.'

'Dat ene wat ik moest doen, toch?'

Ook dreigementen worden versluierd.

'Je weet wat ik doe, hè?'

'Je weet hoe ik ben, hè?'

'Dan zal ik 'ns even een klap in het donker uitdelen.'

Personen hebben bijnamen, zodat we hun naam nooit hoeven te noemen: Bolle, Kale, Langnek, Schele. En de altijd in te vullen bijnaam 'kankerhond' voor degene die op dat moment zijn woede heeft opgewekt.

Al die verbale, non-verbale en versluierde communicatie heeft zich in de loop der tijd vanzelf ontwikkeld en is gebaseerd op de geschiedenis die wij delen. Dat maakt dat wij in een gesprek genoeg hebben aan verwijzingen naar het verleden.

In de gesprekken met Wim komt daar nog bij dat hij elke gesprekspartner wantrouwt. Altijd voorbereid op de mogelijkheid dat iemand het gesprek met hem opneemt, voert hij de regie over elke conversatie. Met hem wordt alleen gesproken over onderwerpen van zijn keuze. Hij bepaalt de inhoud en het verloop van de conversatie, eigen inbreng blokkeert hij. Zo doet hij dat ook met ons, en hij verwacht dat wij ons daaraan houden. Doen we dat niet, dan wantrouwt hij ons gelijk.

Elk contact tussen ons wordt door deze ijzeren regels gedomineerd, zo hebben we het geleerd, en zo doen we het al dertig jaar. Het is een zodanig ontwikkeld systeem dat het vrijwel onmogelijk is om hem iets belastends over zichzelf te laten zeggen. En ik zou zeker niet opeens anders met hem kunnen gaan communiceren, zonder argwaan bij hem te wekken.

Hij is superscherp in zijn observaties. Ik was bang dat hij het aan mijn gedrag zou merken dat ik mijn gesprekken met hem opnam, dat ik mezelf niet in de hand zou hebben, dat ik toch ongemerkt een gedragsverandering zou laten zien. Want werkelijk iedere minuscule verandering valt hem op, en plaatst hij direct in een kader van verraad.

Als je je in zijn ogen afwijkend gedraagt, dan heb je wat te verbergen of praat je met de politie. En gedrag is voor hem al snel afwijkend. Er is niet veel voor nodig om bij hem het vermoeden te laten ontstaan dat je met de politie praat of dat je hem om wilt leggen. Een verkeerde vraag stellen is daarvoor al genoeg. Net als bepaalde woorden gebruiken, namen noemen of hardop praten in plaats van fluisteren.

Lukraak over een bepaald onderwerp beginnen is ook onmogelijk. Als ik zomaar over Cor zou beginnen, dan is dat een directe aanleiding voor wantrouwen. Daar mag niet over gesproken worden. Over vele onderwerpen die voor hem gevoelig liggen – lees: hem strafbaar maken – mag niet gesproken worden.

De kans op een inhoudelijk succesvolle opname was daardoor behoorlijk beperkt.

En dan was er nog het technische aspect. Hoe ging ik dat aanpakken? Want zoals de waard is, vertrouwt hij zijn gasten. Hij kon zomaar even aan mijn kleding voelen of er iets in zat. Mij fouilleren. Ook mij, ook al vertrouwde hij mij. Want 'controle is geen wantrouwen,' volgens Wim. Maar hij wantrouwt je direct als hij je niet mag controleren.

Ik wist zeker dat als hij zou ontdekken dat ik gesprekken opnam, hij me ter plekke dood zou slaan. Het doel zou hem onmiddellijk duidelijk zijn, hij zou zich direct realiseren wat wij allemaal besproken hadden en begrijpen dat ik de kant van justitie had gekozen. Hij zou geen enkel risico nemen en mij niet laten ontkomen.

Maar met de overtuigingskracht die Wim had, wist ik dat ik mijn gesprekken met hem *moest* opnemen, want daarin lag voor mij de enige mogelijkheid om mijn verklaringen te onderbouwen en aan te tonen dat hij mij in vertrouwen nam, dat hij mij zijn geheimen toevertrouwde.

Dat wij die geheimen deelden.

Ik vroeg Peter de Vries om raad. Hij had vaker met een verborgen camera en microfoon gewerkt, dus hij leek me de aangewezen persoon. Omdat hij wist dat Wim alleen lopend op straat sprak en veel fluisterde, leverde hij me opnameapparatuur waarbij je het opnameapparaat in je jas moest stoppen en de microfoon via de mouw van je jas onder je revers moest vastzetten.

Thuis probeerde ik het uit. Dat was geen succes. Het op-nameapparaat was zo groot dat Wim me niet eens hoefde te fouilleren om het op te merken, en het draadje met de micro-foon bleef bij elke beweging zichtbaar. Nee, het was te groot, te ingewikkeld. Dit ging het niet worden. Ik moest op zoek naar andere apparatuur, waarvan ik zeker wist dat hij het niet zou kunnen zien, niet zou kunnen voelen, waarbij ik me vrijelijk kon bewegen en niet van mijn gewone patroon af zou hoeven te wijken.

In mijn hart (drie positieve herinneringen)

Ons huis aan de Eerste Egelantiersdwarsstraat was op de monumentenlijst geplaatst en de gemeente Amsterdam ging de woning compleet renoveren. Wij verhuisden tijdelijk naar de Egelantiersgracht. Dat 'tijdelijk' werd een periode van vier jaar.

Sonja, Gerard en ik sliepen met zijn drieën op een kamer op de eerste verdieping. Mijn bed stond aan het raam. Ik had uitzicht op de gracht en de Westertoren. Wim was inmiddels een puber en had op dezelfde verdieping een eigen kamertje. De huiskamer was een verdieping hoger en mijn ouders sliepen op de zolder.

'Assie, wakker worden. Kijk eens wat ik voor je heb,' fluisterde Wim zachtjes, zodat niemand wakker werd. Ik zal niet ouder dan tien jaar zijn geweest toen hij me regelmatig midden in de nacht wakker maakte en even naast me op bed kwam liggen. Vaak had hij iets voor me meegenomen, chocolade of ander snoep.

Dit keer bracht hij een dikke melkchocoladereep van Verkade mee en een pop, een marionet: een gele vogel met een oranje snavel en veren. 'Hier, voor jou,' fluisterde hij. 'Heb ik op de kermis gewonnen.'

'O, wat mooi,' fluisterde ik enthousiast terug.

'Schuif eens op,' zei hij en kwam naast me liggen.

'Kriebel even over mijn rug,' vroeg hij altijd. Dat deed ik terwijl we allebei op de chocolade lagen te kauwen.

'Vind je het mooi?' vroeg hij, trots dat hij me blij had gemaakt.

'Ja, heel mooi!'

Die samenzweerderige momenten waren ongelooflijk spannend. Als mijn vader ons zou horen zou de hel losbarsten, maar Wim deed het gewoon. Hij luisterde niet naar onze vader, en door mij wakker te maken en bij me te komen liggen, deed ik dat ook niet. Normaal zou ik dat niet durven, maar Wim was zo lief voor me, dat ik daar niet aan dacht.

***

Eenmaal in de puberteit kon ik me, net als Wim in de tijd dat hij me 's nachts wakker maakte, moeilijk schikken in de almacht van mijn vader. Het leidde tot het conflict waarbij ik het huis op mijn dertiende moest verlaten, en met mijn moeder, Sonja en Gerard op de Lindengracht gingen wonen. Op mijn veertiende ging mijn moeder weer terug naar mijn vader, en zocht ik mijn heil zo veel mogelijk buiten de deur. Het basketbal bood me die gelegenheid, en de sporthal werd mijn thuis. Ik kon er elke dag van de week tot elf uur 's avonds terecht. Het was mijn redding.

Als ik basketbalde dacht ik nergens meer aan. Mijn agressie werd er gezien als fanatisme, en dat was voor mij een welkome positieve wending aan het gevoel waar ik zoveel last van had.

Mijn gymleraar op de basisschool had zich verbaasd over mijn 'gouden handjes', zoals hij dat noemde. De meeste ballen, wat voor bal ook en van welke afstand ook, gooide ik door het netje. Hij had me geadviseerd toch vooral iets met dat talent te gaan doen, maar dat was binnen mijn gezin uitgesloten. Activiteiten buiten het gezin werden door mijn vader als bedreiging van zijn dictatuur gezien. Iedere vorm van zelfontplooiing als een aanval op zijn persoon.

Het kwam niet eens in me op om die vraag voor te leggen. Ik wist zonder het te vragen wel dat er geen geld en geen ruimte was voor een kind dat lid wilde worden van een vereniging en heen en weer gebracht moest worden naar een sporthal.

Pas toen ik naar de middelbare school ging en van het openbaar vervoer gebruik leerde maken, werd mijn wereld groter dan alleen de Jordaan en kon ik eropuit zonder dat mijn vader dat wist. En wat hij niet wist kon hij ook niet verbieden.

Het toeval wilde dat ik op het Ir. Lely Lyceum voor het eerst mijn neef van moederskant ontmoette. Hij zat zeker vier klassen hoger en ontfermde zich een beetje over mij, 'want we waren familie'. Ik was wel blij met die familie, want net als de opa en oma van mijn moederskant, die ik pas op elfjarige leeftijd leerde kennen, was hij vriendelijk en zachtaardig. Hij zag me basketballen op school en vroeg of ik geen lid wilde worden van de vereniging waar hij ook bij zat.

'Je bent goed,' zei hij. 'Je hebt het talent van je moeder geërfd.'

'Talent van mijn moeder geërfd?' vroeg ik. Ik wist niet eens dat mijn moeder een talent had. Ik kende haar alleen maar als de voetveeg van mijn vader.

'Ja,' zei hij, 'je moeder was een uitmuntend korfbalster. Net als onze oma.' Mijn mond viel open van verbazing. Zowel mijn moeder als mijn oma bleken op het hoogste niveau te hebben gekorfbald. Ik wist daar niets van, zoals ik eigenlijk helemaal niets van mijn moeder wist, realiseerde ik me; maar ik vond het leuk om te weten, en het verklaarde mijn balgevoel.

Ik vertelde mijn moeder dat ik op school iemand had ontmoet die zei dat hij mijn neef was. 'Hij heet Fred, mam.'

'Ja, dat klopt, dat is je neef. Hij is een zoon van mijn broer. Wat leuk dat jullie bij elkaar op school zitten.'

'Hij vroeg of ik bij hem op de basketbalvereniging kwam,' ging ik voorzichtig verder, wetende dat het voor haar een hele belasting zou zijn als ik haar iets vroeg waarvan we allebei wisten dat mijn vader het daar toch niet mee eens zou zijn. 'Hij zegt dat jij altijd hebt gekorfbald en dat ik jouw talent heb.' Ik deed er nog een schepje bovenop.

Een glimlach verscheen op haar gezicht.

'Was jij zo goed vroeger, mam?' vroeg ik.

'Ja, en je oma ook. We zijn landskampioen geworden,' zei ze vol trots, en begon te vertellen over de plezierige tijd die ze had gehad. Ik had die kant van mijn moeder nog nooit gezien. Ze genoot ervan mij te vertellen wat ze allemaal had meegemaakt in die tijd en ik luisterde ademloos. Ze maakte me blij met het plezier dat ze had bij het ophalen van haar herinneringen.

'Mag het?' vroeg ik toen ze uitverteld was en ik haar glimlach zag veranderen in een pijnlijke grimas.

'Je weet dat je vader dat nooit goed vindt,' stamelde ze zachtjes voor zich uit. 'Maar we doen het toch!' zei ze ineens krachtig. Ze gunde haar dochter het plezier dat zij vroeger ook had gehad en durfde voor het eerst iets zelfstandig te beslissen.

Het mocht.

Het probleem van de kosten wentelde ze zoals gewoonlijk af op de kinderbijslag. In werkelijkheid leende ze weer geld bij mijn oma. Mijn vader lieten we er volledig buiten. Hij wist lange tijd van niets.

Ik was dag en nacht in de sporthal te vinden en was daar continu met een bal bezig. Door die oefening groeide ik al snel uit tot een speelster die belangrijk was voor het team. Ik werd gewaardeerd, en dat stimuleerde me om nog beter te worden. Ik wilde nog meer waardering, ik kreeg er geen genoeg van.

Al snel stond elke dag in het teken van mijn sport. Ik wilde de top bereiken en ik kreeg een uitnodiging voor de selectietraining van het Noord-Hollands Cadetten Team. De clubleiding kwam voor het begin van de training naar me toe om het te vertellen, en gaf me een brief waarin de uitnodiging stond en de plek waar ik me moest melden. Ik wist het: als je maar hard genoeg trainde, moest het een keer lukken. Dit was misschien mijn opstap naar de nationale selectie.

In de brief stond dat ik op zondag om twaalf uur in de sporthal in Hoofddorp aanwezig moest zijn voor de eerste training. Zondag was de enige dag waarop mijn vader niet naar zijn werk ging. Ik kende niemand anders die mij zo ver kon brengen, dus mijn moeder had geregeld dat mijn vader dat zou doen.

Die zondagochtend was ik door de zenuwen al vroeg op. Rond acht uur hoorde ik mijn moeder beneden aan de trap schreeuwen: 'We komen zo terug.' Ik hoorde de deur dichtslaan en ging naar beneden. Mijn vader en moeder waren weggegaan. Ze zouden zo wel terugkomen, dacht ik nog. Ik wilde uiterlijk om elf uur vertrekken, want ik moest me daar ook nog omkleden.

Het werd negen uur en mijn ouders waren nog niet terug. Om tien uur nog steeds niet. Vreemd, ze zouden het toch niet vergeten zijn? Vast niet. Ze zouden zo wel komen, er was nog genoeg tijd voordat we moesten vertrekken. Maar om halfelf waren ze er nog steeds niet, en nu begon ik me wel zorgen te maken.

Ik besloot alvast mijn trainingskleding aan te trekken, zodat ik in de sporthal gelijk door kon naar het veld. Ik stond in de gang, met mijn tas gepakt en de uitnodiging in mijn hand geklemd, naar de deur te kijken in de hoop dat die open zou gaan en mijn vader binnen zou komen om mij weg te brengen. Maar het werd elf uur en er was nog niemand.

Er was nog geen man overboord, we zouden het nog steeds

redden, ik kon alleen niet acclimatiseren in de hal voordat ik aan de training begon.

Om kwart over elf was hij er nog steeds niet. Nu begon de tijd toch wel te dringen en het huilen stond me nader dan het lachen. Ik voelde van de stress een spanning in mijn lichaam komen die ik niet kon gebruiken als ik straks goed wilde presteren. Het werd twintig over elf, nog steeds was hij er niet. Het werd halftwaalf. Ik ging de training niet meer halen. Hij had mijn selectie verpest.

Een keer in mijn leven zou hij iets voor me doen en nu kwam hij niet opdagen. Nooit had ik hem gevraagd mij ergens heen te brengen of te halen, ik regelde altijd dat ik mee kon rijden met de andere meiden van mijn team. Maar dit keer kon ik niet anders, want niemand van mijn team ging naar die selectietraining. Ik was de enige!

Ik haatte mijn vader omdat hij me liet zitten en ik haatte mijn moeder omdat zij me beloofd had dat ze het met hem geregeld had. Wat was ik stom geweest dat ik op hen vertrouwde, juist voor het belangrijkste moment in mijn leven. Jaren had ik keihard getraind om mijn doel te bereiken, en het was allemaal voor niks geweest.

Ik besloot de Bond te bellen om af te zeggen, om te vertellen dat ik niet kon komen, omdat ik geen vervoer had. Ik draaide me om naar de keuken waar de telefoon stond, toen ik een auto voor de deur hoorde stoppen. Was hij er dan toch? Ik rende naar de voordeur, deed open en zag niet het Kevertje van mijn vader, maar de gloednieuwe Mercedes van mijn grote broer. Hij stapte uit de auto en ik liep huilend op hem af.

'Wat is er nou weer?' vroeg hij geïrriteerd. 'Waarom loop je te janken?'

Ik legde hem uit dat ik naar Hoofddorp moest voor een training van het Noord-Hollands Cadetten Team, dat De Kale me zou brengen, maar dat hij niet op was komen dagen.

'Wat is het toch een kankerlijer,' zei hij. 'Stap in, ik breng je.'

Als een haas pakte ik mijn tas en sprong in zijn auto. Wim gaf gas en reed met een krankzinnige snelheid richting de sporthal in Hoofddorp. Ik keek naar hem terwijl hij als een Formule 1-coureur de auto bestuurde. Op dat moment voelde ik een intense dankbaarheid.

Om vijf voor twaalf stopten we voor de sporthal. Dankzij Wim haalde ik de training nog. Ik had De Kale helemaal niet nodig, ik had Wim.

'Dank je, Wim,' zei ik.

'Ja, ja, ga nou maar gauw mijn auto uit, lastpak. Door jou kom ik zelf nog te laat,' zei hij.

Hij dirigeerde me de auto uit en stoof met een waanzinnige snelheid weer weg. Daar ging hij, in zijn glimmende dure auto.

***

Twee sportseizoenen later, tijdens een training, sloeg het noodlot toe. Vanuit stilstand deed ik niet meer dan een stapje opzij, en zakte door mijn enkel. De fysiotherapeut, verbonden aan het team, adviseerde me mijn veters wat strakker aan te trekken en zo veel mogelijk te blijven lopen om de spieren warm te houden, anders zou het gaan zwellen. Dus bleef ik lopen, maar ik verging van de pijn. Thuisgekomen deed ik mijn schoen uit en binnen het uur zat er een zwelling ter grootte van een ei op mijn enkel. Die nacht deed ik geen oog dicht van de pijn.

De volgende dag was mijn enkel nog dikker en kon ik geen stap zetten. Dit was niet goed. Wim kwam toevallig langs, met zijn nieuwe vriendin. Ze stelde zich voor als Martine en was overduidelijk fotomodel. Zij vond dat Wim onmiddellijk met mij naar de eerste hulp moest, zij ging ook mee. Op de eerste hulp aangekomen, kon ik plaatsnemen in een van de behandelkamers. Martine bleef bij mij en Wim ging de auto wegzetten.

Na enige tijd werd ik bezocht door een arts. Hij keek naar mijn voet en zei: 'Die zwelling zit er niet sinds vandaag. Wanneer bent u door uw enkel gegaan?'

'Gisterenavond,' antwoordde ik.

'Dan ga ik u niet helpen. Dit is de eerste hulp. U had gisteren moeten komen. Gaat u maar naar uw huisarts.'

'Wat zegt u?' zei Martine, die duidelijk niet op haar mondje was gevallen. 'Gaat u haar zo wegsturen?'

Op dat moment kwam Wim binnenlopen. 'Wat is er aan de hand?' vroeg hij streng.

'Hij wil haar wegsturen,' zei Martine. 'Ze kan niet eens lopen! Dat kan toch niet!'

Wim, een krachtige verschijning van bijna twee meter lang en meer dan een meter breed, ging dicht op de arts staan en schreeuwde in zijn gezicht: 'Jij gaat haar gewoon helpen, anders sla ik hier de hele boel kort en klein!'

Op beslissende momenten in mijn leventje deed Wim voor mij wat een vader had moeten doen. Toegegeven, het waren spaarzame momenten, maar het waren er genoeg om Wim te onderscheiden van mijn vader.

Jaap Witzenhausen (1983)

Ik ontmoette Jaap op mijn vijftiende bij een basketbalwed-strijd, en ik was net achttien jaar oud toen ik met hem samen ging wonen. Jaap was alles wat mijn familie niet was: hij was een intellectueel, had maatschappelijke interesses en een brede algemene ontwikkeling. Als kunstenaar beschouwde hij zich-zelf als hoeder en voortbrenger van de cultuur. Hij had altijd kritiek op gangbare opvattingen en hield er een vrijgevochten leven op na. Hij hechtte meer aan geestelijke waarden dan aan materiële zaken. Voor Jaap was rijkdom niet af te meten aan een dure auto maar aan je algemene ontwikkeling.

Jaap dronk niet en hij sloeg niet. In Jaap zat eigenlijk he-lemaal geen agressie. Jaap leek in doen en laten meer op een vrouw, hij was een mietje, zoals wij dat bij ons thuis noemden. Ik kon het echter niet beter treffen, het leek wel of Jaap voor mij op maat gemaakt was.

Ik leefde in het paradijs.

We waren arm, maar Jaap wist iedere dag een feestmaaltijd op tafel te zetten. Van niets maakte hij iets. We gingen aan het einde van de dag naar de markt en haalden vis die de visboer goedkoop wegdeed, omdat hij die niet langer kon bewaren. Aanvankelijk schaamde ik me daarvoor, omdat ik vond dat je daarmee je armoede liet zien, maar Jaap had daar een hele andere opvatting over.

'Die man is juist blij dat hij er nog vanaf komt, we doen hem er een plezier mee. Zo houden wij de middenstand in leven.'

We dienden een groter doel! Nou, dan was het goed. Ook over het kopen van alle boodschappen in de aanbieding had Jaap en heel andere opvatting: 'Het is beter aanbiedingen te kopen, dat is de juiste prijs, die grootgrutters laten ons altijd te veel betalen. Zo houd je het landelijk prijsniveau op peil.'

Nog een maatschappelijk belang gediend. Ik kon tevreden zijn met mezelf.

Ik stond er soms bij als hij het loof van de prei aftrok voordat hij die op de weegschaal legde. Ik schaamde me kapot: hij was gewoon aan het stelen, straks werden we gepakt. Maar ook dat zag Jaap heel anders: 'Ik betaal toch voor de prei en niet voor de loof, het zijn afzetters, ze moeten leren dat het volk zich geen knollen voor citroenen laat verkopen.'

Ik was gerustgesteld. Hij was geen dief, maar een activist.

Geen moment heb ik me arm gevoeld. Ik kon alleen maar denken: wat heb ik toch een geweldige man getroffen, iemand die zich zo belangeloos inzet voor het brede maatschappelijke belang.

We woonden in de Kerkstraat en elke dag liepen we samen hand in hand naar de boekwinkel op de hoek van de Prinsengracht en de Utrechtsestraat, die altijd een aantal afgeprijsde boeken in de etalage had staan, om te kijken of er iets voor ons bij lag: kunstboeken, literatuur, filosofische werken, alles wat ons boeide en we van ons schamele budget konden kopen. We hadden nauwelijks geld voor eten, maar gaven altijd geld uit aan boeken.

Ik was gelukkig. We leefden in een povere materiële wereld, maar een rijke geestelijke wereld. We zaten avonden lang met zijn – voornamelijk jonge – vrienden te discussiëren over de effecten van opvoeding en hoe bepalend de relatie tussen ouder en kind is, maar ook over allerlei maatschappelijke thema's waarin het individu zijn plaats op moest eisen. Jaap discussieerde veel en vaak op een niveau dat ik totaal niet kon volgen, maar hij bezat een zeldzame overredingskracht en was in staat iedereen van zijn opvattingen te overtuigen.

Ik vond het fantastisch gezegend te zijn met zo'n filosofische man.

Cor en Wim waren kort voordat ik met Jaap ging samenwonen gearresteerd in Parijs. In de Santé-gevangenis vertelde mijn moeder mijn broer dat ik was gaan samenwonen met een twintig jaar oudere man, en mijn zus zei het tegen Cor. Ze vertelden hun dat ik opeens was vertrokken, en na een week had opgebeld, om mede te delen dat ik was gaan samenwonen, en dat was precies zoals het was gegaan: ik leefde mijn eigen leven, zonder het met hen te delen.

Terug van het bezoek kreeg ik te horen hoe ze gereageerd hadden. 'Die viezerik had haar vader kunnen zijn,' had Wim vol walging gezegd, en Cor had gelachen: 'Ze lijkt Wim wel, die heeft ook altijd van die ouwe wijven.'

'Maak je niet druk, dat is zo weer over,' had mijn moeder gezegd, 'zie jij Assie stofzuigen? Geloof me, dat wordt niks.'

Maar wat iedereen voorspelde, gebeurde niet. Jaap en ik bleven bij elkaar.

Ik ging overdag naar school en hij deed het huishouden, de boodschappen, de was en zette elke avond een heerlijke maaltijd voor mij en zijn zoontje van acht op tafel. Een schattig ventje, dat sinds het verlies van zijn moeder door zijn vader werd opgevoed en mij er plots als gezinslid bij kreeg. Ik raakte gehecht aan dat kleine mannetje en het leven dat bij het opvoeden van een kind hoorde.

'Kinderen zijn het mooiste wat er is. Ik wil zo graag een kindje van ons samen,' zei Jaap en ik dacht: waarom zou ik langer wachten? We hadden toch al de zorg voor een kind, dan konden we net zo goed de zorg voor twee kinderen hebben. Emotioneel zag ik al helemaal geen obstakels. Mijn kindje zou anders dan ik opgroeien in een warm en liefdevol gezin met een hele lieve vader.

Ik was negentien jaar oud en zeven maanden zwanger toen ik mijn vwo-diploma in ontvangst nam. In de zaal zat mijn gezin: Jaap, en mijn stiefzoon van inmiddels tien jaar oud. Twee maanden later werd onze dochter geboren. We noemden haar Miljuschka.

Twee jaar na de geboorte van Miljuschka veranderde onze financiële situatie van minimaal naar nul. Jaap kon van de verkoop van zijn werk ons gezin niet onderhouden en maakte al jaren gebruik van een regeling waarbij de overheid kunst aankocht van kunstenaars. Die regeling werd afgeschaft en dat maakte ons brodeloos. Jaap werd gedwongen de beslotenheid van zijn atelier te verlaten en ging fantasieën verkopen.

In de jaren die volgden zwierf hij van het ene zelf gecreëerde culturele project naar het andere; soms leverde dat geld op, meestal niet, maar altijd had hij een belangrijke functie waarbij hij een 'assistente' tot zijn beschikking had. Hij had het er maar druk mee.

Ondertussen bestierde ik het huishouden, want daar had Jaap geen tijd meer voor, zorgde ik voor de kinderen en werkte in de schoonmaak om ons hoofd boven water te houden.

Maar nog steeds was ik heel tevreden met ons leventje, nog steeds was voor ons persoonlijke ontwikkeling belangrijker dan materiële welstand. Ik wilde filosofie studeren en Jaap stimuleerde mij. Mijn familie vond dat maar niks. Jaap was een watje, omdat hij het goed vond dat ik studeerde, en ik was een ontaarde moeder, omdat ik mijn dochter naar een crèche bracht toen ze drie jaar oud was. Het maakte mij woest dat zij goede zorg voor mijn kind koppelden aan hun idiote traditionele opvattingen.

'Nee, jij hebt het goed gedaan!' schreeuwde ik tegen mijn moeder. 'Je bent je hele leven door je huis heen gemept. Je hebt vier emotioneel gehandicapte kinderen afgeleverd en nu ga jij mij vertellen hoe ik mijn kind moet opvoeden? Dacht het niet! Jij bent de laatste die mij kan vertellen wat ik moet doen.'

Ik begon aan de studie filosofie, maar weinig persoonlijke ontwikkeling, een auto-ongeluk en een aantal jaren financiële malaise verder, koos ik toch voor een andere toekomst. Jaap vond het bijna te vies om uit te spreken, hij was bang dat ik zou veranderen, maar ik kon hem ervan overtuigen dat ik het alleen maar deed voor ons, om in de toekomst een einde te maken aan onze zorgen. Ik begon aan de studie rechten.

In 1992 kwamen Cor en Wim vrij, en gingen direct in zaken met Rob Grifhorst, een succesvol ondernemer, hun goede vriend en lange tijd verdacht van betrokkenheid bij de Heineken-ontvoering. Grifhorst kocht het seks- en gokimperium, dat wijlen Joop de Vries op de Wallen had opgebouwd, van diens dochter Edith. Naast de bedrijven in Amsterdam verkocht zij hem ook haar strandpaviljoen in Zandvoort. Er werden zo veel mogelijk familieleden in het bedrijf betrokken, want familie steelt niet.

Alle bedrijven waren voorzien van personeel, behalve het strandpaviljoen, en Robbie zocht binnen de eigen kring naar een geschikte kandidaat om het bedrijf te runnen. In onderling overleg met Cor en Wim werd besloten dat Jaap daar het meest geschikt voor zou zijn.

Ik twijfelde, omdat ik wist dat ik daarmee de invloed van mijn familie ons gezin binnen zou halen, en daar had ik nu juist al die jaren voor gewaakt. Maar we hadden geen rooie cent en dat kon zo niet langer doorgaan. Wim verzette zich tegen het idee om Jaap te betrekken bij het 'familiebedrijf', maar Cor vond dat ik ook de gelegenheid moest hebben om mijn man wat te laten verdienen en hij kreeg een kans. Hij, niet ik, want ik was een vrouw en een vrouw hoorde niet te werken.

Jaap leek het werken aan zee wel wat en zodoende verhuisden we naar Zandvoort, waar we op het strand in een container bij het bedrijf gingen wonen.

Het strandpaviljoen had een groot terras en zogenaamde 'bakken' waar de gasten op luxe ligbedden achter glas en uit de wind konden zonnen en van de uitgebreide menukaart eten en drank konden bestellen. De omzet was afhankelijk van het weer. Op mooie dagen liep er meer dan veertig man personeel in de keuken en de bediening, en maakten we shifts van wel twintig uur.

Jaap had niet eerder een horecabedrijf geleid en terwijl er toch heel wat bij kwam kijken, deed hij het goed. Zorgen voor voldoende personeel, de verhuur van de bedjes, de inkoop, de boekhouding, alles regelde hij.

Wim controleerde of Jaap zijn werk goed deed, want hij was immers de man van zíjn zusje. Eens in de zoveel dagen moest Jaap aan Wim verantwoording afleggen over de bruto-omzet, de kosten en de winst. Het was de taak van Jaap het personeel goed in de gaten te houden, want Wim wilde niet dat er een cent gepikt werd.

Na afloop van een van die gesprekken met Jaap kwam Wim bij mij.

'Loop even mee,' zei hij en we liepen weg van de strandtent. 'Wat was de omzet gisteren?'

'Dat heeft Jaap je toch al verteld?' zei ik.

'Dat heeft Jaap wel verteld, maar ik wil het van jou horen,' zei hij streng.

'Dat weet ik niet. Ik geloof goed, het was druk,' antwoordde ik, enigszins van mijn stuk gebracht.

'Druk?' herhaalde hij nors en begon te schreeuwen. 'Dat is niet genoeg, Assie! Ik wil cijfers weten. Cijfers! Besteelt die Jaap mij soms dat je het niet wilt vertellen?'

Ik schrok. Wat was dat nou voor een rare vraag? 'Nee, natuurlijk besteelt hij je niet,' zei ik.

'O ja, hoe weet jij dat, als jij de cijfers niet weet!' schreeuwde hij nog harder en prikte met zijn vinger in mijn borst.

Het deed pijn en ik schrok van zijn fysieke opdringerigheid. Hij sprak met een logica waar geen speld tussen te krijgen was, maar het was wel een vreemde logica, volledig gebaseerd op wantrouwen.

'Hoe kun je nou denken dat Jaap je besteelt? Dat zou hij toch nooit doen?' zei ik met een rotsvast vertrouwen in mijn man.

'O ja, Assie? Dat denk jij maar. Die man is een arme sloeber, die heeft nog nooit een cent te makken gehad en die ziet ineens geld. Dan gaan mensen stelen, hè!' legde hij me uit op de toon van een schoolmeester.

'Dat slaat nergens op, Jaap is toch familie,' antwoordde ik, verbaasd over het gesprek waar ik in terecht was gekomen.

Maar met alles wat ik terug zei, werd Wim alleen maar bozer. Hij ging van boos naar woest: 'Weet je wat het is, Assie, ik doe heel veel voor jou. Ik zorg dat jouw man geld kan verdienen, dat doe ik voor jou, omdat jij mijn zussie bent. En jij bent gewoon een ondankbaar kankerkind! Luister goed, want ik zeg het je maar één keer. Ik laat me niet door hem bestelen. Ik ben geen debiel. Wat denkt hij wel!'

Zonder enige aanleiding maakte hij Jaap voor dief uit. Hij

begon met aannames en maakte daar binnen vijf zinnen feiten van. Maar Jaap was geen dief en dat liet ik me ook niet zomaar zeggen. Ik werd boos en schreeuwde terug: 'Jaap steelt helemaal niet van jou! Hoe durf je dat te zeggen!'

Ik zag de blik in zijn ogen zwart worden. Hij liep op me af. 'Wat zeg jij?' vroeg hij dreigend en ging dicht op me staan. 'Ga jij bijdehand tegen mij doen? Nou? Ik waarschuw je, nog één keer bijdehand…' en hij hief zijn hand naar me op.

Ik was bang dat hij me zou slaan en kromp ineen om zijn klap te ontwijken.

'Goed zo,' grijnsde hij. 'Je bent gewaarschuwd. Nog één keer bijdehand en je krijgt 'm.'

Zoals Jaap het personeel moest controleren, zo zette Wim mij in om Jaap – zonder dat die dat wist – te controleren, waarmee hij een wig dreef tussen mij en mijn man.

Vanaf dat moment was ik bij ieder contact met Wim gespannen. Als ik hem aan zag komen, werd ik al zenuwachtig. Zijn stemming was onberekenbaar, het ene moment was hij poeslief, het volgende moment agressief. Ik wist nooit waar ik bij hem aan toe was.

Ik had spijt dat ik hem in mijn leven toe had gelaten, maar ik kon het mezelf ook niet verwijten. Wat wist ik nou eigenlijk van hem? Voordat hij werd gearresteerd kende ik hem weliswaar als broer, maar door het grote leeftijdsverschil nog niet als mens. Ik was een puber van zeventien toen hij voor negen jaar achter de tralies verdween en moeder van een gezin met twee kinderen toen hij vrijkwam. In de tussenliggende jaren had ik een beeld van hem gevormd dat was gebaseerd op die spaarzame – positieve – momenten dat hij er voor mij was geweest. Maar eigenlijk waren we nu pas in de gelegenheid elkaar te leren kennen.

'Astrid, die Joegoslaaf die je gisteren hebt ontslagen loopt in Zandvoort met een vuurwapen te zwaaien en roept dat hij jou dood gaat schieten. Ik zou het serieus nemen. Die gozer is gek,' zei een van de medewerkers tegen me. 'Je kunt je broer toch wel vragen om het op te lossen, die beschermt je toch wel?'

'Ik zal even bedenken wat ik eraan ga doen,' antwoordde ik.

Het ging om een afwasser die met zijn handen in de kassa had gezeten en daarom weg moest. Hij was soldaat geweest in voormalig Joegoslavië, en maakte een labiele indruk. Voor het afwassen van borden was dat geen probleem, maar gezien de aard van zijn uitlatingen baarden die omstandigheden me wel zorgen.

Jaap hoefde ik niet om hulp te vragen, die had geen ervaring met geweld en van hem zou die gozer niet onder de indruk zijn. De enige die mij kon helpen met dit probleem was Wim. Ik zou hem toch op de hoogte moeten stellen, want hij moest geïnformeerd worden over alles wat er speelde binnen zijn bedrijf.

Wim kwam die dag Jaap controleren. Ik liep hem tegemoet, keek hem aan en knikte met mijn hoofd. Het betekende: loop even mee, ik moet je even hebben. We liepen naar zijn auto en reden naar een parkeerplaats.

'Wat is er aan de hand?' vroeg hij – zoals altijd – op voorhand geïrriteerd.

'Ik heb een gozer ontslagen die met zijn hand in de kassa had gezeten. En nu loopt hij in de stad met een wapen te zwaaien en te roepen dat hij me dood gaat schieten,' zei ik.

'Ja, en?' zei hij.

'Nou,' zei ik, 'ik dacht: misschien kun jij er wat aan doen?'

'Dat ik er wat aan kan doen?' zei hij geërgerd. 'Dat is toch jouw probleem! Dan had je hem maar niet moeten ontslaan.'

'Maar Wim,' zei ik, 'hij zat met zijn handen in de kassa. Dat wil je toch niet? Ik kon toch niet anders?'

'Het kan altijd anders! Je gaat je eigen probleem maar oplossen. Val mij daar niet mee lastig. Wat was de omzet gisteren?'

Ik keek hem aan en zag wie hij was.

Ik beantwoordde zijn vragen over de omzet en liep met hem terug naar de auto. We kwamen aan bij de strandtent.

'Ik kom van de week wel weer terug voor Jaap,' zei hij. Hij gebaarde me dat ik uit moest stappen en stoof weg van het probleem.

Ik keek hem na in zijn mooie Mercedes en voelde me aangerand door de werkelijkheid: negen jaar lang had ik mijn broer geïdealiseerd op basis van slechts een paar positieve gebeurtenissen.

Dat was voorbij.

Ik liep terug naar de strandtent, maakte gebruik van het aanbod van een personeelslid een vuurwapen voor me te kopen, liet Jaap een kluisje naast het bed met twee bouten in de vloer vastzetten en stopte het wapen erin. Als die klootzak zo nodig wilde, kon hij het krijgen.

Het strandseizoen was voorbij en we waren weer terug in Amsterdam toen er werd aangebeld.

Gatver, daar heb je hem weer, dacht ik.

'Dacht je dat je van me af was, zussie?' zei hij vrolijk toen ik de deur opendeed.

Ik was al blij dat hij niet narrig was. 'Je moet even wat voor me doen. Loop even mee.'

Ik pakte mijn sleutels en hij ging met me in het halletje staan.

'Je moet even op een vrouwtje passen,' zei hij poeslief.

'Hoe bedoel je?' vroeg ik.

'Dat vrouwtje heeft problemen en die moet even een paar dagen binnen blijven.'

'Wat voor problemen dan?'

Zijn stemming veranderde. 'Je moet niet zoveel vragen. Je moet het gewoon even doen. Of ben je weer te beroerd om wat voor mij te doen?'

'Maar wat wil je dat ik doe?' vroeg ik.

'Gewoon, even een paar dagen bij haar blijven, zorgen dat ze geen gekke dingen doet. Pak je spullen en kom mee!'

'Maar Wim, ik kan niet zomaar weg. Ik heb een gezin! Wat moet ik tegen Jaap zeggen?'

'Jaap! Jaap! Altijd weer die kanker-Jaap! Alles draait om die Jaap bij jou! Luister. Als jij niet doet wat ik vraag, heb ik een probleem. En als ik een probleem heb, dan heeft Jaap een probleem. Dan zal ik hem eens even de tering laten slaan!'

Wim maakte me bang. Hij had het de hele tijd al op Jaap voorzien en ik achtte de kans reëel dat hij zijn frustraties eens op hem zou botvieren.

'Ik doe het wel, doe maar rustig. Geef me even de tijd om iets voor die meid te regelen.'

Hij had zijn zin en werd rustig. 'Ik kom je over een uur ophalen.'

In de auto op weg naar 'dat vrouwtje' was Wim weer vrolijk. Te vrolijk.

'Wat ben je toch een lief zusje,' zei hij gemaakt.

'Ja, het is goed met jou,' antwoordde ik, 'denk maar niet dat ik dit leuk vind.'

'Ach, ik moet ook weleens iets doen wat ik niet leuk vind, dat is helemaal niet erg. Je moet blij zijn dat je iets voor je lieve broertje mag doen!'

Maar ik was helemaal niet blij. Ik voelde me een sufkut, ik liet me gewoon chanteren, liet me bang maken en me voor zijn karretje spannen. Ik haatte mezelf, omdat hij mij kon overheersen. In alle jaren dat hij vastzat, had ik een eigen leven en een eigen identiteit opgebouwd – hij kwam vrij en vermorzelde beide.

Voor de deur van het appartement zei Wim nog vlug: 'Ze zit zwaar aan de cocaïne en moet afkicken. Nou wil ze zelfmoord plegen, dus je moet haar in de gaten houden. Ze mag nergens heen.'

Hij deed het appartement open met een sleutel en in de huiskamer zat een vrouw. Ik herkende haar meteen. Zij was die roodharige vrouw die ook vaak op het strand kwam en met wie ik Wim zoenend in de wc had betrapt terwijl Beppie en Evie, zijn vrouw en dochtertje, op het strand lagen te zonnen.

Wat was dit nou? Moest ik op zijn scharrels gaan passen? Moest ik daarvoor mijn kind achterlaten? Uit een zijkamertje kwam een klein, mollig meisje van een jaar of twee, met blond piekhaar. Ze heeft een klein kind! En ze wil zichzelf wat aandoen?

Wim duwde me in mijn rug. 'Nou, naar binnen, wat sta je daar nou te staan?' Hij kuste de roodharige en zei: 'Dit is mijn zussie. Zij blijft even bij je.'

Ik bleef bij de roodharige. Ze vertelde dat haar man kort geleden was doodgeschoten. Gelukkig had ze Wim ontmoet. Hij was haar grote liefde, en zou bij zijn vrouw weggaan.

Wim kwam regelmatig op bezoek. Het ene moment gedroegen ze zich als tortelduifjes en het volgende moment schold Wim haar verrot en schreeuwde ze dat ze zelfmoord ging plegen. Door het hysterische gehuil van haar moeder begon het meisje telkens mee te huilen.

Wim kwam weer langs, terwijl ik met het meisje in haar kamertje speelde. Er klonk geschreeuw en ik hoorde de deur keihard dichtslaan. De roodharige begon weer hysterisch te huilen en het kleine meisje rende naar haar toe. Ik liep achter haar aan. De deur zwaaide weer open en Wim stormde op de

roodharige af. Het kleine meisje stond midden in de huiskamer en schrok zo dat ze keihard begon te huilen.

Wim richtte zich tot het kind, hij ging met zijn bijna twee meter voor haar staan en schreeuwde: 'Houd je kop, kutkind! Altijd
janken. Jankt ze weer, die kankermongool! Altijd janken!'

Ik keek hem aan en wist: ik zal jou nooit aardig vinden. Ik
liep op hem af en haalde hem voor het snikkende meisje weg.

'Dat doen we niet, Wim, ga jij maar weg,' zei ik en hij liet
zich naar buiten duwen. Die avond bad ik voor het eerst in
jaren weer tot God. 'Lieve Heer, ik dank U voor mijn moeder,
mijn zusje, mijn broertje, mijn man en mijn kinderen, en nu
vraag ik of U ervoor kunt zorgen dat Wim weer vast komt te
zitten. Amen.'

De strandtent werd na afloop van het zomerseizoen door de
jongens verkocht en Jaap zat weer zonder baan. Maar ze hadden nieuw werk voor hem.

Om hem te testen lieten ze hem naar Spanje komen en gooi-
den hem daar boven op een aantal hoeren, om te kijken hoe hij
standhield.

Hij hield stand. Jaap bleef zijn vrouw trouw en bedankte
voor de dames. Hij was geslaagd voor de test. Hij kon de seksclub van de jongens runnen.

Jaap had altijd al een voorliefde voor de zelfkant van de samenleving gehad, zoals hij zei wanneer hij weer eens hoeren
achter het raam probeerde te fotograferen. Ik was bang dat dit
het einde van onze relatie zou betekenen, dat hij gegrepen zou
worden door dit leven. Ik wist hoe aantrekkelijk het leven van
extremen was voor mensen die het niet gewend waren.

Het leven in een seksclub speelt zich 's avonds en 's nachts af.
Jaap maakte lange dagen en als man hoefde hij mij daar geen
verantwoording voor af te leggen.

Jaap was ineens 'man' geworden.

Ik had al langer het gevoel dat het werk hem opslokte en dat hij niet meer de Jaap was die ik kende: hij was gek op geld geworden, en om nog meer te verdienen begon hij te stelen van mijn familie.

Hij was ontevreden over het salaris dat zij hem gaven en begon creatief te boekhouden. Ik kwam daar achter doordat mijn broer thuiskwam en om opheldering vroeg over de cijfers. Dat liep uit op een enorme schreeuwpartij en mijn broer verliet met ruzie het huis. Ik moest meekomen.

'Hij steelt, die tyfuslijer. Hij besteelt me gewoon,' schreeuwde hij.

'Nee, dat geloof ik niet, dat zou hij nooit doen.'

Maar Jaap deed dat wel, hij stak heel geraffineerd tienduizenden guldens per maand in zijn eigen zak. Wim kon dat niet hardmaken, maar voelde het goed aan. Jaap bracht mij in diskrediet bij mijn familie.

'Waarom doe je dat?' vroeg ik. 'Ze geven jou een kans om geld te verdienen en jij besteelt ze. Weet je wel hoe dat kan aflopen? Wim laat zich niet bestelen.'

Jaap reageerde met de gebruikelijke quasi-interesse die ik altijd voor intelligentie had aangezien. 'Ik heb helemaal niets gestolen, en bovendien: eigendom bestaat niet.'

Met het geld dat hij van de jongens roofde was hij van plan een galerie te beginnen. Ik was verbouwereerd. Jaap was van intellectueel crimineel geworden. Maar hij kon hier niet mee doorgaan. Mijn broer zou dat niet accepteren.

'Stop hiermee,' zei ik. 'Dit gaat verkeerd aflopen.'

Ik ging naar Sonja, naar haar huis in Spanje, voor een vakantie van twee weken. Ik durfde haar niets te vertellen, uit schaamte voor het misbruik dat Jaap van hen maakte en uit angst voor wat er zou gebeuren als Wim zijn verdenkingen hard zou kunnen maken.

Ze dachten allemaal dat ik Jaap wel in de hand zou houden, maar Jaap was ongrijpbaar geworden. Wim zou hem total loss slaan als hij niet oppaste.

Jaap zou enkele dagen later aankomen en dan zou ik alleen met hem en Miljuschka in Sonja's huis verblijven. Ik twijfelde aan mijn relatie, Jaap was veranderd, ik voelde een verwijdering en wilde deze vakantie benutten om weer tot elkaar te komen. Jaap kwam in de middag aan. Hij moest even bellen, zei hij.

'Nou, daar staat een telefoon,' zei ik. Maar hij kon niet vanuit huis bellen, hij moest vanuit een telefooncel bellen. Ik wees hem waar in de buurt een telefooncel stond. Ik vond het vreemd, maar zei alleen: 'Ik heb migraine, ik ga naar bed.'

Jaap ging bellen. Miljuschka sliep al en ik nam het risico haar even vijf minuten alleen achter te laten. Stiekem sloop ik achter hem aan het huis uit, nam een andere weg en ging ongemerkt achter hem staan, terwijl hij stond te bellen.

'Ik hou van jou, poeps,' sprak hij in de hoorn.

Hoorde ik hem nou 'Ik hou van jou' zeggen? Ik rukte de telefoon uit zijn handen en vroeg: 'Mag ik ook even wat tegen haar zeggen?'

Jaap schrok zich kapot en ik nam de hoorn over. 'Hallo, wie ben jij?' vroeg ik en er werd opgehangen.

Jaap keek me aan als een jongetje dat betrapt is terwijl hij uit de koektrommel steelt.

Dit was het laatste wat ik had verwacht. Ik rende overstuur terug naar het huis en Jaap kwam achter me aan. Hij liep op me toe en zei smekend: 'Laat het me uitleggen, het is niet wat je denkt.'

Ik walgde van zijn bedelende gedrag, liep op hem af en gooide hem in het zwembad. Elke keer als hij naar de kant kwam en zijn handen op de rand zette om eruit te klimmen, trapte ik zijn vingers los. 'Blijf jij maar zwemmen!' riep ik.

Jaap was bang voor me. 'Mag ik eruit?' smeekte hij. 'Ik krijg het koud.'

'Wil je eruit?' zei ik. 'Wacht even.'

Ik liep naar het messenblok in de aangrenzende keuken en pakte het grootste en scherpste mes. 'Wil je er nog steeds uit?' vroeg ik en zwaaide met het mes in zijn richting. Woest was ik op zijn verraad.

Jaap durfde het risico niet te nemen en bleef voor de zekerheid maar in het zwembad.

'Wat een wijf ben je toch,' zei ik en op dat moment hoorde ik een zacht stemmetje. 'Mama, wat doe je?'

Ik keek omhoog en zag Miljuschka op het balkon boven het zwembad staan. Ze was wakker geworden en zag wat ik aan het doen was. Ik schrok en realiseerde me dat zij mij nog nooit zo had gezien, alleen tegenover haar kon ik mij altijd beheersen. Zij had nooit het mishandelde kind in mij wakker zien worden. En dat was óok het laatste wat ik wilde.

'Niks, lieverd, mama is een beetje in de war,' antwoordde ik.

'Kom er maar uit,' zei ik tegen Jaap, 'ik zal je niks doen. Dat kan ik Mil niet aandoen.'

Jaap hees zijn dikke lijf uit het zwembad en ik ging naar Miljuschka om haar gerust te stellen.

'Sorry lieverd, mama en papa hebben ruzie en mama draaide een beetje door. Maar ik ben weer rustig nu.'

'Oké mam,' zei ze. Haar moeder deed altijd wat ze zei, dus daar twijfelde ze niet aan. Ik beloofde nooit iets wat ik niet na kon komen. Ook nu: ik liet Jaap heel, maar onze relatie was stuk.

Ik begon te denken hoe we verder moesten. Jaap vertelde dat

het een eenmalig slippertje was, het was een meisje dat bij hem werkte en hij had haar naar huis gebracht toen zij door een klant geslagen was. Toen hadden ze even gezoend, maar meer niet, het stelde niets voor en hij kon echt niet zonder mij.

Ik geloofde hem niet, maar wilde niet dat Miljuschka net als ik zonder vader zou opgroeien en vond dat ik het moest accepteren. In een relatie gebeuren die dingen nu eenmaal en het had mij ook kunnen overkomen. Ik moest daarin niet zo rigide zijn.

Eenmaal terug in Amsterdam moest hij even weg en kwam terug met striemen op zijn rug.

'Ben je weer bij haar geweest?' vroeg ik.

'Natuurlijk niet, hoe kom je daarbij?' zei hij met kinderlijke verbazing in zijn stem.

Hij wist ook niet hoe die striemen op zijn rug kwamen, maar als ik hem niet vertrouwde, werd het niets meer tussen ons.

Vanaf toen koos hij de aanval.

In elke situatie die mij deed vermoeden dat hij een scheve schaats reed, verweet hij me dat ik ziekelijk jaloers was, net als mijn broer. Ik moest me eens na laten kijken. Ik was paranoïde. En ik begon zelfs te denken dat hij daar misschien wel gelijk in had, mijn broer was ziekelijk jaloers, dat was misschien wel erfelijk, en ik was inderdaad paranoïde door de recente gebeurtenissen.

Enkele maanden later was mijn onbehaaglijke gevoel nog niet verdwenen: ik was ervan overtuigd dat hij nog steeds met zijn 'slippertje' was. Kort na onze terugkomst uit Spanje had ik in het geheugen van de huistelefoon een nummer met het netnummer van Rotterdam ontdekt, maar het niet gebeld, omdat ik vond dat ik hem moest vertrouwen. Maar ik had het wel opgeschreven en bewaard.

Ik besloot het te bellen om na te gaan of hij nog steeds met haar was. Ik toetste het nummer in en een vrouw nam op.

'Met Roxanna.'

Roxanna, zo heette ze dus en dat verklaarde ineens waarom Jaap mij tijdens een vrijpartij weleens San had genoemd.

'Hallo,' zei ik, 'met de vrouw van Jaap, mag ik jou wat vragen?'

'Ja hoor,' zei ze met een zwaar Pools accent, 'vraag maar.'

'Ben jij nog steeds met Jaap?' vroeg ik op de vrouw af.

'Nee hoor,' zei ze, 'hij nu iets heeft met een ander meisje, man van haar doodgestoken en hij nu met haar is.'

'Oké,' reageerde ik zo stoer mogelijk, om niet te laten merken hoe deze opmerking door mijn hart sneed. 'En mag ik jou nog wat vragen?'

'Ja hoor,' zei ze.

'Hoelang ben jij nou met Jaap samen geweest?'

'Wij zijn achttien maanden samen geweest.'

Alsof ze gezellig met een vriendin zat te kletsen, begon ze me ongegeneerd alle ins en outs van hun samenzijn te vertellen.

'Hij vindt mij zó bijzonder. Hij wil niet ik werk in club. Hij zegt geld niet belangrijk, ik moet naar school gaan, ik zo intelligent. Hij met mij bezig kindje maken. Als ik kindje heb dan hij gaat weg van jou. Maar niet gelukt, ik gelukkig. Hij allemaal blabla. Hij leuk vindt overal kindjes maken. Hij ziek,' besloot ze ons gesprek.

Ik was verbijsterd. Niet om wat ze vertelde, maar om wat ze me vertelde. Ze schetste precies hoe Jaap in elkaar zat, en schreef hem daarom af. Stilletjes voelde ik bewondering voor de vrouw die mijn relatie had vernietigd, want zij sprak uit wat ik nooit had willen zien, maar wel altijd had geweten.

Ik confronteerde Jaap met de woorden van Roxanna, dat hij weer een ander meisje had. Ik smeekte hem om eerlijk te zijn. Dat was hij, en ik was gek. Ik was ziekelijk jaloers.

Korte tijd later bleek Jaap een andere vrouw zwanger te hebben gemaakt; de vrouw wier man was doodgestoken.

Omdat hij altijd tegen mij loog, had ik een gesprek met haar waarin hij haar vroeg haar zwangerschap nog even voor mij verborgen te houden heimelijk opgenomen. Ik wilde een keer eerlijkheid van hem en besloot hem daartoe te dwingen. Ik sprak met hem af en liet hem zijn gesprek horen. Nu kon hij niet anders dan de waarheid vertellen, dacht ik.

Hij keek me met grote onschuldige ogen aan en riep: 'Jij bent echt gestoord, jij hebt dit bandje gewoon in elkaar gezet. Jij hebt die woorden achter elkaar gemonteerd. Wat ben jij ziek, zeg!'

Zijn hopeloze verdediging was zo belachelijk dat ik ervan in de lach schoot. Het was de ultieme bevestiging dat ik al die jaren in een schijnwereld had geleefd. Tegelijkertijd wist ik dat deze relatie mij ook de vrijheid had gegeven om te worden wie ik was.

Ik had me kunnen ontwikkelen, ik was afgestudeerd in de rechten en ik had een prachtige dochter.

Goede uitgangspunten om een nieuw leven te beginnen.

Ze zeggen weleens dat het verwerken van het verdriet van een verbroken relatie in maanden kost wat hij in jaren geduurd heeft: dertien maanden dus. Maar dat was ik niet van plan. Ik gaf mezelf drie maanden de tijd om het te verwerken, maar dan moest het afgelopen zijn. Ik had veel verloren, maar ook veel gewonnen en daar moest ik blij mee zijn.

Boontje kwam om zijn loontje. Wat ik mijn voorgangster had aangedaan, werd mij aangedaan door de dame met het Poolse accent, en wat zij mij aandeed, werd ons beiden weer aangedaan door de dame die plotseling zwanger bleek te zijn.

Zwanger.

Dat betekende dat Miljuschka een halfbroertje of halfzusje zou krijgen, en ik vond dat ik die zwangerschap niet vanuit mijn pijn, maar vanuit haar moest bekijken. Voor Miljuschka wilde ik een zo normaal mogelijk contact met haar vader en dus ook met zijn zwangere vrouw, waar Miljuschka vroeg of laat toch mee te maken zou krijgen. Dus nam ik het initiatief om 'gezellig' koffie te gaan drinken met Jaaps nieuwe gezinnetje in wording.

In een cafeetje op de Middenweg zaten we geforceerd met z'n vieren bij elkaar. Niemand werd hier blij van en Miljuschka wist al helemaal niet wat ze aan moest met deze vreemde dame, die haar opgetogen vertelde dat 'ze een broertje of een zusje' zou krijgen.

'Wie is die mevrouw, mam?' fluisterde ze zachtjes in mijn oor.

'Dat is papa's nieuwe vriendin en zij krijgt een baby, dat weet je toch,' zei ik, gegeneerd dat ze in het bijzijn van de nieuwe vriendin begon te fluisteren.

'O ja,' antwoordde ze zonder dat het kwartje bij haar leek te vallen.

Na een ontmoeting van een halfuur waren we allemaal weer blij dat we onze eigen weg konden gaan. Miljuschka en ik liepen naar mijn auto en ik probeerde nog een luchtig einde aan deze kwelling te breien: 'Leuk hè, een broertje of zusje erbij. Dat ga jij echt heel leuk vinden!'

'Ja, vast,' antwoordde ze ongeïnteresseerd.

Aan de vraag of ze het leuk vond zou Miljuschka niet eens toekomen: ook deze dame werd al snel weer vervangen door een andere. Jaap was al zo snel weer vertrokken dat de kersverse moeder nooit de moeite heeft genomen haar kind te vertellen wie haar biologische vader is.

Ondertussen was ik verhuisd naar een andere woning in de Rivierenbuurt. Een gezellig buurtje met veel middenstand, Miljuschka en ik hadden het er prima naar onze zin. Zij had goed contact met haar vader, dus ik was tevreden. Hij haalde haar elke woensdag uit school en dan gingen ze samen gezellig op pad en tegen etenstijd bracht hij haar terug.

'Ik heb andijvie gemaakt,' zei ik toen hij op een avond binnenkwam. 'Wil jij ook wat?'

'Nee, ik hoef niet, maar ik moet wel even met je praten,' zei hij ernstig.

'Oké,' zei ik. 'Wat is er?'

'Je weet dat mijn werk in de club binnenkort stopt?'

Ja, dat wist ik, want Wim was mij dat komen vertellen. Hij was woest dat Jaap er een financiële puinhoop van had gemaakt. 'Hij heeft lopen roven en stelen, die viezerik, dus hij gaat eruit. Hij heeft die hele tent naar de knoppen geholpen, hij heeft alleen maar zijn pik achterna gelopen. Wat een pleurislijer.'

Ik kreeg de wind van voren vanwege het gedrag van Jaap. Keer op keer vroeg ik Jaap zich verantwoordelijk te gedragen, maar hij had er maling aan, hij ging gewoon door. Dus ik begreep wel dat het stopte.

'Ja, dat weet ik,' zei ik tegen Jaap.

'Dat betekent dat ik jou ook geen geld meer kan geven,' zei hij droog.

'Hoe bedoel je?' vroeg ik.

'Precies zoals ik het zeg. Ik kan jou geen geld meer geven, want ik heb binnenkort geen inkomen meer.'

'En waar moeten Miljuschka en ik dan van leven? Je weet dat ik te weinig verdien om rond te komen. Ik kan niet eens de huur betalen.' Ik raakte lichtelijk in paniek.

'Dat is jouw probleem. Ik moet ook verder,' zei hij terwijl hij al in de deuropening stond, klaar om weg te lopen voor zijn verantwoordelijkheden.

Hij was de deur al uit, toen hij nog even terugkwam: 'O ja, ik heb nog post voor je.' Hij haalde een envelop uit zijn binnenzak en gooide die op de deurmat.

'Post voor mij?' vroeg ik verbaasd terwijl hij de trap al weer af was. Ik liep naar de mat, pakte de envelop en maakte hem open. Het was een herinnering voor de betaling van een bedrag van zeventienduizend gulden, een lening waar we als gezin van hadden geleefd en die nu ineens 'post voor mij was', omdat de lening afgesloten was op mijn naam.

Niet alleen had ik geen geld, nu had ik ook nog een schuld.

Ik rende naar beneden, Jaap achterna. 'Wacht even!' schreeuwde ik. 'Jaap, je kan toch niet serieus menen dat je ons zonder geld achterlaat?' vroeg ik.

'Dat meen ik wel,' zei hij emotieloos. 'En haal het niet in je hoofd om kinderalimentatie te vragen, want dan zal ik de rechtbank wijsmaken dat jij in cocaïne handelt. Dat kun je dan wel ontkennen, maar je weet: het gaat er niet om hoe het zit, maar om hoe mensen denken dat het zit. Jij denkt toch niet dat ze een Holleeder geloven? En dan ben jij je kind kwijt.' Hij keek me aan met een triomfantelijke blik.

Hij had mij schaakmat gezet door mijn liefde voor mijn kind en de maatschappelijke veroordeling van mijn familie tegen mij te gebruiken.

Ik wist zeker dat niemand mij zou geloven. Wij waren door de buitenwereld jaren geleden al bij het grofvuil gedumpt.

Ik vroeg geen alimentatie, ik kon het risico niet nemen.

Het overlijden van mijn vader (1990)

Nadat mijn moeder hem op mijn vijftiende voor de tweede keer verliet, heb ik mijn vader nooit meer willen zien. Nu, tien jaar later, was hij gediagnosticeerd met kanker. In al die jaren had ik geen enkel contact met hem gehad. Ik was bang dat ik er een schuldgevoel aan over zou houden als ik hem niet de kans gaf om het contact te herstellen. Ik ben daarom bij hem op bezoek gegaan. Hij was ernstig ziek en misschien was hij daardoor wel veranderd. Ik had er bewust voor gekozen het verleden te laten rusten en hem een kans te geven.

Hij lag naar het plafond te staren toen ik de ziekenzaal binnen liep. 'Hoe gaat ie, pa?' vroeg ik. 'Tijd niet gezien.'

Ik wist niet goed wat te zeggen tegen de man die verantwoordelijk was voor het vernietigen van mijn jeugd, en daarmee de kans op een normaal leven.

Ik had hem als kind van vijftien voor het laatst gezien en stond nu voor het eerst in mijn leven weer tegenover hem: ik wilde als volwassenen een gesprek met elkaar voeren. Ik was mild en vriendelijk tegen hem. 'Word je weer beter? Zal ik wat water voor je halen?'

Bij iedere poging van mijn kant om het gesprek op gang te brengen, lachte hij schamper. Ik had gehoopt dat hij misschien berouw zou tonen over wat hij ons had aangedaan, maar er was helemaal niets veranderd. Ook bij dit bezoek kleineerde hij mij weer, lachte mij uit.

Terwijl hij dat deed keek ik naar hem, hoe hij daar verzwakt en mager in zijn bedje lag. Ineens vond ik hem zo klein, hij was niet meer die reus met handen zo groot als kolenschoppen.

Zijn redeneringen kwamen als die van een psychiatrisch gestoorde op mij over. Waarom had ik dat nooit eerder gezien? Misschien herkende ik het omdat ik inmiddels werkte met cliënten die als gevolg van een psychiatrische stoornis gedwongen werden opgenomen in een inrichting. Of misschien kwam het doordat ik voldoende afstand had om anders naar hem te kunnen kijken. Ik wist het niet, maar ik wist wel dat het bezoekje mij goed had gedaan.

Ik zag hem nu als de man die hij werkelijk was en niet langer als de man zoals ik hem in mijn kindertijd had gezien: groot, sterk en almachtig. Zo almachtig, dat ik mij als klein meisje had aangeleerd in het Engels te denken zodat hij niet bij mijn gedachten kon komen. Hij was te dom om Engels te kunnen begrijpen.

Almachtig was hij niet meer. Groot en sterk ook niet. Hij was gewoon een gestoord, laf en vooral slecht mens.

Want hoe laf ben je als je kleine kinderen slaat? Hoe slecht ben je als je de knieën van je vrouw bewerkt totdat haar kniebanden knappen, haar slaat totdat ze het bloed uit haar longen spuwt? Nee, ik was niet bang meer. Ik walgde alleen maar van hem. En ik hoefde mij op geen enkele manier schuldig te voelen dat ik nooit meer contact met hem zou hebben, hij verdiende dat niet. Hij had dan misschien nu kanker, maar hij was al die jaren al ziek in zijn hoofd geweest en had mij daarmee behoorlijk beschadigd.

Ik leed aan alle stereotype afwijkingen die je aan zo'n opvoeding over kan houden: agressieregulatieprobleem, hechtingsstoornis, bindingsangst, posttraumatische stressstoornis, herhalingsdwang – het was allemaal op mij van toepassing.

Toen ik zwanger werd van mijn dochter was ik bang onbewust te herhalen wat ik in mijn jeugd had meegemaakt, en mijn kind zou mishandelen. Dat lijkt tegenstrijdig, want je verwacht dat wanneer je als kind geslagen bent, je weet hoe erg dat is en dat je eigen kind nooit zal aandoen. Niets is minder waar. Onderzoek heeft uitgewezen dat het gros van de ouders die geslagen worden in hun jeugd, hun eigen kinderen ook slaan.

Vandaar dat ik mij direct na de geboorte van mijn dochter bij de psycholoog van de universiteit had aangemeld om te voorkomen dat ik in hetzelfde patroon zou vervallen. Ik moest kort opschrijven wat ik had meegemaakt en vervolgens werd een afspraak gemaakt. Ik was heel zenuwachtig, want waar ik vandaan kom betekent praten met een psycholoog dat je gek bent. Wat zou me te wachten staan?

Ik moest mij melden op de bovenste verdieping van de Oudemanhuispoort. De man die tegenover me zat droeg een brilletje op de punt van zijn neus.

'Tja,' zei hij, 'ik zal maar meteen met de deur in huis vallen. Ik kan u niet helpen. U heeft zo'n getrapt probleem, daar bent u wel vijftien jaar mee bezig, en die zorg kunnen wij niet bieden. Wij helpen studenten met concentratieproblemen of een trage studievoortgang, maar iemand zoals u, nee, die kunnen wij niet helpen.'

Toen stond ik weer buiten. Mijn eerste kennismaking met de softe sector was geen succes, maar ik bleef het proberen.

De tweede psycholoog wilde me aan de medicatie hebben, maar dat zag ik niet zitten en de derde vond ik een griezel. Ondertussen was ik nog geen steek verder.

Toen kwam ik bij Liesbeth terecht.

In plaats van alleen maar 'Mmm, ja, ja, mmm, wat denkt u zelf?' te murmelen, praatte deze psycholoog gewoon terug. Ik was op zoek naar inzicht in mijn verleden met mijn vader en zij leerde mij zijn onverklaarbare gedrag te benoemen: ik zag in dat ook hij een slachtoffer van zijn jeugd was, dat ook hij ten prooi was gevallen aan herhalingsdwang. Zijn vader, mijn opa, had hem mishandeld, ook hij maakte dus kapot wat hij liefhad.

Mijn oom Gerrit vertelde mij, toen ik op zoek was naar antwoorden, dat mijn opa een wrede man was. Ze waren als gezin vanuit Dieren naar Amsterdam gekomen. Over de reden bleef ome Gerrit vaag, maar het had te maken met mijn opa, een dode man, een put en ongebluste kalk.

Hij vertelde mij dat mijn opa hardvochtig was tegenover al zijn kinderen, maar vooral de pik had op mijn vader. Hij kon niets goed doen en strafte hem altijd disproportioneel. Mijn vader was een verwoed duivenliefhebber, en op een keer had mijn opa als straf ten overstaan van mijn vader al zijn geliefde postduiven de nek omgedraaid en in de vuilnisbak gegooid. Daar krijg je inderdaad wel een tik van, denk ik, maar het verklaarde nog niet waarom zijn broers dan zo anders geworden waren.

Mijn oom Gerrit had samen met zijn vrouw een kapsalon en een dochter, oom Fred fokte samen met zijn vrouw katten en ze hadden ook een dochter, en ome Joop, die zelf geen kinderen had maar de kinderen van zijn vrouw opvoedde, dreef samen met haar een sigarenwinkel in De Pijp. Geen van hen behandelde hun vrouw zoals mijn vader dat deed, integendeel: allemaal werkten ze leuk, gezellig en gemoedelijk met ze samen. Voor hun kinderen waren ze lieve, fijne vaders. Ze waren geen alcoholisten, vertoonden geen agressief of gewelddadig gedrag, hadden geen rare kronkels in hun kop.

Vier broers, opgegroeid in hetzelfde gezin, onder dezelfde omstandigheden, en de enige die anders was, was mijn vader.

Ik vroeg Liesbeth hoe dat nou mogelijk was. Hoe kon het dat mijn vader in staat was om kleine kinderen en een weerloze vrouw tot bloedens toe te slaan? Waarom had hij daar de volgende dag nooit spijt van? Had hij überhaupt ooit spijt van wat hij had gedaan?

Dat is niet te verklaren, dat weten we gewoon niet, legde Liesbeth uit. Hij – en jullie dus ook – heeft gewoon pech gehad.

Ik had gehoopt op een afdoende antwoord en bij gebrek aan beter houd ik het er daarom maar op dat het zijn eigen keuze is geweest, dat hij er niets aan heeft gedaan om anders te zijn voor ons dan zijn vader voor hem was geweest. Ik vond dat ik hem mocht verwijten dat hij zijn eigen onverwerkte verleden op ons botvierde, zonder er enig belang aan te hechten wat dat met ons deed.

Fijn voor hem, lullig voor ons.

Hij was gewoon een enorme egoïst, wat nogmaals pijnlijk duidelijk werd toen ik aan zijn ziekbed stond.

Mijn vader herstelde volledig van de kanker. Ze hadden enkel zijn alvleesklier hoeven te verwijderen en die operatie was geslaagd. Wel moest hij daarna insuline gaan spuiten, en alcohol werd hem afgeraden.

Vanaf dat moment is het onduidelijk hoe het precies met hem verlopen is.

Hij bleef drinken, in dezelfde hoeveelheden als altijd, want hij kon niet buiten zijn biertjes. Of hij nu wel of geen insuline spoot, weet ik niet. Er gaan geruchten dat hij een overdosis insuline zou hebben genomen, maar of hij dit bewust heeft gedaan of gewoon niet goed met een insulinespuit kon omgaan, is nooit duidelijk geworden. Maar mijn vader was in mijn beleving te veel met zichzelf ingenomen om zelfmoord te kunnen plegen.

Het nieuws dat hij dood was hoorden we toen hij al in een mortuarium lag, van het ziekenhuis hebben we nooit vernomen wat de precieze doodsoorzaak was. Het enige wat we te horen kregen, was dat hij dood was.

'Oké, en wat nu?' vroeg ik mijn moeder.

'Hij moet begraven worden. Zijn begrafenis moet geregeld worden. Kun jij dat doen?'

'Waarom zou ik zijn begrafenis moeten regelen, mam?'

'Omdat het zo hoort,' zei ze.

'Zo hoort?' vroeg ik. 'Maar ik heb niks met die man, laat zijn nieuwe vriendin het maar doen.'

'Nee, die is zelf zwaar aan de alcohol en kwam juist vragen of wij het wilden organiseren,' antwoordde ze.

'Gerard dan, of Sonja. Ik wil dat huis niet meer in, mam. Ik ben nog steeds bang dat zijn geest daar rondwaart en mij grijpt.'

Mijn moeder begon te lachen. 'Doe niet zo gek. Hij is dood, doe het nou maar. Wim zegt ook dat jij het moet doen, hij heeft me al gebeld.' Wim was zijn straf voor de Heineken-ontvoering nog aan het uitzitten.

'Wat zei hij?' vroeg ik.

'Hij had het al gehoord. Hij zei: "Mooi zo. Het werd een keer tijd dat De Kale doodging." Hij wil naar de begrafenis, zodat hij een dag naar buiten kan. En een jongen met wie hij zit moet er ook heen, want dan kan die ook een dag naar buiten.'

'Wie is die jongen dan?'

'Weet ik niet, iemand met wie hij zit en die ook een dag de gevangenis uit wil. Daar kunnen ze mooi de begrafenis voor gebruiken, want daarvoor mogen ze een dag op speciaal verlof.'

'Ik begrijp het.'

Ik heb de begrafenis geregeld. Tijdens de ceremonie was mijn broer er onder politiebegeleiding, verder stonden alleen mijn broer Gerard, Sonja, mijn vaders stomdronken vriendin, een vertegenwoordiger van het Heineken-concern, mijn ooms en een wildvreemde medegedetineerde van Wim aan het graf.

'Wil er iemand nog wat zeggen?' vroeg de begrafenisondernemer.

Ik keek in het rond, maar niemand reageerde. Normaal was dit het moment om mooie herinneringen op te halen aan de overledene, maar er viel niets aardigs te zeggen en er waren ook zeker geen mooie herinneringen op te halen.

Wim doorbrak de stilte door mij naar voren te duwen: 'Zeg jij maar wat.'

Daar stond ik dan. Over de doden niets dan goeds, zeggen ze, maar ik had geen goed woord over hem te melden en ik had ook geen zin om erover te liegen.

'We hebben mijn vader allemaal op onze eigen manier gekend. En we nemen ieder op onze eigen manier afscheid van hem.'

Meer kon ik er niet van maken.

Na de begrafenis wachtte ons de taak de huur op te zeggen en zijn huis op te ruimen, mijn ouderlijk huis. Mijn moeder ging mee. We waren verbijsterd over wat we aantroffen: vier verdiepingen en een tuin vol met spullen, antiek dat hij had gekocht of had gevonden bij de vuilnisbakken die hij elke avond met zijn nieuwe vriendin afstruinde. Op elke verdieping was misschien een vierkante meter bewegingsruimte, voor de rest stond alles helemaal tot aan het plafond toe opgestapeld. Overal kwam ik antieke vaasjes en sieraden tegen met briefjes met mijn naam erop geplakt, spullen waarvan hij kennelijk wilde dat ik die zou krijgen, maar die hij nooit persoonlijk had gegeven.

Nu was het te laat.

Ik vroeg me af of hij toch van mij gehouden had, maar kwam meteen tot de conclusie dat hij niet tot liefde voor anderen in staat was geweest.

Bo (1991)

'As, kijk jij even. Zie je wat aan haar ogen?' zei Sonja ongerust.

Ze was net bevallen van Bo, zoals Cor en zij hun tweede kindje hadden genoemd. Sonja lag op de kraamafdeling en Bo lag in een bedje naast haar.

'Wat zegt de dokter dan?' vroeg ik.

'Ze denken dat ze niet goed is.'

'Hoezo, niet goed?'

'Ze denken dat ze een mongooltje is. Dat kan toch niet, As? Een mongooltje?'

'Waarom denken ze dat dan?'

'Ze zeggen dat ze het zien aan haar ogen. Ze heeft dikke ogen, zeggen ze.'

Ik keek naar de ogen van mijn pasgeboren nichtje. 'Ik zie het niet. Wat moet ik zien dan?'

'Ze weten het nog niet zeker. Ze willen nog onderzoek doen. O As, er zal toch niets mis zijn met mijn kindje?' Ze begon zachtjes te huilen. 'Kijk nou eens goed. Fran had toch ook van die bolle ogen?'

Ik wilde haar geruststellen. 'Ja, Fran had ook grote ogen. Misschien is het niks, wacht nou maar even af.'

Ik keek naar Bo. 'Ze heeft wel een heel mooi klein neusje. Wees daar maar blij om. Ze zou de eerste in onze bloedlijn zijn.'

'Vind je niet dat ze een beetje raar doet met haar tongetje?' vroeg Sonja.

'Hmm, ze heeft wel een beetje een apart puntig tongetje. Maar ik weet niet of dat abnormaal is. Ik vind haar een schatje en ze is zo rustig.'

'Ik heb haar nog niet horen huilen,' zei Sonja.

'Waar is Cor?' vroeg ik.

'Ze zijn bezig verlof voor hem te regelen. Ze is een maand te vroeg geboren, dus hij had het nog niet aangevraagd. Ik hoop dat het snel gaat. Nu heeft hij sowieso al de bevalling gemist.'

'Cor houdt toch niet van die bloederige zooi.'

'Kun jij even een foto halen van Francis als baby. Ze willen haar vergelijken met Bo,' zei Sonja.

Bij terugkomst in het ziekenhuis was Cor inmiddels gearriveerd. De directeur van de gevangenis had hem onmiddellijk verlof verleend. Hij zat aan het bed bij Sonja. Samen huilden ze. Ze hadden net een gesprek gehad met de arts over de toestand van Bo.

'Ze heeft het syndroom van Down,' zei Sonja direct toen ze me zag. 'Het is zeker.'

'Oké,' zei ik.

'Assie, loop even mee,' vroeg Cor en nam me mee de kamer uit. Aan het einde van de gang, bij een raam, ging hij voor me staan. Hij vocht tegen zijn tranen en zei nauwelijks hoorbaar: 'Hoe kan het nou, Assie, een mongooltje.'

Hij draaide zich om naar het raam, schraapte zijn keel en met zijn rug naar me toe zei hij: 'Ik kan geen mongooltje opvoeden. Ik kan dat niet. Ik heb gewoon niet zo'n leven. Ik ben nog niet eens vrij en dan moet ik een gehandicapt kind op gaan voeden, in mijn wereld, met al die gekken en die gekkigheid.' Hij draaide zich weer om: 'Begrijp je dat? Ik heb niet één dag voor Francis een vader kunnen zijn. Ik heb alleen maar vastgezeten.'

'Ja, ik begrijp het heel goed,' zei ik. 'Het zou voor het kindje niet goed zijn om bij jullie op te groeien. Het klinkt misschien hard als ik het zeg, maar jullie zijn daar volledig ongeschikt voor.'

Ik vond dat ook echt. Ik was het met Cor eens dat Sonja en hij allebei niet in staat waren het geduld, de rust, de orde en de regelmaat op te brengen die voor een kindje met een handicap noodzakelijk zijn. Nu al draaide hun gezin dankzij de hulp van mijn moeder.

'Sonja kan dat ook niet,' zei hij. 'Dat kan ze niet aan. Die wordt gek. Stientje doet nu al alles voor haar.'

Ik was blij dat hij zelf zijn beperkingen en die van Sonja inzag, en dat ze niet vanwege hun eigen verdriet gingen experimenteren met de opvoeding van een kindje dat speciale zorg nodig had.

'Vind je me nu een slechte vader?' vroeg hij.

'Nee, ik vind je realistisch. Dit het beste wat je kunt doen.'

'Wil jij het regelen?'

'Ja, is goed.'

'En ik denk dat het beter is als Sonja het kindje niet meer ziet. Dan kan ze zich er ook niet aan hechten.'

'Oké,' zei ik.

Mijn moeder, Wim en ik waren al in de Deurloostraat toen Sonja en Cor aankwamen. Bo was nog in het ziekenhuis. Sonja liep gelijk door naar Bo's kamer en wilde even alleen zijn. Ik kende Cors beslissing, maar ik wist dat mijn moeder zich hier met hand en tand tegen zou verzetten.

'Mam, zie jij Bo opgroeien bij Sonja en Cor?' vroeg ik voorzichtig.

'Wat bedoel je?'

'Ik denk dat het voor het kindje heel vervelend is, zoals

Sonja en Cor nu leven. Altijd gekkigheid, altijd drukte, Sonja die altijd met Cor bezig is. Ik zie niet de rust die een kindje met een afwijking nodig heeft.'

'Nou, ik ben er toch?' zei ze, precies zoals ik al verwachtte.

'Maar jij wordt ook een dagje ouder,' zei ik.

'Wat wil ze dan?' Ze voelde dat het een inleiding was om haar iets vervelends mee te delen.

'Haar eigen kind wegdoen? Is dat wat je zegt? Zijn jullie wel goed bij je hoofd? Je eigen kind? Omdat ze er anders uitziet? Jullie moesten je schamen dat je alleen al zo denkt!'

Mijn moeder begon zich steeds meer op te winden. Ik wist dat dit zou gebeuren, maar het was niet goed als zij dit soort dingen tegen Sonja ging roepen. Wim zag mij in de weer met mijn moeder en kwam naar ons toe. 'Wat is er, Stientje?' vroeg hij.

'Geef Bo maar aan mij. Ik zorg wel voor haar,' zei mijn moeder.

'Nee,' zei Wim, 'jij kan dat ook niet aan. Daar ben je te oud voor. Cor heeft besloten. Het is beter zo.'

De tranen sprongen mijn moeder in de ogen. Ze wist dat het geen zin had om Wim tegen te spreken.

'Jullie zijn allemaal gek geworden,' fluisterde ze in zichzelf.

Boven zat Sonja verdoofd op de grond in de kinderkamer van Bo, haar hoofd op haar opgetrokken knieën. Ik ging naast haar zitten.

'Moet ik het regelen, Son?'

Ze knikte. Ik ging naar de slaapkamer van Francis, waar een telefoon stond en draaide het nummer van de William Schrikker Stichting.

Bo bleef in het ziekenhuis tot de maatschappelijk werkster belde en vertelde dat ze voor Bo een pleegmoeder hadden gevonden.

Cor ging twee keer per dag naar het ziekenhuis om haar de fles te geven en haar te knuffelen. Sonja mocht er van hem niet heen en zij deed wat hij zei. Ze was boos op zijn beslissing, maar ze wist dat hij gelijk had.

De pleegmoeder was een al wat oudere dame, die vaker baby's met Down opving.

'Je mag haar zelf naar haar toe brengen. Als je dat aankan,' hadden ze gezegd.

'Ik wil haar zelf brengen, As. Dat ben ik verplicht aan Bo. Ga je wel met me mee?' vroeg Sonja huilend. 'Ik kan het niet alleen.'

'Ja, natuurlijk. Is Cor het ermee eens?' vroeg ik.

'Ik moet dit gewoon doen, As, of hij het er nou mee eens is of niet,' sprak ze gedecideerd.

Samen reden we naar het ziekenhuis. Sonja had al Bo's spulletjes ingepakt en meegenomen.

'Dus Cor weet het niet?' vroeg ik.

'Hij hoeft niet alles te weten. Het is ook mijn kind, hè. Ik heb haar negen maanden onder mijn hart gedragen!' snoerde ze me de mond.

In het ziekenhuis liepen we direct door naar de kraamafdeling. Daar werden we door de verpleging naar een apart kamertje gebracht, waar Bo lag. Sonja zou Bo voor het eerst in dagen weer zien.

'Kijk, daar is ze,' zuchtte ze. Ze liep naar het bedje en pakte Bo er voorzichtig uit. 'Kom maar lieverd, kom maar bij mama.' Ze keerde zich met de kleine Bo in haar armen naar me toe en zei: 'Doen we hier wel goed aan? Zal ik haar niet mee naar huis nemen? Ik heb haar negen maanden bij me gehad, en nu laat ik haar naar een vreemde gaan, weg van haar eigen moeder. Wat doe ik haar aan? Zal ze me gaan missen?' Ze hield Bo stevig vast, alsof ze niet van plan was haar nog los te laten, en huilde.

'Ik weet het niet, Son. Ik weet het niet.' Ook ik huilde.

'Het voelt zo verkeerd. Ik krijg ineens zo'n spijt,' zei ze.

'Je moet het zelf weten, het is jouw beslissing, Son. Maar als je nu beslist haar te houden, kun je nooit meer terug. Je kunt het niet even uitproberen en ervan afzien als het je niet lukt. Dat zou pas echt erg zijn voor Bo.'

'Ik weet het,' zei ze.

Bo lag in haar wiegje op de achterbank van Sonja's auto.

'Als het me daar niet bevalt, neem ik haar weer mee,' zei Sonja.

'Mee eens,' zei ik.

Na een uur rijden kwamen we aan bij het adres dat we van de maatschappelijk werkster hadden gekregen. Sonja tilde Bo uit haar wiegje en nam haar mee naar de deur. Onzeker belden we aan, bezorgd om waar we terecht zouden komen en Bo achter moesten laten. Een vriendelijk glimlachende vrouw deed de deur open en strekte haar armen gelijk uit naar Bo.

'Hallo lieverd,' zei ze vrolijk. 'Ik ben Anne.'

Bo was welkom en Sonja ontspande onmiddellijk.

Anne was een rustige, warme vrouw, en Bo lag tevreden tegen haar borst aan.

'We moeten gaan,' zei Sonja na enkele uren. Ze moest Bo loslaten.

'Je kunt altijd langskomen,' zei Anne, die zich ervan bewust was hoe Sonja worstelde met deze beslissing.

Bij de deur keek Sonja me aan.

De tranen liepen ons allebei over de wangen.

'Weet je het zeker?' vroeg ik.

'Nee,' zei ze, maar ze rukte zich los van de situatie en liep naar de auto.

De weg naar huis keken we stil voor ons uit.

Terug in de Deurloostraat liep Sonja naar Bo's kamertje en streek met haar hand over het matrasje van haar wiegje. Bo's wiegje bleef leeg en Sonja vulde de leegte op aanraden van een psychiater op met antidepressiva.

Cor vulde de leegte door meer en meer te gaan drinken.

Anne zorgde liefdevol voor Bo tot ze enkele weken later werd opgenomen in een prachtig stabiel gezin dat haar een fantastische jeugd heeft gegeven en heeft opgevoed tot een bijzonder mensje. Sonja was er altijd welkom. Eerst bezocht ze Bo stiekem, Cor wilde niet dat Sonja ging. Later accepteerde Cor Sonja's verlangen om te weten hoe het met Bo ging.

Ze bezoekt Bo nog steeds.

Advocate (1995)

In 1988 ging ik studeren. Eerst filosofie, maar dat was geen succes. Ik begreep niets van het universitaire systeem en ik kende niemand in mijn omgeving die daar een beetje ervaring mee had. Ik was niet eens in staat de collegezaal te vinden en als ik die al had gevonden, begreep ik helemaal niets van de inhoud. Waar hadden deze mensen het over? Het ontbrak me volledig aan de intelligentie om dit denkniveau te volgen. Ik stopte daarmee en ging rechten studeren.

Niet, meende ik stellig, door wat er met mijn familie en de Heineken-ontvoering was gebeurd, maar door het 'pretpakket' aan vakken waar ik eindexamen in had gedaan. Het alternatief was een taal of geschiedenis studeren, maar daarmee zag ik mij geen brood op de plank krijgen en doordat Jaap daar wisselend toe in staat bleek vond ik dat een vereiste.

In 1995 studeerde ik af en was ik er inmiddels achtergekomen dat mijn afkomst toch wel wat problematisch lag. Een baan als officier van justitie, die ik aanvankelijk ambieerde, of rechter, zat er gelet op de achtergrond van mijn familie volgens mij niet in, dus wilde ik advocaat worden.

Bram Moszkowicz wilde mij op voorspraak van Wim een kans geven en mijn patroon zijn, en de fantastische Bob Meijer was gelukkig onbevooroordeeld en bood mij kantoorruimte aan: daarmee had ik aan de laatste voorwaarden voldaan om beëdigd te kunnen worden als advocaat.

Ik had mijn familie uitgenodigd om bij de beëdiging aanwezig te zijn. Mijn moeder was trots op haar dochter die advocaat werd: het was alsof ik daarmee bewees dat het niet aan haar had gelegen dat ze een zoon had die een ernstig misdrijf had gepleegd. Ze had ook een kind dat juist aan de goede kant van de wet stond. Ik denk dat ik het evenwicht tussen goed en kwaad in haar gezin herstelde, en ik vond het fijn dat ik haar dat gevoel kon geven.

Behalve Sonja, Gerard en mijn moeder had ik ook Cor en Wim voor de beëdiging uitgenodigd. Zij hadden hun straf uitgezeten en ik wilde ze niet om hun verleden verloochenen. Ik had hen dus, naïef als ik was, gevraagd te komen. Na de ceremonie zouden we het op mijn nieuwe kantoortje vieren met hapjes en drankjes.

Maar de dag voor de beëdiging had ik nog steeds niet doorgekregen waar en wanneer hij zou plaatsvinden. Ik werd onrustig en ging bellen, om uit te zoeken wat daar de reden van kon zijn.

Ik werd doorverbonden met een dame van het Amsterdams Parket: 'U wordt morgen niet beëdigd, mevrouw. Het Openbaar Ministerie heeft bezwaar tegen uw toetreding tot de advocatuur.'

'Waarom dan?' vroeg ik.

'Omdat u verdachte was in de ontvoering van meneer Heineken.'

Ik was verbijsterd, en vroeg of zij zich niet vergisten en mij misschien verwarden met mijn broer. 'Ik ben A.A. Holleeder en ik denk dat u in de war bent met W.F. Holleeder,' zei ik nog.

'Nee hoor mevrouw, u bent verdachte geweest in die zaak, en officier van justitie meneer Teeven wil het hele dossier nog eens doornemen voordat u beëdigd mag worden. Dus morgen gaat het niet door.'

Ze hing de telefoon op en ik voelde me helemaal draaierig worden. Wat gebeurde er nou? Ik had nog nooit in mijn leven ook maar een bekeuring gehad, was moeder van twee kinderen, werkte me een slag in de rondte, studeerde om vooruit te komen en omdat ik familie ben van de Heineken-ontvoerders werd mij een baan als advocaat door het justitieapparaat onmogelijk gemaakt?

Datzelfde justitieapparaat dat twaalf jaar geleden gewapend mijn slaapkamer binnenviel, machinepistolen op mijn hoofd richtte, me mijn bed uit sleurde, me op de grond gooide, een voet in mijn nek zette en me opsloot in een cel. Datzelfde justitieapparaat dat mij vanaf dat moment mijn privacy ontnam, me achtervolgde en afluisterde? Begon het weer allemaal opnieuw, allemaal vanwege een misdrijf waar ik helemaal niets mee te maken had? Was dit wraak, omdat ik Cor en Wim niet had laten vallen? Nooit had ik kunnen bedenken dat de top van datzelfde justitieapparaat, dat geleid werd door universitair geschoolde mensen, zogenaamd ontwikkelde mensen, mij zo zou veroordelen.

Ik had helemaal geen zin meer me onder dit soort mensen te begeven, maar ik had al mijn geld in dit winkeltje geïnvesteerd, ik was allerlei financiële verplichtingen aangegaan, zoals de huur van mijn kantoorruimte, en ik was er net achter gekomen dat mijn man er een andere vrouw op nahield.

Ik moest wel door.

Ik belde Bram en hij adviseerde me de deken, mr. Hamming, te bellen. Die bleek echter afwezig en werd vervangen door iemand die zich aan deze kwestie, waarin deze achternaam een rol speelde, niet wilde branden. Ik moest maar even wachten tot mr. Hamming terugkwam, zei zijn vervanger. Ik was verbijsterd.

De dag ging voorbij, en er veranderde niets. Ik ging ervan uit dat ik niet beëdigd zou worden en ik was al blij dat ik er zelf achter gekomen was dat het niet doorging, zodat ik niet voor schut had gestaan wanneer ik als enige van de twintig beëdigingskandidaten de eed niet had mogen afleggen.

Ik had me er al bij neergelegd, toen de telefoon ging.

'Mevrouw Holleeder?' zei een stem.

'Ja,' zei ik.

'Met mr. Hamming, uw beëdiging gaat gewoon door.'

En hij hing op.

Bij de beëdigingsceremonie schudde hij mij de hand en zei: 'Het ga u goed!' Hij gaf me een vette knipoog.

Het gaf me weer een beetje hoop, dat er ook mensen waren die voorbij het stigma van de Heineken-ontvoering konden kijken, en mij beoordeelden op wie ik was en niet om wat mijn broer en zwager hadden gedaan. Maar het was me duidelijk dat er mensen bij justitie waren die daartoe nooit bereid zouden zijn.

Het was zomer 1996 en ik was aan het werk, toen mijn oppas belde en vertelde dat tien rechercheurs, een officier van justitie en een rechter-commissaris mijn hele huis hadden doorzocht en de verzameling Disney-videobanden van Miljuschka hadden meegenomen. De oppas was een meisje van zestien en op dat moment samen met mijn dochter van elf jaar – ze hadden haar verboden mij te bellen.

Twee kinderen blootgesteld aan een overmacht van mensen die ongevraagd binnendrongen en het hele huis in hun bijzijn omkeerden: wat misselijk om mij niet even op de hoogte te stellen zodat ik naar huis had kunnen komen om de angst bij hen weg te nemen. Bij navraag werd mij geen uitleg gegeven over de reden van die huiszoeking en om welk onderzoek het ging.

Later kwam ik erachter dat ze op zoek waren naar videobanden van een officier van justitie die zouden zijn opgenomen in de seksclub van Cor, Robbie en Wim, waar mijn toenmalige partner werkte.

Officier van justitie mr. Teeven, diezelfde officier die mijn beëdiging had tegengehouden, had voor een riant bedrag – en de garantie dat zij en haar vriendje niet vervolgd zouden worden voor een aantal ramkraken – dit verhaal gekocht van een prostituee: Irma. Die banden zouden zijn opgenomen door Cor, en bij mij in huis liggen.

Teeven was zo hongerig de handel en wandel van die hitsige officier te bedekken, dat hij van die prostituee een broodje aap had gekocht, en zich in het broodje verslikte. Er bleek niets van waar, maar ondertussen was er ten onrechte een inbreuk op mijn privacy gepleegd door justitie, en waren mijn oppas en mijn kind angst aangejaagd in naam van Vrouwe Justitia.

Er kon geen excuusbriefje van af.

Dit was al de derde keer dat ik werd lastiggevallen door justitie. Het begon zo onderhand echt vervelend te worden.

En het stopte niet.

In 2005 werd er een huiszoeking gedaan bij mijn boekhouder. Ze kwamen daar voor Wim, die ook klant was, in het kader van de zaak Enclave (de moord op Willem Endstra) en hadden behalve zijn boekhouding 'per ongeluk' ook maar even de boekhouding van mijn advocatenkantoor meegenomen.

De rechter-commissaris uit Utrecht stond erbij en keek ernaar, maar ach, wat zou het: ik was 'de zus van', dus dan is alles geoorloofd. Mijn boekhouding kwam daarom niet volgens de regels voor advocaten bij een rechter terecht, maar gewoon bij de recherche, die zich daar vervolgens op kon uitleven.

Ik was het zat continu inbreuken op mijn rechten en privacy te moeten ondergaan en schakelde een topadvocate, Lian Mannheims, in.

Zij eiste – en kreeg – mijn boekhouding met excuses terug, het was een vergissing. Die 'vergissing' kende ik. Mijn naam en voorletters stonden met koeienletters op mijn administratie dus daar was weinig vergissing mogelijk, maar ondertussen hadden ze wel even alles doorgelicht.

Cor was inmiddels al twee jaar dood en het was zuur dat ik nog steeds zo hardnekkig als een Holleeder werd gezien, terwijl ik innerlijk allang afscheid van Wim had genomen. Het initiatief voor contact kwam alleen van hem uit en was er alleen als hij mij kon gebruiken. Justitie kon en mocht niet weten dat dat contact met hem niet uit vrije wil was, dus bleven zij mij – logischerwijs – tot zijn kamp rekenen.

Vanaf datzelfde jaar 2005 kwam mij vanuit verschillende hoeken ter ore dat mensen uit mijn omgeving door de politie waren benaderd met het verzoek of ze niet iets over mij konden vertellen. Justitie wilde mij koste wat kost van het tableau van advocaten geschrapt krijgen, omdat 'zo iemand als ik toch geen advocaat kon zijn'. Zo iemand als ik? Wat bedoelden ze? Ik deed als advocaat juist geen betalende-, maar alleen toevoegingszaken. Nooit zaken die ook maar in enige relatie tot mijn broer stonden, ik was zo transparant als glas.

Wie zat er toch achter deze jacht?

Nog was het niet genoeg. Op 3 juli 2007 belde mijn secretaresse: 'Ik heb rechter-commissaris P.M. aan de lijn, hij vraagt of je komt.'

Of ik kom? Ik begreep er niks van, ik was toch geen getuigenverhoor vergeten vandaag?

'Verbind maar door,' zei ik.

'Goedemorgen, mevrouw Holleeder, we staan bij uw huis,' hoorde ik P.M. zeggen.

'Mijn huis? In de Maasstraat?' vroeg ik.

'Kunt u even komen, we willen graag uw huis doorzoeken,' vervolgde hij.

Mijn huis, wat was er nu weer aan de hand? Wim zat vast, dus daar kon het niet mee te maken hebben. Ik regelde snel wat voor mijn werk en reed naar mijn huis, waar ze met een man of zes buiten stonden te wachten, inclusief de rechter-commissaris.

'Kunt u ons even binnenlaten?' vroeg hij.

'Waarvoor is het?'

'U bent als verdachte aangemerkt van het witwassen van het Heineken-losgeld.'

Was dit een grap? Ging het weer om de Heineken-ontvoering? Ik was zeventien toen die plaatsvond, ik heb daar niks mee te maken gehad, maar twaalf jaar later willen ze mij er niet om beëdigen en vijfentwintig jaar later komen ze bij mij aan de deur voor het witwassen van het Heineken-losgeld?

'Bent u ook bij de rest van mijn familie bezig?' vroeg ik.

Meestal als ze bij een van ons binnenvielen, stonden ze bij allemaal tegelijk voor de deur. Ik vond het vervelend voor mijn moeder, zij had het al vaak genoeg meegemaakt. Het is toch alsof ze bij je inbreken en je gedwongen wordt op afstand toe te kijken. Een door de rechter goedgekeurde inbraak, maar nog steeds een inbraak.

'Nee, bij je moeder niet en bij je zus ook niet, want daar zijn we in het kader van de Kolbak-zaak al geweest,' zei P.M.

Dat klopte. Mijn moeder en Sonja hadden in januari 2006 nog een doorzoeking gehad, toen Wim gearresteerd werd.

'Dus het heeft weer met mijn broer te maken?' vroeg ik.

'Nee, uw broer is geen verdachte,' antwoordde de rechter-commissaris.

Nu begreep ik er helemaal niets meer van.

'Heeft u mij wat te vertellen?' vroeg P.M.

'Ik beroep me op mijn zwijgrecht,' antwoordde ik. Zoek het uit, dacht ik, alsof ik zin heb om met jou te praten. Waarover? Over het feit dat er zes man mijn ondergoed betasten, mijn spullen aanranden, mijn privacy verkrachten? Nee, ik had niets te zeggen. Ik was woest.

***

Zo verstoord was mijn relatie met justitie, en nu zou uitgerekend ik met de CIE gaan samenwerken? Waarom zou ik dat doen? Ze hadden mij alleen maar tegengewerkt en ellende bezorgd. Waarom zou ik hen een kijkje in mijn persoonlijk leven gunnen, een persoonlijk leven dat zij alleen maar hebben willen verwoesten? En hoe kon ik op basis van de gretigheid waarmee justitie me al dertig jaar probeerde te vervolgen, zeker weten dat ze geen slechte plannen met mij voorhadden? Ik zou wel kunnen helpen, maar hoe zouden zij daarmee omgaan? Ze hadden mij tot dan toe geen enkele reden gegeven hen te vertrouwen, integendeel, ik vertrouwde hen net zo min als ik mijn broer vertrouwde.

Petten (2013)

De afspraak met CIE-officier van justitie mr. Wind zou deze week plaatsvinden en vanaf de dag dat ik die afspraak had gemaakt, kan ik alleen maar denken aan wat Wim na zijn vrijlating, tijdens een wandeling in het Amsterdamse Bos, tegen me had gezegd: dat zijn Petten zijn troef zijn, zijn geheime wapen dat hij bewaart voor als het echt nodig is.

Dat klonk alsof het iemand op een hooggeplaatste positie was, en ik vroeg me dan ook gelijk af of dat de reden was dat hij nog steeds buiten elk liquidatieproces bleef.

Ik had al vaker heel subtiel proberen uit te vissen wie het kon zijn. Maar vragen wie het is, is onmogelijk; een vraag stellen betekent dat je hem wilt uithoren, omdat je met de politie praat. Ik had hem in mijn hele leven, op één uitzondering na, nog nooit een vraag durven stellen. Alles wat ik wist, was wat hij me uit zichzelf had verteld. Maar ondanks mijn pogingen vertelde hij me niet wie zijn Petten waren.

Mijn ongerustheid over hun identiteit bleef, en met de afspraak voor de volgende dag in het verschiet maakte ik me dan ook zorgen. Misschien was het wel de CIE-officier die ik binnenkort zou ontmoeten!

Wim sms'te me of ik naar het Gelderlandplein wilde komen, dat was een mooie gelegenheid nog een poging te wagen uit te vinden wie zijn Petten zijn.

Als ik hem maar genoeg belang gaf, zou hij het misschien wel vertellen. Hoe meer ik voor hem doe, hoe meer ik voor hem beteken, des te meer informatie hij met me deelt.

'Ik kom eraan', sms'te ik terug, en pakte het apparaatje dat ik in mijn zoektocht naar nieuwe mogelijkheden om hem op te nemen had gevonden, klein genoeg om niet op te vallen. Omdat Wim altijd mijn huis doorzoekt, had ik het in het plafond weggestopt en het was een hele toer om het daar weer uit te halen.

Ik hoopte vurig dat ik met dit nieuwe apparaatje een opname zou kunnen maken. Ik had er uitvoerig mee geoefend om uit te vinden waar ik het het beste kon plaatsen. Het werd aan de voorkant, tussen mijn borsten, geklemd achter mijn bh-bandje, de meest veilige plek die ik kon bedenken, want ik ging ervan uit dat mijn broer niet even richting de bh van zijn zus zou grijpen. Ik trok een onderhemd, een trui en een jas aan, zodat het niet zichtbaar was. Voor de zekerheid deed ik ook nog een dikke sjaal om.

Ik moest opschieten, want ik kon hem niet laten wachten, dan werd hij woest en begon ik het gesprek met een achterstand.

Wim zat binnen, in een tentje op het Gelderlandplein waar we vaker koffie drinken. Ik liep naar binnen en ging bij hem aan het tafeltje zitten. Er kwamen er twee mannen binnenlopen. Wim en ik keken elkaar aan en zonder een woord te wisselen stonden we op en liepen meteen naar buiten: kit. Op de hoek gingen we tegenover elkaar staan.

W: Die kwamen even gezellig meeluisteren.

A: Ja. Maar toch hebben ze er tegenwoordig gasten bij lopen van wie je niet zou zeggen dat het kit was, met tattoos en piercings.

W: Ja, dat zal best, maar weet je hoe je het altijd ziet? Als ze gaan afrekenen. Dan moeten ze altijd het bonnetje hebben, anders kunnen ze het niet voor de baas verantwoorden. Haha!

Zijn ogen gingen richting mijn borsthoogte.

W: Doe die sjaal af, gek, je loopt voor schut, het is bloedheet.

Hij begon eraan te trekken en graaide richting mijn bh-bandje. Ik schrok me kapot, ik voelde het apparaatje wegschieten. Waar was het gebleven? Straks ontdekte hij het!
Hij liet niet los, en zei nogmaals:

W: Je loopt voor schut, gek, het is bloedheet, doe af.

Dat was waar, het was de warmste lentedag tot nu toe, met vijftien graden zag ik eruit als een Eskimo in de tropen, maar ik wilde die sjaal niet afdoen, bang dat hij het apparaatje door mijn trui heen zou kunnen zien.
Wat was ik stom geweest om niet eerst even te checken wat voor weer het was. Daar moest ik de volgende keer echt scherper op zijn, want dit was typisch afwijkend gedrag dat zomaar zijn achterdocht kon opwekken. En dat was het laatste wat ik wilde.
Niet door de temperatuur maar van de stress brak het zweet me uit. Hoe ging ik me hier op een geloofwaardige manier uit redden?

A: Nee man, laat me met rust, ik heb het helemaal niet warm, ik voel me hartstikke ziek en loop te klapperen van de kou. Ik denk dat ik griep krijg.

Ik koos voor de aanval, want dat is bij hem meestal de beste verdediging. Ik vervolgde:

A: Als je vindt dat je met me voor schut loopt, dan ga ik wel naar huis. Je moet blij zijn dat ik gekomen ben.

W: Nee, laat maar, dan loop ik wel voor schut met je. Kom mee, een stukje lopen.

A: Wacht even. Mijn blaas doet zo zeer. Ik moest eerst plassen. Ik kom eraan.

Zonder zijn antwoord af te wachten, liep ik van hem weg, terug naar het koffietentje, om in het toilet naar het apparaatje te zoeken. Met trillende handen tastte ik mijn bovenlichaam af. Het zweet brak me uit. Godzijdank, daar zat het! Het was losgeraakt, maar tussen mijn broeksband en onderhemd blijven steken. Wat een geluk dat ik mijn hemd in mijn broek had gedaan, anders was het op de grond gevallen.

Ik deed mijn bh-bandje wat strakker en plaatste het apparaatje terug. Dat was voor nu even de beste oplossing, ik wilde het opnemen doorzetten. De volgende keer zou ik het apparaatje op mijn huid vastplakken. Ik haastte me terug en samen liepen we verder.

W: Nog nieuws?

Ik begon over het CIE-contact dat ik bij hem opvoerde, en die we 'die Knakker' noemden in onze gesprekken. Het was een onderwerp waar hij altijd in geïnteresseerd was, omdat hij er belang bij kon hebben.

A: Ik was op cursus en toen zag ik die gozer waar ik weleens mee praat.

Ik loog om het gesprek op het bespelen van de kit te brengen.
Ik hoopte dat hij daardoor over zijn Petten zou beginnen.

A: Hij zei: bel me weer eens een keertje ofzo, misschien kunnen we wat afspreken. Ik zei: ik kijk wel. Maar ik had een beetje het idee dat hij wat wilde zeggen, ofzo. Snap je?

Ik suggereerde dat er een belang voor hem in zat.

W: Als hij wat wil zeggen, moet je gaan luisteren, hè?

Ik had zijn interesse gewekt.

A: Ja.
W: Dan moet je een keer gaan luisteren wat ie te zeggen heeft.

Dat heeft hij mij geleerd: altijd luisteren, nooit wat vertellen.

A: Jaja, kijken of jíj wat te zeggen hebt eigenlijk, denk ik meer.

Ik liet het over hem gaan. Ik wist dat hij altijd alleen maar geïnteresseerd is in zichzelf.

W: Je moet sowieso gaan luisteren. Zeggen: hoe is het nou? Even aardig doen, hoe is het, dit en dat, je wou me spreken? Wat kan ik voor je doen? Zo moet je het spelen. Ik zeg ook altijd: wat kan ik voor je doen?

Hij gaf mij instructies hoe ik bij deze man verder kon komen, 'informatie kon trekken', zoals wij dat noemden.

A: Ja.

W: Dan geef je ze meteen het idee dat ze je weer wat verschuldigd
   zijn.

Het is een manier van manipuleren die hem geen windeieren
heeft gelegd. Hij 'doet altijd iets voor een ander', zo weet hij
mensen aan zich te binden en als ze eenmaal gebonden zijn,
gaat hij ze gebruiken.

We praatten verder en wat ik hoopte gebeurde: hij begon
over de Petten.

W: Dus gewoon verder niks zeggen, en alleen dat horen. Hij gaat op
   zeker vragen van die Petten.
A: Ja.
W: Begrijp je wat ik bedoel? Dat gaat ie zeker vragen.
A: Ja, dat zal het zijn. Dat blijft natuurlijk een groot mysterie.
W: Maar kijk, als ie daar iets over zegt, moet je zeggen: mijn broer
   is er echt bang voor, want het kan alle kanten op met die klanten.

Shit, hij zei me niet wie het zijn. Hij gaf me alleen een zogenaamde reden die ik moest doorgeven, waarom hij niet 'kon'
zeggen wie het waren. Hij motiveert zijn zogenaamde angst
nader.

W: Kijk, want zoals ze informatie kunnen geven, kunnen ze ook infor-
   matie maken.
A: Ja.
W: Begrijp je? Een heel spel.
A: Ja, precies. Je weet nooit wat waar is, hè?
W: Kijk Assie, in plaats van te betalen om informatie te geven, kun je
   ook betalen om informatie te maken.
A: Ja, precies.
W: Begrijp je?

A: Dus met andere woorden: die Petten zijn zelf niet te vertrouwen, al doen ze alsof ze met je meewerken?

W: Kijk, die Petten die plat zijn, die kunnen informatie verkopen of informatie laten maken voor geld. Je kunt ook zeggen: schrijf maar dat hij het is en dit en dat.

A: O, dat bedoel jij. Vanuit deze hoek zelf.

W: Ja, iedereen kan dat, hè.

Hij bedoelde daarmee dat elke crimineel informatie kan sturen in de richting waarheen hij wil dat een verdenking gaat. Maar kennelijk kan niet bij elke Pet evenveel, en Wim maakte onderscheid.

W: Die Petten die plat zijn, die kunnen natuurlijk wel heel ver gaan. Begrijp je wat ik bedoel?

A: Ja.

Ik realiseerde me dat ik niet naar 'die Knakker' gestuurd wilde worden, want daar had ik helemaal geen contact meer mee en zwakte het af.

A: Ik kijk wel, ik hoor het wel. Maar zal ik wel bellen?

Nu ik A had gezegd, wilde hij dat ik B zei.

W: Ja, je moet zeker bellen, je moet zeggen: hoe is het, wat kan ik voor je doen?

Dit werd me even te heet onder de voeten, ik verzon een smoes.

A: Weet je, ik krijg het gevoel dat ik in een soort spelletje zit, want je weet nooit wat waar is.

Hij deelde mijn zorg.

> W: Dan moet je het niet doen, doe het maar niet. Het is niet bij-
> dehand als je een keer wordt gezien. Begrijp je wat ik bedoel?
> Dan doe je het niet, schat, laat ze het uitzoeken. Als ie wat wil
> zeggen, komt ie toch wel.

Hij wilde niet dat ik kans liep om met de kit gezien te worden.
De les was: ga niet naar hen toe, ze komen wel naar jou. En de
kit komt alleen als ze er zelf wat aan hebben.

> W: Hij zal heus niet komen om mij te waarschuwen. Hij zal heus
> niet komen om te zeggen: je broer moet uitkijken om dit en dat.
> Begrijp je? Dat gaat ie niet doen.

Ik begreep dat hij een liquidatie bedoelde.

> A: Waarom niet? Dat zal toch wat zijn, hè? Als er wat is, dan moe-
> ten ze je toch altijd waarschuwen?
> W: Nee, dan doen ze dat via de CIE. Dan gaat hij dat niet doen.

Dat is waar, dat is de taak van de CIE en niet van een officier.

> A: Klopt.

Wim vond dat hij toch niks aan hem had.

> W: Hij gaat ook niks zeggen over een onderzoek. Hij wil gewoon
> luisteren. Dat wordt niks. Ze hebben tot op de dag van vandaag
> nog niks gegeven. Ze willen alles hebben, en ik weet precies wat
> ze gaan zeggen: wil die niet eens praten?

Ik gaf hem gelijk en we gingen over op een ander onderwerp.

Het was een gesprek waar Petten in voorkwamen, maar het was me niet gelukt hem te laten vertellen wie het waren. Hoe omslachtig ik het ook probeerde, hij ging het me niet zeggen. Die avond deed ik geen oog dicht. Het donker bracht het ene spook na het andere. Praten met de politie, waar was ik aan begonnen en waar zou het toe leiden? Tegen de ochtend waren de meeste spoken verdwenen. In het daglicht ziet alles er altijd anders uit. Ik moest het maar op me af laten komen en het nemen zoals het kwam. Ik zou vertrouwen op mijn intuïtie, en gelijk opstappen zodra ik er ook maar enigszins een verkeerd gevoel bij kreeg.

Het was zover.

Michelle haalde me weer op bij de lift. Haar aanwezigheid werkte kalmerend, ze straalde iets oprechts uit. Binnen zat Manon, die me nog even nuchter gedag zei als de vorige keren. Een vrouwelijke officier stond op en schudde me de hand. 'Hallo, ik ben Betty Wind, wij kennen elkaar wel van gezicht, hè?'

Inderdaad, van gezicht, want ik hield me altijd verre van contact met officieren van justitie, omdat ik niet kon uitsluiten dat ze misschien wel 'gestuurd' waren door het Openbaar Ministerie om via mij te infiltreren in mijn familie.

'Klopt, wij hebben elkaar wel vaker gezien op de rechtbank,' zei ik.

Met Wims opmerkingen van gisteren nog vers in het geheugen dacht ik onmiddellijk aan zijn 'troef' en de vraag wie dat kon zijn. Zij is wel zijn type, schoot het door mijn hoofd: mooi, slank, goed gekleed. Tegelijkertijd wist ik dat het niks zei, want Wim zou het nog met een trol doen, als het hem voordeel op kon leveren. Betty Wind vroeg me wat ik kon vertellen.

'Ik kan jullie de waarheid vertellen, maar als je een uur met hem zit, ben je ervan overtuigd dat de werkelijkheid die hij jou voorspiegelt de waarheid is. Dan denk je: die zusters zijn gek, die arme man heeft niks gedaan,' antwoordde ik.

Betty nam het woord en zei rustig: 'Ik ken hem wel, op zitting kon hij ook altijd heel charmant doen. Ik heb dat allemaal wel gezien.'

Ze bleek de Pietje Bell-achtige wijze waarop Wim zich manifesteerde in de rechtszaal te doorzien en wist dat die haaks stond op zijn reputatie. Het leek erop dat ik een officier had getroffen die hem misschien wel doorhad. Dat was een vereiste, want als je hem niet doorhad, raakte je verdwaald in zijn doolhof aan complottheorieën en kwam je nooit uit bij de waarheid.

Zij had van Die Twee gehoord over het beeld dat ik van Wims persoonlijkheid had geschetst en ook dat kwam haar bekend voor, al had zij nooit verwacht dat hij zijn familie hetzelfde behandelde als zijn slachtoffers.

'Dat begrijp ik,' zei ik, 'maar dat komt omdat jullie nooit mochten weten dat onze familie al zo lang zijn slachtoffer is. Wij mogen geen enkele negatieve uitlating over hem doen, want dat accepteert hij niet.'

'Ik wil graag weten wat je allemaal kunt verklaren,' vervolgde ze.

Ik had daar uit wantrouwen in de eerdere gesprekken met Die Twee weinig over losgelaten en was alleen cryptisch geweest over wat ik wist met betrekking tot de liquidaties.

'Genoeg,' zei ik.

'Zoals wat dan?' vroeg ze.

Zonder zijn naam nog te noemen zei ik: 'Wie hij gedaan heeft.'

De angst bekroop me bij het uitspreken van die woorden. 'Als uitlekt dat ik met jullie in gesprek ben, is dat mijn doodvonnis. Voordat ik wat vertel wil ik weten wat jullie met die informatie gaan doen, wie er allemaal bij betrokken zijn.'

'Maak je geen zorgen, dat jij met ons praat blijft voorlopig tussen ons drieën en je kunt ons echt vertrouwen,' probeerde Betty mij gerust te stellen.

'Met alle respect, maar ik vertrouw hem niet en ik vertrouw jullie niet. Ik vertrouw alleen mijn zusje en mezelf. Ik weet uit ervaring dat iedereen te koop is en wie niet te koop is, zwicht wel voor de angst voor zijn eigen welzijn of dat van zijn dierbaren. Een bezoekje aan een school waar iemands kinderen op zitten is zo gebracht, weet ik van hem. Dus ik wil eerst weten wat er met mijn informatie gebeurt voordat ik iets vertel.'

'Daarom ben ik hier, om dat uit te leggen,' zei Betty.

Het kwam erop neer dat ik ze eerst moest vertellen wat ik wist, dat zij dat in een schriftelijke verklaring zouden vastleggen en dat daarna aan de hand van de inhoud van die schriftelijke verklaring beoordeeld zou worden of deze de status van kluisverklaring zou krijgen. Dat betekende dat mijn verklaringen alleen in een proces tegen Wim gebruikt konden worden als ik daar uitdrukkelijk toestemming voor zou geven. Als ik toch niet zou durven doorzetten dan zouden de verklaringen nooit openbaar worden gemaakt. Daarentegen, als ik wel wilde doorzetten, dan betekende het nog niet dat het Openbaar Ministerie dat ook automatisch zou doen. Dat hing af van de vraag of de zorgplicht van de staat toeliet om mijn verklaringen te gebruiken. Of anders gezegd, als het Openbaar Ministerie het te gevaarlijk voor mij vond, konden ze alsnog beslissen mijn verklaringen niet te gebruiken.

Wat ik hoorde beviel me niet. Ik moest eerst mijn hele hebben en houden op tafel gooien, dan zouden zij dat op papier zetten en vervolgens met elkaar beoordelen of ze er wat aan hadden?

Het mondeling delen van die informatie met justitie vond ik al gevaarlijk maar het bestaan van schriftelijke verklaringen vond ik nog veel gevaarlijker. Stel dat die in handen van Wim terecht zouden komen? Een risico zonder dat ik tenminste de zekerheid had dat het afleggen van die verklaringen ook zin had, dat ze ook tegen hem gebruikt zouden worden.

In het scenario dat zij mij schetsten zou ik de controle over mijn veiligheid volledig kwijt zijn. Waarom moest wat ik te vertellen had zo nodig op papier worden vastgelegd? Het is nogal wat. Je verhaal vertellen in een besloten omgeving is iets dat vervliegt, iets waarvan je nog kunt ontkennen dat het heeft plaatsgevonden, kunt ontkennen dat gezegd is wat mensen beweren. Dat is heel wat anders dan je verhaal op te laten schrijven en mee te laten nemen, uit het bereik van jouw macht en invloedssfeer.

Wie gaan dat dan allemaal gezellig lezen?

Ik zag het al helemaal voor me, dat een van die dames zwaaiend met mijn verklaringen boven haar hoofd de afdeling van het parket op loopt en zegt: 'Jongens, moeten jullie eens kijken wat ik hier heb, een verklaring van de zus van Holleeder. Om te gillen, hoe verknipt die familie is. Die wijven hangen de vuile was buiten. Moeten jullie echt even lezen!' En dat de hele afdeling zich vervolgens aan die verklaringen vergrijpt en de Pet ondertussen kans ziet om stiekem een kopietje te draaien en dat meeneemt als leesplezier voor mijn lieve broertje.

'Ja hoor,' zei ik, 'ik bijt nog liever mijn tong af dan een verklaring op papier te zetten.'

Liefst had ik het gedaan zoals mijn broer het altijd doet: alle belastende informatie in hun oor fluisteren, geen bewijs achterlaten dat ik met ze heb gesproken en al helemaal niet waarover. Maar Betty was onverbiddelijk; een verklaring op papier was een vereiste, anders konden ze niets doen.

'Maar stel,' zei ik, 'mijn verklaring staat op papier, dan weet je nog niet eens of je er wat mee gaat doen. Waarom luister je dan nu niet? Als officier kun je toch wel ter plekke inschatten wat je met een verklaring kunt doen?'

'Nee,' zei ze, 'dat moet in alle rust. Er moet namelijk gekeken worden hoe die verklaringen steun vinden in ander bewijsmateriaal en of het alles bij elkaar genoeg is voor een vervolging en zicht biedt op een veroordeling.'

Dat klonk op zich redelijk, maar die werkwijze genas me niet van mijn achterdocht.

'Waar wordt zo'n verklaring opgeborgen?' vroeg ik haar.

'In een kluis,' zei Betty.

'In een kluis...' herhaalde ik.

Een kluis zegt mij niets. Een kluis biedt nul bescherming als je niet weet wie er allemaal een sleutel hebben. En dat kan ik natuurlijk nooit weten. 'Wie hebben er dan een sleutel van die kluis?' vroeg ik daarom.

'Alleen mijn baas en ik.'

'Oké,' zei ik, 'jouw baas heeft ook een sleutel. Maar jouw baas ken ik niet. En ik kan ook niet weten wat hij met die sleutel gaat doen, dus dat stelt me niet gerust. Kun jij als CIE-officier bijvoorbeeld aan de kant worden gezet door een zaaksofficier, of voor mijn part door een staatssecretaris of een minister, die jouw kluis even komt plunderen? Wie zegt mij dat jouw superieuren niet ook een sleutel hebben, zonder dat jij dat weet? Dat ze even stiekem kijken en het vervolgens laten lekken, zodat ik niet meer terug kan? Ik wil jou wel vertrouwen, maar ik weet niet wat anderen doen. En stel dat jullie vinden dat het onvoldoende bewijswaarde heeft, of dat ik er zelf alsnog van afzie? Wat dan?'

'Je tekent voorafgaand een overeenkomst waarin wordt vastgelegd dat deze verklaring enkel en alleen met jouw toestemming mag worden gebruikt,' zei Betty. 'En als je geen toestemming verleent, wordt het onmiddellijk vernietigd.'

'Vernietigd?' vroeg ik. 'Hoe gaat dat dan in zijn werk?'

'Door de papiervernietiger,' zei ze.

'En de geluidsopnamen?'

'Ook vernietigd.'

'Hoe doe je dat dan? En mag ik daarbij zijn om te zien dat dat ook daadwerkelijk gebeurt? Ik wil dat met eigen ogen kunnen zien.'

'Nee, je moet erop vertrouwen dat wij doen wat we zeggen.'

Ze scoorde weer een minpunt.

'Maar als je het hebt over een traject, over hoeveel personen die mijn identiteit kennen heb je het dan? Hoeveel mensen worden er bij dit traject betrokken zonder dat ik dat weet?'

Ik kreeg het benauwd bij de gedachte de controle daarover kwijt te zijn, want hoe meer mensen er weet van hebben, hoe groter de kans dat er gelekt gaat worden.

'Voorlopig blijft het onder ons drieën,' antwoordde Betty. 'Pas verderop in het traject worden er meer mensen bij betrokken.'

Ik had totaal geen weet van alle formaliteiten waarmee het getuigen gepaard zou gaan, en de schijven waarover dat zou lopen. Ik had niet kunnen vermoeden dat er zoveel voorwaarden aan te pas zouden komen. Ik schetste Betty allemaal situaties die daaruit voort konden komen, waartegen ze zich stuk voor stuk zo goed mogelijk probeerde te verweren.

Uiteindelijk keek ze me een beetje meewarig aan, alsof ze dacht: wat triest als je zo wantrouwig door het leven moet gaan. 'Tja, je zal ons toch een beetje moeten vertrouwen, dat we verantwoord met jou omgaan,' zei ze uiteindelijk.

Vertrouwen? Dat je te vertrouwen bent, zal de praktijk uit moeten wijzen. Pas als het tegendeel blijkt, ben je niet te vertrouwen. Probleem daarvan was dat het voor mij dan al te laat zou zijn, en dat ik de situatie niet meer kon keren.

Het was een moeilijk gesprek, voor beide partijen.

Na wat ze me verteld had, was ik niet erg enthousiast om aan een verklaring te beginnen en vertrok.

'Hoe was het?' vroeg Sonja, die thuis op me had zitten wachten. 'Was het een Pet?'

'Nee, dit was geen Pet, deze heeft hem door,' zei ik.

'En nu?' vroeg Sonja.

'Tja, ik weet niet of het wat voor ons is.'

'Waarom niet?'

'Het gaat allemaal in fasen. Ze willen eerst praten, en vervolgens een verklaring op papier hebben. En dan gaan ze beoordelen of ze daar wat mee kunnen en met ons door willen gaan.'

'O, dat doe ik niet. Zeker niet zolang hij nog vrij rondloopt. Dat is veel te gevaarlijk, As.'

'We kunnen ze vertrouwen, zeggen ze.'

'Laat me niet lachen. En zijn Petten dan? Ik doe het niet. Ik zet niks op papier. Echt veel te gevaarlijk. Vertrouw jij ze?'

'Ik vertrouw niemand, maar ik denk dat die drie dames wel oké zijn, ik denk niet dat ze ons bewust naaien. Ik ben alleen bang voor hogerhand. Dat vind ik enger. Stel dat hij daar zijn Pet heeft zitten, dan hebben de drie dames ook niks meer te vertellen, dan moeten ze gewoon doen wat de baas zegt. Ik weet het nog niet. Maar als ik het doe, doe ik het niet alleen, Box. Dus wat doe jij?'

'Het is moeilijk, maar ik weet niet of het verstandig is. Nu leven we allemaal nog. Het is een kutleven, maar we leven. Als we getuigen waarschijnlijk niet meer, en mogen we dat onze kinderen wel aandoen? Wat moeten die kinderen als wij er niet meer zijn, wie beschermt ze dan nog tegen hem? Daar zit ik mee. Ik begrijp ook niet waarom hij nog niet is neergeschoten. Iedereen om hem heen gaat, behalve hij. En hij heeft zoveel vijanden.'

'Maar dan zit je te wachten tot een ander wat doet. Lekker makkelijk, zelf niks hoeven doen. Dat heeft ons tot nu toe niks gebracht, dan ben je afhankelijk van het lot. Ik wil het lot graag in eigen hand nemen, het maakt me niet meer uit hoe dat afloopt.'

Ik had er zo genoeg van. Al die tientallen jaren dat wij moesten zwijgen over alles wat we wisten. Al die jaren dat hij ons opzadelde met zijn verschrikkelijke informatie. Al die jaren dat hij ons onder druk probeerde te zetten met alles wat ons dierbaar was, vernietigde waarvan wij hielden. Ons inzette voor klusjes om aan zijn welzijn en veiligheid bij te dragen, terwijl hij zelf de onze op allerlei manieren ondermijnde.

Wij waren zijn systeem geworden waarbinnen zijn geheimen veilig waren. Wij waren van hem. Hij had zichzelf tot koning van de familie gekroond en wij waren zijn onderdanen. Hij liet ons leven in zijn schemerzone, in de constante angst iets verkeerds te zeggen, de voortdurende dreiging dat je vooral niet met de politie moest praten.

Ik kon niet langer leven onder dit regime, het holde me uit.

Ik wilde de eerste stap zetten.

Ik wist zeker dat als ik zou vertellen wat ik wist, onmiddellijk duidelijk zou zijn dat het kluisverklaringen moesten worden. Ik nam de gok dat die niet, althans niet door deze drie dames, met anderen of met hem zouden worden gedeeld.

'Ik ga de eerste stap zetten. Ik ga verklaren, dat worden zeker kluisverklaringen en dan zien we daarna wel verder. Als er in de tussentijd iets met ons gebeurt, heeft justitie in ieder geval wat. Ik neem het risico.'

'Als jij het doet, doe ik het ook. Dan neem ik ook het risico. Het gaat om gerechtigheid voor mijn man, en het leven van mijn kinderen.'

Ik was overtuigd van mijn missie maar ik vond het tegelijkertijd heel moeilijk.

'Wij zijn hetzelfde, Assie,' zei Wim minstens een keer per week tegen me en het deed me twijfelen of ik hem dit wel aan mocht doen. Want het was waar, we waren in veel opzichten hetzelfde. Van de vier kinderen die mijn moeder kreeg, lijken de middelste twee, Sonja en Gerard, en de oudste en de jongste, Wim en ik, sprekend op elkaar qua karakter en doen en laten.

Ons karakter zorgde ervoor dat we geen slachtoffer konden zijn. Hoe klein en machteloos we ook waren, we wilden het lot in eigen hand nemen door te proberen het onberekenbare gedrag van mijn vader te bezweren.

Als kind had ik een tic ontwikkeld, waarbij ik alles twee keer deed. Twee keer de deur open en dicht doen, twee keer mijn schoenen aan en uit doen, twee keer de deurknop aanraken. Ik was er druk mee. Ik had bedacht dat als ik alles twee keer aanraakte, ik daarmee het onberekenbare gedrag van mijn vader kon controleren, en hij ons niet zou slaan.

Op een avond, ik was zeven en hij was veertien, zag ik Wim de ijskast twee keer openen en sluiten.

'Jij doet het ook,' zei ik.

'Wat?'

'Jij doet alles ook twee keer.'

Hij keek me aan alsof hij mij begreep, en ik voelde me op dat moment enorm verbonden met hem.

We deden hetzelfde en dus waren we hetzelfde. Het enige

verschil was dat hij een jongen was en ik een meisje. Was ik een jongen geweest dan was ik wellicht net zo geworden als hij. Misschien alleen omdat ik een meisje was kon ik mijn emotionele gebreken niet met geweld en bravoure compenseren, maar moest ik dat via mijn 'intelligentie' doen en heeft mij dat behoed voor eenzelfde levensloop.

Maar hoe toevallig is dat: geboren worden als meisje of jongetje? Dat hebben we niet voor het kiezen gehad, hij niet en ik niet, ik had hém kunnen zijn en dan was ik net zo slecht geweest. Wie ben ik om hem op dat toeval zo af te rekenen? Mag uitgerekend ik hem dat wel aandoen, terwijl wij misschien wel, zoals hij zegt, 'hetzelfde zijn'?

'Omdat je nou toevallig allebei alles twee keer deed, ben je hetzelfde?' vroeg Sonja nuchter. 'Wat een flauwekul, As. Hoe krijg je het bedacht? Jij bent niet zoals hij, hou daar nou eens over op. Hij is gewoon een slecht mens en jij niet!' schreeuwde ze met wanhoop in haar stem.

Ze heeft het me wel honderd keer gezegd in de aanloop naar mijn beslissing om te gaan praten met justitie: 'Jij bent niet hetzelfde als hij!'

'Nee, maar als ik in zijn omstandigheden had gezeten, had ik misschien wel hetzelfde gedaan, had ik misschien ook wel iemand vermoord die mij bedreigde in mijn bestaan.'

'Maar dat heeft hij toch zelf gedaan, die omstandigheden heeft hij allemaal aan zichzelf te danken. Omdat hij zijn hele leven al iedereen verraadt, komt hij terecht in situaties waardoor hij vindt dat hij moet moorden. Maar dat hoeft niet! Daar kiest hij bewust voor. Dat zou jij nooit doen. Dus hou er over op dat jij hetzelfde bent als hij. Dat wil hij jou alleen maar doen geloven, om je te kunnen manipuleren. En dat lukt hem aardig. Hij laat je geloven dat jij een uitzondering op de regel bent, maar dat ben je niet.'

Sonja had gelijk in alles wat ze zei en ik wist het. Ook ik ben geen uitzondering voor hem. Maar hij kan het je wel uitermate goed doen geloven, alsof je zijn enige anker in het leven bent, de reddingsboei waardoor hij nog net blijft drijven in zijn zee van ellende. En misschien wilde ik dat ook wel zijn, op zoek naar zo'n moment van verbondenheid als toen, terwijl ik weet dat die Wim allang niet meer bestaat, terwijl ik weet hoe hij is geworden.

Ik liet me weerloos inpakken door mijn eigen behoefte aan een band met hem, terwijl ik wist dat hij met niemand een band had en alleen maar aan zichzelf dacht.

Weer maakte ik de fout te hopen dat hij echte gevoelens bezat en liet me door zijn geveinsde emoties ontwapenen, terwijl ik midden in mijn strijd tegen hem zat. Ik kon mij dat echt niet permitteren, ik moest op mijn hoede blijven en me niet tot een situatie laten verleiden waar ik 'de klap in het donker' niet zag aankomen.

Afspraken met Betty (2013)

In aanloop naar de volgende afspraak met Betty werd ik beheerst door de gedachte aan wat ik moest gaan vertellen. Ik huilde veel, sliep slecht en werd met het uur prikkelbaarder. Mijn omgeving werd gek van me, maar behalve Sonja wist niemand wat er met me aan de hand was. Niemand mocht weten wat ik zou gaan doen, want wat ze niet wisten konden ze ook niet doorvertellen.

Die dag was het zover. Michelle sms'te: 'Hoi, half 4. 2e lift. Tot straks.'
'Oké,' sms'te ik terug.
Ik was op weg naar de afgesproken locatie toen ik een kwartier later weer een sms'je ontving: 'Betty is net ziek geworden en kan er niet bij zijn. Wij zijn er wel, is dat oké voor jou? Ze probeert het deze week alsnog te redden.'
Ik werd onmiddellijk wantrouwig. Eerst laten ze me komen, en nog geen kwartier voor de ontmoeting zegt de CIE-officier af? Ik had me geestelijk helemaal voorbereid op dat gesprek, en nu was ze er niet. Wat zat hierachter? Was ze echt ziek? Of dacht ze dat ik mijn verklaring ook wel even wilde delen met Die Twee? Ik had expliciet gezegd dat ik alleen met haar wilde praten, alleen met een officier.

Michelle wachtte me op.

'Spelen jullie een spelletje met me ofzo?' vroeg ik wantrouwend en onnodig agressief.

Ze schrok van mijn felheid, maar herstelde zich en zei verbaasd: 'Nee, natuurlijk niet, Betty is gewoon ziek geworden.'

Ze klonk zo oprecht dat ik me schaamde. Voor mij was dit moment zo beladen, dat het mijn gezonde verstand vertroebelde. Ik moest weer kalm zien te worden.

'Betty heeft tot op het laatste moment gehoopt hier te kunnen zijn, omdat zij het ook een belangrijke ontmoeting vindt, maar ze hield niks binnen en kon daardoor echt niet komen. Wij spelen geen spelletje, echt niet,' legde Michelle heel rustig uit, en door de klank in haar stem hoorde ik dat het waar was wat ze zei.

'Oké,' zei ik gerustgesteld. 'Sorry voor mijn gedrag, maar ik zag hier nogal tegen op.'

'Dat begrijp ik,' zei Michelle. 'Wil je wel vast een volgende afspraak maken?'

'Dat is goed.'

'Ben je nou al weer terug?' vroeg Sonja. 'Dat is snel.'

'Ze was er niet, ze was ziek,' zei ik.

'Oké, kan gebeuren.'

Zij had geen last van paranoia. Maar zij was dan ook niet door die hel gegaan, zij hoefde niet alles weer op te rakelen.

'Volgens mij begin ik een beetje door te draaien,' zei ik.

'Dan moet je ermee stoppen, As. Als je het niet aankunt, moet je het niet doen.'

'Nee, het gaat wel weer, ik heb gewoon slecht geslapen. Het is gewoon heel ingrijpend. Aan alles terugdenken, de emoties weer voelen.' Ik begon te huilen.

Sonja omhelsde me. 'Hou op, As, je laat mij ook huilen,' zei ze door haar tranen heen. 'Luister, of we het nou doorzetten of niet, we proberen het in ieder geval, Cor is trots op ons.'

Een week later had ik weer een afspraak met Betty.

'Sorry dat ik moest afzeggen de vorige keer, maar ik was doodziek,' begon ze het gesprek.

'Ik heb het begrepen,' zei ik. Ik kon niet zeggen: is niet erg, want het was voor Die Twee duidelijk geweest dat ik het wel erg had gevonden. Ik schaamde me nog steeds een beetje. Ik had die week geprobeerd wat meer te slapen en in de tussentijd had ik wat meer aan alle vreselijke herinneringen kunnen wennen. Het maakte mij wat aangenamer in de omgang.

Betty begon: 'Wat kun je ons vertellen?'

O nee, ik had me zo voorgenomen niet te gaan huilen en bij de eerste vraag sprongen de tranen al in mijn ogen. Het verdriet zat zo diep, ik kon er tien jaar later nog steeds niet zonder tranen over praten.

'Hij heeft Cor gedaan,' zei ik en maakte er automatisch het handgebaar bij wat hij ook altijd maakt.

Gedaan kan van alles zijn, maar het is het handgebaar erbij dat het woordje 'gedaan' haar betekenis geeft.

'Hij heeft Cor laten vermoorden, zijn eigen zwager,' zei ik.

Ik had het gezegd, na tien jaar stilzwijgen had ik het gezegd. Hij heeft het gedaan! Ik schrok hoe goed het voelde om de woorden eindelijk uit te spreken.

Ik voelde me niet meer gespleten, en het belangrijkste was dat ik me geen verrader meer voelde tegenover Cor. Ik vertelde voor welke liquidaties Wim nog meer verantwoordelijk was. Er kwam een enorme rust over me. Ik deed eindelijk wat ik zelf wilde, wat ik juist vond, rechtvaardig vond, wat overeenstemde met mijn normen en waarden. Ik kon eindelijk de waarheid over hem vertellen, ik hoefde niet meer voor hem te liegen.

Wat een heerlijk gevoel.

Maar of ik die verklaring aan de hele wereld inclusief hem openbaar wilde maken, was vers twee. Als ik zou verklaren, dan zou ik dat alleen doen als Sonja ook zou verklaren.

De angst voor lekken en voor represailles bleef. Maar ik had het nu eenmaal een eerste maal verklaard, dat kon ik niet terugdraaien. Ik wist dat vanaf nu mijn leven in handen van deze mensen lag. Als zij mij zouden verraden, of zo onvoorzichtig waren dat een ander mij kon verraden, was ik dood.

Om die gedachte wat te relativeren, hield ik mezelf voor dat ik morgen ook onder een tram kon lopen, ik moest van mezelf het leven en de dood niet zo serieus nemen. Het was aan de andere kant zo fijn om eens te vertellen hoe het echt zat, dat ik die onzekerheid voor lief nam.

Eenmaal thuis, vertelde ik Sonja hoe het was gegaan.

'Ik heb gezegd dat ik verklaar als jij het ook doet. Verklaar jij ook?'

'Ja, ik ook,' zei Sonja.

'Dan ga ik wel eerst. Rustig aan. Om de beurt. Kijken hoe het zich ontwikkelt. Of ze inderdaad te vertrouwen zijn.'

De afspraak voor mijn eerste verklaring was al gemaakt, toen we Gerard vertelden dat we tegen Wim wilden getuigen.

Gerard ging er vol tegenin. Er speelde een zaak in de media, waaruit duidelijk werd dat een kluisverklaring tegen de wens van een getuige in niet altijd geheim hoefde te blijven. Sonja draaide helemaal om, ze wilde het niet meer doen.

Gerard had haar wantrouwen tegen justitie en de rechterlijke macht zo aangewakkerd dat ze het niet aandurfde.

Dat veranderde ook mijn positie, ik zou er dan alleen voor staan, en daar moest ik goed over nadenken. Ik belde daarom de geplande afspraak voor het afleggen van de kluisverklaringen af.

Maar het liet mij niet los, het leek wel of ik gevoelsmatig niet meer terug kon. Ik kon allerlei rationele argumenten verzinnen om het niet te doen, maar als ik Wim weer had gezien en er getuige van was hoe hij over anderen sprak, hoe hij anderen behandelde, en hoe hij schaamteloos verwees naar zijn eerdere daden, dan kwam alles in mij in opstand.

Maar Sonja durfde echt niet.

Ik had zelf inmiddels wat meer vertrouwen gekregen in de drie dames. Betty kwam over als gedreven, maar wel voorzichtig met betrekking tot onze belangen. Ik vond dat Sonja zich daar zelf maar een oordeel over moest vormen, en vroeg Sonja met haar in gesprek te gaan. Zij stemde daarmee in.

Op 29 maart ging Sonja met mij mee en ik legde Betty uit dat we allebei erg bang waren dat als er eenmaal kluisverklaringen van ons zouden liggen, deze tegen onze wens in toch gebruikt zouden worden.

'Dat werkt niet zo,' zei Betty. 'Als jullie over het gebruik van die verklaringen met ons geen overeenstemming bereiken, zullen ze worden vernietigd. Dat gebeurt vaker, er zijn genoeg voorbeelden van zaken die al lang rond hadden kunnen zijn, waarvan we alles weten maar de verklaringen toch hebben moeten vernietigen, omdat de getuigen uiteindelijk toch niet wilden doorzetten. Die verklaringen zijn ook nooit naar buiten gekomen. Die mogelijkheid houden jullie dus ook altijd, je kunt er tot op het laatste moment mee stoppen.'

Maar hoe kon het dan dat die verklaringen in de zaak die in de media speelde wel tegen de wil van de getuige gebruikt dreigden te worden?

'Dat was een heel andere situatie,' zei Betty. 'Jullie bepalen helemaal zelf of de kluisverklaringen wel of niet kunnen worden gebruikt.'

'Oké, we gaan erover nadenken,' sloot ik het gesprek af.

We reden naar huis. In de auto praatten we niet, bang voor afluisterapparatuur van justitie of van Wim.

Eenmaal buiten de auto zei Sonja: 'Ik weet het niet hoor, As. Ik twijfel. Haar uitleg overtuigt me niet zodanig dat ik denk dat het niet tegen onze zin in gebruikt kan worden. Je ziet dat het toch gebeurt.'

'Ik denk ook niet dat zij die garantie kan geven, want zij heeft ook met andere mensen te maken. Het blijft altijd een risico. Maar dat risico zijn we eigenlijk al aangegaan en alles afwegende, denk ik dat je dan beter door kunt zetten. Jij wil niet verklaren om te voorkomen dat je kinderen er straks alleen voor staan, maar dat lot staat jou nu ook al te wachten, hij is al met je begonnen en je weet zelf: als hij met je begint, laat hij niet meer los. Ik weet vanuit het verleden hoe dit gaat aflopen, dus juist voor jouw kinderen doe ik het wel. Maar jij moet het zelf weten.'

Zwijgend liepen we naar haar huis. Eenmaal boven zei ze: 'Je hebt gelijk. Ik weet het. Ik verklaar. We moeten het risico maar nemen.'

Op dat moment begon het licht in de kamer te flikkeren.

'Kijk,' zei Sonja, 'Cor is er weer. Hij vindt het een goede beslissing.'

De afpersing van Sonja (2013)

Vrijwel heel 2012 was Wim druk bezig met het herstellen van zijn positie in de onderwereld, en tegen het eind van dat jaar was hij goed op weg zijn oude machtspositie weer in te nemen.

Met zijn onbeschrijflijke charisma en durf wist hij van zijn vijanden weer zijn vrienden te maken. Daaromheen verzamelde hij 'schutters', jongens die eerder hadden bewezen iemand om te kunnen leggen.

Wat nog ontbrak, was geld.

Hij had nog wel wat, maar dat was bij lange na niet zoveel als hij gewend was. Hij vertelde ons ooit veertig miljoen te hebben gehad, maar een ontneming van zeventien miljoen – en ex-vrienden die hem bestolen hadden – zorgden ervoor dat hij nagenoeg berooid de bajes had verlaten. Met het bedrag dat hij overhad, moest hij zijn vermogen weer opbouwen. Hij investeerde in wietplantages en de cocaïnehandel, in een poging weer wat te verdienen en 'er weer uit te komen'.

Hij was overal op zoek naar geld.

Ook bij Sonja stond hij kort na zijn vrijlating in 2012 op de stoep: in haar zag hij twee zakken met geld. Geld van Cor, en geld van de Amerikaanse verfilming van het boek *De ontvoering van Alfred Heineken*, dat Peter R. de Vries in samenwerking met Cor had geschreven.

Sonja vertelde hem dat zij geen geld van Cor had, maar Wim nam geen genoegen met die mededeling. Volgens hem bezat

Cor een aanzienlijk vermogen dat zij had geërfd, en dus had zij geld en dat geld was niet van haar. Dat geld was van hem, want hij had de lasten – en hij maakte daarbij het handgebaar van een pistool – en liep nog steeds het risico op een vervolging voor die zaak, en dus kon zij niet de lusten hebben.

Daarom kwam Wim eind 2012 regelmatig bij Sonja aan de deur met steeds dezelfde vraag: 'Ik wil weten hoe het zit. Waar is je geld?'

Iedere keer was haar antwoord: 'Ik heb geen geld.'

Toen begin 2013 in de kranten verscheen dat Sonja jarenlang was vervolgd om de erfenis van Cor en die vervolging had afgekocht voor 1,2 miljoen euro was voor Wim het bewijs geleverd. Als je schikt voor 1,2 miljoen, 'dan heb je gewoon geld'.

Dus moest er nog geld zijn, veel geld, was zijn redenering. Dat zij ontkende geld te hebben, betekende voor hem dat zij weigerde haar geld vrijwillig aan hem af te geven. Maar 'hij liet zich niet in de maling nemen', zij ging hem gewoon betalen, 'anders zou ze zien wat er ging gebeuren', en hij maakte zoals altijd weer het pistoolgebaar.

De afpersing van Sonja was begonnen.

Hij begon met mij te 'delen' wat een vieze hoer en een egoïst Sonja was.

'Ze zegt dat ze niets heeft, maar dat geloof ik niet. Ze is een gluiperd, ze wil alles voor haarzelf houden, maar ik kom er wel achter hoe het zit.'

En daar wilde hij mij voor gebruiken: om informatie te halen en om informatie over te brengen. Informatie te halen, omdat zij mij vertrouwde, en informatie over te brengen, omdat ik altijd contact met haar had. Om mij zover te krijgen die rol op me te nemen, moest ik eerst van 'kamp Sonja' naar zijn kamp overlopen, moest hij mij losweken van de werkelijkheid die ik kende en de werkelijkheid gaan zien zoals hij die mij voorspiegelde.

Met zijn verknipte werkelijkheid kwam hij elke dag aan de deur staan, probeerde hij mij te hersenspoelen. Hij praatte uren op me in, soms drie keer per dag, omdat ik ook moest weten 'hoe het zat' en 'wat een gluiperd zij is'.

Hij droeg de meest krankzinnige bewijzen aan.

'As, ze rijden in auto's. Ze hebben kasten vol Gucci. Weet je hoe duur dat is, Gucci?'

Ik wist hoe de auto's waren betaald, en ik hoefde de kastdeur bij Sonja maar open te doen om te zien dat er enkel een nep-Gucci-riem en twee nep-Gucci-truitjes hingen, maar dat deerde hem niet.

Hij ging uit van de kracht van de herhaling, kwam elke dag dezelfde boodschap overbrengen: 'Zij heeft geld en dat geld is van mij. Zij heeft mij bestolen.'

Zodra hij dacht dat ik zijn werkelijkheid had overgenomen, nam hij de volgende stap om mij succesvol in zijn kamp te kunnen inlijven. Nu ik eindelijk 'inzag' hoe Sonja hem in de maling had genomen, moest ik me vooral realiseren dat hij niet haar enige slachtoffer was, maar dat ik ook door haar werd misbruikt. 'Assie, je moet geen rekeningen meer voor haar betalen. Ze gebruikt je gewoon. Ze gebruikt jou en ze gebruikt mij, want ze heeft gewoon geld.'

Ze loog tegen hem en ze loog tegen mij.

'Waarom liegt ze tegen jou?' vroeg hij mij quasi-begaan met mijn lot. 'Zie je nou wat een vieze hoer ze is? Ze liegt gewoon, ook tegen jou, jij die alles voor haar doet! Ze kan jou toch gewoon zeggen dat ze geld heeft?' stookte hij mij tegen haar op.

Wat erg voor mij, ik ben zo goed voor haar en word alleen maar door haar in de maling genomen. En hij is zo goed, zo begaan met mij, dat hij me daarvoor waarschuwt. Want hij herkent het, hij wordt ook door haar in de maling genomen! Wij worden in de maling genomen! Wij zijn lotgenoten. Wij hebben een band. En vervolgens is het de bedoeling dat wij ons samen tegen haar keren.

Maar ik reageerde niet zoals hij wilde, ik liet me niet in zijn samenzwering tegen haar betrekken, want ik wist hoe dat af zou lopen. In de omgang met hem was het de kunst zo lang mogelijk neutraal te blijven, om je niet mee te laten zuigen in zijn strategie: het creëren van een conflict waar hij zijn afpersing aan op kon hangen, een afpersing die hij rechtvaardigde met haar zogenaamde 'gedrag', zij 'had hem bestolen'.

Die rechtvaardiging gebruikt hij om jou uit te leggen waarom jij je voor hem in moet zetten, want hij maakt zijn handen zelf nergens aan vuil. Hij stuurt troepen vooruit. Veldsoldaten, kanonnenvoer.

Hij komt pas als het tijd is voor het binnenhalen van de buit.

Het was schipperen om zo lang mogelijk neutraal te blijven, en hem toch het gevoel te geven dat ik zijn kant koos. Mijn neutraliteit leidde tot veel irritatie en bezorgde me de zenuwen dat hij op enig moment om zou slaan en mij in Sonja's kamp zou plaatsen. Maar klakkeloos zijn kant kiezen en hem bevestigen in zijn denkbeelden kon ook niet, want dan stelde ik mezelf bloot aan het gevaar dat hij mij zonder enige scrupules zou inzetten om allerlei dingen voor hem te doen die nadelig voor Sonja of voor mij zouden zijn.

Ik voelde mij als een jongleur die tientallen bordjes in de lucht probeerde te houden. Na dagenlang zijn geklaag over Sonja en 'zijn geld' te hebben aangehoord, opende hij opnieuw de aanval op Francis: zij had over hem 'gepraat'. Zij had een 'vriendin' van hem verteld dat hij Cor had 'laten doen', en voor haar loslippigheid moest Sonja betalen.

Het 'gepraat' van Francis vond hij uiteindelijk toch geen goede basis voor een afpersing, omdat het te veel richting de liquidatie van Cor wees en hij bang was voor een vervolging.

Hij zocht en vond iemand anders.

Richie (2013/2003)

In 1993 kregen Sonja en Cor een zoon. Cor was dolblij. Hij vernoemde zijn zoon naar wat hij altijd had willen zijn: *rich*. Richie was twee jaar oud toen hij de eerste moordaanslag op zijn vader overleefde. Hij was zeven toen Wim hem een pistool op zijn hoofdje zette om Sonja en mij te dwingen te vertellen waar Cor verbleef, zodat hij hem kon laten liquideren, en hij was negen jaar oud toen zijn vader overleed.

Na het overlijden van Cor claimde Wim de plaats van de vader die hij had laten vermoorden. Hij eiste dat Cors gezin hem respect toonde. Richie, vol verdriet om het verlies van zijn vader, moest naar hem luisteren als hij vertelde dat zijn vader eigenlijk een 'dikke hond' was.

Het jochie moest aanhoren hoe Wim zijn vader beledigde, vernederde en kleineerde. Aanhoren hoe hij zijn eigen grootheid en status opklopte, ten koste van zijn vader. Wim genoot er ten overstaan van Richie van dat hij de man in wiens schaduw hij altijd had moeten leven, had verslagen.

Richie had een natuurlijke afkeer van de man die de nagedachtenis aan zijn vader verwoestte. Hij was te boos om te 'doen alsof': doen alsof hij hem aardig vond, doen alsof hij respect voor hem had, doen alsof hij naar hem luisterde. En te jong om te begrijpen hoe gevaarlijk dat was.

Amper tien jaar oud gedroeg hij zich op een koele, flegmatieke manier tegenover hem. Hij was Wim – op die leeftijd al – een doorn in het oog. 'Wie denkt dat pleurisjoch wel dat hij is?' brieste Wim. 'Denkt hij dat hij net als zijn vader is? Dan mag hij wel oppassen, je weet wat ik doe, hè,' kregen wij dan te horen.

Ja, wij wisten dat, maar voor zijn veiligheid hadden wij Richie nooit verteld dat Wim de opdracht had gegeven voor de moord op zijn vader. Integendeel, alle suggesties in de media hadden wij altijd actief weersproken, bang dat Richie zich een keer zou verspreken en vergelding zou volgen.

Richie had ons zelf nooit gevraagd hoe het zat, alsof het niet nodig was te vragen naar wat hij al wist. Hij ging zijn eigen weg en hield zich afzijdig van Wim.

Dat laatste irriteerde Wim nog het meest.

In de tijd dat Wim vastzat (2006-2012), groeide Richie uit tot het evenbeeld van zijn vader, zowel qua uiterlijk als innerlijk. Hij is één gezicht met Cor, hij heeft precies dezelfde lichaamsbouw, zijn karakter en vooral zijn humor. Hij is sociaal, overal een graag geziene gast. Hij maakt van het leven een feestje, zoals Cor dat altijd had gedaan – en waar Wim nooit toe in staat was, omdat hij geen talent heeft voor levensvreugde.

Richie toonde geen enkele belangstelling voor zijn oom die in de gevangenis zat, hij had maling aan Wim, ook al herinnerde die hem er regelmatig aan dat hij toch de beruchte Willem Holleeder was. Hij toonde hem 'geen respect' vond Wim, en het deed zijn haat tegen Richie alleen maar toenemen.

Richie toonde zich niet van hem onder de indruk, hij vond criminaliteit ook volledig oninteressant. Hij was een talentvol tennisser en sportte intensief, iets wat wij hadden gestimuleerd, juist om hem bij de criminaliteit weg te houden.

Wij wisten dat de kans groot was dat Wim eens een aanleiding zou zoeken om met Richie te beginnen, en met in ons achterhoofd zijn opmerkingen over 'kinderen niet groot laten worden, zodat ze geen wraak kunnen nemen', waren wij er niet gerust op dat het met Richie goed zou aflopen als Wim weer vrij was.

Dus toen de mogelijkheid zich voordeed voor Richie om te kunnen tennissen in Amerika, stuurden we hem daarnaartoe. Veilig weg van hier.

Hij liet het autootje dat hij bezat en waar hij zo trots op was achter: een Volkswagen Polo. Met Richie in Amerika vond Wim dat hij wel in die auto kon rijden, en omdat hij dat wilde moest Sonja die auto afstaan.

Het was negen uur 's avonds toen de bel ging.

'Kom je naar beneden?'

En ik ging.

A: Hoe gaat ie?

W: Nou weet je, Assie, ik ben het eigenlijk een beetje zat. Assie, ik moet steeds op de scooter naar huis toe. Het regent, het is koud, ik heb slecht zicht, het is echt gevaarlijk. Maar Sonja heeft nog een autootje van die jongen staan. Die staat daar gewoon. Dan kan ik die toch gebruiken? Waarom heeft zij niet gezegd dat ik die mag gebruiken? Ik kan geen auto op mijn naam hebben. Dan kan ik toch die auto pakken? Waarom heeft ze mij die auto niet gegeven? Dus hun mogen rondrijden in auto's en ik moet op de scooter in de kou? Waar betalen ze dat van?

A: Maar Wim, je hebt toch al een auto? Die auto die op naam staat van die garagehouder in Haarlem?

W: Ja, en? Wat doet dat er nou toe?

A: Nou, dan kan je daar toch in rijden? Dan heb je het ook niet koud.

W: Nee, Assie. Zo werkt het niet. Zij had mij die auto gewoon moeten lenen! Dat is toch normaal? We zijn toch familie? Het maakt

niet uit dat ik nog een auto heb staan. Zij had mij die auto gelijk al
moeten geven.

A: Dan kan je toch vragen die auto te lenen?

W: Nee Assie, luister Assie, ik hoef niet te vragen, zij had mij die
auto moeten geven. Ze weet toch dat het slecht weer is en ik
helemaal op de scooter moet, door de kou en de regen? Waarom
heeft zij mij dat autootje niet gegeven? Zelf rijden ze in auto's en
ik moet op de scooter? Als ik val met die scooter, dan zal ze zien
wat ik met haar doe. Ik breek haar kaak, sla haar tanden uit haar
mond. Zij heeft geld, hè?

Dat hij al een auto had, waardoor hij helemaal niet door de
kou hoefde, kon hij in zijn beschuldiging van Sonja niet gebruiken, dus dat liet hij volledig buiten beschouwing: 'Dat
deed er niet toe.'

Het ging erom dat Sonja de auto van Richie niet wilde geven en dáárdoor moest hij op de scooter, met alle ongemakken
en gevaren van dien. Het was een onnavolgbare redenering,
die ook niet logisch hoefde te zijn voor het doel dat hij ermee
voor ogen had; hij had de aanleiding gevonden, en daarmee
het conflict, dat het voor hem rechtvaardigde om Sonja af te
persen.

Het autootje van Richie was slechts een opstapje naar waar
het werkelijk om ging: geld.

Later die avond haastte ik mij nog naar Sonja om het haar te
vertellen, en vroeg haar of het niet beter was het autootje toch
maar af te geven, zodat hij geen reden had om met haar te
beginnen.

Maar Sonja was niet van plan hem de auto te lenen: 'Ik wil
niet dat hij in de auto van Rich rijdt, As. Hij is bezig met handel
in drugs en gekkigheid en ik wil niet dat Rich' auto daarvoor

wordt gebruikt. Hij heeft afspraken met drugsklanten en straks ziet justitie Rich' auto en denken ze dat hij daarmee te maken heeft, of ze nemen die auto in beslag en dan heeft Rich niks meer wanneer hij terugkomt. Ik ga het echt niet doen,' zei ze dapper.

De volgende dag stond hij weer voor mijn deur.

W: Assie, het is toch een schande! Zij rijden maar rond in auto's en ik moet door weer en wind op de scooter. Maar zij heeft gewoon die auto van Rich staan. Waarom heeft zij mij het autootje van die jongen niet geleend? Ik moet daar niet om hoeven vragen. Dat moet zij uit zichzelf doen. Kan zij dat zelf niet bedenken? Zij wonen in huizen. Ik kan geen huis op me naam hebben. Ze heeft dus geld. Waarom heeft ze niet gezegd dat zij geld heeft? Je kunt geen huis en een auto betalen als je geen geld hebt. Zij heeft geld. Maar zij heeft geen recht op geld. Wat denkt ze wel?

Hij had Sonja, die hem zijn leven lang achter zijn kont had aangelopen, de rug toegekeerd vanwege geld. Alles had zij met hem meegemaakt en gedeeld. De nasleep van de Heineken-ontvoering, elke week, soms twee keer per week naar Parijs op bezoek, altijd zijn kleren wassen, strijken, boodschappen doen, koken. Het deed er allemaal niet toe. Dat stelde niets voor. Veertig jaar trouwe dienst als de zuster die hij overal voor kon gebruiken, viel in het niet bij wat Sonja hem had 'aangedaan'. Hij mocht het autootje van Richie niet lenen, en daarmee was Sonja van vriend vijand geworden.

Het is het moment dat wij allemaal vreesden en de reden waarom wij zo veel mogelijk voor hem deden. Niemand wil van vriend vijand worden.

Hoe en wanneer je van vriend vijand wordt, is onvoorspelbaar en afhankelijk van de vraag of jij iets hebt dat hij wil hebben. De aanleiding die hij gebruikt is altijd iets onbenulligs, of slechts een gedachte van hem. Je ziet het niet aankomen. Maar als het volgens hem is gebeurd, dan vertelt hij je dat jij hem leed toebrengt.

Daar kan hij niks aan doen, dat is jouw schuld.

Vanaf nu was alles Sonja's schuld. Er hoefde hem maar even iets tegen te zitten, en het was haar schuld. Alles wat hij zelf had veroorzaakt, was de schuld van Sonja. Hij hield haar verantwoordelijk voor alles wat er misging in zijn leven, Sonja was 'de nagel aan zijn doodskist' en daarom moest ze betalen.

Dat was logisch, toch?

Ik probeerde zo lang mogelijk Sonja's verdoemenis te rekken. 'Maar hoe weet je nou of je die auto niet mag lenen? Je hebt het nog niet eens gevraagd,' bleef ik hem maar voorhouden. 'Je brandt Sonja al helemaal af, zonder dat je weet of ze het goedvindt.'

Ik wist dat hij het haar niet wilde vragen, want als ze 'ja' zou zeggen dan was het probleem opgelost, en zou hij weer een andere aanleiding moeten verzinnen voor het conflict dat hij nodig had om haar af te kunnen persen.

Ik deed net of ik gek was, en hij merkte dat hij mij niet mee kon krijgen in zijn argumentatie zonder dat hij die vraag aan Sonja had gesteld.

Twee dagen later stond hij weer voor de deur.

W: Assie, ze wil mij het autootje niet geven. Ik heb het haar gevraagd vandaag, of ik die auto mocht lenen. Gewoon om te kijken wat ze zou zeggen. Maar ze wil het niet geven. Wat een vieze hoer. Ze wil het me gewoon niet geven. Omdat ze niet wil dat ik er in rij. Dat justitie het dan in beslag neemt. Het gaat mij ook niet om dat autootje, want ik ga net zo makkelijk op de scooter, ik wilde gewoon zien of ze het wilde geven. Maar ze is nog niet klaar met me. Dit is pas het begin. Ik zal dat autootje even in de brand laten steken. Heeft die jongen ook niks meer. Ik niks, hij niks.

Hij had zijn antwoord en zijn aanleiding. Als een pitbull beet hij zich in haar vast, en zou niet meer loslaten.

Daar was hij weer:

W: Assie, dus ik moet op de scooter en zelf rijden ze rond in auto's. Waar betalen ze dat van? Zij moet geld hebben. Geen geld? Laat me niet lachen, dan kun je niet in een auto rijden en in een huis wonen. Ze hebben geld. En weet je wat het is? Zij hebben geen recht op dat geld.

A: Maar als je met haar praat dan geeft ze die auto echt wel.

W: Nee, ik praat niet meer met haar.

A: Dan ga ik wel zeggen dat ze die auto aan jou afgeeft.

W: Nee, dat hoeft niet meer, zij mag die auto niet meer geven.

Zij 'mag' die auto niet meer 'geven', betekent dat hij geen oplossing van het conflict wil. Hij weigert een dialoog met haar aan te gaan, om een oplossing te voorkomen. Hij wil kunnen volhouden dat zij het is die hem leed toebrengt, dat zij hem dwingt om zich zo op te stellen. Want doordat zij hem leed toebrengt, is hij gerechtigd alles te doen om dat te compenseren; haar te verraden, uitspelen, bedreigen, afpersen – en uiteindelijk vermoorden.

Ook al heeft ze een leven lang lief en leed met hem gedeeld, ook al is ze zijn zusje.

Vanaf nu zou hij elke dag met zijn gespeelde verontwaardiging over Sonja aan mijn deur staan: de afpersing was begonnen en ik wist dat dit slecht zou aflopen voor Sonja.

Sonja en ik moesten proberen die slechte afloop zo lang mogelijk voor te blijven, en ondertussen bewijs tegen hem te verzamelen, dan konden we misschien nog net op tijd ons doel bereiken: hem laten boeten voor Cor.

In dat opzicht zat er ook een positieve kant aan deze treurnis. Hier lag mogelijk mijn kans om justitie te laten horen wat zijn motief voor de moord op Cor was geweest, want waarom meent hij recht te hebben op die erfenis, waarom heeft hij de lasten en zij de lusten? Misschien kon justitie dan eindelijk bewijzen dat hij achter de moord op Cor zat.

Als we allebei onze gesprekken met hem konden opnemen, bood de afpersing van Sonja – hoe vreselijk ook om te ondergaan – een uitgelezen kans om het heden met het verleden te verbinden en zijn daden uit het verleden te laten doorklinken in zijn uitspraken in het heden, want zoals een seriemoordenaar zijn trofeeën bewaart, komt ook hij er altijd weer op terug.

Ik kocht ook voor Sonja afluisterapparatuur.

'Ik plaats het vaak aan de voorkant van mijn bh-bandje, tussen mijn borsten. Dan plak ik er een stukje tape overheen, zodat het goed vast blijft zitten,' zei ik.

'Hier?' vroeg Sonja en het zat meteen zo vast als een huis, tussen haar cup D-borsten. Zij had geen plakbandje nodig om de boel op zijn plaats te houden.

Sonja was er klaar voor.

Pikkie pikkie (1993)

Cor en Sonja leefden volgens het klassieke rollenpatroon zoals we dat thuis gewend waren: de man was de baas in huis, hij werkte en zoop, de vrouw deed het huishouden en zorgde voor de kinderen.

In de kringen waarin zij verkeerden kwam daar nog een taak bij; de vrouw moest er goed uitzien. En goed betekende volgens het in die kringen heersende schoonheidsideaal: geblondeerd haar, zonnebankbruin en een paar grote borsten. Wie dat niet allemaal van nature had, kocht het. Bij de kapper, de zonnestudio en de plastisch chirurg.

Een Spaanse dokter kwam speciaal naar Nederland om de dames het door hun mannen gewenste formaat te verschaffen. De eerste keer dat Sonja haar borsten liet vergroten, was Cor bij de operatie aanwezig. Sonja had een bescheiden cup C uitgekozen, die door Cor – terwijl zij wegzonk in haar narcose – werd gecorrigeerd naar een cup D. Sonja werd wakker met het schoonheidsideaal van Cor aangemeten gekregen. Nu nog een paar gelakte nepnagels, kleding van Versace, Chaneltasje en het plaatje was compleet.

De mannen wilden allemaal zo'n vrouw, de dames zagen er dan ook allemaal hetzelfde uit. Ze onderscheidden zich alleen van elkaar door het aantal juwelen waarmee ze door hun man behangen werden, de prijs van hun horloges en het type auto waar ze in reden. Zo was aan het uiterlijk van de vrouw de welstand van de man af te lezen.

'Ga maar lekker winkelen. Hier heb je geld,' zei Cor als hij met zijn vrienden de bloemetjes weer buiten ging zetten.

Sonja moest altijd afwachten wanneer hij thuiskwam, vaak ladderzat. Zijn vrienden leverden hem dan voor de deur af, nauwelijks nog in staat om op zijn benen te staan.

Met moeite kreeg Sonja hem de wenteltrap op naar de slaap-kamer, liet hem op bed ploffen, trok zijn schoenen, sokken en broek uit en hing deze netjes over de stoel. Zodra ze er zeker van was dat Cor in een diepe slaap was weggezonken, keerde ze terug naar de broek die ze zo netjes over de stoel had gehangen, en haalde met trillende handen al zijn geld uit zijn zakken. Een paar tientjes stopte ze terug, om zijn argwaan niet te wekken.

Na een aantal van die dronken nachten begon Cor het toch wel wat vreemd te vinden dat hij de volgende dag elke keer zo weinig geld overhad. 'Boxer, heb jij aan mijn geld gezeten?' vroeg hij ernstig.

'Nee, ik zou niet durven.'

'Ik dacht dat ik meer geld in mijn zak had,' zei hij.

'Cor, ik weet toch niet hoeveel geld jij bij je steekt? Misschien heb je je weer uit lopen sloven bij al die wijven in de stad. En dat weet jij niet meer de volgende dag, hè? Dat zeg je toch zelf altijd, als ik achteraf hoor dat je weer tussen de hoeren hebt gelegen: dat jij je daar toch niets van kan herinneren? Maar ondertussen geef jij je geld uit aan allemaal stinkhoeren en vraag je mij waar je je geld laat.'

Sonja vond het vreselijk dat Cor feestjes vierde, terwijl zij thuis op hem zat te wachten, net als voor de ontvoering, net als tijdens de acht jaar dat hij vastzat. Ze pakte op zo'n nacht zomaar tussen de vijfhonderd en tweeduizend gulden uit die broekzak. Ze genoot de volgende dag van het tafereel: Cor die zich niet meer kon herinneren hoeveel hij had uitgegeven.

'Dat gaat niet goed, Boxer. Als ik niet meer weet waar ik mijn geld laat,' zei hij keer op keer, verrast door weer een lege broekzak.

'Nee, dat gaat zeker niet goed,' bevestigde Sonja, en had inwendig de grootste lol. 'Misschien moet je wat minder in de stad rondhangen en wat meer thuis zijn.'

'Dat zou jij wel willen, hè?' zei Cor.

Cor kwam weer eens lam thuis en liet zich onder luid gelal en zacht gemopper van Sonja op bed gooien. Hij was te dronken om zelf zijn kleren uit te doen, dus stond Sonja weer aan hem te trekken.

'Blijf bij me liggen!' riep hij. 'Ik hou zoveel van je, Boxer! Blijf bij me!'

'Je bekijkt het maar, je stinkt naar de drank,' spartelde Sonja tegen.

'Ach Boxer, kom nou even tegen je Corretje aan liggen!' schreeuwde hij zo mogelijk nog luider.

'Ssst. Stil. Ik kom al, maar dan moet je ophouden met schreeuwen, want straks maak je die meid wakker.'

Ze kroop naast hem en hij liet zijn loodzware arm om haar heen vallen. Daar lag ze, onder zijn arm, in zijn dranklucht, en het enige wat ze kon denken was: ik moet nog wel even in zijn broekzak.

Cor was binnen enkele seconden verdoofd door de alcohol en Sonja hoorde hem diep snurken. Ze bevrijdde zich heel voorzichtig uit zijn armklem en sloop stilletjes naar de andere kant van de kamer, waar zijn broek hing.

Cor voelde ondertussen dat Sonja zich uit zijn omarming had bevrijd en zachtjes uit het bed gleed. Hij deed zijn ogen open, en zag Sonja als een slang over de grond kruipen op weg naar zijn broekzak.

Hij sprong overeind en schreeuwde: 'Nou heb ik je!'

Sonja schrok, maar verdedigde zich gelijk: 'Wat, "nou heb ik je"? Wat is er, jongen?'

'Je was op weg naar mijn broekzak, vuile zakkenroller!' lachte Cor.

'Hoe kom je daar nou weer bij? Ik was bezig met mijn buikspieroefeningen.' Sonja schoot in de lach om haar eigen onzinnige verweer.

'Buikspieroefeningen? Vingeroefeningen, zal je bedoelen!' lachte Cor op zijn beurt.

Hij had haar door en zij wist dat hij haar doorhad, maar ze bleef ontkennen. Voortaan als Cor 's avonds gedronken had, deed ze 'buikspieroefeningen'.

De ochtend erna vroeg Cor altijd: 'Waar is mijn geld, Box?'

'Ik weet het niet,' antwoordde ze als de vermoorde onschuld.

'Heb je weer "pikkie pikkie" gedaan?'

'Ik niet. Misschien die hoeren waar je bij was vannacht.'

Het was haar zoete wraak op Cors gebroken belofte die hij haar in honderden brieven had geschreven: hij zou het allemaal anders doen. Maar Cor bleef hetzelfde en dus deed Sonja 'pikkie pikkie'.

'Je hebt het weer gedaan, Box,' lachte Cor, wetende dat het haar manier was om hem te straffen voor zijn losbandige gedrag.

'Jij ook!' kaatste Sonja terug.

Het was een spel tussen hen dat jarenlang doorging en al doende roofde Sonja van Cor een aanzienlijk bedrag bij elkaar. Het bracht evenwicht in de relatie, het gaf haar een beetje controle over Cor, en zorgde voor een beetje zelfstandigheid.

Totdat Wim die zelfstandigheid wel even voor haar zou bewaren.

De eerste aanslag op Cor (1996)

Op 27 maart 1996 hadden Sonja en Cor samen hun zoon Richie van de peuterspeelzaal opgehaald. Cor parkeerde zijn auto voor de deur van hun huis in de Deurloostraat en ze bleven nog even zitten, terwijl ze om Richie moesten lachen die achterin, tussen de twee voorstoelen, zijn lievelingsliedje 'Funiculì Funiculà' van Andrea Bocelli mee stond te zingen.

Mijn moeder stond voor het keukenraam van hun huis op het moment dat een man met een donkere jas op de geparkeerde auto van Cor af liep. Sonja keek naar Cor en zag op de achtergrond een man de auto naderen. Ze vroeg zich eerst af of de man wellicht de weg wilde vragen, maar zijn doelgerichtheid gaf haar een onbehaaglijk gevoel. Hij naderde het raam van Cor.

Sonja keek hem recht in het gezicht, het staat nog altijd in haar geheugen gegrift. Een tanig gezicht, met veel rimpels.

'Cor, wat moet hij?!' riep ze nog.

Cor keek naar links.

De man richtte een vuurwapen op Cor en voordat Cor antwoord kon geven begon de man te schieten. Op dat moment dook Cor instinctief over Sonja heen, om haar te beschermen.

Sonja begon te gillen. Richie zat achter in de auto. Zou hij geraakt zijn? Ze opende haar portier en rolde de auto uit. Om te voorkomen dat ze zou worden geraakt, kroop ze op haar knieën naar het achterportier, opende het en trok Richie uit de auto. Met Rich in haar armen is ze het huis in gerend. De deur stond al open, mijn moeder was naar buiten gerend om haar te helpen.

Cor was meerdere keren geraakt. Hij stapte uit en wilde achter de schutter aan gaan, maar hij was door zijn verwondingen zo gedesoriënteerd, dat hij de tegengestelde richting uitliep. Na een paar honderd meter werd hij door de buren opgevangen, en terug naar zijn huis gebracht.

Daar ging hij verdwaasd en hevig bloedend in het trappenhuis van nummer 22 zitten, totdat de ambulance was gearriveerd.

Ik zat in mijn kantoorruimte aan de Willem Pijperstraat toen ik op mijn mobiel werd gebeld. Het was mijn moeder. Ze gilde door de telefoon dat er op Cor, Sonja en Richie was geschoten.

'Nee!' riep ik. 'Leven ze nog?'

'Ja, ze leven nog, maar Cor is geraakt. Kom gauw hier naartoe!'

'Is het ernstig, mam?'

'Ik weet het niet, Cor is opgehaald met een ambulance.'

Volledig in paniek heb ik mijn kantoor gesloten en ben naar de Deurloostraat gereden. Sonja zat al op me te wachten en deed de deur open. Ze viel me om mijn nek en zei huilend: 'As, er is op ons geschoten. Cor is overal geraakt.'

'Waar?' vroeg ik. 'Waar is hij geraakt? Overleeft hij het?'

'Ja, ze hebben hem naar het vu gebracht. Hij is geraakt in zijn arm, schouder en rug, en een kogel heeft zijn kaak verbrijzeld. Maar hij overleeft het, hij wordt nu geopereerd.'

'En Rich? Is met Rich alles goed?' vroeg ik.

'Ja,' zei ze, 'hij is boven. Hij is niet geraakt. Hij begrijpt gelukkig niet wat er is gebeurd. Doe maar zo normaal mogelijk.'

'Is goed. En hoe is het met jou?'

'Met mij is alles goed. Ik heb het alleen zo benauwd en heb

pijn aan mijn rug. Ik denk dat ik hyperventileer.'

We liepen naar boven, waar Richie met mijn moeder was. Hij zat op de grond te spelen.

'Dag lieverd,' zei ik tegen hem. 'Ben je lekker aan het spelen?'

Hij keek op en riep gelijk toen hij me zag: 'Assie, Assie, vuur, vuur!'

Ik pakte hem vast en tastte zijn kleine lichaampje af om na te gaan of hij echt niet geraakt was.

'Hij heeft gelukkig niks,' zei Sonja.

Ik trok hem bij me op schoot en vroeg: 'Wat is er met vuur, zeg het eens tegen Assie.'

Hij was net tweeënhalf en vertelde me op zijn manier wat er zojuist was gebeurd: er was een hele stoute man en die had stenen tegen het raam van de auto gegooid en er was vuur.

Doordat Sonja hem gelijk uit de auto had getild en naar binnen had gebracht, had hij gelukkig niets mee gekregen van de bloedige verwondingen van Cor.

Van de schoten op het raam had hij stenen en vuur gemaakt, en dat moest zo blijven. Hij mocht vooral niet weten wat er echt was gebeurd.

'Wat een stoute man, hè? Maar die is nu weg, lieverd. Papa heeft hem weggejaagd.'

Sonja vroeg: 'Kun jij Francis van school halen? Zij moet het weten en ik wil dat ze bij me is. Ik weet niet of er nog gekke dingen gaan gebeuren en dan wil ik haar bij me hebben.'

'Dat is goed. Ik ga er gelijk heen.'

Ik reed naar de school van Francis en vertelde de conciërge dat ik haar tante was en dat ik haar op kwam halen, omdat haar vader een ongeluk had gehad en ze mee moest naar het ziekenhuis.

Francis zat in de klas en zag mij al staan. Ze schrok. De

conciërge vertelde de leraar dat zij met mij mee moest. Ze kwam de klas uit.

'Kom lieverd,' zei ik. We liepen door de gang. 'Ik moet je wat vertellen. Ze hebben papa neergeschoten en mama en Rich zaten ook in de auto.'

Ze stond stil en pakte me vast, haar gezichtje trok wit weg. 'Is hij dood, As?' vroeg ze met trillende stem.

'Nee,' zei ik, 'maar hij is behoorlijk gewond geraakt. Hij is naar het ziekenhuis. Mama en Rich zijn ongedeerd. Kom, we gaan naar huis.'

Het duurde niet lang voordat Sonja door het ziekenhuis werd gebeld. De operatie was voltooid.

'Ga je mee naar Cor? Ik wil niet rijden. Ik ben nog helemaal van slag,' zei Sonja.

'Is goed,' zei ik, 'ik rijd wel. Ik wil Cor zien.'

We liepen naar de auto, maar halverwege begon ze te trillen. Ik stapte in mijn auto, Sonja bleef staan.

'Stap in,' zei ik.

'Ik kan het niet.'

Ik stapte uit en liep naar haar toe. 'Wat is er dan?'

'Ik durf het niet. Ik durf niet meer in een auto te zitten. Ik zie het steeds voor me, hoe hij op ons af loopt, het geluid van het breken van het glas, het schieten. Ik zie Cor overal bloeden. Ik stap niet in,' zei ze en zette zich schrap.

'Kom op, Son, je zal wel moeten. Beter dat je nu gelijk zelf rijdt, anders doe je het nooit meer. Kom op, geen gezeik!'

Ik trok de deur open en gebood haar in te stappen.

'Je hebt gelijk,' zei ze, 'ik moet wel.'

Aangekomen in het ziekenhuis liepen we gelijk door naar de afdeling waar Cor lag. Voor zijn deur stond politiebewaking. Cor lag net bij te komen van de operatie. De kogels waren uit zijn lichaam verwijderd en zijn onderkaak was vastgezet.

'Gaat het een beetje?' vroeg ik bezorgd.

Cor glimlachte flauwtjes en stak zijn duim omhoog. Praten zat er net na de kaakoperatie nog niet in maar iets zeggen was sowieso uitgesloten, want buiten voor de deur stond kit.

En die kleine jongen? gebaarde hij.

'Met Rich is alles goed,' zei Sonja. 'Het is een wonder dat hij niet geraakt is. Zorg nou eerst maar dat je hier wegkomt.'

De woede ontstak in Cors ogen, hij maakte het gebaar van een pistool, hij wilde wraak.

We wilden weten of Cor enig idee had waar dit vandaan kwam, zodat we wisten waar we aan toe waren en zo nodig maatregelen konden treffen. Sonja en ik gingen ieder aan een kant van zijn bed staan. We deden onze armen omhoog en keken hem vragend aan.

Cor keek ons om beurten aan en schudde herhaaldelijk zijn hoofd. Hij had ook geen idee waar het vandaan kon komen.

'Beter niet thuis slapen voorlopig?' vroeg Sonja.

Weer schudde Cor.

'Oké,' zei Sonja.

We verzorgden Cor, hij was moe en zijn ogen vielen steeds dicht.

'Ga maar slapen. We zijn later terug, we gaan weer naar Fran en Richie,' zei Sonja.

Buiten gingen we eerst even lopen om rustig te kunnen praten.

'Denk je dat Cor echt geen idee heeft wie hierachter zit? Of wil hij het ons niet zeggen?' vroeg ik Sonja, wetende dat vrouwen nooit iets wordt verteld.

'Nee,' zei Sonja. 'Dat zou in dit geval te gevaarlijk zijn. Hij weet het echt niet, anders zegt hij ons voor welke hoek we moeten oppassen.'

'Heb jij ook helemaal geen idee?' vroeg ik.

'Nee, ik heb geen idee, maar ik heb wel een gevoel.'

'Wat dan?'

'Laat maar. Ik mag dat niet zeggen als ik het niet zeker weet.'

'Maar je kan mij toch alles zeggen?' vroeg ik een beetje beledigd.

'Nee, laat maar, ik mag niet zomaar iemand beschuldigen. Ander onderwerp nu, goed?'

'Oké,' zei ik en liet het rusten.

'Maar ik ga niet meer naar huis. Dat durf ik echt niet. Voor hetzelfde geld komen ze terug,' zei Sonja. 'Kan ik met de kinderen zolang bij jou slapen?'

'Ja natuurlijk, we gaan nu gelijk je spullen halen.'

Thuisgekomen zat ik naast Sonja op de bank en keek naar haar jas. Er dansten allemaal veertjes uit. Ik zag een gaatje zitten, stopte mijn vinger erin, peuterde er iets hards uit en hield een kogel in mijn hand.

'Volgens mij ben je toch geraakt,' zei ik.

'O, echt, zie je nou wel, ik heb al de hele tijd zo'n last van mijn rug.'

'Laat eens even kijken dan,' zei ik en tilde haar trui op. Over de hele breedte van haar rug liep een schaafwond van een schampschot.

'Ik begrijp dat je pijn had,' zei ik, 'je bent geraakt. Maar het is alleen je huid, dus er is niks aan de hand.'

Sonja had zoveel geluk gehad. Haar redding was dat Cor over haar heen was gedoken, en de kogel van richting had doen veranderen. De kogel was eerst zijn lichaam binnengedrongen en had na het verlaten ervan zijn weg vervolgd langs haar rug. De weg door het lichaam van Cor had de kogel zo vertraagd dat deze tot stilstand was gekomen in de rechtermouw van haar jas.

Cor had de kogel voor haar opgevangen. Als hij dat niet had gedaan, was het met haar misschien wel slecht afgelopen.

'As, ik had wel dood kunnen zijn,' zei Sonja.

'Jullie hadden allemaal wel dood kunnen zijn, Son,' zei ik. 'Wat denk je van Rich? Het is een wonder dat hij met al die rondvliegende kogels in zo'n kleine ruimte niet is geraakt. Het is echt een wonder!'

Ik voelde woede in me opkomen, welke viezerik had dit gedaan? Welke laffe hond schiet op een vrouw en een klein kind? Dit was nog nooit eerder gebeurd, dit was beestachtig!

Cor herstelde, onder het toeziend oog van de politiebewaking op de gang. Zij hadden de plicht iedere burger te beschermen, maar zaten niet echt op deze burger te wachten, een crimineel, een Heineken-ontvoerder nog wel, die dit ongetwijfeld over zichzelf had afgeroepen. Cor op zijn beurt zat niet te wachten op bescherming door de mensen die op hem hadden gejaagd.

'Ze vinden het leuk dat ik me elke keer het lazarus schrik als ze hun wapen doorladen, die teringlijers,' lachte hij.

Zodra hij vond dat het kon, verliet hij het ziekenhuis en verdween met Sonja, Richie en Francis naar Frankrijk. Wim en zijn vriendin Maike vergezelden hen.

Hun eerste stop maakten ze bij hotel Normandy in Parijs. Van daaruit reden ze door naar het zuiden. Maike had het hotel Les Roches, in het plaatsje Le Lavandou aan de Côte d'Azur, aanbevolen.

Samen met Wim was Cor al honderd keer alle mogelijkheden nagegaan waar de aanslag vandaan kon komen. De spanning tussen hen beiden was om te snijden, en al verschillende keren op ruzie uitgelopen. Wim verweet Cor dat hij met zijn dronken kop vaak anderen beledigde.

Cor liet Mo komen, een Afghaan die hij in de gevangenis

had leren kennen en met wie hij in contact was gebleven. Mo was door de oorlog in zijn thuisland gewend aan gewelddadige situaties. Hij kwam bewapend, om Cor en zijn gezin te kunnen beschermen, mocht dat nodig zijn. Wim en Maike vertrokken naar Amsterdam om uit te vinden wat er aan de hand was.

Al snel kwam Wim terug met de boodschap dat Sam Klepper en John Mieremet achter de aanslag zaten. Klepper en Mieremet, twee zware jongens die Spic en Span werden genoemd vanwege het gerucht dat ze meerdere mensen hadden opgeruimd met wie ze een conflict hadden.

Cor kon het zich moeilijk voorstellen. Waarom zouden ze hem moeten hebben? Hij had geen ruzie met ze.

Maar volgens Wim kon het toch wel. Hij vertelde dat Klepper en Mieremet hen een boete van in totaal een miljoen gulden hadden opgelegd. Alleen door betaling van dat bedrag kon het conflict worden opgelost.

Het gevaar was dus nog niet geweken.En het gevaar zou ook niet wijken, want Cor zei direct tegen Wim dat hij geen cent zou betalen. Hij liet zich niet afpersen. Wim was woest, hij zei zwaar onder druk te zijn gezet in Amsterdam. Hij moest zorgdragen voor betaling, of er gebeurde met hem hetzelfde als met Cor. Wim voerde de druk op door Cor voor te houden dat hij door niet te betalen een oorlog zou veroorzaken die zou uitlopen op een bloedbad. Onze families zouden zonder pardon worden uitgemoord, alleen maar omdat híj niet wilde betalen, omdat híj oorlog wilde.

Cor weigerde te betalen, Wim wilde wel betalen.

'Ik laat me niet afpersen,' had Cor nog een keer gezegd, en Wim was woedend naar huis vertrokken.

Een dag of twee daarna nam ik het vliegtuig naar Sonja en Cor om Francis op te halen. Ze moest nodig weer eens naar school toe. Sonja haalde me op van het vliegveld.

'Ben je moe?' vroeg ik.

'Hoezo? Zie ik er slecht uit?'

'Een beetje wel,' zei ik voorzichtig.

'Dat kan wel,' antwoordde ze. 'Cor en Wim hebben heel erg ruzie gehad. Wim kwam vertellen wie er achter de aanslag zitten, en dat ze een miljoen moesten betalen. Wim wil betalen. Cor doet dat niet. Wim zegt dat er nu oorlog komt. Daar hebben ze ruzie over. Ik doe geen oog dicht. Ik ben bang dat ze terugkomen. Ik lig de hele nacht te spoken.'

'Dat begrijp ik,' zei ik. 'Wie zitten erachter dan?'

'Klepper en Mieremet,' zei ze, 'dat zijn twee gekken. Die hebben samen al heel wat geflikt.'

'Is Cor bang voor ze?' vroeg ik.

'Nee,' zei Son, 'was dat maar zo. Cor zegt dat het geen zin heeft om te betalen, het is toch al oorlog. Hij laat zijn vrouw en kind niet zomaar afschieten. Wim is kwaad op Cor. Hij zegt dat het allemaal Cors schuld is, omdat hij zo vaak dronken is.'

'En wat zegt Cor?' vroeg ik.

'Die vindt dat Wim achter hem moet gaan staan en niet als een angsthaas moet buigen voor die twee. Dus dat is echt ruzie.'

'Dat begrijp ik. Dus de ellende is eigenlijk pas begonnen?'

'Ik denk het. Maar wat vind jij dan?' vroeg Sonja.

'Het zou mooi zijn als je kon betalen en het dan zou stoppen, maar ik denk dat Cor gelijk heeft. Geloof jij dat het stopt als je betaalt? Zij weten dat hij weet dat zij het gedaan hebben. Zij zullen denken dat hij zijn kans afwacht om ze terug te pakken, daar gaan ze niet op wachten. Die willen Cor hoe dan ook voor zijn.'

'Dat zegt Cor ook,' zegt Sonja. 'Hij snapt Wim niet.'

We reden naar het haventje van Le Lavandou, waar Cor aan een biertje zat en Mo aan een colaatje.

'Fijn je te zien, Cor. Die kaak ziet er nog redelijk uit,' zei ik.

'Kom zitten, Assie. Neem wat te eten. Wij hebben al besteld.'

Na wat grappen en grollen over zijn verwondingen zei Cor tegen de rest: 'Gaan jullie een stukje wandelen. Blijf jij even zitten, Assie.' Hij keek gepijnigd. 'Heb je het al van Boxer gehoord?'

'Ja, wie het zijn, en dat je ruzie hebt met Wim.'

'Wat vind jij daarvan?' vroeg hij.

'Ik vind dat jij gelijk hebt. Moet je je dan maar laten beschieten en nog betalen ook? Waar slaat dat op? Ik begrijp Wim niet. Hij laat zich zoiets normaal niet zeggen.'

'Ja, die Neus rent wel heel snel de andere kant op. Let goed op Francis, als je terug bent. Hou haar bij Wim uit de buurt.'

Ik hield van Cor. Eigenlijk al vanaf de dag dat Wim hem meenam naar ons huis. Hij was heel anders dan Wim, voor ons en zijn omgeving. Cor was warm en hartelijk. Wim was koud en harteloos.

Ik was het met Cor eens en begreep niet waarom Wim zo makkelijk capituleerde voor de vijand, waarom hij Cor niet steunde na alles wat ze samen hadden meegemaakt. Al had Cor misschien iets verkeerds gedaan, wat dan nog? We gingen elkaar toch niet laten vallen? Wij hadden hem toch ook nooit laten vallen ondanks alle ellende die hij had veroorzaakt? Hoezo zou hij dat nu wel bij Cor doen? Natuurlijk realiseerde ik me dat steun aan Cor ernstige consequenties kon hebben, maar je hebt als mens toch ook principes? Je kon toch niet zomaar je familieleden laten beschieten en dan doen alsof er niets was gebeurd?

Ik was geschokt dat Wim dat kennelijk niet zo voelde.

De volgende dag vloog ik met Francis terug naar Nederland, en hield haar bij Wim uit de buurt. Cor verhuisde naar een kleine Franse boerderij, die verscholen in de bossen lag en werd verhuurd als vakantiehuis. De inrichting, die 'authentiek Frans' werd genoemd, was ouderwets en het was er vies. De enige reden dat het huis voor een vakantiehuis door kon gaan was het buitenzwembad. Het was geen plek waar Cor normaal vakantie vierde, maar in dit geval was dat juist een vereiste. Hij wilde niet op een plek zitten waar hij vaker kwam, niemand mocht weten dat hij daar zat.

En met 'niemand' bedoelde hij Wim.

Sonja was er met tussenpozen, omdat Francis naar school moest. Ze zat op een avond met Cor buiten op het terras te genieten van een voorstelling door dansende vuurvliegjes, toen Cor zei: 'Als er wat met mij gebeurt, wil ik voor ons en de kinderen een familiegraf en een koets met paarden.'

Cor hield rekening met de mogelijkheid dat hij het conflict niet zou overleven. Sonja probeerde dat op haar manier te voorkomen. Misschien had Wim gelijk en kon Cor beter wel betalen, stelde ze voorzichtig voor.

Cor werd woest. Hij zag die opmerking als verraad: 'Ga jij mij ook verraden, net als die Neus? De judas! Maar als je dat vindt, ga dan maar met je broertje mee, dan hoef ik jou ook nooit meer te zien!' schreeuwde hij.

Sonja was overdonderd door de felheid van zijn reactie. Zo had ze het niet bedoeld, ze maakte zich enkel zorgen om zijn veiligheid en die van de kinderen. Wat betekende geld nou in vergelijking met hun leven?

Maar Cor was duidelijk: met betalen los je niks op.

Sonja zat klem tussen het standpunt van haar man en dat van haar broer. Beide klonken net zo logisch als gevaarlijk. Het enige wat ze kon bedenken was dat ze zich er beter niet mee kon bemoeien. Cor had altijd voor haar bepaald wat het beste was en ze zou het ook nu aan hem overlaten.

Vanuit het Franse boerderijtje regelde Cor een nieuwe kaak en een set nieuwe tanden en kiezen. Daarna vertrok hij naar Martin's Château du Lac, in Genval, België. Sonja reisde nog steeds heen en weer, maar die situatie was met het oog op de kinderen die naar school moesten moeilijk lang vol te houden.

Wim stond bij terugkomst voortdurend bij Sonja voor de deur met dezelfde vraag.

Hij wilde weten waar Cor verbleef.

Maar Sonja, met in haar achterhoofd de opdracht van Cor dat niemand dat mocht weten, deed alsof ze dat niet wist.

Amstelveen (1997)

Na een aantal weken regelde Wim via Willem Endstra voor Sonja een woning in de Anton Struikstraat, zodat ze in ieder geval met de kinderen een eigen plek had. Ze was blij met de steun van Wim. Cor en hij waren het dan wel niet eens over de oplossing van het conflict met Mieremet en Klepper, maar hij liet haar – en dus Cor – toch niet helemaal vallen. Zij wilde graag geloven dat Wim nog steeds aan hun kant stond en geen overloper was.

Het werd tijd om te beslissen over de toekomst. 'Wat gaan we doen, Cor?' had Sonja gevraagd. 'Gaan we naar het buitenland verhuizen?'

'Nee,' had Cor geantwoord, 'ik laat me niet wegjagen. Ik kom terug.'

Dat was reden voor Sonja weer op zoek te gaan naar een ander huis, want op de Anton Struikstraat liepen 'de ratten door de tuin'.

Francis ging al in Amstelveen naar school en daarom had Sonja Richie, toen hij vier jaar werd, ook in Amstelveen op school gedaan; bij zijn neefje en nichtje, zodat hij nog wat vertrouwds om zich heen had. Het lag voor de hand in Amstelveen te gaan wonen.

Ze kon een woning aan de Catharina van Renneslaan krijgen.

Omdat Wim haar ook had geholpen met de Anton Struikstraat vroeg ze hem mee te gaan.

Hij klom op het afdakje van het huis om de woning vanbinnen te kunnen bekijken, en vond dat het er goed uitzag. Hij adviseerde Sonja de woning te nemen.

Het enige probleem was dat de vorige huurder overname vroeg. Ze had geld nodig en vroeg Wim om wat van haar geld te geven dat ze Cor 'pikkie pikkie' had afgepakt en bij hem in bewaring had gegeven.

Als door een bij gestoken had hij gereageerd: 'Ga jij nou zeuren over geld? Hoeveel moet je hebben, twintig ruggen? Ik kan je even niks geven, Box. Ik ben bezig dat rode gebouw te verkopen, en dan heb ik weer wat geld vrij. Maar nu heb ik niks, dus ga niet lopen zeuren nou, Boxer. Door jouw man heb ik alleen maar problemen, ga me dus niet onder druk zetten nu!'

Sonja schrok van Wims uitbarsting en durfde niet verder te vragen.

'Hoe was die woning?' vroeg ik toen ik dezelfde avond bij haar langsging.

'Die woning was prima, maar Wim was weer gek. Hij zegt dat hij me mijn geld niet kan geven, want hij heeft geen geld.'

'Hoezo: hij heeft geen geld?'

'Hij zegt dat hij geen geld heeft. Hij moet nog wat verkopen. Een rood gebouw, ofzo. Daarna kan ik wat krijgen.'

Maar Sonja kreeg niets. Vanaf het moment dat ze om haar geld had gevraagd, kwam hij haar weer opzoeken. Het was heel vervelend dat Cor zijn miljoen boete niet had betaald, vertelde hij, want het probleem was daardoor niet weg. Hij moet gewoon betalen, was de boodschap steeds.

Sonja zei tegen Wim dat hij dat tegen Cor moest zeggen,

maar dat deed Wim niet. Hij zag Cor niet meer. Zij moest het hem maar zeggen; het was haar man, en dus haar probleem.

Maar dat durfde Sonja niet. De vorige keer dat ze suggereerde dat Cor misschien beter kon betalen, ontstak hij in woede. Ze wist dat Cor nooit zou betalen.

Toen Wim later bij Sonja aan de deur kwam, had hij een oplossing voor het probleem bedacht. Als Cor niet wilde betalen, dan moest Sonja zijn deel van de boete maar betalen. Hij zou het wel verrekenen met het geld dat ze aan hem in bewaring had gegeven. Hij bracht die boodschap over alsof hij Sonja zojuist een enorme dienst had bewezen.

Sonja was haar gespaarde centjes kwijt. Even dacht ze: nee, dat wil ik niet, maar onmiddellijk daarop was ze blij dat ze het leven van haar man en kinderen had kunnen redden.

Het was maar geld.

Inmiddels was het conflict met Mieremet en Klepper een ruzie tussen Cor en Wim geworden. Wim wilde breken met Cor, ook financieel. Hun belangen moesten verdeeld worden. Hij was het zat dat Cor zoveel problemen had veroorzaakt met zijn gezuip, en wilde alleen verder.

'Hij laat mij gewoon vallen, Assie. Wat een viezerik,' zei Cor. 'Alles hebben we samen meegemaakt en hij laat me gewoon als een baksteen vallen. Ik heb hem grootgemaakt, overal mee naartoe op sleeptouw genomen. Wat hij heeft, heeft hij door mij en als het een beetje tegenzit, rent hij snel weg. Dat kan hij toch niet menen?'

Maar Wim meende het wel, en bleef aandringen op een scheiding en deling van het vermogen dat Cor en hij, met behulp van Robbie Grifhorst, dankzij het ontbrekende Heineken-losgeld hadden opgebouwd. Uiteindelijk ging Cor akkoord. 'Pak maar wat je pakken wil,' had hij tegen Wim gezegd. Wim schoof de vermogende vastgoedbaron Willem Endstra naar voren, en zo konden ze financieel uit elkaar. Wim nam de gokhallen en de seksclub in de Roompotstraat, Cor de Achterdam.

In oktober 1996 was de scheiding en deling een feit.

Vanaf dat moment werden de contacten tussen Wim en het kamp-Mieremet steeds openlijker. Volgens Wim werd hij gedwongen zich bij Mieremet en Klepper aan te sluiten, om het conflict met Cor te kunnen overleven.

Cor zei: 'Hij is een verrader, een judas. Hij zit nu bij Mieremet en Klepper op schoot.'

Ik kon op dat moment nog niet geloven dat Wim zich uit eigen vrije wil had aangesloten bij het kamp dat mijn zwager, mijn zusje en mijn neefje had willen vermoorden.

'Luister As, niemand kan je dwingen de kant te kiezen van mensen die jouw familie willen vermoorden,' zei Cor en hij had gelijk. Wim werd niet gedwongen om met Mieremet om te gaan. Hij koos daar zelf voor.

Ik schaamde me voor de keuze van Wim, vond het zwak, maar wilde nog steeds geloven dat hij dat deed om ons te behoeden voor een bloedbad.

Maar dat geloof werd meer en meer aangetast door de feiten.

Het was ergens begin 1997 dat Wim samen met Mieremet mijn kantoor in de Tijl Uilenspiegelstraat in Bos en Lommer binnenstapte. Het was een zondagochtend en ik was alleen in het pand.

'Daar,' wees Wim naar een van de kantoortelefoons. Zonder zichzelf even voor te stellen, liep Mieremet ernaartoe en begon te bellen.

'Wat doe je nou, Wim?' vroeg ik. 'Kun je dat niet even vragen?'

Hij gaf geen antwoord, hij en Mieremet lachten, spraken

even met elkaar alsof ik er niet bij was, en liepen de deur weer uit. Ze leken goed op elkaar ingespeeld.

Ik was woest, want ik wist direct dat ik gebruikt werd, dat mijn broer misbruik maakte van mijn geheimhouderspositie. Mijn broer wilde duidelijk indruk maken op Mieremet. Niet uit angst, maar om zich in te likken. Net als die keer niet lang daarna, dat hij werk voor me had en me meenam naar een cafeetje op de hoek, waar Mieremet al zat te wachten.

Mieremet had behoefte aan een advocaat die dingen voor hem regelde, en Wim had laten weten dat hij in zijn behoefte kon voorzien. Zijn zusje was immers advocaat! Mieremet was geïnteresseerd en had mij ontboden.

Hij begon te vertellen wat advocaten allemaal voor hem deden, zoals dingen meenemen die hij in de gevangenis wilde hebben, boodschappen over brengen, informatie verstrekken over andere klanten en dossiers in laten zien – en dat ik voor hem kon werken.

Ik voelde dat ik in een kritieke situatie was gebracht door mijn broer. Hij dwong mij te kiezen tussen onderwereld en bovenwereld. Maar had ik een keuze?

Tegenover mij zat een gevaarlijke gek en naast hem zat mijn broer, die zijn hielen likte. Ik wilde weigeren, maar durfde eigenlijk niet. Tegelijkertijd wist ik dat als ik 'ja' zou zeggen, ik geen leven meer had. Dan zou ik hun bezit zijn, ingezet worden voor hun praktijken, chantabel zijn en geen kant meer op kunnen. Weg met de onafhankelijkheid waar ik al die jaren naar had gestreefd.

Daar had ik helemaal geen zin in.

Hoe bang ik ook was, ik moest de moed opbrengen om te weigeren. Op weg naar het café had Wim nog gezegd dat ik goed moest overkomen: dat moest ik nu dus in ieder geval niet doen. Ik moest mezelf zo zwak presenteren dat Mieremet er geen heil in zou zien. Glazig keek ik hem aan, en verzon dat ik alleen bijstandszaken deed, dat ik, behalve om mijn broer te bezoeken, nooit een gevangenis van binnen had gezien. Ik maakte gewag van allerlei regels die golden voor advocaten, die je niet mocht doorbreken, en liet blijken dat ik erg regeltrouw was, dat er al heel erg op me gelet werd door justitie, dat ze me niet eens hadden willen beëdigen en dat ik meer risico dan resultaat zou opleveren.

Mieremet keek teleurgesteld naar Wim. Dit zeikerige wijf was zeker niet het type advocaat dat hij zocht.

Ik was er vanaf.

Wim liep mee terug naar mijn kantoor. Hij was boos op mij, want via mij had hij zicht op alle praktijken van Mieremet kunnen hebben. Ik hield me van de domme en ging niet met hem in discussie, wetende dat het hem alleen maar bozer zou maken. Inwendig kookte ik omdat hij mij aan deze gek had willen uitleveren, maar echt woest was ik dat er zonneklaar uit bleek dat hij koos voor contact met de dader die zijn zwager, zusje en neefje had beschoten. Ik was verbaasd over de schaamteloosheid waarmee hij dacht dat ik voor zo iemand ook maar iets zou willen regelen.

Maar hij bleef doen alsof het de normaalste zaak van de wereld was.

Weer een tijdje later belde hij aan. 'Loop even mee naar mijn auto.' Hij was net terug uit het buitenland, vertelde hij, hij had een paar horloges gekocht. Hij opende de kofferbak en haalde er een mooi doosje uit. 'Hier, neem jij deze maar,' en hij gaf me een wit gouden horloge van Chopard. Ik was verbaasd. Afgezien van een marionet en die honderd gulden in de tijd dat hij Heineken had ontvoerd, had hij me nooit wat gegeven, behalve ellende.

Hij had het horloge ook niet speciaal voor mij gekocht,

maar voor een vriendinnetje dat het niet wilde hebben omdat ze het niet mooi vond, en omdat hij het in het buitenland had gekocht kon hij het niet eventjes terugbrengen. In de kofferbak stonden nog twee dozen. Uit het opschrift bleek dat het ook horloges waren. Hij zag dat ik ernaar keek.

'Voor Klepper en Mieremet,' zei hij. De Klepper en Mieremet waar hij zogenaamd gedwongen contact mee had.

Begreep hij nou echt niet dat ik dit niet trok? Mijn maag draaide zich van walging om. Voor mij waren het alleen maar bewijzen dat hij vrijwillig naar het kamp van Mieremet was overgelopen. Dacht hij nou echt dat ik dat normaal vond?

Ik schaamde me dood voor hem, voor mijn eigen broer. Maar Wim zat er totaal niet mee. Hij ging niet meer naar buitensporige etentjes met Cor, hij dineerde nu met Endstra en Mieremet bij Le Garage. Hij kwam niet meer op de verjaardag van Francis, maar ging naar de verjaardag van Kelly, de dochter van Mieremet, en nam Maike mee. Hij speelde niet meer met Richie maar met Barry, het zoontje van Mieremet, die even oud was als Richie. Hij ging niet meer naar de verjaardag van Sonja, maar vierde de verjaardag van Ria, de vrouw van Mieremet. Op haar vijfendertigste verjaardag stond een bootreis op het programma. Wim nam Endstra mee.

Wim had een nieuwe familie.

Wij zagen hem, zoals altijd, alleen als hij ons kon gebruiken.

Cannes (1997)

Ruim een jaar na de aanslag in de Deurloostraat waren we op vakantie in Cannes: Cor, Sonja, de kinderen en ik. Ik kwam vanwege mijn werk een aantal dagen later en werd gelijk door Sonja apart genomen.

'Weet je wie hier ook is?' zei ze zenuwachtig.

'Nee, wie dan?'

'Mieremet! Met zijn vrouw en kinderen.'

'Dat meen je niet!'

'Ja, echt.'

'En nu? Wat zegt Cor?'

'Cor zegt dat we gewoon moeten doen, dat we niets mogen laten merken.'

'Oké,' zei ik, 'maar dat zal niet makkelijk worden.'

'Het moet, zegt Cor, dus gewoon doen,' drong Sonja aan.

'Ja, natuurlijk.'

We hadden met zijn allen ontbeten en Cor en ik zaten met zijn tweeën als laatste nog aan de ontbijttafel met uitzicht op het strand. We keken toe hoe Mieremet, zijn vrouw en haar zuster op een bedje op het strand gingen liggen.

Cor schudde zijn hoofd: 'Dat zijn nou zijn vrienden. Hoe kan het, As? Het is echt vies wat hij doet. Rich had wel dood kunnen zijn.'

Ik knikte.

'Hij is een judas,' zei hij. 'God behoede me voor mijn vijanden, mijn vrienden hou ik zelf wel in de gaten. Maar ik heb niks in de gaten gehad. Dat neem ik mezelf nog het meeste kwalijk.'

'Wij allemaal niet, Cor,' zei ik.

'Maar doe maar normaal tegen ze en blijf luisteren.'

Sonja liep ook op het strand, en we zagen dat ze aangesproken werd door de vrouw van Mieremet en vriendelijk lachte en knikte.

'Boxer kan dat wel,' zei Cor.

'Ja,' zei ik, 'Boxer wel.'

Sonja kwam naar onze tafel lopen. 'Ze vraagt of we morgen naar haar huis komen! Is die gek ofzo?'

'Wat heb je gezegd?' vroeg Cor.

'Ik heb gezegd: "Is goed". Wat moest ik anders, ik moet van jou toch normaal doen?'

'Goed gedaan, Boxer. Hou je ogen en je oren open. Assie, jij gaat mee. En normaal doen.'

De volgende dag reden we van ons hotel richting het huis van de man die Cor, Sonja en Richie in de auto had willen laten vermoorden. Nu zaten Sonja en Richie weer in de auto. Ik keek Sonja aan. De kinderen zaten achterin. Wat zou ons te wachten staan? Was dit zogenaamd vriendelijk bedoeld, om te doen alsof er niets aan de hand was, of zouden ze ons te grazen nemen?

'Dit is toch niet normaal, As, wat we nu doen?' zei Sonja.

'Nee, dit is niet normaal. Maar stil maar, voor de kinderen. Anders reageren ze straks verkeerd, en dan weet je niet hoe het loopt.'

De rest van de rit deden we voor de kinderen alsof we een gezellig uitje tegemoet gingen. We lachten en dolden, maar meer van de zenuwen dan van de lol.

Na een rit van een halfuur naderden we een huis met daarvoor een poort die openging op het moment dat we dichterbij kwamen.

'Het lijkt wel een spookhuis,' giechelde Sonja nerveus.

De vrouw van Mieremet ontving ons hartelijk. We liepen door de tuin naar het zwembad, en daar zat hij de krant te lezen, een ielig mannetje met krullen en een rond brilletje. Het is net als met Napoleon: het zijn altijd de kleine mannetjes die de grootste ellende veroorzaken, om hun lengte te compenseren.

'Hallo!' riep hij naar de overkant van het zwembad, waar wij stonden.

'Hallo,' zeiden Sonja en ik in koor. Pffft, die spanning was eraf. Het leek erop dat er niets te gebeuren stond.

'Mag ik zwemmen?' vroeg Richie vrolijk aan Mieremet.

'Ja hoor, ga maar lekker zwemmen,' zei de man die dit kind bijna had vermoord.

Ik kon het tafereel dat zich voor mijn ogen afspeelde bijna niet bevatten. Sonja zag mij staren en gaf me een por in mijn zij.

'Of je koffie wilt?' vroeg ze, maar haar ogen zeiden dat ik gewoon moest blijven doen!

'Ja, graag,' zei ik zo normaal mogelijk.

Richie sprong vrolijk in het water, de kinderen van de man bij het zwembad ook. Ze hadden plezier. Sonja en ik deden aardig. We lieten vooral niet merken dat we wisten hoe het zat, want kennis kan fataal zijn. Je kunt beter niets weten.

Na een aantal uur toneelspelen, vertrokken we weer. We waren gesloopt.

In het hotel vroeg Cor gelijk: 'En, nog iets gehoord of gezien?'

'Nee,' zei Sonja, 'ze doen net alsof ze gek zijn, en wij ook.'

Leven na de aanslag (1996/1997)

Cor kwam van België terug naar Nederland en betrok een vrijstaand huis in Vijfhuizen, met tennisbaan, jacuzzi in de buitenlucht en een schuur ingericht als clubhuis, die Cor het 'Praathuis' noemde. Er stond een pooltafel, een enorm scherm waarop de hele dag de paardenkoersen en alle andere sporten waar Cor op kon wedden werden gevolgd en meerdere ijskasten gevuld met drank.

Elke dag kwamen zijn familie, vrienden en zakenrelaties bij Cor de gezelligheid opzoeken. Er werd weer uitbundig geleefd. In de ochtend tennissen, in de middag poolen, tussendoor zakendoen en de rest van de dag gokken en veel zuipen. Hij hoefde niet meer naar de kroeg. Hij had zijn eigen kroeg.

Sinds de aanslag meed hij Amsterdam en alle vaste locaties waarvan bekend was dat hij daar weleens kwam. Hij probeerde het leven weer op te pakken waar het die dag in de Deurloostraat was geëindigd.

Maar het leven was niet meer hetzelfde.

Constant was er de zorg dat er nog een aanslag zou volgen, nu het de vorige keer niet gelukt was. Hij hield er rekening mee waar, wanneer en hoe een schutter op zou kunnen duiken en trof onalledaagse maatregelen: rijden in een gepantserde auto, een chauffeur die hem op de gewenste plek af kon zetten en op kon halen zodat hij niet nodeloos lang over straat moest lopen, geen vaste patronen, nooit te lang op eenzelfde plek,

geen afspraken maken van tevoren, zo veel mogelijk gescheiden van de kinderen reizen, onder de auto laten kijken: het
hoorde allemaal bij het leven na de aanslag.

Samen zijn met Sonja en de kinderen was niet langer vanzelfsprekend. Cors aanwezigheid was een risico voor hen geworden. Samen in een huis wonen vond Sonja onverantwoord.
Dus woonde zij in Amstelveen en Cor in Vijfhuizen met zijn
gevolg, een aantal vrienden die allemaal bijdroegen aan zijn
verzorging. De een deed dienst als zijn chauffeur, de ander
deed de boodschappen en kookte, en weer een ander deed de
tuin, terwijl Cor in het 'Praathuis' zat, dronk, gokte en zaken
deed.

Sonja en de kinderen waren overdag vaak bij hem en hij
sliep regelmatig, maar zonder vast patroon, bij Sonja en de
kinderen.

Zoals die nacht op 6 oktober 1997, toen Sonja en Cor lagen te
slapen, met Richie zoals altijd tussen hen in, en ze om vijf uur
's morgens werden gewekt door een enorme knal: de voordeur
werd eruit geslagen.

'Politie, politie!' werd er geschreeuwd. Binnen een fractie
van een seconde werd Cor door een arrestatieteam het bed uit
getrokken en kreeg een zak over zijn hoofd.

'Nee, nee, je mag geen zak over zijn hoofd doen, want dan
stikt hij. Mama, papa stikt!' schreeuwde kleine Richie toen hij
dat zag. Hij had dat net geleerd van zijn moeder en raakte in
paniek toen hij zag dat iemand dat bij zijn vader deed. Hij had
natuurlijk geen idee dat het een middel was om zijn vader het
zicht te ontnemen en zo verzet onmogelijk te maken. Hij was
vier.

'Jullie moeten naar beneden, op de bank zitten en daar niet
vanaf komen,' werd Sonja gesommeerd.

Ze nam Francis en Richie mee naar beneden en ging op de bank zitten. Ze mochten nergens aankomen en niet bellen.

'Heeft u nog ergens geld of wapens?' vroeg een van de rechercheurs.

'Nee,' zei Sonja.

'Ja wel hoor!' riep Richie. Hij sprong op van de bank, liep naar de kast en trok een stapel geld tussen de kleding vandaan. 'Dat is van papa!' zei hij toen de rechercheur het meenam.

Rond hetzelfde tijdstip dat bij Sonja de voordeur eruit werd geramd, ging bij mij de telefoon.

'U spreekt met rechter-commissaris J.M. Wij zijn hier momenteel bij uw broer Willem en wij kunnen zijn advocaat, Bram Moszkowicz niet bereiken, en nu vroeg hij of wij u wilden bellen, om hem bij te staan.'

'Hè, nu?' vroeg ik verbaasd.

'Ja, graag zo snel mogelijk. We kunnen niet lang wachten,' antwoordde hij.

'Oké, ik kom eraan,' zei ik en werd boos. Lekker dan. Ging hij mij laten bellen, terwijl ik mijn best deed om niet met hem geassocieerd te worden. Nu zag iedereen op de rechtbank me als zijn consigliere, daar kon je vergif op innemen.

Wat een verschutting.

Toevallig kende ik rechter-commissaris J.M. ook nog, kort daarvoor had ik een voorgeleiding bij hem gedaan. Wat een ellende. Mijn naam was verpest, maar weigeren durfde ik het Wim ook niet. Waarom kon hij mijn leven, mijn eigen wereld, nooit eens respecteren?

Ik reed zwaar geïrriteerd naar Wims appartement aan de Van Leijenberghlaan. Daar aangekomen maakte ik kenbaar wie ik was en werd binnengelaten. De rechter-commissaris was bezig in de woonkamer en keek op toen ik binnenkwam. Daar stond ik dan, het zusje van Holleeder dat direct kwam opdraven zodra haar grote broer dat wenste. Nu dachten ze zeker dat ik de advocaat van de onderwereld was, die in de bovenwereld wilde infiltreren.

Wim stond midden in de kamer. Maike was er ook, het was een gênante situatie. Ik wilde werk en privé altijd gescheiden houden, en nu deed ik mijn werk in een privésituatie. Maar de rechter-commissaris deed alsof er niets aan de hand was, en gedroeg zich professioneel. 'Uw broer wordt verdacht van witwassen en deelname aan een criminele organisatie die handelt in hasj—'

'Hij bedoelt Cor!' schreeuwde Wim erdoorheen en ik dacht: hoe kun je dat zeggen waar justitie bij is? Dat ze uit elkaar waren, betekende toch nog niet dat hij loyaler was aan justitie dan aan Cor?

'U mag meekijken, maar zich nergens mee bemoeien,' vervolgde de rechter-commissaris, alsof hij van de opmerking van Wim niets mee had gekregen.

'Akkoord,' zei ik en dacht: Cor is ook verdachte, dus ze zijn ook bij Sonja. Hoe zou het daar zijn? Met haar, met de kinderen, met Cor? Ik keek toe hoe de woning volgens de regels werd doorzocht.

'Heeft u ook een auto?' vroeg de rechter-commissaris aan Wim.

'Ja, die staat beneden,' antwoordde Wim.

'Mogen wij de sleutels, want we willen de auto ook graag doorzoeken.'

Wim gaf de sleutels en zei tegen mij: 'Ga mee naar beneden. Hou ze in de gaten.'

Ik liep naar de auto die beneden op straat geparkeerd stond. Ze openden de kofferbak en pakten er een ingebonden drukwerk uit. Het was een rapport van de gemeente Amsterdam over de plannen met de Wallen.

Ik schrok. Het was niet handig dat dit bij hem werd gevonden, gelet op de geruchten die er altijd al over zijn participatie in de Wallen waren. Dit zou weleens de bevestiging kunnen zijn. Eenmaal weer boven werd de doorzoeking afgerond. Nadat het hele gezelschap was vertrokken, bleef ik met Wim en Maike achter.

'Het komt allemaal door die dikke hond, omdat hij zo nodig in de hasj moest,' zei Wim geïrriteerd. 'Ik heb alleen maar ellende van die man. Dacht ik van hem af te zijn, krijg ik nog ellende.'

Het stoorde me hoe hij Cor ten overstaan van Maike zo naar beneden haalde, alsof hij zelf zo'n heilig boontje was. Dat hij tegenwoordig met vastgoedhandelaren omging, betekende nog niet dat hij een nette burger was geworden en een leven in de legaliteit leefde. Hij ging nog steeds met de grootse drugshandelaren van Nederland om, of die nou Cor van Hout heetten of Mieremet en Klepper. Wat was het verschil?

Nog geïrriteerder dan op de heenrit reed ik bij hem weg, direct naar Sonja toe.

Aanbellen was niet nodig, want er zat geen voordeur meer in het huis.

Binnen was het een ravage en ze was bezig de troep op te ruimen. Richie rende gelijk op me af.

'Assie, Assie, de politie heeft papa meegenomen!'

'Is dat zo, jongen?' vroeg ik.

Over zijn hoofd heen zei ik tegen Sonja: 'Ik kom net bij Wim vandaan, daar zijn ze ook geweest.'

'Waar is Wim?' vroeg Sonja.

'Gewoon thuis, hij hoefde niet mee.'

Francis kwam naar me toelopen en we omhelsden elkaar. 'Hoe is het met jou, lieverd?' vroeg ik. Ze zag lijkbleek. Haar wangen waren betraand.

'O Assie, ik ben zo geschrokken. Ik hoorde beneden een knal en gestommel. Op hetzelfde moment hoorde ik mensen over het dak rennen. Ik dacht dat ze ons van alle kanten aanvielen, en dat ze ons dood kwamen maken, dat het weer een aanslag was. Ik probeerde me in de kast te verstoppen, maar er waren al twee gemaskerde mannen bij me boven die wapens op mij richtten. Toen pas hoorde ik dat het politie was. Ik moest op mijn bed blijven zitten, maar ik kon alleen maar huilen. Ik schreeuwde dat ik naar papa en mama wilde. Toen ben ik naar beneden gerend. Ze hadden papa een zak over zijn hoofd gedaan, mama was aan het gillen, Richie huilde en stond naast het bed, hij trilde over zijn hele lichaam.'

Ik drukte haar dicht tegen me aan om haar kalm te krijgen. Ze is de tweede generatie die door een inval getraumatiseerd is, er is niets ergers dan overvallen worden in je slaap, en ze zal – net als ik na de inval in verband met de Heineken-ontvoering – altijd alert blijven 's nachts.

'Ben je boos op papa, dat dit is gebeurd?'

'Nee,' zei ze, 'ik vond het zielig om hem zo te zien, met die zak over zijn hoofd. Hij mocht alleen een T-shirt aantrekken, en ze namen hem mee in zijn onderbroek. Ze trokken hem alle kanten op, schreeuwden tegen hem. En hij zei alleen maar: "Ik werk mee, doe rustig!" Het was zo erg om te zien.'

'Maar ik heb wel heel veel geluk gehad!' ging ze optimistisch verder, 'mijn vriendinnetje zou eigenlijk blijven slapen, maar die heeft op het laatste moment afgezegd. Kun je je voorstellen hoe zij geschrokken zou zijn als ze dit had meegemaakt?'

'Dat is zeker geluk hebben,' antwoordde ik. 'Dat kind had anders een trauma voor het leven gehad.'

'Misschien hadden ze me wel van school gestuurd,' zei Francis.

Arme Francis, veertien jaar was ze, een puber die niet uit de toon wilde vallen op school, die een zo normaal mogelijk leven probeerde te leiden, maar een vader had die de gekte mee naar huis nam, en ze kon het hem niet eens kwalijk nemen.

'Heb je Bram Moszkowicz al gebeld?' vroeg ik aan Sonja.

'Ja, hij gaat zo snel mogelijk naar het politiebureau.'

Cor kwam vast te zitten voor een onderzoek – City Peak geheten – dat was gestart naar het verdwenen Heineken-losgeld, maar dat werd omgebogen naar drugshandel en wapenbezit. Voor Sonja en de kinderen brak er weer een tijd aan van gevangenisbezoeken.

Cor maakte ook in dit geval 'van elke narigheid een kleinigheid'. Sonja kocht voorafgaand aan elk bezoek twee flesjes babyshampoo, gooide de zeep eruit, spoelde ze schoon, vulde ze met Bacardi, stopte ze onder haar oksels en smokkelde zo de alcohol mee naar binnen. Dat had ze tijdens zijn vorige detentie ook voor hem gedaan, maar dan in pakken melk, die ze aan de bewaarders buiten afgaf.

Cor kwam zo zijn tijd wel door.

Tijdens het onderzoek werd bekend dat de eerste aanslag op video was vastgelegd. Justitie zelf had alles gefilmd, maar de beelden achtergehouden.

'Het is toch niet te geloven. Ze laten me steeds terugkomen voor een compositietekening, terwijl ze de dader op beeld hebben,' zei Sonja.

Volgens justitie zou het openbaar maken van de beelden het onderzoek naar Cor van Hout doorkruisen. Dat onderzoek naar diens betrokkenheid bij hasjhandel was dus belangrijker dan het oplossen van de poging tot moord op hem en zijn gezin. Cor en Sonja startten een kort geding voor afgifte van de band en Cor loofde publiekelijk een beloning uit, voor tips over de dader.

Maar ook het Hof wilde er niet aan, het tonen van de beelden zou de privacy doorkruisen van de mensen bij wie op verzoek van de politie een camera in huis hing.

'Ik ben niet geïnteresseerd waar die camera heeft gestaan. Ik wil alleen zijn gezicht zien. Al tonen ze me alleen maar een fotootje, zodat ik kan zien wie het was,' wierp Cor tegen.

Maar nee, hij en Sonja mochten niet zien wie er op hen geschoten had.

'Zo gaat dat, Assie, ze hebben liever dat wij elkaar afschieten,' zei Cor door de telefoon, om me te bedanken dat ik het kort geding had bijgewoond om hen moreel te steunen.

Cor werd uiteindelijk veroordeeld tot vierenhalf jaar gevangenisstraf, maar eind 1999 zou hij alweer vrijkomen. Hij had een deal gesloten met officier van justitie Fred Teeven.

'Cor vraagt of je op bezoek komt,' zei Sonja.

'Is goed, ik ga de volgende keer wel met je mee,' antwoordde ik.

'Nee,' zei ze, 'hij vraagt of je als advocaat komt. Hij wil iets met je bespreken.'

Nooit eerder was ik bij Cor op bezoek geweest in mijn hoedanigheid van advocaat. Sinds Wim mij voor die huiszoeking had laten opdraven, was mijn poging om werk en privé gescheiden te houden al mislukt. Ik had de illusie laten varen dat ik ooit nog los van mijn familie bekeken werd. Ik hield de regels die golden voor de advocatuur strikt in acht, en verder moest men maar over mij denken wat men wilde. Cor vroeg mij nooit iets, dus het moest wel belangrijk zijn. Daarom ging ik.

Hij zat destijds in de Glasbak in Zwaag. Ik ontmoette Cor in de advocatenkamer. We zaten tegenover elkaar, hoofden tegen elkaar aan, en fluisterden.

'Ik heb een deal gesloten. Ik ben erin geluisd, Assie, op

meerdere fronten en ik weet hoe dat gegaan is. Ik wil dat jij weet hoe het zit. Maar je mag er niet over praten, je hebt een geheimhoudingsplicht, je bent advocaat.'

'Doe niet zo raar. Ik heb nog nooit wat verteld. Ik heb mijn hele leven al geheimhoudingsplicht.'

'Dat weet ik, daar gaat het ook niet om,' zei Cor, 'het gaat erom dat je je altijd naar justitie toe officieel op je geheimhoudingsplicht kunt beroepen.'

'Oké, helder,' antwoordde ik en Cor begon te vertellen.

Na ons gesprek gaf ik hem een dikke kus.

'Ik ben snel weer thuis, Assie, zie je gauw.'

'En?' vroeg Sonja. 'Waar wilde hij je over spreken?'

'Dat kan ik niet zeggen, Son. Dat valt onder mijn geheimhoudingsplicht,' antwoordde ik.

'Ach, doe niet zo gek. Je kunt het mij toch wel vertellen?'

'Nee,' antwoordde ik, 'dat kan niet.'

'Doe niet zo flauw, As. Het gaat om mijn man.'

'Dat weet ik, maar zelfs dan kan ik mijn geheimhouding niet schenden.'

Nadat Cor vast kwam te zitten, kwam Wim weer ongehinderd bij Sonja aan de deur, want Wim bleef vrij.

Na het mislukken van de aanslag was het te verwachten dat Cor wraak wilde nemen. Cor was zich in de periode na de eerste aanslag aan het bewapenen, hij had inmiddels een redelijk wapenarsenaal aangelegd en een ondergrondse, geluiddichte kelder laten bouwen waar hij met een select clubje schietoefeningen deed.

Toen Wim daarachter kwam moest dat gevaar uiteraard afgewend worden en hij en zijn vrienden lieten de informatie bij de Petten terechtkomen. Via iemand in de groep van Cor waren ze tevens aan de weet gekomen dat hij met drugs bezig was en ook die informatie werd strategisch gelekt.

Wim ving twee vliegen in een klap: de aandacht werd afgeleid van zijn investeringen met het Heineken-losgeld en zijn tegenstander werd ontwapend.

Typisch Wim: kon hij je niet opruimen met de kogel, dan deed hij dat via justitie.

Sonja zat niet meer te wachten op bezoekjes van Wim. Lang had ze gehoopt dat Cor ongelijk had met zijn bewering dat Wim was overgelopen. Maar daar was geen ontkennen meer aan. Regelmatig hoorde ze van derden hoe hij gezellig feestvierde met Klepper en Mieremet. Wim bleef ontkennen dat hij close was met de vijand maar tegelijkertijd was hij zo schaamteloos om Sonja regelmatig te vragen videobanden mee te nemen voor Mieremets zoon Barry.

Van Cor moest ze Wim laten komen en naar hem luisteren.

Cor zat al enige tijd vast, toen Sonja bij hem op bezoek ging. Na haar bezoek aan hem, kwam ze naar mij.

'Raad eens?' zei ze zodra ze me zag.

'Wat?'

'Cor wilde de Achterdam verkopen, maar de koper is gewaarschuwd, hij heeft bezoek gehad van Mieremet, Klepper en wie denk je nog meer?' vroeg ze, om de spanning wat op te voeren.

'Weet ik niet?' zei ik.

'Wim!' riep ze. 'Hij liet Klepper even vertellen dat de Achterdam van hen was en dat hij er vanaf moest blijven. Toen die man Klepper uitliet, zag hij Wim heel schijnheilig achter een boom wegduiken. Maar te laat, hij had hem al gezien. Hoe vind je dat?'

'Bizar,' zei ik, 'en wat nu?'

'Nu wil die man het niet kopen. Maar dat is niet belangrijk, zegt Cor. Het gaat erom dat Wim ermee laat zien waar het hem allemaal om te doen is. Hij wil hebben wat van Cor is.'

'Dat pikt Cor toch niet?'

'Dat denk ik ook niet. Ik ben blij dat Cor nog even vastzit. Dit kan nooit goed gaan.'

Maar dat was niet de enige reden om met spanning uit te zien naar het moment dat Cor vrij zou komen...

Rob

Na een jaar bij Bob Meijer aan de Willem Pijperstaat kantoor te hebben gehouden, merkte ik dat mijn achternaam een belemmering was in het uitoefenen van mijn vak.

'Bent u familie van de Heineken-ontvoerders?' vroegen brave burgers mij altijd weer met de angst in hun stem dat ik 'ja' zou zeggen en ze met een zus van een Heineken-ontvoerder als advocaat opgescheept zaten.

Ik wilde er nooit om liegen en antwoordde altijd: 'Ja, dat is mijn oudste broer.'

Elke keer weer was het een schok voor mensen, en altijd weer was de reactie: hoe kan dat nou? Hij crimineel en jij advocaat? Staan we niet met 1-0 achter als we met jou bij de rechtbank komen?

Gelukkig had ik met cliënten met problemen op het persoonlijke vlak vaak veelal zo'n goed contact, dat tegen de tijd dat ze de vraag durfden te stellen, ze toch wel bleven. Maar met bedrijven was dat anders.

Ik had mij gespecialiseerd in Duits ondernemingsrecht, juist vanuit de wens mij van mijn familie los te maken, om ver weg te blijven van de misdaad, om niet als een Holleeder te worden gezien. Maar bedrijven denken aan hun imago en zitten niet te wachten op een link met een Heineken-ontvoerder.

Ik deed noodgedwongen veel familierecht en – wat ik altijd had willen vermijden – strafzaken.

Maar in het contact met strafrechtcliënten bleek mijn achternaam echter een groot voordeel. Als alleenstaande moeder met een kindermond te voeden, koos ik eieren voor mijn geld: dan maar weer een stapje richting mijn familie.

De naam Holleeder trok als een magneet nieuwe cliënten aan: 'Ben jij echt de zus van Willem Holleeder? Wauw, wat geweldig, hij is mijn idool.'

Het imago dat Wim met name onder zijn wat lichtere collega's had, straalde positief op mij af. Ik had nog nooit meegemaakt dat mijn achternaam niet tegen, maar voor me werkte. Het voelde een beetje hypocriet om me voor te laten staan op een daad die ik afkeurde, maar ik praatte het goed door tegen mezelf te zeggen dat ik toch écht had geprobeerd om het anders te doen. Ik had weinig keus als ik mijn brood wilde verdienen, vond ik, en liet het me maar aanleunen. Bovendien voelde ik me ook wel verwant met dit segment van de juridische markt. Ze hadden allemaal wel een keer een inval van justitie meegemaakt, waren allemaal wel een keer gewelddadig op de grond gesmeten, hadden een voet in hun nek gehad en hadden in de cel gezeten, in bange afwachting van wat er ging gebeuren – net als ik.

Ik had al snel een band met ze, net als met hun families. Ik was zelf familie van een crimineel, dus ik kon hun emoties volledig invoelen. De natuurlijke empathie die ik voor mijn cliënten voelde, zorgde ervoor dat zij mij aanbevolen bij hun collega's. 'Haar moet je hebben. Zij snapt het tenminste.'

Wat een ironie: via mijn studie wilde ik aan mijn eigen wereld ontsnappen, inclusief de criminele component die daaraan vastzat, maar dat bleek een kansloze missie.

Maar ik had niet voor niets jaren gestudeerd en mezelf zoveel ontzegd. Er moest brood op de plank komen, en dat lukte. Ik kreeg veel werk in het strafrecht.

Het leek me beter voor mijn toekomst om in een wat breder verband te gaan samenwerken met andere strafrechtadvocaten en Wim regelde een plek voor me bij Vincent Kraal.

Kraal was nog steeds de advocaat van Jan Boellaard, een van de Heineken-ontvoerders, die opnieuw in detentie zat voor het doodschieten van een douanier toen hij betrapt werd bij een drugsdeal. Ik voelde me er op mijn plek. Ik hoefde me er in ieder geval niet te schamen voor mijn afkomst.

Bij Kraal werkte ook Rob.

Rob had zijn hele werkzame leven bij de politie gezeten, en was geëindigd als leider van het infiltratieteam. Na een confrontatie met de leiding was hij vertrokken, studeerde rechten en werd advocaat. Vanuit zijn vak had hij zowel een fascinatie als een natuurlijke minachting voor normloos tuig.

'Het trapje van de Warmoesstraat, noemden we dat. Dan hadden we een arrestant geboeid, en kreeg hij een zetje. Dan viel hij plat op zijn gezicht. Zo ging dat vroeger,' vertelde hij.

Sinds het conflict met zijn superieuren voelde hij zich benadeeld door zijn collega's bij het opsporingsapparaat. Ik voelde me om andere redenen ook door hen benadeeld en daarin konden we elkaar goed vinden, ook al kwamen we uit twee tegenovergestelde werelden.

Rob deed het goed als advocaat. Hij had een autoritaire uitstraling, en sprak met minachting over de club waartoe hij had behoord. Het was precies wat criminelen wilden horen.

Toen Cor en Thomas van der Bijl gearresteerd werden voor de City Peak-zaak, heb ik Thomas geadviseerd Rob als advocaat te nemen.

Behalve twintig jaar ouder en bezet was Rob alles wat Jaap niet was. Hij vond niet alles burgerlijk, hij wás burgerlijk. Rob vond kunst en cultuur allemaal flauwekul. Hij was allesbehalve filosofisch ingesteld, hield niet van kennis of wijsheid, hij hield wel van voetballen op zaterdag en daarna gezellig bier drinken en dronken worden met zijn teamgenoten in de kantine.

Hij had zich nooit verzet tegen regels en conventies die de samenleving voor hem had bepaald, maar had als oud-politieman een leven lang die regels geëerbiedigd en anderen gedwongen die na te leven.

Rob was geen bon vivant zoals Jaap, maar degelijk en een tikkeltje ouderwets. Wat een verademing! Hij was na mijn ervaring met Jaap-de-kunstenmaker precies wat ik zocht.

Rob zat in een midlifecrisis en ik verkeerde eigenlijk mijn hele leven al in een crisis, dus we kregen een verhouding. En die verhouding werd een relatie. Rob kwam bij mij wonen en eenmaal in mijn huis bleek hij nog traditioneler dan hij zich aanvankelijk al had voorgedaan.

Hij wilde een vrouw die elke avond om zes uur het eten op tafel zette. Ik had dat in het verleden altijd geweigerd, maar als ik het dit keer anders wilde doen moest ik me ook een beetje aanpassen. Dus kookte ik elke avond een Hollandse warme maaltijd; aardappelen, vlees en verse groenten. Vooruit, als ik hem daarmee een plezier kon doen was ik ook de beroerdste niet. Dat hij in al die tijd nog niet één pan aanraakte, omdat hij 'niet kon koken', nam ik voor lief.

Rob kwam in een familie terecht die letterlijk altijd aanwezig was, maar waarin de partner die 'aan was komen waaien' overal buiten werd gehouden. Drie keer per week, van vrijdag tot en met zondag, at de vrouwelijke kant van mijn familie bij ons en verder kwamen ze de rest van de week te pas en te onpas langs.

Mijn zusje, mijn moeder, ik en zelfs de kinderen communiceerden op onze eigen manier, en als ouwe speurneus merkte Rob wel dat het over iets anders ging dan wat er gezegd werd.

Vragen die hij stelde werden met wantrouwen aangehoord, maar nooit beantwoord. Hij voelde een geheimzinnigheid waar hij slecht tegen kon, met name als Wim aan de deur kwam en ik onmiddellijk met hem mee naar beneden ging, omdat er iets besproken moest worden waar Rob niet bij mocht zijn. Hij was duidelijk niet gecharmeerd van 'de pater familias', zoals hij Wim noemde.

Arme Rob, in zijn vorige gezin was hij onbetwist de man des huizes geweest, maar in zijn huidige gezin waren Cor of Wim 'de man' in huis. Zij waren de mannen waar het om draaide in ons leven.

Cor vond Rob wel aardig, maar het bleef in zijn ogen 'een smeris'. Hij zat niet te wachten op contact en ik ook niet, ik hield dat gescheiden. Wim had een hekel aan iedereen die hij niet kon gebruiken, en zag onmiddellijk dat Rob zich nergens voor zou lenen.

Maar voor zijn contact met mij maakte dat niet uit. Wim zag mij wanneer hij dat nodig vond, zocht mij op kantoor en soms, als het hem zo uitkwam, ook thuis op, ongeacht het tijdstip, soms midden in de nacht. Als hij me wat te zeggen had, dan moest ik mee.

Rob was zwaar geïrriteerd als ik terugkwam van zo'n nachtelijke ontmoeting. Hij vond het krankzinnig dat ik zomaar als een hondje opsprong en braaf de baas volgde. En eenmaal terug nam ik niet eens de moeite te vertellen waarom dat was en wat er was besproken.

Ik deelde niets dat mijn familie betrof met Rob. Ons was met de paplepel ingegoten dat wij familiegeheimen nooit mochten vertellen aan onze partners, omdat juist betrouwbare partners veranderen in verraderlijke, wraaklustige ex-partners.

Dat klopte. Die ervaring had ik al met Jaap.

Voor praten met een partner gold hetzelfde als voor praten

met de politie: dat was verboden, en al helemaal wanneer partner en de politie in dezelfde persoon verenigd waren. Zo zag de mannelijke kant van mijn familie dat.

Ik begreep Robs onbegrip. Hij wilde een eigen gezin, zonder inmenging van een volledige familie. Hij was naïef genoeg om dat op te eisen, maar ook man genoeg om dat te dragen.

Hij was niet bang voor Wim, maar ik wel; bang voor de dreigementen die Wim uitte als ik opmerkte dat hij mij beter niet 's nachts uit mijn bed kon halen, omdat dat vraagtekens bij Rob opriep.

'Wat wil hij doen dan? Wil hij mij verbieden mijn zussie te zien? Dan laat ik hem toch de tyfus slaan. Zeg het maar, doet hij bijdehand over mij?'

'Nee, Wim,' antwoordde ik, 'hij zegt helemaal niks verkeerds over jou, maar je begrijpt toch ook wel dat het raar staat, zo midden in de nacht je bed uit te moeten?' wierp ik tegen.

'Hoezo? Maakt hij dat uit? Maakt hij uit wat ik doe dan? Hij moet niet met mij beginnen hè, die kankersmeris, want dan ga ik beginnen,' tierde hij verder.

Er was weer geen zinnig woord met hem te wisselen. 'Laat maar weer,' zei ik wanhopig. 'Er is niks aan de hand. Doe maar weer rustig.'

Weer thuis durfde ik tegen Rob niets over de dreigementen te zeggen. Hij zou op zijn beurt onmiddellijk op tilt slaan. Hij voelde geen enkele angst voor Wim, en daar was ik nog het meest bang voor. Niemand wil Wim als tegenstander. Rob zou misschien het eerste gevecht winnen, maar het op langere termijn altijd verliezen, want Wim is een gluiperd. Hij vecht niet eerlijk. Hij deelt altijd 'de klap in het donker' uit.

Daarom hield ik Rob overal buiten, hij had geen idee waar hij in verzeild was geraakt en zou ook niet weten hoe hij daar mee om moest gaan. Erover praten zou hem alleen maar in gevaar kunnen brengen, hij zou zich er ongetwijfeld mee gaan bemoeien en misschien wel naar de politie lopen, en dan had hij zelf een probleem. Iemand die te veel wist en praatte met de politie overleefde het niet. Maar zelfs dat kon ik hem niet uitleggen en dus voelde Rob zich buitengesloten.

De ontvoering van Gerard (1999)

Cor kreeg in de bajes goed contact met Ronald van Essen. Hij zou een vermogen hebben verdiend in de xtc-handel en dat deels via Willem Endstra hebben belegd in onroerend goed. Endstra zou hem hebben belazerd. Zowel Cor als Van Essen hadden een hekel aan Endstra, en dat schiep een band.

In september 1999 werd Wim gearresteerd voor de vondst van een verboden wapenarsenaal op de Nachtwachtlaan, de woning die hij lange tijd had ondergehuurd.

Wim zat inmiddels een aantal weken vast toen Sonja mij belde. Ik werkte toen ruim een jaar bij Bos en Lommer Advocaten en zat in mijn kamer aan mijn bureau.

'As,' zei ze, 'Gerard is opgehaald door de politie.'

'Serieus?' vroeg ik. 'Waarvoor dat dan?'

'Wacht, ik geef je Gerards vrouw even.'

'Met mij,' hoorde ik haar zeggen.

'Wat is er gebeurd?' vroeg ik.

'Nou, vanmorgen, nadat de kinderen naar school waren, werd er aangebeld. Dus ik liep naar beneden en vroeg: "Wie is daar?" Er werd geroepen: "Politie, openmaken die deur!" Toen deed ik open en stormden ze naar boven. Gerard lag nog op bed. Ze grepen hem vast en sloegen hem met een vuurwapen op zijn kop. Het bloed spoot tegen de muren. Ze sleurden hem het bed uit en schreeuwden dat hij mee moest komen,' vertelde ze buiten adem.

'Waar is hij nu dan?'

'Dat weet ik niet.'

'Hebben ze niet gezegd naar welk bureau ze hem brachten?'

'Nee.'

'Hebben ze gezegd waarom ze hem kwamen arresteren?'

'Nee, alleen dat hij mee moest.'

'Dus je weet niks?'

'Nee, eigenlijk niet.'

'Wacht,' zei ik, 'ik ga Bram wel even bellen.'

Ik belde het kantoor van Bram Moszkowicz en kreeg zijn secretaresse aan de lijn. 'Lydia, is Bram daar? Mijn broertje Gerard is gearresteerd.'

'Ja Astrid, ik verbind je door.'

Ik vertelde Bram wat er was gebeurd, dat de politie Gerard had opgehaald en dat ze hem flink hadden geslagen. Hij antwoordde dat ze een stelletje fascisten waren, en dat hij zou uitzoeken op welk bureau hij zat.

Ik zat ondertussen op mijn kamer, die ik deelde met collega Erik. Hij had mijn gesprekken gehoord en vroeg: 'Alles in orde, As?'

'Ik hoop het,' zei ik, 'ik begrijp hier niks van: waarom moeten ze mijn broertje Gerard hebben? Die zou nog niet zwart met de tram rijden. En waarom zouden ze hem zo moeten slaan? Hij lag nog op bed, hij deed niet eens wat.'

'Ja, dat is wel heel asociaal,' antwoordde Erik.

Op dat moment ging de telefoon. Het was Lydia, de secretaresse van Bram. 'Astrid?' begon ze aarzelend.

'Ja,' zei ik, 'weet je al waar hij zit?'

'Nou, eerlijk gezegd niet.' Ze klonk ongerust. 'Hij zit op geen enkel bureau.'

'Hoezo, dat kan toch niet, hij moet toch ergens zijn, willen ze het niet zeggen?' vroeg ik geërgerd.

'Nee, ze weten dat hij nergens zit, want de politie heeft hem niet meegenomen.'

'Wat bedoel je?'

'Hij is niet door de politie gearresteerd, dus moet iemand anders hem hebben meegenomen.'

Ik schrok. 'Dus hij is ontvoerd?'

'Ik ben bang van wel,' zei Lydia.

'En nu?'

'Dat weet ik ook niet,' antwoordde ze.

'Wil je zorgen dat Wim dit hoort, Lydia?'

'Ja,' zei ze, 'ik zorg dat hij het weet.'

Ik belde Sonja. 'De politie heeft hem niet. Hij is misschien ontvoerd.'

'Ontvoerd?'

'Ja,' zei ik. 'Geef me Gerards vrouw maar weer.'

Ik kreeg haar aan de lijn.

'Vertel nog eens wat er precies is gebeurd. Waarom dacht jij dat het politie was?'

'Omdat ze dat riepen en omdat ze jassen aan hadden met een embleem erop,' zei ze.

'Wat voor embleem?'

'Iets met APU erop,' antwoordde ze.

'Hebben ze zich gelegitimeerd?'

'Nee, dat niet.'

'Hoe zagen ze eruit?' vroeg ik.

'Gewoon, twee normale Hollandse mannen.'

'Heb je hun gezicht kunnen zien?'

'Ja,' zei ze, 'gewoon open en bloot.'

Die opmerking sloeg in als een bom. Als Gerard ze kon herkennen, was de kans groot dat ze hem niet meer vrij wilden laten, dat ze hem zouden vermoorden. Misschien was hij al dood? Waar was hij? Mijn kleine broertje, wat zou hij bang zijn op dat moment. Ik moest wat doen, ik wist dat elke seconde telde. Gerard moest gevonden worden. Maar hoe? Ik zou niet weten waar ik moest zoeken.

Sonja kwam weer aan de lijn.

'Wat moet ik doen, As? Moet ik de politie bellen?'

'Laat me even nadenken,' zei ik, 'ik bel je zo terug.'

Ik wist dat Wim niet op politie-inmenging zat te wachten, en hij zou het me al helemaal niet in dank afnemen als ik zou besluiten naar de politie te stappen zonder zijn toestemming. En ik zag ons al bij de politie aankomen. 'Meneer, mijn broer is ontvoerd.'

'Hoe heet uw broer?'

'Holleeder.'

Ik zag hun reactie al voor me: de broer van de Heineken-ontvoerder was nu zelf ontvoerd, maar goed ook! Eerlijk ge-zegd verwachtte ik alleen maar hoongelach. En als ze in actie zouden komen, zou dat alleen zijn om ons weer onder de loep te nemen. Maar ik kon niets anders bedenken, ik moest iets doen, Gerard was misschien wel in levensgevaar.

Ik gokte erop dat de politie zich toch zou inzetten om Gerard te vinden, ondanks dat hij 'de broer van' was. Ik belde Rob om te vragen of hij er ook zo over dacht, hij had tenslotte ervaring met dit soort crisissituaties.

'Je moet zeker de politie inschakelen,' zei hij, 'want elke se-conde telt, en zij zijn de enigen die mogelijkheden hebben tot opsporing.'

Nou, dat was niet zo. Wim kon dat ook wel, maar die was er niet, die zat vast, dus besloot ik Sonja te bellen en haar naar het bureau te sturen. Rob ging met haar mee, zodat ze niet zou worden uitgelachen omdat ze een Holleeder was. Rob dwong als oud-politieman bij zijn collega's altijd direct respect af.

Moeder Stien en Willem sr. (1956)   *Stien, Willem sr. en Astrid (1966)*

Vlnr Stien, Sonja, Gerard, Willem sr., Astrid en Wim (1966)

Stien (1957)

Wim, Gerard, Astrid en Sonja (1966)

Astrid (1970)

Sonja (1964)

*Sonja en Wim
(1965)*

*Wim in
een wasteil
(1959)*

*Elke zondag op
bezoek bij
opa en oma
(aan vaderskant)
(1967)*

Astrid op de lagere school (1973)

De woonkamer in de Deurloostraat (1992)

Astrid met de pasgeboren Francis (1983)

Foto Wim op het dressoir in het huis van moeder Stien (1985)

Francis zegt elke keer 'Wim lief' en geeft hem kusjes
Foto naar hem gestuurd in de Santé-gevangenis

Cor in gevangenis Veenhuizen (1991)

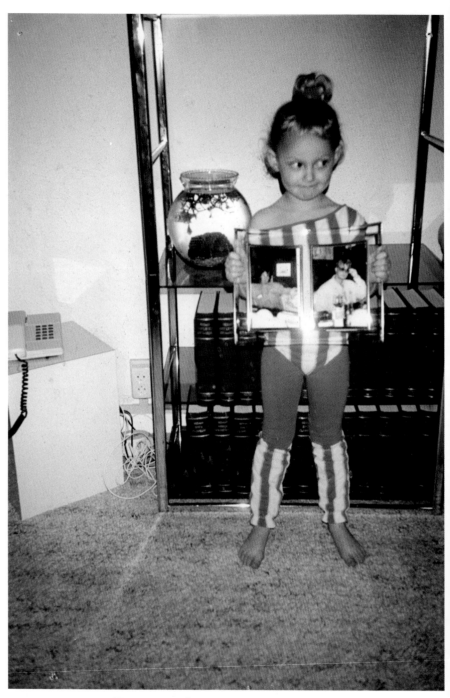

Francis met foto van Wim en Cor (1987)

Voor mijn allerliefste nichtje Francis
Willem.

Tekening van Wim voor Francis (1984)

Schietvereniging Osdorp

Amsterdam

19

BEWIJS VAN LIDMAATSCHAP

Naam: van Hout
Voornamen (voluit): Cornelis
Beroep:
Woonplaats: Amsterdam
Straat: Bestevaerstr. 15

Nationaliteit: Nederlander
Geboorteplaats: Amsterdam
Geboortedatum: 18-8-'57
Datum van Lidmaatschap: 3-10-'79

Handtekening houder:

Amsterdam, 3 oktober 1979

namens het bestuur
Voorzitter   Secretaris

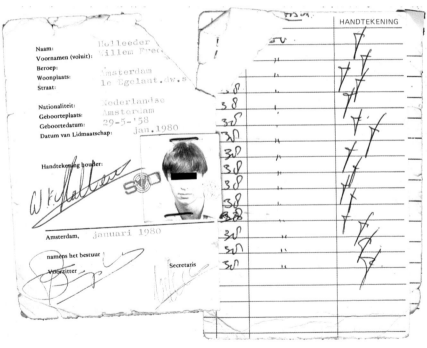

Naam: Holleeder
Voornamen (voluit): Willem Fred

Beroep:
Woonplaats: Amsterdam
Straat: 1e Egelant.dw.s

Nationaliteit: Nederlandse
Geboorteplaats: Amsterdam
Geboortedatum: 29-5-'58
Datum van Lidmaatschap: jan.1980

Handtekening houder:

Amsterdam, januari 1980

namens het bestuur
Voorzitter   Secretaris

HANDTEKENING

Bewijs van lidmaatschap en diploma's Cor (1979) en Wim (1980)
van de schietvereniging Osdorp

Kaartje van Cor (1984)

*Francis (9 maanden) in de gevangenis na de arrestatie van Cor en Wim
voor de Heineken-ontvoering (1983)*

Hallo mijn lief

hier dan een een Romantisch kaartje van mij want
steeds dat gevangenispapier is ook niks het is nu
vrijdag en de verveling hier wordt steeds erger ik
ben aan verandering toe de dagen kruipen op het moment
voorbij en ik ben en dan ook goed misselijk van geluk hier
heb ik veel steun van jullie want anders was ik hier allang
weg geweest zo dat was even het klaag puntje voor de rest
gaat alles wel goed en ik verlang er alweer naar dat ik
jullie zie en even gezellig kan praten nou schat ik ga
weer stoppen want ik heb je gisteren ook al geschreven
dit is even een tussendoortje

Heel veel liefs Cor

XXXXXXX

1140

Romantisch kaartje van Cor (1984)

In Vinkeveen schaatsen bij het huis van Robbie (1994)

Hoi Schatje van me !!

Nou van Harte gefeliciteerd met je 15e verjaardag
je zal deze maand wel iets laten krijgen maar
je weet hoe het hier werkt !!

Ik hoorde van Mama dat je met je vriendinnen
naar de Bios was (Titanic) en dat je daarna
nog even iets ging drinken op het leidseplein nou
dat is toch ook gezellig !!

Ik vroeg nog of Assie (spion lekker) of zo meegegaan wa
maar dat bleek dus van niet nou ik vind na ook w
dat je alleen kunt gaan. je hebt al bijna je Rijbew
zei ik nog tegen Roxie; ze zei dat je de visite e
zo gelijk met Ritchie zijn verjaardag viert dat sche
de geen zeker weer gebak en Rommel want je weet h
ze is hoe is het met je vinger is hij al weer ee-
beetje over of is hij nog steeds geknoeust je met j
vingers intepen. met basket en volley bal ik had di
ook altijd in mijn goede tijd. (lang geleden)

Nou liefje van mij ik laat het hierbij ik bel je
Zondag toch ook nog !!

Maak er een leuke dag van en drink niet te veel
bammetje ik hou van je heel veel liefs je Vadertje.

P.S
Ik hoop je gauw weer te zien.
of wat van je te horen foto
of zo doeiiii

xxxx.

xxxxx
xxxxx
xxxxxx.

Kaart van Cor (1998)

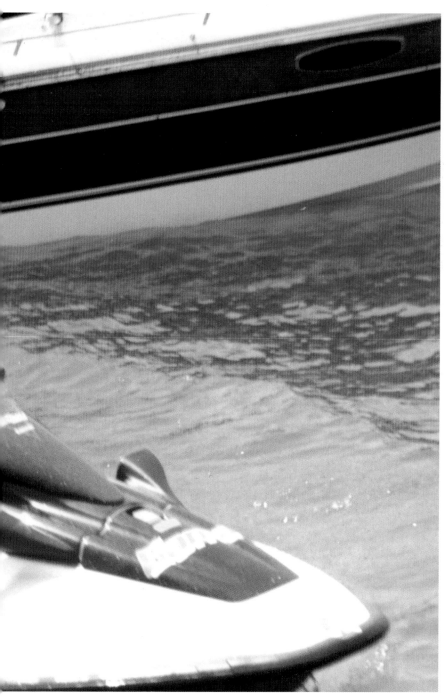

Na de vrijlating in 1992: 'het goede leven' voor de eerste aanslag

Op bezoek bij Cor, open dag in gevangenis Veenhuizen (1989)

Op bezoek bij Cor en Wim in Scheveningen (1987)

Boxer (1978)

SPORT KLEDING
VERPLICHT

De Sportzaal

Deze sportzaal is
tot stand gekomen door
de inspiratie en inzet
van een aantal gedetineerden.

Geopend op 16 juli 1987.

*De sportzaal is
mede tot stand
gekomen dankzij
Cor (1987)*

In de sportzaal in Veenhuizen

Cor in bad na een avondje 'pikkie pikkie' (1994)

Cor thuis op de bank (1995)

Speciaal voor jou...

...omdat ik van je hou
SFR.

Kaartje van Cor aan Sonja (Bobbie is de hond) (1997)

1225

7-4-85

Ja Bossie het is vandaag
pasen en ik denk ik zal je maar
eens een Romantische kaart sturen
want elke week die eitellorras en
de Notre-dame die kaartjes gaan
ook vervelen en het is toch een beetje
feest al vindt ik pasen nooit veel
aan ten eerste regent het bijna altijd
met pasen en er is toch nooit wat
te doen vooral hier niet hahaha.
Ik heb vanmorgen broertje gezien en
hij was een beetje sjagrijnig maar
dat zal wel door de feestdagen komen.
dat gaat wel weer over ik heb een
stijve nek dat komt doordat het hier
zo tochtig is de meeste gevangene zijn dan
ook verkouden morgen kom je weer op
bezoek dus ik ben vandaag alweer
een beetje vrolijker dan anders

de zondag duurt hier altijd heel
erg lang lijkt wel 40 uur per dag
hahaha dan heb je helemaal geen af
leiding maar er is gelukkig bijna weer
een zondag voorbij want het is nu
al 7 uur en om 9 uur lig ik in mijn
bed ja het is wel een regelmatig leven
niet zoals buiten mijn moeder en nancy
waren gisteren op bezoek en ik had en
de plannis op in omdat het telegram
(zoals gewoonlijk weer niet duidelijk was en
de naam was daarom verkeerd ook zo
sjagerijnig en hij had jullie ook verrot
gescholden ik heb het maar weer een
beetje gesust en toen hij terug naar zijn
cel ging toen ging het wel weer non veer
de rest heb ik weinig nieuws Bossertjen
in mins je alsnog een fijne pasen (wel een
beetje laat maar beter laat dan nooit) tot
morgen en geen kwesies en dikke zoen van
papa veel liefs   Cor. mmsmaak

Cor, Sonja en Francis in Zandvoort (1992)

Cor en Wim in Hotel Les Roches na de eerste aanslag op Cors leven in 1996

Souvenir de CANNES

Cor, Sonja en Richie in Cannes (1997)

Samen arriveerden ze op politiebureau Amstelveen en Sonja meldde zich bij de balie: 'Ik kom aangifte doen van ontvoering.'

'Dan ga ik iemand halen. Wacht u daar maar even,' zei de vrouwelijke agent.

Sonja en Rob gingen zitten. Op dat moment belde Wim, die door Lydia was ingelicht, en hij vroeg Sonja wat er aan de hand was.

'Gerard is ontvoerd. Ik ben nu op het bureau, aangifte doen.'

'Wat? Niks ervan! Weg daar! Geen aangifte doen!' reageerde Wim.

'Oké,' antwoordde ze. 'Kom Rob, we moeten weg.'

'Maar we moeten nog aangifte doen, er komt zo iemand aan,' zei hij verbaasd.

'Nee, we gaan weg. Het mag niet van Wim.'

'Hoezo: "Het mag niet van Wim"?'

'Het mag niet, kom we gaan,' zei Sonja en liep weg.

Rob begreep er niets van, hij vond het een volledig onverantwoorde beslissing van Sonja en wilde zelf aangifte doen. Sonja moest moeite doen om hem dat uit zijn hoofd te praten en hem met haar mee te krijgen. Wim zei niet doen en dan moest hij daar ook naar luisteren. Als hij het wel zou doen, zou Sonja een probleem met Wim krijgen.

Arme Rob, zijn politieverleden had hem geleerd hoe te handelen, maar ons criminele verleden had ons geleerd dat het hoofd van de familie in dit soort situaties beslist.

'En Gerard dan? Wat als er wel wat met hem gebeurt?' vroeg Rob me vol onbegrip later op de dag.

'Dat is Wims beslissing. Sonja beslist niet. Jij ook niet, jij mag je er niet mee bemoeien.'

Rob keek me aan alsof ik hem ter plekke castreerde. 'Dus iedereen moet maar doen wat de pater familias zegt?' zei hij, terwijl hij besefte dat hij daar zelf ook onder viel.

'Ja,' zei ik, 'iedereen.'

'En dat vind jij normaal?' Hij had kennelijk het idee dat hij niet tot mij doordrong, maar ik begreep heel goed wat hij zei.

'Ja, dat is bij ons in de familie normaal.'

'Maar dat is niet normaal,' antwoordde hij.

'Ik heb ook nooit gezegd dat ik een normale familie heb. Dit is hoe het gaat bij ons, klaar.'

Ik stond op het punt waar ik altijd op enig moment aankwam in mijn relaties en vriendschappen. Niemand in mijn kennissen- en vriendenkring kwam ooit terecht in de crisissituaties die zich in onze familie voordeden: poging tot liquidatie, ontvoering, invallen, arrestaties. Het was voor hen dan ook niet te begrijpen hoe wij daarop als familie reageerden. Een buitenstaander dacht vanuit de normen en waarden die voor normale burgers golden. Ik kwam uit een familie met heel andere regels en een daarvan is dat Wim beslist wat er moet gebeuren. Hij kon overzien wat er speelde en daar moesten wij op vertrouwen. Een buitenstaander kon dat niet begrijpen en zich er meestal niet mee verenigen. Het leidde altijd tot onbegrip en dat snapte ik goed, maar ik kon er niks mee – het was nu eenmaal zo.

Na een aantal uren zenuwslopende spanning werd er gebeld. Het was Gerard. Hij was vrijgelaten! Ze hadden hem gedwongen een schuldbekentenis te tekenen: Wim moest tien miljoen betalen. Gerard werkte in de gokhal op de Wallen, die voor de scheiding en deling tussen Cor en Wim ooit gezamenlijk bezit was geweest en de ontvoerders hadden uit die gokhal een geldbedrag meegenomen. Daarna lieten ze hem gaan.

Wim regisseerde vanuit de gevangenis dat Gerard met Klepper besprak wat er was gebeurd. Sonja moest met Mieremet bij Wim op bezoek, om daar het hele verhaal te doen.

'Hij wil dat ik op bezoek kom met die engerd!' zei Sonja.

'Dan zal je wel moeten. Cor zegt altijd dat je moet doen alsof er niets aan de hand is.'

'Ja,' zei Sonja, 'en als ik weiger, dan beledig ik hem misschien wel en maak ik nog meer problemen.'

'Hij kent echt geen grenzen, hè Son?'

'Nee,' zei ze, 'ik kan niet bevatten dat hij mij samen met die gek laat komen.'

Tijdens het bezoek zat Sonja naast Mieremet. Ze moest het verhaal over Gerard vertellen. Mieremet zat erbij en sprak met Wim. Al die tijd durfde ze hem niet aan te kijken, en voelde niets anders dan een beklemmende angst voor de man die haar met zoveel geweld had geconfronteerd.

Volgens Gerard zat Cor achter zijn ontvoering. Een van de ontvoerders liet zich op enig moment de woorden 'die tyfus-Endstra' ontvallen. Cors nieuwe vriend Van Essen had nog vele miljoenen van Endstra tegoed, en het leek erop dat het tekenen van de schuldbekentenis daarvoor was bedoeld.

Het was aannemelijk dat Cor voor, of misschien wel samen met Van Essen een poging deed om geld te halen bij Endstra, via Wim.

'Was je bang?' vroeg ik aan Gerard.

'Nee,' antwoordde hij droog als altijd.

'Ik wel,' zei ik. De tranen liepen over mijn wangen. 'Ik was zo bang toen ik hoorde dat ze geen gezichtsbedekking droegen. Ik dacht dat ze je zouden vermoorden. Jij niet?'

'Het maakte mij eigenlijk niet uit. Ik dacht: ik zie wel, ik kan nu toch niets doen. Ik was allang blij dat ze me meenamen, het huis uit. Ik was bang dat ze mijn vrouw wat aan zouden doen. Daarna was ik niet meer bang.'

Typisch Gerard, altijd berustend in zijn lot.

De bijdrage van Cor aan het conflict tussen Van Essen en

Endstra was een ongelukkige. Gerard had dit niet verdiend, hij was goed met Cor, was er altijd voor hem geweest als hij hem nodig had en nu deed hij dit.

Gerard, die tot die tijd nog gewoon gezellig bij hem over de vloer kwam, beëindigde het contact met Cor. Cor wilde nog een gesprek met hem om het uit te praten, maar Gerard had daar geen behoefte aan.

'Ik weet dat jij het was, Cor. Ik hoef daar niet over te praten en ik hoef je ook niet meer te zien.' Door de ruzie tussen Cor en Wim was Gerard nu slachtoffer en daarom was hij klaar met beide mannen. 'Ik wil gewoon mijn werk doen,' zei hij, 'en niet meer geconfronteerd worden met al die gekkigheid. Zoek het met elkaar uit, maar laat mij lekker met rust.'

Volgens mij had Gerard gelijk en was Cor verantwoordelijk voor zijn ontvoering. Gerard had uren met zijn ontvoerders doorgebracht, en ze van top tot teen kunnen bestuderen. Geen enkele ontvoerder had Gerard onder die omstandigheden laten leven, behalve als ze daar de instructie toe hadden gehad. Van Cor.

Cor koos met zijn daad nadrukkelijk partij voor Van Essen in zijn conflict met Endstra, en dat plaatste hem tegelijkertijd recht tegenover Wim.

Tegen het einde van 1999 kwam Cor, als gevolg van de deal met Teeven, vervroegd vrij. Hij vierde Kerstmis met Sonja, de kinderen en wat vrienden in Antwerpen. Op tweede kerstdag werd hij gebeld en liep van tafel.

'Ze hebben geprobeerd Ronald van Essen te liquideren,' zei hij na afloop van zijn telefoongesprek tegen Sonja.

Van Essen was door zijn hoofd geschoten. Hij overleefde de moordpoging, maar zou voor de rest van zijn leven aan een rolstoel gekluisterd blijven. Naar de miljoenen die hij tegoed had van Endstra kon hij fluiten. Geld voor boodschappen had zijn vrouw niet. Ze jatte bij de Albert Heijn biefstuk voor haar man.

Cor was ontdaan door het lot van Van Essen, een lot waar Willem Endstra en Wim garen bij sponnen.

De tweede aanslag op Cor (2000)

De eerste aanslag op het leven van Cor was mislukt. En omdat die mislukt was, zou er zeker nog een tweede volgen. Cor wist dat Mieremet hem had willen liquideren, en Mieremet zal zeker wraak van de kant van Cor hebben verwacht, vooral omdat zijn vrouw en kind naast hem hadden gezeten. Dat Mieremet Cor voor wilde zijn, was logisch.

Het was de vraag wie het eerst zou gaan.

Maar de tijd verstreek, zonder dat er iets gebeurde. Cor had nog een poosje vastgezeten en kwam eind 1999 weer vrij.

Wim was inmiddels volop met Endstra, Mieremet en Klepper in zee. Ik zag hem sporadisch.

Tot hij opeens weer aan de deur stond.

Midden in de nacht schrok ik wakker van de bel. Ik durfde niet open te doen tot ik ons familiebelletje herkende: twee keer kort en een keer lang. Ik deed open. Daar stond Wim.

'Trek je schoenen aan. We gaan naar buiten.'

'Man, het is midden in de nacht. Ik heb koorts. Ik mag niet naar buiten. Ik ben ziek.'

'Kom mee naar buiten, het is belangrijk. Of moet ik de buren wakker maken?'

'Verdomme, ik kom al.'

'Luister, weet jij waar Cor woont?' vroeg hij op vriendelijke toon.

Ook al zette hij nog zo'n vriendelijk stemmetje op, ik vond het een vreemde vraag zo midden in de nacht. Ik was gelijk op mijn hoede. 'Nee, zou ik niet weten,' zei ik.

'Luister,' fluisterde hij, 'ik moet weten waar hij woont. Dat is heel belangrijk, want Mieremet gaat het er niet bij laten zitten. Ik kan Sonja alleen beschermen als jij mij die informatie geeft, anders schieten ze een raket bij haar naar binnen en dan gaan ze allemaal. Ook de kinderen.'

'Maar ik weet het niet.'

'Jij bent toch altijd bij Son,' drong hij aan, 'ga luisteren. Dit is geen grapje. Die groep van Mieremet is levensgevaarlijk. Die hebben er al tientallen vermoord. Die doen dat voor hun plezier. En hij heeft hun echt beledigd.'

'Hé luister, ik bemoei me daar niet mee.'

'Hé luister?' siste hij in mijn oor. 'Dat zeg jij niet tegen mij: "Hé luister". Wie denk jij dat je bent? Dat jij mij kan commanderen? Jij gaat gewoon doen wat ik zeg, anders gaat die hele kankerbende eraan. Gaat er een raket naar binnen en kan je je zusje bij elkaar gaan zoeken. Kies maar. Doe je het niet dan heb jij ze vermoord. Hoor je me? Dan heb jij ze vermoord. Jij bent verantwoordelijk!'

Ik verantwoordelijk voor het leven van zijn eigen familie en zijn eigen vriend? Wat een smerig plannetje. Maar hij zette me wel klem.

Ik wist ook dat die Mieremet gek was, en ik geloofde ook dat Mieremet het er niet bij zou laten zitten. Ik kende de verhalen over het geweld dat Mieremet en Klepper toepasten, en dat ze daar weinig aanleiding voor nodig hadden.

Toen wij in Cannes waren, was het schoonzusje van Mieremet mee en Cor zei tegen mij dat Mieremet ook haar man had gedaan, omdat hij haar geslagen had. Ook andere mensen uit de omgeving van Cor hadden met Mieremet te maken gehad.

Van een van hen hadden ze de zoon total loss geslagen om niets, hij was om die reden naar het buitenland gevlucht. Maar ik had natuurlijk vooral kennis gemaakt met hun gewelddadige kant door de aanslag in de Deurloostraat. Zij spaarden zelfs geen vrouw en kinderen, iedereen ging mee. Ik was van heel dichtbij met hun gewelddadige reputatie geconfronteerd, en omdat we allemaal wisten dat het niet bij die eerste aanslag zou blijven, nam ik de dreiging heel serieus.

Dat het nog een keer zou gebeuren had ik dus wel verwacht, maar niet dat uitgerekend híj met die boodschap bij mij zou komen. Dat hij zijn vriend verraden had door over te lopen naar het kamp van Mieremet was nog tot daar aan toe, maar dat hij hielp bij het omleggen van zijn beste vriend kon ik niet geloven.

En daar wilde hij mij bij gebruiken! Niet omdat hij dacht dat ik loyaal aan hem zou zijn, want hij wist dat ik altijd bij Cor en Sonja was, maar puur omdat hij wist dat ik zielsveel van die kinderen houd. Hij zette mij klem met dat wat mij lief was.

Als ik zou zeggen: 'Rot op, ik bemoei me er niet mee,' en er zou wat met Cor, Sonja en de kinderen gebeuren. Dan zou ik daar de rest van mijn leven spijt van hebben, dan zou ik me inderdaad verantwoordelijk voelen voor wat er met ze gebeurd was, omdat ik niks had gedaan om het te voorkomen.

Precies waar hij op uit was.

Enkel door het uitspreken van de woorden 'jij bent verantwoordelijk', had hij mij letterlijk verantwoordelijk gemaakt. Natuurlijk zei ik ook tegen mezelf gezegd: dat slaat nergens op, maar wat had ik daaraan als ze straks dood waren? Linksom of rechtsom had hij gelijk: ik was verantwoordelijk.

Niets doen was geen optie.

Ik had geen idee hoe ik het verder aan moest pakken. Tijdrekken was het enige wat ik kon bedenken, tot zich een oplossing aandiende. 'Ik ga wel kijken wat ik kan doen,' zei ik.

'Goed zo.'

De volgende ochtend, heel vroeg, ben ik naar Sonja gegaan. Ik had de hele nacht liggen piekeren en geen oog dichtgedaan, op zoek naar een manier om hier uit te komen.

Ik moest Sonja in ieder geval vertellen dat ze allemaal gevaar liepen. En uit welke hoek het gevaar nu werkelijk kwam. Dat ik dat nu wist, en het hun kon vertellen, zag ik dan maar als een voordeel.

Anders dan voorheen, waren de verhoudingen nu duidelijk: hij zat in het kamp van Mieremet en was tegen Cor, zijn 'bloedgabber'.

Sonja begon spontaan te hyperventileren toen ik haar vertelde wat er die nacht was gebeurd: 'Wat? Hij dreigt met mijn kinderen? Eerst schieten ze Richie bijna dood en nu dreigen ze weer met mijn kinderen? Ik ga geen adres geven. Is hij helemaal gek geworden? Wat moet ik doen, As?'

'Ik weet het ook niet. Zorg in ieder geval dat Cor hier niet meer komt. Ik zeg gewoon dat je geen adres weet en als je het wel zou weten, het niet geeft. Dat die Mieremet niet moet dreigen met je kinderen. Maar wees blij dat je nu weet wat hij van plan is, dan kun je het deze keer in ieder geval wel aan zien komen.'

Diezelfde avond stond hij alweer op de stoep. 'En?'

Ik zei hem dat Sonja het niet wist en dat als ze het wist ze het niet zou zeggen.

'O, ze kiest voor Corretje? Wat zij wil. Dat is niet verstandig van haar. Zeg haar dat maar.'

'Zeg het haar zelf maar.'

'Nee, ik kom daar nu niet meer in de buurt. Als er wat gebeurt, wil ik er ver vandaan blijven.'

Ondertussen had Sonja Cor verteld dat Klepper en Mieremet weer bezig waren, en dat Wim als boodschappenjongen optrad. Hij wilde dat Sonja en ik contact met Wim bleven houden en aanhoorden wat hij te zeggen had, onder het motto: beter je vijand dicht bij je houden. Informatie van hem trekken, dan wist hij tenminste wat ze van plan waren. Ik was het daar mee eens en zag daar het voordeel van, maar ik had toch ook mijn twijfels. Wat als Cor zich in een dronken bui zou verspreken tegen iemand en dat Mieremet, Klepper of Wim dat ter ore zou komen?

Dat zou echt niet gebeuren, had Cor bezworen. Maar ik was er niet gerust op, Cor wist vaak de volgende dag niet wat hij gedaan had. Ik was er echt niet blij mee. Als Wim en Mieremet erachter zouden komen dat ik Cor had ingelicht, zouden zij mij misschien ook laten vermoorden. Ik moest er dus rekening mee houden dat Cor zijn mond een keer voorbij zou praten. Ik dekte mezelf in door Wim te vertellen dat ik enkel op zijn verzoek de boodschappen door zou geven aan Sonja. Als Sonja Cor wat had doorverteld, dan kon ik daar niks aan doen.

Na die laatste keer bleef hij niet lang weg.

'Luister As, ik hou dit niet lang tegen, hè? Dit is heel vervelend, wat ze doet.'

Hij kwam steeds met dezelfde boodschap. Hij wilde informatie over de plekken die Cor bezocht. Het begon hem te irriteren dat ik niets wist. 'Neem me niet in de maling, Assie,' zei hij. Hij begon de druk op mij op te voeren.

Mijn moeder stond in de keuken. Hij stond in de woonkamer, voor hem zat Richie op een stoel. Ik zat tegenover Richie op de bank.

Hij ging achter Richie staan, legde zijn arm om zijn nek, haalde een pistool uit zijn zak en richtte dat op Richies hoofd. 'Hé, lieve Richie!' riep hij. Hij keek mij aan en siste: 'Vertel me waar hij is!'

Hij liet Richie weer los, keek me met zijn zwarte ogen indringend aan, en riep quasi-vrolijk naar de keuken: 'Dag Stientje, het was gezellig, ik ga weer.'

Hij liep de deur uit.

Ik rende op Richie af en pakte hem vast.

Ik was verbijsterd: Richie bedreigen, zijn eigen neefje, míjn neefje, een kind van zeven. Waarom zou hij dat doen, als hij wilde voorkomen dat Sonja, Richie en Francis per ongeluk door Klepper en Mieremet werden vermoord? Want dat was steeds zijn verhaal geweest: 'Ik doe het voor hun bestwil en dat moet jij ook doen, zodat ik kan zorgen dat hun niks wordt aangedaan.'

Het was volstrekt onlogisch wat hij deed en ineens begreep ik het: hij wilde hen niet beschermen tegen Mieremet en Klepper. Als hij hen wilde beschermen, als hij wilde voorkomen dat zij ook werden vermoord, dan zou hij Richie nooit zo pakken, dan zou hij bezorgd zijn om Rich. Maar hij was niet bezorgd om Sonja, Francis of Richie, hij gebruikte ze alleen maar in een poging dichter bij Cor te komen.

Hij was het die Cor wilde vermoorden en hij ging heel ver, omdat hij ongeduldig werd. Het ging hem niet snel genoeg. Cor moest dood, en hij was bereid Richie daarvoor in te zetten. Zijn ongeduld had zijn bloeddorst verraden.

Hij was het!

Sonja zou naar mijn moeder komen om Richie daar op te halen. Na wat er zojuist was gebeurd, wilde ik haar onmiddellijk zien.

Ik draaide haar nummer. 'Ben je er al bijna?' vroeg ik toen ze opnam. Voor ons is dit codetaal: kom snel, er is wat aan de hand.

'Ik kom er nu aan,' antwoordde ze gelijk.

'Wat loop je nou te ijsberen,' zei mijn moeder, 'ga eens twee tellen op je kont zitten.'

Mijn moeder had niet gezien wat Wim bij Richie had gedaan, omdat ze in de keuken stond en ik kon het haar niet vertellen. Ze mocht niet alles weten, dat zou ze niet aankunnen.

Sonja kwam binnen en keek mij direct aan. Wat is er? vroegen haar ogen. Ik liep de wc in en zij liep achter mij aan. Mijn moeder en Richie mochten het niet horen. Ik deed het licht aan en zij deed de deur op slot. Ze ging voor me staan.

'Wat is er?' vroeg ze zachtjes.

Ik vertelde haar wat er was gebeurd. Sonja ogen werden groot, ze verstijfde en begon over haar hele lichaam te trillen. Ze zei niets.

'Son, wat vind je ervan, wat hij gedaan heeft?' Er kwam geen reactie. 'Hé! Heb je geluisterd naar wat ik net heb verteld?' zei ik met luide stem, in de hoop haar daarmee wakker te schrikken en een reactie te ontlokken.

Maar ze zei niets, ze bleef maar staren. Ik pakte haar bij haar schouders en schudde haar door elkaar. 'Son! Doe normaal!'

'Wat is er?' schreeuwde mijn moeder vanuit de huiskamer. 'Wat doen jullie?'

'Niets!' schreeuwde ik terug.

'Son,' zei ik, 'word wakker, mama vraagt ook al wat er is.'

Maar ze zei niets, liep de wc uit, naar Richie, trok hem op haar schoot en begon te huilen.

'Wat is er mam?' vroeg Richie.

Mijn moeder keek vragend naar mij.

'Niks,' zei ik, 'er is niks. Mam, bemoei je er maar niet mee.

Son?' vroeg ik, nog steeds op zoek naar een reactie.

'Ik kan niet meer denken, As,' zei Sonja, het antwoord dat ze altijd gaf als alles haar te veel werd.

Sonja was weer net zo angstig als toen de eerste aanslag had plaatsgevonden. Ze liet Richie geen seconde meer uit haar oog. Wim voerde de druk alleen maar op. Nadat hij zich als dader bekend had gemaakt door Richie te bedreigen, kwam hij daar steeds openlijker voor uit en verschuilde zich niet meer achter Klepper en Mieremet.

Hij vertelde dat er al Joego's waren ingevlogen. Er stonden al mensen klaar. Hij kon het niet meer tegenhouden. Ze wisten inmiddels al waar Cor allemaal kwam. En hij bedreigde Sonja steeds nadrukkelijker.

Als ze het wilde overleven, moest Sonja 'even wat doen'. Zij moest de gordijnen openlaten als Cor thuis was.

'Als ze het niet doet, weet je wat er gaat gebeuren.' Hij maakte weer dat gebaar. 'Ga naar haar toe en zeg haar dat.'

Sonja was steeds moeilijker aanspreekbaar.

'Son,' vroeg ik, 'slik jij weer meer medicijnen?'

'Ja,' zei ze.

'Waarom nou? Je bent weer net een zombie! Stop daarmee.'

Ze had haar dosis antidepressiva en oxazepam verhoogd.

'Nee, As, ik ga niet stoppen, anders word ik gek in mijn hoofd, ik kan dit niet aan zonder medicijnen. Met een pilletje kan ik het allemaal langs me heen laten gaan.'

Ik vertelde wat Wim van haar vroeg.

'Dat ga ik niet doen,' antwoordde ze emotieloos, 'dan gaan we allemaal maar.'

De medicijnen deden hun werk. Wim had zijn gelijke getroffen: Sonja was nu net zo gevoelloos als hij en had ook geen angst meer.

Ik was met Richie en Francis bij mij thuis toen hij aanbelde. 'Kom even naar beneden!' riep hij.

'Blijf jij even bij Fran, Rich,' zei ik.

'Nee!' riep Richie in paniek.

Sinds de eerste aanslag in de Deurloostraat kon je niet bij hem vandaan lopen zonder dat hij angstig werd. Maar ik wilde hem niet mee naar beneden nemen naar Wim. Na wat er gebeurd was, hield ik hem liever uit de buurt van die judas.

'Het moet even, jongen, je kan niet mee,' zei ik.

'Nee!' riep hij en greep me vast.

'Fran, hou hem hier,' zei ik tegen Francis en trok hem van mij af.

'Kom Rich,' zei Francis en pakte hem van mij over. Ik liep naar beneden. Richie trok zich los en rende toch achter me aan.

'Wat doet dat hier?' vroeg Wim nors.

'Ik krijg hem niet bij me vandaan. Hij is bang, dat weet je toch.'

'Mmm,' zei hij en keek vol onbegrip.

We stonden met zijn drietjes op de overloop, onder aan de trap. Wim en ik tegenover elkaar, Richie tussen ons in. Wim boog zich voorover, trok mij naar zich toe. 'En?' fluisterde hij.

'Ze doet het niet,' antwoordde ik.

'Ze doet het niet?' herhaalde hij. Ik zag de woede uit al zijn poriën barsten, en zijn ogen puilden van kwaadheid uit zijn kop.

Richie stond nog steeds tussen ons in. Wim pakte met zijn rechterhand een pistool uit zijn zak, trok mij met zijn linkerarm dichter naar zich toe en richtte het pistool boven het hoofd van Rich. 'Ze kiest nog steeds voor Corretje? Ze weet niet wat ze aanhaalt. Moet ze zelf weten. Dan weet je wat er gebeurt.'

Hij liet mij los, ik pakte Richie vast en draaide me met hem om naar de trap, ik wilde Richie zo snel mogelijk bij Wim weg hebben en duwde hem voor me uit naar boven. Wim draaide zich woest om, stormde naar beneden en gooide met een klap de deur dicht.

Richie had niks gemerkt, omdat hij tussen ons ingeklemd zat, maar boven aan de trap stond een kind dat wel alles had gezien.

Ik vertelde Sonja wat er was gebeurd, omdat zij geweigerd had hem te helpen.

'As, hoe kan hij dit doen? Bij Richie, die kleine garnaal? Ik kan die man niet begrijpen. Ik ken hem niet meer, hij wordt met de dag gekker.'

Ze liet haar lamellen vanaf dat moment permanent half-open staan, bang een verkeerd signaal te geven door ze helemaal open of dicht te doen.

Sonja had Cor ingelicht dat het weer begonnen was, maar Cor deed niets. We vertelden Cor niet alles, vooral niet over alle bedreigingen, omdat we bang waren voor een oorlog waarin wij en de kinderen ook zouden sneuvelen, maar Cor wist dat Wim en Mieremet doorgingen.

Ik begreep niet waarom Cor zelf niets deed.

Wim had inmiddels in de gaten dat hij via Sonja niet dichter bij Cor kwam. Hij had met Richie maximaal druk gezet, maar bij Sonja het tegenovergestelde bereikt. Ze bevroor, deed niets meer, reageerde nergens meer op, en hij leek het op te geven.

Hij was al langere tijd niet meer langsgeweest toen op 21 december 2000 Cor voor zijn woning werd beschoten. Cor riep gelijk tegen de politie dat Wim daarachter zat.

Wim heeft zijn betrokkenheid publiekelijk altijd ontkend. Hij schoof het op Mieremets bordje, zoals hij dat ook bij de eerste aanslag had gedaan. Alleen wist ik dat toen nog niet.

Dat bewijs kwam hij mij na 28 augustus 2002 brengen.

Als Cor de aanslag in 1996 niet had overleefd, was nooit aan het licht gekomen dat Wim contact onderhield met Mieremet en Klepper. En als Mieremet de aanslag op zijn eigen leven niet had overleefd, was de rol van Wim bij de aanslag op Cor nooit aan het licht gekomen.

John Mieremet werd op 26 februari 2002 op de Keizersgracht beschoten, nadat hij bij zijn advocaat Evert Hingst op bezoek was geweest. Hij begreep al snel dat Wim en consorten achter de aanslag zaten, omdat ze zijn geld, dat hij bij Endstra had belegd, niet wilden teruggeven.

Zijn enige overlevingskans leek de publicatie van een interview met John van den Heuvel in *De Telegraaf* van 28 augustus 2002. Mieremet vertelde daarin over de rol van Willem Endstra als bankier van de onderwereld en mijn broer als bewaker van die bank.

Kort na de publicatie van het interview werd er bij Van den Heuvel ingebroken en werd zijn computer meegenomen. Willem Endstra en Wim hadden een paar Joegoslaven bij Van den Heuvel naar binnen gegooid, en Wim bracht mij een print van de aantekeningen die Van den Heuvel had gemaakt, op basis van een aantal gesprekken met John Mieremet.

Hij vroeg mij die aantekeningen door te lezen en te zeggen wat ik ervan vond. Ik vond het stuitend. Er stond in te lezen dat hij in 1996 de woning in de Deurloostraat aan Mieremet en Klepper had aangewezen.

Vóór de eerste aanslag dus!

Wim was niet pas na de eerste aanslag op Cor overgelopen, hij was daarvóór al onderdeel van kamp-Mieremet. Hij had een bijdrage geleverd aan de eerste aanslag en niet alleen het leven van zijn vriend, maar ook dat van zijn zusje en zijn neefje, aan hen uitgeleverd.

Alle puzzelstukjes vielen op hun plaats: zijn gedrag na de

eerste aanslag, zijn zogenaamde gedwongen overstap naar het kamp van Mieremet, zijn introductie van mij bij hen, de horloges die hij voor hen had gekocht, de boete die Sonja aan hem had betaald.

Hij was altijd al met hen samen geweest.

Ineens was het glashelder waarom hij zo vastberaden was de liquidatie van Cor te voltooien.

Het afleggen van de kluisverklaringen (2013)

'Hoe doen we dat met hem?' vroeg Sonja. 'Een weekend is wel heel lang, we kunnen nooit zo lang ongemerkt weg blijven.' De inschatting van Betty Wind was dat er minimaal twee hele dagen nodig waren om onze verklaringen op papier te zetten. Ongezien wegkomen én twee hele dagen wegblijven was inderdaad een probleem, dat zou nooit lukken. Wim merkte het direct wanneer onze afwezigheid niet paste binnen onze dagelijkse routines, en dan werd hij argwanend.

Vooral Sonja stond vierentwintig uur per dag onder zijn controle, en moest de hele dag op zijn afroep beschikbaar zijn.

We moesten dus van tevoren bedenken hoe we dit gingen aanpakken.

De dag van onze afspraak was een zondag, maar Wim deed niet aan weekend, hij maakte geen onderscheid tussen de dagen, want hij had nog nooit een reguliere baan gehad. Of het nou zaterdag of zondag was, hij stond net zo vroeg voor mijn deur als alle andere dagen van de week.

Ik kon dus niet uitsluiten dat ik hem tegen zou komen als ik naar de afgesproken plek zou gaan waar Die Twee Sonja en mij zouden ophalen. Ik zou hem vertellen dat ik moest opschieten, omdat ik een piketmelding had in Roermond, en ik daar binnen twee uur moest zijn. Ik zou dus geen tijd hebben voor 'een stukkie lopen', of koffie.

Dan zou ik in ieder geval richting snelweg rijden voor het

geval hij achter me aan zou rijden op de scooter, en vervolgens richting Sonja gaan om haar op te halen.

Ik kwam daar nog redelijk eenvoudig mee weg. Mijn werk bood mij die ruimte.

Voor Sonja was het een moeilijker verhaal. Zij kon zich niet verschuilen achter haar werk, en bij haar stond hij ook op de meest onvoorspelbare momenten voor de deur. Vooral als hij mij niet kon bereiken, ging hij vaak bij haar langs. Zij kon hem geen plausibele verklaring geven voor haar afwezigheid. Waar zou zij naartoe moeten, zo vroeg in de ochtend?

We hadden afgesproken dat ik haar bij het huis van Francis op zou halen. Wim wist immers niet waar Francis woonde.

Sonja zou daar om halfacht naartoe rijden, zij kon daar dan haar auto parkeren, want de auto voor haar eigen deur laten staan betekende dat ze thuis was. Als ze dan niet thuis zou zijn, zou hij dat vreemd vinden. Sonja weg zonder haar auto? Met wie? En wat was ze aan het doen?

Als ze Wim zo vroeg onderweg tegen zou komen, zou ze zeggen dat ze naar Francis moest, dat ze haar net als gisteren moest helpen omdat haar dochtertje Nora een virus had. Dan zou hij haar laten gaan, bang dat zij ook besmet was, want hij was als de dood een virus op te lopen in verband met zijn hart.

We hadden afgesproken dat Sonja mijn telefoon over zou laten gaan als hij wilde dat ze direct met hem mee zou gaan, omdat ze weer eens wat voor hem moest doen wat niet kon wachten. Na dat signaal zou ik Francis bellen, dat ze haar moeder moest bellen om te zeggen dat ze op moest schieten, omdat Nora echt ziek was. Francis zou die opdracht direct uitvoeren zonder vragen te stellen.

Het enige wat ik zou hoeven te zeggen was: 'Mama is bij hem, ze moet naar jou toe, want Nora is ziek, bel haar nu en zeg dat ze onmiddellijk komt.'

Onze kinderen zijn gewend geen vragen te stellen. Het woord 'hem' is al genoeg voor hen om te weten dat het serieus is. Zij weten dat wij zijn naam nooit door de telefoon uitspreken.

Als hij mij tegen zou komen bij of op weg naar Francis, dan zou ik zeggen dat ik de melding telefonisch had gedaan, omdat de cliënt mij al had gebeld. Het was niet nodig me te haasten. Ik ging eerst even bij die kleine meid van Francis langs, die was ziek en Francis maakte zich zorgen. Dat zou overeenstemmen met wat Sonja zou zeggen, want als er ook maar de geringste tegenstrijdigheid in onze verhalen zat, zou hij wantrouwig worden.

Waarom liegen jullie? Zijn jullie wat van plan?

Dan moesten we nog een verklaring kunnen geven voor het geval hij ons bij Die Twee had zien instappen. Ik zou dat naar me toe trekken en zeggen dat het twee basketbalvriendinnen waren met wie we naar een toernooi gingen kijken. Sonja ging mee, die had toch geen eigen leven.

Tegenover hem kleineerde ik Sonja vaak, ook als zij erbij was, net zoals hij dat altijd deed. Hij vond dat fijn om te horen, het gaf hem het gevoel dat ik loyaal aan hem was en niet aan Sonja. Zo bleef ik in zijn gratie.

Alle scenario's die we hadden bedacht, golden ook voor het geval wij hém niet hadden gezien, maar hij ons wel. Dat gebeurde wel vaker. Dan ging hij eerst zogenaamd belangstellend vragen wat je gedaan had die dag, om te kijken of je het antwoord gaf dat paste in zijn observaties. Gaf je een fout antwoord, dan had je wat te verbergen en was je verdacht.

Hij was altijd achterdochtig.

Het was de bedoeling dat we op de plaats van het verhoor zouden overnachten. Dat was lastig voor het geval hij midden in de nacht voor de deur zou staan. Mijn bel had ik vaak uit staan en dat was hij gewend, maar Sonja woonde in een flat waar dat niet kon. Hoe moest zij uitleggen waarom ze niet opendeed?

Gelukkig konden we bij terugkomst op het camerasysteem van Sonja – dat foto's maakte van iedereen die voor de deur stond – zien of hij langs was geweest die nacht. Als dat probleem zich aandiende, zou ze zeggen dat ze een medicijn had genomen waarvan ze knockout was gegaan. Dat zou hij geloven, want ze slikte rustgevende medicijnen.

Dan was er nog een lijntje waarmee hij ons kon controleren en waar we iets op moesten bedenken: onze telefoons. Wat moesten we doen als hij zou bellen? En bellen deed hij altijd, niet een keer, maar tien, vijftien keer achter elkaar als hij ons niet te pakken kreeg.

Ik kon daar wel weer vrij gemakkelijk mee wegkomen door te zeggen dat ik aan het werk was, maar voor Sonja was ook dat weer lastiger, en helemaal als haar telefoon een heel weekend uit zou staan.

Als ze niet thuis was, ging hij bellen. 'Waar zit je? Wat ben je aan het doen?' Kom even naar me toe, nu!' Het moest altijd NU!

'Maar Wim, ik kan niet, ik ben bezig.'

'Bezig?' zei hij dan. 'Zie je zo!' en hij hing op en zette zijn telefoon uit, zodat je hem niet terug kon bellen en wel moest gaan, want als je niet op kwam dagen kreeg hij weer een spin in zijn kop en ging overal zoeken waar we waren om daar de boel op stelten te zetten.

Het was dus beter om elk contact te vermijden, zodat hij ons niet kon bevelen ergens heen te komen. We besloten onze telefoons uit te zetten. Tussendoor zouden we checken hoe de vlag erbij hing, en als het helemaal uit de hand zou lopen en hij zo vaak had gebeld dat hij echt achterdochtig zou worden, zouden we terug moeten gaan.

Het was niet anders.

We zouden om acht uur 's ochtends vanaf de afgesproken locatie vertrekken.

Ik kon op kantoor onmogelijk vertellen dat ik bij justitie verklaringen over mijn broer af ging leggen. Onmogelijk, omdat wij strafrechtadvocaten zijn en dus per definitie tegenover het Openbaar Ministerie staan. Onmogelijk, omdat je anderen niet met dat soort geheimen mag belasten.

Niemand weet wat wij weten en leeft zoals wij leven, niemand kan begrijpen dat praten voor ons dodelijk kan zijn. Dat is voor een normaal mens gewoon niet te bevatten. We kunnen geen enkel risico nemen dat iemand, hoe per ongeluk en hoe goedbedoeld ook, een ander vertelt wat wij aan het doen zijn.

Iedereen heeft wel een beste vriend bij wie hij zijn hart bij uitstort, maar die heeft ook weer een beste vriend aan wie hij alles vertelt, en zo vermenigvuldigt het aantal mensen die het weten zich in een rap tempo. 'Een is elf,' zeggen wij thuis altijd over praten.

Het weekend was daarom voor mij de meest onopvallende mogelijkheid. Ook in het weekend ging het werk gewoon door, maar dan ging in ieder geval de kantoortelefoon niet.

Ik had een bevriende collega buiten kantoor gevraagd om mijn piketmeldingen op te vangen, zodat ik van kantoor geen vragen kon krijgen over waar ik was. Het werden de zondag en de maandag; het kon niet anders, zeiden Die Twee. Ik vond dat onbegrijpelijk, want met mijn verplichtingen op een doordeweekse dag werd het heel moeilijk volledig afwezig te zijn.

Er waren altijd wel crisissituaties die vroegen om mijn aandacht, en als ze mij dan niet te pakken kregen, was er paniek, en ging iedereen zich afvragen waar ik was en waarom ik geen contact opnam met kantoor. Ik vond eigenlijk dat ik mij niet aan hun tijden moest aanpassen, maar zij aan die van mij. Ik kwam hen iets brengen, maar wilde dat wel veilig doen en niet allerlei vragen op kantoor creëren.

Het was mijn eerste ervaring met het verschil tussen ambtenaar en ondernemer, er zouden er nog vele volgen. In het weekend afspreken was er – tenzij bij hoge uitzondering – niet bij, in de avond evenmin. Het moest altijd binnen kantoortijden en zodra het vijf uur was, dan leek het alsof er een ingebouwde biologische wekker afging en wilde men weg.

Amstelveen, tegenover winkelcentrum Westwijk. Ze stonden er al toen we aan kwamen rijden. Ik zette nog even de auto in de woonwijk, zodat hij niet op zou vallen, want hij zou daar tenslotte een heel weekend staan en je wist nooit of Wim weer toevallig langs scheurde op zijn scootertje. Met dat scootertje legde hij hele afstanden af en dook hij altijd op waar je hem niet verwachtte.

'Goedemorgen, lekker vroeg, hè? Het is een behoorlijk eind rijden naar de plek waar we jullie gaan verhoren, dus ga lekker zitten,' zei Michelle opgewekt.

Mijn god, wat een vrolijkheid, alsof we op schoolreisje gingen. Ze hadden geen idee hoeveel moeite het ons kostte om ongezien de deur uit te komen, geen idee hoe moeilijk dit tripje alleen daardoor al voor ons was.

Ik werd in een klap zwaar chagrijnig. Dat ben ik maximaal drie dagen per jaar, maar als ik het ben, is het ernstig. Ik keek Sonja aan en die zag het meteen aan mijn ogen.

'Je gaat normaal doen, hoor,' beet ze me venijnig toe.

Maar dat was niet zo makkelijk. Als ik in zo'n bui terechtkom, kan ik die niet zomaar afschudden. Ik probeerde te analyseren waar dit zo plotseling vandaan kwam, misschien was het een voorteken dat ik het toch niet moest doen.

Ik keek naar Sonja. Met mijn ogen zei ik: laten we teruggaan. Maar Sonja schudde haar hoofd en ik begreep haar blik: nee, we zetten door. Gedraag je.

Ze had gelijk. Het was gewoon een slecht humeur, omdat het zo'n beladen dag was, het was heus geen voorteken. Ik moest me hieruit proberen te hijsen.

Op zo'n moment is eten het enige middel dat aan mijn grafstemming een positieve wending kan geven.

Eten, het enige wat Wim en ik deelden. Voor de lekkerste tompouce reden we van Oost naar de Rivierenbuurt, voor het beste broodje warme worst naar de Jordaan, voor het beste fruit naar het Gelderlandplein. Voor alle etenswaar hadden we een adresje, en het maakte niet uit of we daar kilometers voor moesten rijden.

Als ik eet, voel ik me lekker en ik hoopte dan ook dat mijn stemming zou verbeteren door te kauwen op de tropenbol met roomboter en jonge kaas die ik mee had genomen.

Ondertussen was Sonja gezellig met Die Twee aan het kletsen en leidde de aandacht van mij af. Vriendelijke pogingen een gesprekje met me te beginnen wuifde ik weg: ik kan niet praten met volle mond, gebaarde ik. Ik was nog niet toe aan gekeuvel.

Na anderhalf uur rijden kwamen we aan op de locatie waar onze gesprekken zouden plaatsvinden, waar we tot onze verbazing werden geconfronteerd met twee nieuwe medewerkers, ditmaal van het Team Bijzondere Getuigen (TBG). Dat had ik niet zien aankomen. Nog een verhoorkoppel, twee mannen. Ze stelden zich voor en ik verstond het als Grijpstra en De Gier, want daar leken ze op. Grijpstra sprak plat Amsterdams, De Gier iets minder plat.

Ik had me eigenlijk helemaal geen voorstelling gemaakt van hoe het afleggen van verklaringen in zijn werk zou gaan. Als ik dat wel had gedaan, had ik dit misschien kunnen bedenken. Maar ik was zeker niet voorbereid op nog een verhoorkoppel. Ik schrok ervan: wat doen die vreemden hier?

Aan Die Twee waren we gewend, dat waren jonge, vlotte meiden, maar dit waren twee typische politiemensen en nog Amsterdammers ook. Het lekken bij Café Nol op de Westerstraat, na een avondje doorzakken, zag ik al helemaal voor me.

Hier had ik helemaal geen zin in. Bij Sonja zag ik hetzelfde, ze keek me aan en schudde nee. Zij ging met deze mensen niet in gesprek, zeker weten.

Ik nam haar apart.

'As, ik ga niet met die twee kerels zitten. Ik ken ze niet, dat doe ik niet.'

Ik had precies hetzelfde gevoel. Mijn humeur dat zojuist door mijn tropenbol met kaas naar een wat hoger peil was gelift, zakte weer ver terug.

'Waar is de wc?' vroeg ik.

'Die deur door,' wees Grijpstra.

Sonja hobbelde automatisch achter me aan voor overleg.

'Dit was toch niet de afspraak? Weer twee mensen erbij die ervan weten. Dit is niet zoals het hoort.'

'Nee,' zeg ik, 'ik ben er ook niet blij mee, maar het kwaad is nou al geschied, ze hebben ons nou toch al gezien.'

'Maar los daarvan: ik ga niet met die twee kerels in gesprek. Ik heb daar geen lekker gevoel bij, het zijn van die echte smerissen. Dan sla ik dicht.'

'Dat snap ik. Ik ga dan wel met ze in gesprek,' zei ik met de grootst mogelijk tegenzin. 'We kunnen nu moeilijk de handdoek in de ring gooien. Misschien was mijn humeur daar een voorteken van. Maar ik moest van jou doorzetten, dus we gaan nu niet meer terug, dan hadden we dat gelijk moeten doen. Ik kan nu op het laatste moment moeilijk zeggen dat we niet met ze willen praten en ons 150 kilometer terug naar Amsterdam laten brengen. Ze hebben kamers afgehuurd, apparatuur neergezet, tijd voor ons vrijgemaakt. Dat zou echt onbeschoft zijn, Son. En lekken kunnen we toch niet voorkomen, we kunnen alleen maar hopen dat het niet gebeurt.'

Sonja had gelijk en ik begreep niet dat Betty het zo had geregeld. Hoe kun je nou van twee mensen, die hun hele leven hebben gezwegen, verwachten dat ze hun levensverhaal aan twee wildvreemden gaan vertellen? Het zou voor het eerst in ons leven zijn dat we over ons verdriet zouden spreken.

We liepen terug.

'Sonja gaat met de dames mee, en ik praat wel met jullie,' zei ik tegen de mannen.

'Oké, dan gaan we beginnen,' zei Grijpstra, en Sonja en ik namen ieder in een aparte verhoorruimte plaats.

Voorafgaand aan onze verhoren moesten we een verklaring ondertekenen, dat wij over het afleggen van onze verklaringen en de inhoud daarvan niet met anderen zouden spreken. Als we dat wel zouden doen, zouden alle afspraken vervallen en was het Openbaar Ministerie gerechtigd de verklaringen zonder onze toestemming te gebruiken. Dat betekende dus dat we dit traject, tot aan het moment dat we goedkeuring hadden gegeven voor het gebruik, met niemand mochten bespreken, dat we dit levensveranderende traject niet aan onze kinderen of moeder konden voorleggen. Niet dat wij dat in dit stadium al zouden doen, want 'wat ze niet weten kunnen ze ook niet vertellen', maar het was ondenkbaar dat onze kinderen niet op enig moment hun oordeel over onze actie moesten geven: als zij het er niet mee eens zouden zijn, zouden we niet doorzetten.

Al deze gedachten gingen door mijn hoofd toen Grijpstra het woord nam: 'Astrid, dit is de band en daar nemen we het verhoor mee op. Ben je er klaar voor? Dan zetten we de band nu aan.'

Na het afleggen van onze verklaringen waren we leeg.

We waren twee dagen lang door een hel van herinneringen gegaan. Het verdriet over Cor dat we tien jaar lang uit angst hadden moeten wegstoppen, bleek nog net zo hevig als op de dag dat hij gestorven was. De ontkenning van het daderschap van onze bloedeigen broer, waar we de afgelopen tien jaar aan mee hadden moeten werken, had ons verhinderd het verlies van Cor te verwerken: elke dag moesten we oppassen dat ons gedrag, onze daden of onze opmerkingen hem niet verraadden, uit vrees voor een herhaling van wat hij met Cor had gedaan.

Hij liet ons nooit vergeten waar hij toe in staat was. De verwijzingen naar zijn eerdere slachtoffers waren een effectief middel om ons in het gareel te houden.

We waren na die twee dagen niet alleen uitgeput en leeg, we waren ook blij dat we eindelijk de waarheid hadden gezegd, dat we waren opgekomen voor Cor. We wilden graag weten of onze verklaringen konden bijdragen aan het bewijs tegen Wim, want als dat niet zo was, wilden we zo snel mogelijk uit deze emotionele achtbaan stappen.

In onze fantasie had Betty de verklaringen diezelfde dag nog uit de handen van haar medewerkers gegrist, en was er direct in gaan lezen. Daarom belde ik haar twee dagen na het afleggen op en vroeg of onze verklaringen naar haar oordeel voldoende bruikbaar bewijs opleverden.

Zij wilde dat persoonlijk met ons bespreken, er werd een afspraak gepland voor 1 mei 2013.

De bedreiging van Peter (2013)

Maar voordat het zover was, diende het volgende incident zich alweer aan.

25 april 2013

Ik ben op stap geweest en heb de hele avond mijn telefoon uitgeschakeld, omdat ik geen zin had weer door hem gestoord te worden. Alleen al het zien van een oproep van hem roept spanning op, omdat ik weet dat er dan weer wat aan de hand is.

Op weg naar huis zet ik mijn telefoon toch aan, om te kijken of er geen gekke dingen zijn gebeurd. De gemiste oproepen stromen binnen. Wim heeft verschillende keren gebeld, ik weet dat het foute boel is. Sonja heeft ook gebeld en dat bevestigt mijn vermoeden.

Ik bel Wim niet terug, wetende dat ik dan weer gelijk op moet komen draven. Dus bel ik Sonja, zij zal wel weten wat er is.

Sonja neemt op en vertelt dat Wim helemaal uit zijn dak is gegaan.

'Waarom nou weer?' vraag ik.

'Hij heeft mij eerst opgebeld en uitgescholden en is toen naar Peters huis gereden en heeft hem bedreigd.'

Sonja sprak heel negatief over Wim. Ik was meteen bang.

Wij zeggen normaal gesproken nooit iets negatiefs over hem over de telefoon.

'Oké, en nu?'

'Peter heeft aangifte gedaan.'

'O jee, dat is niet verstandig. Weet Wim dat al?'

'Ik denk het niet,' zegt Sonja.

'Dat wordt ellende.'

Ik weet dat hij dit nooit accepteert. Op praten met de politie staat bij hem de doodstraf. Peter weet niet waar hij aan begonnen is.

Hoe ga ik dit oplossen?

26 april 2013

De ochtend na het incident belt hij al vroeg en zegt op zijn gebruikelijk gebiedende wijze: 'Kom naar de Maxis in Muiden.'

Hij weet niet dat ik al weet wat er gisteravond is gebeurd en dat ik goed begrijp dat het voor Peter nodig is dat ik naar Wim toe ga. Ik stap in de auto en rijd naar Muiden.

Daar aangekomen staat hij al op mij te wachten. Hij weet dat Sonja mij altijd belt als er hommeles is, dus zeg ik gelijk:

A: Heb je ruzie met Sonja?

W: En met Peter, ik ben naar Peter gegaan gisteravond.

A: Ja.

W: Hij heeft overspannen naar Stijn Franken gebeld, want hij voelt zich bedreigd.

A: Ja.

W: Ik ben gisteren naar hem toe gegaan om te zeggen: luister, jij gaat mijn naam niet gebruiken, jij gaat mijn personage niet gebruiken, dat ga je eruit halen en als je het niet doet zal je zien

wat ik met je doe. Z'n wijf was erbij, hij zei: ik voel me bedreigd.
Ik zei: ik dreig niet, ik doe gewoon wat ik zeg. Ik ben klaar met
jou, je gaat mijn naam d'r uit halen, mijn personage. Ik ga die film
verkankeren, ik ben d'r helemaal klaar mee.

Hij begint weer over de filmrechten, en raast door over de
spelletjes die met hem worden gespeeld. Dat hij niet gebruikt
kan worden voor een film waar iedereen beter van wordt zonder dat dat met hem is overlegd, en hij daar ook geld voor
krijgt.
Ik probeer Wim te kalmeren.

A: Waarom ga je niet praten met Peter?
W: Als ik naar hem toe ga en hij zegt nee, dan schiet ik hem gewoon
dood. Die kan d'r ook nog wel bij.

Hij verwijst naar zijn eerdere slachtoffers.
Ik krijg het Spaans benauwd. Als hij zou weten dat Peter
met de politie heeft gepraat en zelfs aangifte heeft gedaan, dan
zou dat nog meer reden voor hem zijn om Peter aan zijn lijstje
van slachtoffers toe te voegen.
Ik maak me oprecht zorgen om Peter. Ik moet een moment
kiezen waarop ik de mogelijkheid laat doorschemeren dat Peter
aangifte zou kunnen doen, zodat hij vast aan die gedachte kan
wennen en hij niet volledig explodeert als hij het hoort.

A: En wat nou als hij aangifte gaat doen?
W: Nou, dan doet ie dat maar.

Op het moment dat hij dat zegt, gaat hij er niet van uit dat
Peter dat zou durven, want hij weet hoe bang mensen voor
hem zijn. Niemand durft over hem te praten met de politie,

en met degenen die dat wel hebben gedaan is het slecht afgelopen.

Dat weet ik, en het beangstigt me. Hoe kon Peter nou aangifte doen?

Ik voel me onbehaaglijk, omdat ik zelf inmiddels al enige tijd met de politie praat. Weer bekruipt me de angst dat hij dat een keer aan me kan zien.

Maar nu is zijn focus zo gericht op Peter dat ik niet bij hem in beeld kom, al helemaal niet omdat ik actief bezig ben de situatie in zijn belang in goede banen te leiden.

Ik probeer Wim zover te krijgen dat hij met Peter in gesprek gaat. Maar dat was uitgesloten, want Wim had niks verkeerds gedaan in zijn ogen, het lag allemaal aan Peter, en dat zou hij tijdens een verhoor bij de politie ook wel vertellen.

W: Dan zal ik ze wel even vertellen dat hij mijn zussie ligt te neuken. Het is toch logisch dat ik daar boos om word? Denk je nou echt dat ze dat niet kunnen begrijpen?

Voor Wim is elk contact tussen een man en een vrouw gericht op neuken, ook wat dat betreft is hij precies mijn vader.

A: Nou Wim, als je dat zegt, dan denk ik dat ze je een TBS-je gaan geven.

W: Hoezo?

A: Nou, wat denk je. Het zijn twee volwassen mensen, die mogen toch zelf bepalen met wie ze neuken? Dat bepaal jij toch niet voor je zussie van drieënvijftig? Het is toch raar dat jij je daarmee bemoeit? Je bent haar man niet, je bent maar een broer. Het klinkt echt gestoord als je met die reden aankomt, daar ga je het niet mee winnen. En trouwens, jij weet ook dat het niet waar is.

W: O nee? Thomas heeft het toch ook verklaard?

A: Ah Wim, ga je nu met Thomas op de proppen komen? Hou nou toch op.

Arme Thomas, hij had zijn leven gegeven om tegen Wim te verklaren.

Hoe vaak had Wim wel niet over die verklaringen tegen Sonja gemopperd? Dat die verklaringen als steunbewijs waren gebruikt, en dat hij daardoor veroordeeld was? En nu gebruikte hij ze net zo makkelijk in zijn voordeel. Ik werd er kotsmisselijk van.

Ondertussen probeer ik hem nogmaals voorzichtig voor te bereiden op Peters aangifte.

A: Stel je voor dat hij aangifte gaat doen.

W: Moet ie doen! En dan?

A: Krijg je weer gezeik.

W: Wat moet ie doen dan? Dan zeg ik: ja, ik ben bij hem geweest, ik heb inderdaad gevraagd om mij niet in die film voor te laten komen. Ik kan geen advocaat meer bekostigen want ik heb geen geld, ik kan geen proces voeren, daarom heb ik 't even zelf gezegd. Klaar. En als ie gaat zeggen: je hebt me bedreigd, dan zeg ik dat hij dat misschien zo opvat.

A: Maar wat heb jij allemaal gezegd dan?

W: Maakt niet uit! Alle ellende die ik krijg van hem, krijgt Sonja van mij ook. Luister, ik ben in alle staten. As, het kan niet zo zijn dat er een film gemaakt wordt over mij en over de rest, dat die mensen waar het over gaat niets krijgen en dat zij en hij het geld hebben.

A: Hmm.

W: Gaat niet gebeuren!

A: Nee, maar daar kun je dan toch over praten?

W: Nee! Want Astrid, hoe vaak heb ik je gezegd dat het niet goed gaat?

A: Hmm.

W: Assie, ik ga je dit zeggen: ik kan hier niet mee leven. Ik ben helemaal aan het doordraaien. De ellende is... (onverstaanbaar) Ik pik het niet, hè? (weer pistoolgebaar) Ja! Ja!

A: Ga nou terug naar het begin, want je draait door voor niks, er is niks aan de hand, er is nog niks gebeurd en er is bij iedereen bereidheid.

Wim geeft aan dat ik mee moet lopen naar buiten, omdat hij me iets gaat zeggen dat binnen niet gezegd kan worden.

W: Als ik naar hem toe ga en zeg: luister, hoe gaan we het oplossen en als hij dan zegt: ja, daar heb ik niks mee te maken, ik heb gewoon mijn geld... Als ik die stap neem...

A: Ja.

W: Ga ik niet met m'n staart tussen mijn benen weg. (fluisterend) Schiet ik 'm gewoon dood.

A: Ja, maar—

W: Dat gaat er gebeuren, want ik ben het zat!

A: Nee.

W: Astrid, ik ben het zat!

Na het gesprek bij de Maxis ben ik naar Peter gegaan.

Het zijn voor mij geen loze dreigementen, ik heb eerder gezien waar ze toe kunnen leiden. Vooral het feit dat hij over het doodschieten van Peter in mijn oor fluistert, maakt dat ik dat serieus neem, want als hij serieus is fluistert hij.

Hij zadelde mij weer eens op met wetenschap die mij verplichtte me ermee te bemoeien. Ik vertelde Peter dat Wim hem met de dood bedreigde. En dat ik dat zeer serieus neem, zodat hij zich daarop in kon stellen, maar dat hij niet kan vertellen dat ik langs ben gekomen om hem te waarschuwen.

Peter hoorde mijn zorgen aan, voelde zich er ongemakkelijk door, maar bleef vierkant achter zijn aangifte staan. Wim was te ver gegaan en Peter zou het wel zien. Wat kon hij er ook mee? Het leed was al geleden.

Met een naar gevoel in mijn maag reed ik naar kantoor, waar het werk op mij lag te wachten. Peter ook altijd met zijn principes, waarom kon hij niet eens een keer een beetje buigen? Het is zo'n mannetjesputter. Ik vond het onverstandig van hem, en tegelijkertijd bewonderde ik zijn gezonde reactie op Wim.

Ik reageerde zelf al meer dan vijftien jaar niet meer gezond, durfde al meer dan vijftien jaar niet meer te reageren zoals het zou moeten. Peter deed het gewoon, waarom ik dan niet? Was ik zo door hem gehersenspoeld? Kwam het omdat de terreur van Wim vergelijkbaar was met die van mijn vader in mijn jeugd, dat ik zo bang voor hem was?

Wat het ook was, ik moest hoe dan ook blijven kijken naar de feiten: Cor, Endstra, Thomas, ze toonden waar hij toe in staat was en die wetenschap legitimeerde het feit dat angst mijn contact met hem bepaalde. Dat was misschien geen dappere reactie, maar in ieder geval geen kamikaze-actie.

Ik was nog geen uur op kantoor toen Wim alweer belde en mij vroeg te komen. 'Kom even naar waar we als laatste waren.'

Ik reed opnieuw naar de parkeerplaats bij de Maxis.

'Hij heeft aangifte gedaan, die viezerik,' zei hij met een ijzige kilte in zijn stem. 'As, ik wil precies weten wat hij heeft verklaard tegen de politie. Ga jij even luisteren.'

Daar ging ik weer. Ik kon er beter tussenin gaan zitten, dan zou ik in ieder geval weten wat er bij Wim speelde en wat hij van plan was.

Dat liet hij mij al meteen weten. Zijn advocaat Stijn Franken had hem verteld dat als hij op basis van de aangifte van Peter werd veroordeeld, hij dan een probleem met zijn voorwaardelijke invrijheidstelling (v.i.) had en dat betekende dat hij een voorwaardelijke gevangenisstraf van drie jaar alsnog zou moeten uitzitten.

In zijn optiek door toedoen van Peter!

Hij fluisterde in mijn oor dat als hij moest gaan zitten, hij net als bij Thomas vooraf een schutter zou regelen. Dan zou Peter gaan, net als Thomas.

Ik moest Peter waarschuwen en kijken wat ik kon doen.

Ik ging weer een dubbelrol spelen.

'Ga je nu dan?' vroeg hij, want hij kon nooit wachten.

'Ja, ik ga in de auto bellen of hij thuis is en anders zoek ik hem wel ergens op. Komt goed. Je hoort van me als ik hem heb gesproken.'

'Oké, ik hoor je straks.'

Peter was thuis en ik reed naar hem toe. Ik dacht na over wat ik tegen hem zou zeggen. Ik wilde hem beschermen, maar ik moest wel voorzichtig blijven met wat ik hem zou vertellen.

We hadden Peter natuurlijk al veel eerder in vertrouwen genomen, hij wist dus wat Wim had gedaan en waar hij mogelijk opnieuw toe in staat was. Maar ik wist niet hoe Peter op deze stressvolle situatie zou reageren, en ik wilde geen paniek bij hem veroorzaken, waardoor hij onvoorspelbaar zou kunnen worden. Voor hetzelfde geld werd hij zo bang dat hij zich tegenover de politie zou laten ontvallen dat wij kluisverklaringen hadden afgelegd. Noem me paranoïde, maar dat risico kon ik niet nemen en ik had alweer spijt dat ik Peter in vertrouwen had genomen. Ik maakte me zo'n zorgen, ik moest hem in ieder geval op het hart drukken daar niets over te zeggen. Maar Peter is iemand die altijd zijn eigen weg gaat, dus ik zou weer eens op eieren moeten lopen.

Ik parkeerde de auto bij Peter voor de deur, hij deed open. 'Sorry Peter, daar ben ik weer.'

Ik vertelde dat Wim wel heel erg zenuwachtig was over zijn v.i., en dat hij bedreigingen uitte. Ik wilde Peter niet rechtstreeks vragen wat hij precies had verklaard, omdat ik dat te ver vond gaan, maar ik kreeg wel een globaal beeld van wat er door hem en zijn vrouw Jacqueline was gezegd. Ik besloot hun verklaringen tegenover Wim af te zwakken om te voorkomen dat hij net als bij Thomas alvast een schutter voor Peter zou gaan regelen.

's Avonds bracht ik Wim verslag uit over wat Peter had verklaard bij de politie. Wim was op dat moment bij Maike, ik sprak hem om de hoek van haar huis, op straat. Wim moest zich de volgende ochtend om tien uur melden bij de politie in Hilversum. Hij was weliswaar uitgenodigd voor verhoor op het politiebureau, maar was toch bang tussentijds aangehouden te worden. 'We gaan even kijken waar ik morgen moet zijn. Rij even mee,' zei hij.

We reden langs het politiebureau en gingen daarna bij Maike thuis zitten. Wim bleef woedend en opgefokt. Hij vond het een schande dat Peter naar de politie was gelopen. Het was een viezerik, volgens Wim.

Het is schrijnend hoe Wim met twee maten meet. Zodra hem iets wordt aangedaan, of als hij dat vermoeden heeft, rent hij op een holletje naar de politie. Zoals die keer dat hij met mijn moeder op de Westerstraat stond en het erop leek dat er een schutter op hem afkwam om hem te liquideren. Hij liet mijn moeder gewoon staan en reed direct naar het hoofdbureau om aangifte te doen. Zoals gezegd, de regels die hij iedereen oplegt gelden niet voor hemzelf.

Uiteraard was alles de schuld van Sonja. De logica waarmee hij daarop uitkwam, was ver te zoeken. Maar hij wil ook niet logisch redeneren, hij wil gewoon een ander de schuld kunnen geven. Wat hij ook voor ellende aanricht, het is nooit zijn schuld, hij heeft nooit wat gedaan. Wat dat betreft is hij precies zijn ouwe heer. Het is altijd weer de ander die hem dwingt te bedreigen, mishandelen en, in het geval van Wim, af te persen, te moorden.

'Oké, succes morgen,' zei ik en nam afscheid.

Om zeven uur de volgende ochtend belde hij alweer. Hij wilde mij zien en vroeg of ik om acht uur bij de Maxis in Muiden kon zijn. Hij vertelde dat hij toch wel heel bang was dat zijn v.i. werd ingetrokken, en dat ze hem gelijk vast zouden houden. Wim had bedacht wat hij allemaal bij de politie ging zeggen om te voorkomen dat hij vastgezet zou worden. Hij wilde nog steeds bij de politie vertellen dat het allemaal kwam omdat Sonja met Peter neukte, en dat Wim daarom bij Peter voor de deur was gaan staan. Hij had totaal geen zicht op hoe vreemd dit over kwam, dat hij het normaal vond zo te denken en het leven van zijn zusje te bepalen.

Ik wist dat als ik hem nu zou helpen, hij vrijgelaten zou worden. Dat was precies wat ik niet wilde, want ik had net vier dagen daarvoor met dat doel twee dagen lang kluisverklaringen afgelegd. Maar ik wist ook dat als Wim vast zou blijven zitten, Peter een heel groot probleem had. Wim had al aangekondigd wat hij dan met Peter zou doen. Ik wist niet of hij dat al geregeld had, maar durfde er niet op te vertrouwen dat het niet zo was. Ik moest Wim wel helpen.

'Als je serieus een kans wilt maken om naar buiten te lopen, kun je beter erkennen dat je het hebt gedaan, het verhaal van Peter relativeren en jouw verhaal ertegenover zetten.'

Gisteren had het woord erkennen nog tot een woede-explosie

geleid, maar in de stress zo vlak voor het verhoor werd hij ont-
vankelijk voor dat argument. Ik vond dat hij de ruzie met Peter
beter opgelost kon hebben voor het verhoor van start ging.

'Je moet Peter gewoon bellen en het uitpraten, dan kun je
tijdens het verhoor zeggen dat het allemaal al is bijgelegd,'
drong ik aan.

De kans was groot dat Wim dan niet vast zou blijven zitten,
en dat die v.i. niet in gevaar kwam.

'Bel jij hem maar, en hoor maar wat hij wil,' zei hij.

We hadden nog een uur voordat het verhoor zou aanvangen.
Ik kreeg Peter op tijd aan de telefoon en gaf aan dat Wim naast
mij in de auto zat, en dat ik graag wilde dat ze er met elkaar uit
zouden komen.

'Mag ik je hem even aan de lijn geven?' vroeg ik met het
zweet in mijn handen en dacht: laat hem alsjeblieft niet weigeren. Tot mijn grote opluchting zei hij: 'Geef hem dan maar
even.'

Wim was heel aardig door de telefoon, dreef uiteraard de
spot met zichzelf, want zo denken mensen dat hij zelfkennis
heeft, en zei tegen Peter dat het allemaal niet zo was bedoeld.

Het was opgelost.

Wim heeft zijn verhaal bij de politie verteld en aangegeven
dat het weer goed was tussen beide mannen. De politie wilde
dat ook van Peter horen, en hebben hem gebeld. Peter bevestigde dat, en toen mocht Wim weer naar huis.

Hij belde zodra hij vrij was.

'Kom je even naar waar we laatst waren?' vroeg hij.

Ik ging naar Muiden en we waren de hele dag samen. Ik had
punten gescoord, ik had hem goed geadviseerd. Het probleem
van het vastzitten en de directe intrekking van zijn v.i. was
voorlopig opgelost. Ik had het liever anders gezien, maar ik

vond dit toch de veiligste oplossing voor iedereen. We eindigden die dag bij Maike thuis.

'Ik ga naar huis,' zei ik.

'Ik loop even met je mee,' zei hij. Het was hem gelukt in vrijheid te blijven en zijn angst om vast te komen zitten had weer plaatsgemaakt voor zelfgenoegzaamheid.

Buiten zei hij tegen me: 'Kijk, zo moet je het doen: eerst bang maken, en dan gaan we praten. Nu wil ik een afspraak met Peter, over die filmrechten.'

Ik wist niet wat ik hoorde, hij ging gewoon verder met zijn afpersing van Peter. En daar kwam ik van pas, hij had mij in zijn val gelokt door een beroep te doen op mijn beschermingsdrang richting Peter. Nu was ik voor hem iemand die dicht in de buurt kon komen van Peter, om zijn boodschap over te brengen. Ik moest tegen Peter zeggen dat Wim niet in de film wilde, en dat dit ook de reden was waarom Wim boos was. Ik mocht van Wim vooral niet zeggen dat het om het geld ging, want dan zou het een afpersing zijn.

Ik koos bewust de rol die hij ook altijd koos: ik ging tussen beide partijen in zitten. Zo kon ik, net als hij altijd deed, het verloop controleren. Maar er zaten niet alleen nadelen aan de positie die Wim mij vroeg in te nemen, er waren ook voordelen. Ik zou proberen deze afpersing op te nemen, het zou een mooi voorbeeld zijn van de werkwijze die hij altijd hanteert, en mijn eigen verklaring ondersteunen. Het klinkt opportunistisch, maar als je altijd alleen maar nadelen hebt gekend, zie je al heel snel een voordeeltje.

Maandag 29 april 2013

De maandagochtend erop gaat het gezeik weer verder. Wim belt en laat mij naar de Viersprong in Vinkeveen komen. Hij is zichtbaar aangedaan als hij op me afloopt. Nadat de eerste spanning van de onmiddellijke intrekking van zijn v.i. eraf was, was het kennelijk tot Wim doorgedrongen dat uitstel nog geen afstel was.

W: Heb je Stijn al gesproken?

A: Nee?

W: Nou ja, die v.i. Als ik word veroordeeld, krijg ik die v.i. voor m'n koker. Een kankerstreek is het, een vieze hond. Hij speelt een spel, hij kan toch gewoon zijn mond houden! Ik weet niet of hij gaat praten, bijdehand gaat doen.

A: Ik wil wel weer naar hem toe gaan.

W: Ik denk dat ie die strafzaak door wil zetten. Zoals iedereen dat gezeik heeft om die kankerfilm, kan ik er nog even drie jaar voor zitten. Een betere reclame voor die film is er niet. Je weet wat ik ga doen, hè? Geen soort bedreiging. Als ik drie jaar moet zitten dan krijgt ie 'm. (fluisteren) Die drie jaar, ja, dat is zijn schuld. Mijn kinderen verdriet, hij verdriet! Astrid, ik zal je zeggen: ik kan niks anders doen als wat ik moet doen, en dat ga ik ook doen, hè! Assie (fluisteren) als ik drie jaar ga vastzitten (handgebaar pistool), dan moet ik wel!

A: Nee.

W: Ja, moet!

A: Nee, moet je niet doen, je moet het gewoon oplossen.

W: Ik ga proberen het op te lossen met Peter. Een oplossing voor hem is als beide partijen geen schade hebben. Want als hij echt ruzie wil dan is het goed, dan ga ik gewoon gas geven en regel ik het vanavond nog voor hem.

Vanwege zijn voornemen Peter wat aan te doen, en met het lot van Thomas in mijn achterhoofd, ga ik weer naar Peter toe, om te proberen hem te bewegen zijn verklaringen zodanig te nuanceren dat er geen schade voor Wim uit voortvloeit.

Maar Peter is niet de makkelijkste en zeker niet bang. Ik zit tussen twee sterke ego's in. Peter zal nooit iets terugnemen van wat hij heeft gezegd, en dat doet mij vrezen voor zijn reactie. Als hij zijn kont tegen de krib gooit en ik moet met die boodschap weer terug naar Wim, dan laat hij Peter doen.

Ik ben bang dat Peter niet inziet hoe serieus dit is, dat Wim zijn dreigementen echt uitvoert. Tegelijkertijd, als iemand weet hoe Wim is, dan is het Peter, maar dat zal er niet voor zorgen dat Peter op zijn schreden terugkeert.

Als ik Peter spreek, merk ik dat hij op zich de strijdbijl wel wil begraven, maar van zijn weergave van de gebeurtenissen niets terugneemt. Ik stel voor dat ze samen een gesprek voeren. Peter stemt daarin toe en Stijn, de advocaat van Wim, regelt dat het gesprek de volgende dag zal plaatsvinden.

Ik smeek Peter om te doen wat Wim wil. Hij wil niet meer dan zijn best voor hem doen. Hij zal zich rustig opstellen. Ik ben vervolgens weer naar Wim gegaan, en heb tegen hem gezegd dat het allemaal goed zou komen.

30 april 2013

Na het gesprek bij Stijn wil Wim mij daar verslag van doen en vraagt mij te komen.

Ik kom aan bij Sandra en Wim ligt op de bank.

'Hij is niet vrolijk, hè?' zeg ik tegen haar.

'Zou het aan mij liggen?' vraagt ze.

'Nee, want jij bent een schatje.'

Hij bromt: 'Hmm, loop maar mee.'
We gaan zoals altijd naar buiten om te praten.

W: Ik heb hem nog even gebeld gisteren, of hij heeft mij gebeld. En
hij vond het heel erg meevallen, hij vond het een heel ontspannen
gesprek toch.

A: Ja.

W: Dus hij was wel blij dat dat geweest was.

A: Dat wel?

W: Ja.

A: Ja, hij had Stijn ook geschreven dat het een goed gesprek was,
dat ie d'r blij mee was.

W: Ja, toch?

A: En Stijn heeft dan die brief geschreven.

W: En dat ik mijn excuus gemaakt heb, weer dat excuus, dat irriteert
me mateloos.

A: Ja, maar ja.

W: Dat zit me weer dwars, hè, want dan denk ik: *what the fuck*
is dat, die mongool die doet voor niks aangifte en ik moet mijn
excuses maken.

A: Maar ja, als dat het ergste is, Wim, om drie jaar te voorkomen,
wat is het punt, waar zit je dan mee?

W: Zo is het ook. Ja, Stijn zegt: het is nu bijna onmogelijk om wat
van die drie jaar te geven. Ze kunnen je geen drie jaar geven als
er geen problemen zijn.

Uitsluitend met dat doel had hij – met de grootst mogelijke
tegenzin – zijn excuses gemaakt. Het zat hem nog steeds niet
lekker, maar het was het waard. De drie jaar gevangenisstraf
die hem boven het hoofd hing, konden ze hem volgens Stijn
nu niet meer opleggen.

Hij kon dat onderwerp dus weer even van zich afzetten.

Met die gedachte naar de achtergrond kwam de gedachte aan de filmrechten weer op de voorgrond; het werd tijd dat hij zijn aandeel kreeg.

De filmrechten (2013)

Sonja moet Wim vijftig procent geven van haar deel van de filmrechten. Ervan uitgaand dat hij mij in zijn kamp heeft getrokken en mij kan inzetten in zijn afpersingsspel met haar, heeft hij mij met die boodschap naar haar toe gestuurd.

Ik zeg hem dat zij niet van plan is vijftig procent te geven. Ik heb met Sonja van tevoren afgesproken dat dat de boodschap zou zijn. We wisten allebei dat hij daar niet mee akkoord zou gaan en dat het zijn agressie op zou wekken, met het risico dat hij Sonja iets aan zou doen. Maar we wilden nog een kans op een opname waar we wat aan hadden, die onze verklaring zou ondersteunen, waardoor we de moord op Cor zouden oplossen.

Normaal zouden we het nooit hebben aangedurfd om zijn woede uit te lokken, zouden we onmiddellijk instemmen met alles wat hij vroeg, maar het proces dat we in gang hadden gezet om hem voor Cor veroordeeld te krijgen, wilden we doorzetten, met of zonder justitie.

Wij hadden samen afgesproken dat als justitie niets deed, en daar leek het heel sterk op, wij hem zo wilden vastleggen dat wij voldoende bewijs hadden om ermee naar Peter de Vries of John van den Heuvel te gaan, om via de media alsnog een vervolging opgestart te krijgen.

A: Ik heb het met Son ook nog besproken en zij zegt: ik vind dat de kinderen ook recht hebben, de kinderen van Cor.

W: Dat moeten zij zelf weten, maar ik ga niet minder als vijfentwintig procent nemen. Zij doet maar met d'r geld wat zij wil, en ik doe met mijn geld wat ik wil, en als zij het aan de kinderen wil geven dan geeft zij het aan de kinderen, ze kan met mij niet pingelen, want ik ben zo klaar met haar.

A: Ja, maar zij zei eigenlijk: ieder twaalfenhalf procent dan. Door vieren. Ook voor de kinderen.

W: Nee, dan doen we het door acht. Gaan Meijer en Boellaard ook wat krijgen. Kijk As, ik ga niet op die twaalfenhalf procent zitten, dan ben ik er klaar mee. Dan gaat de film ook niet door, dan ben ik er helemaal klaar mee, dan heeft Box ook problemen, ik ga dat niet doen. Luister, het is heel simpel, ik heb te veel gezeur gehad, er ligt drie jaar op me nek.

A: Ja.

W: Door haar. Ze mag blij zijn als ik vijfentwintig procent pak en geen vijftig. Ik ben d'r gewoon klaar mee.

A: Je moet het zelf maar met haar uitzoeken.

W: Ik heb het haar al gezegd, hè? Dus ze weet het al.

A: Hmm.

W: Zo simpel is het, en zij kan wel weer een rekensom gaan maken, maar luister: daar heb ik niks mee te maken. Ik heb met haar rekensom niks te maken. Want ik ken wel blijven rekenen voor de Boxer, en het is weer zo en zo. Als ze zegt: ik doe het niet, is het ook goed. Zal je zien wat ik met d'r doe. Dan is zij aan de beurt, hè? Maakt mij ook niet uit, hè?

A: Nee.

W: Assie, luister. Ik ga dat niet meer doen, ik heb nu het boek gesloten. Ik ga niet meer pingelen. Ik moet door het stof, terwijl ik eigenlijk niet door het stof wil. Ik vind het goed, maar niet meer pingelen, niet meer vervelend doen. Wel vervelend doen, dan heb je echt ruzie. Dan heb ze echt ruzie. Dan heb ze echt een probleem met me. En Assie, ik ga dat niet anders doen en ik heb niets met Richie te maken. Weet je wat het is: Richie en Fran zijn niet bij me op bezoek geweest, één keertje, twee keertjes is Richie geweest, Fran is één keertje geweest. Ik heb met een Fran en een Richie niks te maken. Ze rijden in auto's, ze hebben alles. Dat moeten ze zelf weten. Ik heb geen geld en zij gaan gewoon geld pakken. Ik ga met Peter ook gewoon praten hoe dat nou zit, wat gaat er overblijven. Wat gaat er gebeuren. Zeg maar tegen Sonja...

A: Ik ga Sonja vandaag niet meer zien, hoor.

W: Hoeft niet, ze kan met mij niet onderhandelen. Ik ben d'r helemaal klaar mee, en als zij nog vervelend blijft, dan zorg ik dat ze helemaal niks krijgt, dan geef ik alles aan Meijer en Boellaard en mijzelf, en dan is het gewoon klaar. Zij heb geen enkel recht, Richie heb geen enkel recht, Francis heb geen enkel recht. Ze rijden in auto's, Assie! Zo werkt het in het leven, ze hebben me tot op het bot vernederd. Begrijp je? Astrid, luister...

A: Nee, Son is altijd bij je op bezoek geweest, Wim.

W: Ja, maar ik ga je dit zeggen: als ik bij Fran niet mag komen voor de bevalling en al die Marokkanen weten wel hoe het zit en die komen wel allemaal en iedereen is al geweest en ik mag komen als ze is uitgerust, dan beledig je me.

A: Hmm.

W: Begrijp je? Ten opzichte van iedereen beledigen ze me. En dan ga ik je zeggen: ik pak ze nou terug, want ik pak het ze gewoon af, en als ze het niet willen, dan kennen ze 'm krijgen (handgebaar vuurwapen). Dus zo simpel is het.

A: Nee. Het is wel familie, hè?

W: As, maakt me niks meer uit. Luister, ik laat me niet continu naaien in mijn kont door mijn familie, begrijp je? Het gaat altijd om geld, want ze durft nou weer om geld te vragen, ze wil me nou afschepen met twaalfenhalf procent, wie denk je dat je bent? Ze heeft recht op niks, op niks.

We lopen naar het huis van Sandra, de vriendin waar Wim het meest gebruik van maakt op dat moment. Daar aangekomen gaat hij gewoon verder.

'Vijfentwintig procent is voor haar, vijfentwintig procent is voor mij, verder wil ik er niks over horen.'

'Ik heb met die kinderen niks te maken. Die kinderen hebben voor mij nooit wat gedaan.'

'Als zij de kinderen wat wil geven heb zij niks, is haar keus.'

'Voor die vier procent wil ze ruzie. De man vier procent kan ze ruzie krijgen.'

'Het gaat niet meer om het geld. Dat is helemaal niet belangrijk voor mij. Geld is nooit mijn drijfveer. Dit is geen geldsituatie. Het gaat om respect en eerlijkheid en daar til ik zwaar aan.'

'Als ik ga beginnen houdt het op, dan is er geen weg terug.'

'Het is een opstapeling van beledigingen.'

'Dat hun boven mij staan.'

'Maar verwacht niet van mij om iets eerlijks voor Fran te doen. Als ik het eerlijk doe, stomp ik haar hele kankerkop in elkaar. Met d'r grote bek.'

'Ik neem vijfentwintig procent.'

'Ze willen van mij afpakken wat van mij is.'

Die laatste quote brengt ons terug bij waar het om gaat: als Wim besluit dat iets van hem is, dan is het van hem. En als je het als rechtmatige eigenaar wilt behouden, dan pak je het van hem af.

Drie uitjes met Wim

Wim kende iemand die kaarten kon regelen voor het concert van Michael Jackson, in september 1996 in de Amsterdam ArenA.

'Maike, Evie en Francis gaan mee. Willen jij en Mil ook mee?' vroeg Wim.

'Nou, heel graag,' antwoordde ik. Miljuschka en ik maakten een vreugdedansje door de huiskamer. We gingen naar het concert van Michael Jackson! Ik had al geprobeerd kaarten te krijgen, maar alles was binnen drie uur uitverkocht.

'Hoe krijgt hij het toch weer voor mekaar. Hij kent ook iedereen, hè?' zei ik tegen Miljuschka. We spraken af dat hij ons bij mij thuis op zou halen.

We gingen met twee auto's. Maike nam Francis mee en Wim nam Evie, Miljuschka en mij mee. Goedgehumeurd zaten we met z'n vieren in de auto, Evie en Miljuschka kakelden er vrolijk op los.

We reden de parkeergarage van de ArenA binnen en die was behoorlijk vol. We zagen niet direct een plekje en het gezicht van Wim betrok. 'Wat een tyfuszooi. Nergens een plek,' mopperde hij en de stemming in de auto veranderde van uitgelaten naar gespannen. We reden langs de parkeervakken, alles was vol.

'Daar,' zei hij en wees naar een plek tussen een paal en een gloednieuwe Porsche Carrera.

'Volgens mij pas je daar niet tussen,' zei ik bezorgd.

'Jawel, hoor,' zei hij en manoeuvreerde zijn auto behendig het parkeervak in.

'Pas je wel op met je deur,' zei ik, 'want dat is een gloednieuwe Porsche.'

'Wat loop je nou te zeiken?' zei hij geïrriteerd.

Ik dacht dat de parkeerplek zijn humeur weer had doen opbeuren, maar daar had ik me in vergist.

'Ga jij mij vertellen wat ik moet doen?'

'Nee Wim, ik zeg het alleen maar,' antwoordde ik.

'O, want ik bepaal zelf wat ik doe, hè?' Hij gooide de deur open, stapte uit en sloeg met zijn hand een enorme deuk in de gloednieuwe Porsche. 'Huh, ik bepaal zelf wat ik doe!' zei hij hardop.

Ik schrok van de manier waarop hij me duidelijk maakte dat ik beter niets had kunnen zeggen. Als ik niets had gezegd, zat er nu geen deuk in die auto. Ik keek om me heen of niemand het gezien had. Stel je voor, iemand zou er een opmerking over maken, dan ging die ook nog gestrekt.

***

Omdat Cor vastzat, wilde Wim met Francis haar zestiende verjaardag vieren.

'Hij vraagt of jij ook meegaat,' zei mijn moeder.

'Wie gaan er allemaal mee dan?'

'Nou, wij allemaal, Maike en haar moeder en Wim.'

'Hmm, ik weet het niet. Je weet toch hoe hij doet.'

'Ach, ga nou mee. Anders is hij weer beledigd. Maike's moeder gaat ook mee, dan gedraagt hij zich wel. Doe het voor Francis.'

'Oké, ik ga wel mee, maar ik ga niet bij Wim in de auto.'

Francis mocht van Wim kiezen waar ze wilde eten en het werd restaurant Terra in Bloemendaal. We hadden daar al vaker gegeten, de eigenaar was een vriendelijke man en altijd zeer attent. We zaten met z'n allen aan een tafel en Wim bestelde voor ons allemaal een drankje om een toost op Francis' verjaardag uit te brengen. Hij hief het glas en nam het woord. 'Op mijn lieve Frannie! Gefeliciteerd, liefie!' zei hij vrolijk.

Op dat moment werd Sonja gebeld, en gaf ze de telefoon aan Francis. Cor was aan de lijn. Ze kletsten wat en namen afscheid.

'Iedereen krijgt de groetjes van papa,' zei ze. 'Ik vind het zo jammer dat hij er niet bij kan zijn.'

'Ja, dat is zijn eigen schuld, hè?' zei Wim triomfantelijk.

De menukaart kwam en we bestelden allemaal een voorgerecht en een hoofdgerecht. Tegenover ons zaten een man en een vrouw aan tafel, en ik zag Wim al vanaf het begin naar die jongeman kijken, alsof hij in de gaten hield wat hij deed.

'Wat zit die gozer steeds naar jou te kijken,' zei hij tegen Maike.

'Wie?' vroeg Maike, die niet eens iets in de gaten had.

'Die gozer! Hij zit de hele tijd naar je te kijken. Vind je hem leuk ofzo?'

'Wim, ik heb die jongen nog nooit gezien. Kan ik er wat aan doen dat hij zit te kijken. Ik kijk toch niet?'

'O nee, ik zie toch dat je kijkt. Nu kijkt ie weer.'

Wim stond woest op van tafel en liep op de jongeman af.

'Wat zit je nou te kijken?' riep hij luid en intimiderend.

De jongen keek op en zei: 'Ik zit niet te kijken man, wat moet je nou?'

'Wat moet jíj nou!' schreeuwde Wim en dook op de jongen. Die viel met stoel en al op de grond, Wim lag bovenop hem. Hij sloeg hem waar hij hem raken kon, maar de jongen wist zich om te draaien. Samen rolden ze door het sjieke restaurant.

'Wim, hou op! Hou op!' schreeuwde ik.

Wim had zich weer boven op de jongen gedraaid, trok een pistool en zette dat op zijn hoofd.

'Nee, Wim! Nee, niet doen! Hou op!' gilde ik.

Mijn moeder rende naar Wim toe en trok zijn arm met het wapen bij het hoofd van de jongen weg. Tegelijkertijd sjorde Sonja aan zijn benen om hem van die jongen af te krijgen, en ging op Wim liggen om hem in bedwang te houden.

'Wim, hou op! Straks komt de politie!' schreeuwde ze.

Het woordje politie schudde Wim wakker. Hij werd rustig.

'Ga weg hier. Snel, ga weg hier,' zei Sonja.

'Kut,' zei Wim, ineens beseffend dat hij een probleem had. Hij liep naar de eigenaar en zei dreigend: 'Jij kent mij niet. Hoor je me? Als de politie komt weet jij niet wie er is geweest.' We renden allemaal achter Wim aan naar onze auto's en scheurden weg.

'Nou, het was weer gezellig, hè?' zei Francis droog.

'Ja, altijd feest met die man,' zei ik.

'Zullen we maar een patatje gaan halen?' vroeg mijn moeder.

***

'Wim wil dat jij er ook bij bent. Dan kun jij me halen en brengen,' zei mijn moeder.

'Maar mam, ik heb daar echt geen zin in. Weet je nog de laatste keer dat we met hem uit eten zijn geweest? Ik pieker er niet over. Nooit meer! Ik begrijp niet dat jij nog gaat.'

'Ik zal wel moeten. Ik ben zijn moeder,' zuchtte ze.

'Dat vind ik heel erg voor je, maar ik ga niet. Vraag Gerard maar.'

'Die wil niks meer met hem te maken hebben sinds dat gedoe met die ontvoering. Die gaat zeker niet. En trouwens, Wim wil dat jij komt. Hij heeft speciaal een jurk voor je gekocht,' voegde ze eraan toe.

'Geloof je het zelf, mam. Die zal hij wel voor een of ander mokkel hebben gekocht die 'm niet wilde hebben,' antwoordde ik.

'Nee, echt!' zei mijn moeder. 'Hij heeft 'm speciaal voor jou gekocht, zodat je iets moois hebt om te dragen op het feest.'

'Alsof hij weet wat ik mooi vind! Mam, hij heeft iets gekocht wat hij zelf mooi vindt. Hij wil gewoon bepalen wat ik aantrek, omdat hij bang is dat hij anders voor schut staat met me,' sneerde ik.

'Hij bedoelt het goed,' zei mijn moeder. 'Hier, pas nou even.'

Mijn moeder gaf me een tas met daarin een luxe uitziende doos. Ik pakte de doos uit en hield een lange, zwart-elastische one-shoulder glitterjurk in mijn handen. 'Mijn God, wat is dat nou? Gatverdamme! Dat ziet er toch niet uit! Glitter en blote schouders!' walgde ik.

'Het was een heel dure jurk,' zei mijn moeder. 'Ik geloof wel zevenhonderd gulden. Hij heeft 'm echt speciaal voor jou uit Parijs meegenomen.'

'Ik haat blote schouders, mam, dat weet je. Geef die jurk maar terug. Ik ga echt niet.'

'Doe het nou wel,' smeekte mijn moeder, 'anders is hij beledigd en dan krijg ik al dat gezeik weer over me heen. Alsjeblieft, hij doet die gekke dingen niet meer. Hij is daar de vorige keer toch ook van geschrokken? Bang dat de politie hem kwam halen en zo? Dat doet ie niet meer.'

Ik keek haar ongelovig aan, schudde mijn hoofd.

'En wie moet me anders halen en brengen?' gooide ze het over een andere boeg. 'Dan blijven we toch niet zo lang? Laten we ons gezicht even zien, zodat hij weet dat we geweest zijn en dan gaan we weer. Alsjeblieft, doe het voor mij, anders ben ik daar helemaal alleen.'

'Oké, ik ga wel weer mee,' zei ik met de grootste tegenzin. Ik deed het voor haar. Niet voor hem. 'En As? Wil je dan alsjeblieft die jurk aantrekken?'

Op 31 december 1999 ging ik naar het huis van mijn moeder om haar op te halen voor het feest. 'Hoi mam,' zei ik en liep naar binnen. 'Moet je kijken hoe ik eruitzie in die jurk,' zei ik en deed mijn jas uit. 'Ik ben net een drag queen.' Mijn moeder begon te lachen.

'Nee echt, moet je kijken mam, als ik me omdraai ben ik net Arnold Schwarzenegger in een baljurk.'

Ik draaide me om, zette mijn handen in mijn zij en spande mijn spieren aan. Mijn moeder gierde het uit. Ze zag precies wat ik bedoelde. Ik had de triceps en biceps van een bodybuilder. 'Mam, kijk nou, van achteren ben ik net een kerel. En van voren een travestiet!'

Mijn moeder bleef lachen: 'Je bent prachtig in die jurk!' loog ze en probeerde zo serieus mogelijk te kijken, maar schoot weer onbedaarlijk in de lach toen ik vroeg: 'Heb jij hier niet een sjawl ofzo, die ik over mijn schouders kan doen, zodat je die armen niet ziet?'

Mijn moeder pakte een zwarte doorzichtige sjawl, die ik over mijn schouders drapeerde. Onderweg naar het feest in IJmuiden zei mijn moeder: 'Nou, we hebben in ieder geval al gelachen vanavond.'

Wim verwelkomde ons en wees ons waar we onze jassen op konden hangen. Hij zag er prachtig uit in zijn smoking. Van de overige aanwezigen herkende ik alleen Willem Endstra, zijn vrouw en de artiesten die deze avond zouden optreden.

'Sjieke bedoening hier, hè?' zei mijn moeder.

'Zeker,' zei ik, 'gelukkig val ik niet uit de toon met die prachtige jurk.'

We waren allebei nog steeds melig en het woord 'jurk' was voldoende om mijn moeder het uit te laten gieren van de pret.

'Ik zal Wim even "bedanken" voor de mooie jurk,' zei ik jolig en de tranen liepen over mijn moeders wangen van het lachen. 'Dat is wel zo aardig toch? Ik ben zo terug.'

Ik trof hem bij de lift in een triomfantelijke stemming, omringd door een aantal potige types die je liever niet in een donker steegje tegenkomt. Hij had net aan een 'bijgoochem' een paar klappen uitgedeeld, en het af laten maken door de 'beveiliging'.

Het was hier toch niet zo'n sjieke bedoening als mijn moeder dacht, en het was zeker niet het moment om Wim in de maling te nemen met de jurk die hij voor me had gekocht.

Ik liep weer terug naar mijn moeder. Ze begon al te giechelen toen ze me aan zag komen lopen. 'En? Vond ie het leuk, dat je hem kwam "bedanken"?' lachte ze.

Ik had haar in tijden niet zoveel lol zien hebben en ik was niet van plan de stemming te bederven. 'Jaaaa!' loog ik en gaf haar een vette knipoog. 'Hij was heel blij!'

Arrestatie Wim (2013)

'Wim is gearresteerd!' roept Sonja. 'Hebben ze hem op onze verklaringen aangehouden?'

'Geen idee,' zeg ik, 'ze hebben ons niet ingelicht maar ik ga ervan uit dat ze dat van tevoren ook niet doen. We moeten weten waarvoor hij is opgepakt, dan weten we ook of het op basis van onze verklaringen is.'

Ik bel met een van Die Twee en vraag waarom Wim is aangehouden. 'Moeten wij er rekening mee houden dat voor ons nu alles gaat beginnen?'

Vreemd genoeg zegt zij het ook niet te weten.

'Hoezo weet jij dat niet dan? Jij zit toch in het onderzoeksteam?' vraag ik verbaasd.

'Nee,' zegt ze, 'wij krijgen dat ook nooit vooraf te horen.' Ze moet het gaan uitzoeken.

Ik zeg dat ik wil weten of het door ons is, want dan moet ik aan mijn positie gaan denken. Aan mijn werk, wat ik daar moet gaan zeggen, want ook daar weten ze van niks. Stel je voor dat nu opeens in het nieuws zou komen dat wij over hem hadden verklaard, dat zouden mijn collega's mij niet in dank afnemen en dan kon ik hen en mijn werk wel gedag zeggen.

De spanning, en de daarmee gepaard gaande onzekerheid, waren immens: dit zou het moment kunnen zijn waarop ons leven drastisch zou veranderen, het moment waarop alle gevaren waar we rekening mee moesten houden, zich aandienen.

Ik ben op van de zenuwen. Ik moet snel weten waarvoor hij gearresteerd is, want Stijn heeft mij intussen al gebeld, en ik wil hem niet te woord staan als het gaat om zaken waarin ik zelf getuig. Dat voelt niet goed, en zou ook niet goed zijn voor de zaken.

Ik check of Wims vriendin Sandra wat heeft gehoord. Zij weet op dat moment nog niet dat wij al verklaringen hebben afgelegd bij justitie.

Sandra heeft met Jan van de garage gesproken. Wim werd daar aangehouden toen hij op zijn scooter aan kwam rijden: geen arrestatieteam, gewoon gevraagd mee te komen. Bij Sandra thuis was er ook niets gebeurd, geen deur eruit geslagen, geen huiszoeking, niets.

Het lijkt erop dat die acties niet speciaal op hem gericht zijn, dat het dus niet gaat om een arrestatie voor de zaken waarover wij een verklaring hebben afgelegd. Dat wordt al snel door Die Twee bevestigd. Direct na de opluchting dat het nog niet zover is, dat ons leven nog niet helemaal op zijn kop staat, komt de teleurstelling. Waarom hebben ze hem nog niet voor die liquidaties gearresteerd?

Wim blijkt met anderen opnieuw te zijn gearresteerd op verdenking van afpersing. Zijn arrestatie heeft niets met onze verklaringen te maken en we moeten zo gewoon mogelijk blijven doen.

Dat betekent dat we niet kunnen afwijken van ons normale patroon. Op bezoek, kleding naar de gevangenis brengen, geld op zijn bajesrekening storten zodat hij daar boodschappen kan halen. We moeten weer net doen alsof er niets aan de hand is, doen alsof wij de dag van zijn aanhouding niet hadden gehoopt dat hij eindelijk voor de liquidatie van Cor werd vervolgd, doen alsof wij niet met de politie praten.

Het enige voordeel aan de situatie is dat we voorlopig weer even wat rust hebben, en dat hadden we hard nodig. De spanningen hebben ons gesloopt.

Tijdens zijn afwezigheid leg ik de rest van mijn kluisverklaringen af. Het scheelt dat ik minder alert hoef te zijn wanneer ik naar de afgesproken locatie ga.

We zijn al snel tevreden.

Ik zit in de auto en word gebeld door Sandra. Hij wordt geschorst. Na vierenveertig dagen staat hij alweer buiten. Hij is weer vrij.

Het gaat allemaal opnieuw beginnen.

Opnemen (1995/2013)

Het opnemen van gesprekken bleek een vak apart.

Mijn enige ervaring met afluisterapparatuur stamde uit de tijd dat ik sterke aanwijzingen kreeg dat Jaap opnieuw vreemdging. Ik confronteerde hem daarmee, hij ontkende uiteraard. Volgens hem was ik gek en zag ik spoken. Ik besprak mijn vermoedens met mijn therapeute.

'Maar hoe weet ik nu zeker of hij liegt? Ik kan hem toch niet zomaar beschuldigen, alleen maar omdat ik signalen als aanwijzing zie? Hij zweert op zijn kinderen dat het niet zo is.'

'Dan moet je dat vermoeden testen.'

'Hoezo testen?'

'Kijken of het een juist vermoeden is,' antwoordde ze nuchter.

'O, kan dat dan zomaar? Hoe dan?'

'Dan huur je toch gewoon een privédetective in?' opperde ze, alsof het de normaalste zaak van de wereld was.

'En zijn privacy dan? En het wederzijds vertrouwen dat je in relaties hoort te hebben?'

'Dat is allemaal leuk zolang het goed gaat, maar als jou dit schaadt, dan heb je het recht om dat uit te zoeken. Blijkt dat je ongelijk hebt, dan moet je je afvragen waarom je hem ervan verdenkt. Dan zit het in jou, en dan moeten we daar naar kijken. Maar als je gelijk hebt dan liegt hij en je hoeft niet tegen je te laten liegen.'

Zo! Daarom had ik nou Liesbeth, en niet al die voorgaande pannenkoeken als therapeut.

Maar ik kon een privédetective natuurlijk nooit betalen, dus toog ik naar de Spyshop op de Postjesweg. Als een privédetective was toegestaan, dan was afluisterapparatuur dat ook.

'Moet je dit nemen, meissie,' zei de verkoper.

'Oké, wat kost dat?'

'Twaalfhonderd gulden.'

Twaalfhonderd gulden? Ik had helemaal geen twaalfhonderd gulden. Ik had krap driehonderd in mijn zak.

'Ik wil het wel voor je apart houden,' zei hij.

'Nou, ik ga er eerst wel over nadenken.' Maar ja, met nadenken kwam er geen geld in mijn zak, dus ging ik naar mijn zus en mijn moeder. Ik had ze nooit verteld over het vreemdgaan van Jaap, omdat ik in het belang van Miljuschka niet wilde dat ze zich anders tegen hem zouden gedragen, maar nu zag ik geen andere mogelijkheid. Zij zagen onmiddellijk de noodzaak.

'Je laat je toch niet door hem besodemieteren?' zei mijn moeder.

Samen hebben ze geld gegeven en zo kon ik de afluisterapparatuur aanschaffen. Ik had onze oude woning weliswaar verlaten, maar ik had nog wel de sleutel. Toen ik wist dat hij niet thuis was, heb ik de afluisterapparatuur in huis geplaatst.

Ik ging naar mijn vriendinnen en bracht verslag uit van wat ik had gedaan. Ik voelde me er vals door en na een uur of twee wilde ik terug naar huis om de apparatuur weg te halen. Ik zag dat het apparaat al had opgenomen. Kennelijk was Jaap alweer thuis geweest.

Dan toch maar even luisteren, dacht ik, en ik had direct beet. Op de opname stond een gesprek tussen Jaap en een vrouw aan de telefoon, waarin hij haar vertelde dat hij zo blij was dat ze zwanger was, maar dat hij niet wilde dat ik dat te weten zou komen. Ik hoorde hem met haar afspreken in een hotel, en toen wist ik genoeg. Mijn eerste afluisterpraktijk was een daverend succes.

Maar het verschil met Wim was dat Jaap er niet op bedacht was dat hij ooit door zijn eigen vrouw zou worden afgeluisterd. Wim was er altijd bedacht op, omdat hij zélf iedereen afluisterde: 'Ik ben daar de beste in,' vertrouwde hij mij in de zomer van 2013 nog toe.

Het bleef elke keer weer de vraag of het gelukt was om de gesprekken met hem vast te leggen. En als het gelukt was, of ze verstaanbaar waren, en dat hing sterk van de omstandigheden af: waar we liepen, hoeveel verkeer er was, of onze jassen kraakten, noem maar op.

Vooral zijn gefluister was vaak niet te horen op de opname, dat was iedere keer weer een domper. Wanneer hij fluistert, zegt hij altijd de belangrijkste en meest belastende dingen over zichzelf en die had ik nu juist zo nodig!

Ik kon wel reproduceren wat hij mij vertelde, maar ik wilde dat iedereen het hem zélf kon horen zeggen – dan zou het bewijs in één klap rond zijn.

Ik vond het vreselijk om na urenlange wandelingen met hem, waarin hij zoveel mooie, bruikbare dingen zei, alleen zijn onverstaanbare gefluister terug te moeten horen. Ik hoopte daarvoor een oplossing te vinden, en was op zoek naar een winterjas met een kraag ter hoogte van mijn oren. Tussen mijn oor en het begin van mijn sleutelbeen was het gebied waar zijn gefluister het best op te vangen zou zijn. Daar moest toch iets voor te vinden zijn? Het was wel riskanter dan een apparaat tussen mijn borsten of achter in mijn kraag, maar dat risico nam ik op de koop toe.

Al zou het me maar één keer lukken, dan zou het mijn verklaring – maar ook de uitspraak van Endstra dat Wim altijd
belangrijke dingen fluistert – onderbouwen.

'Kom, we gaan naar de North Face-winkel, een jas kopen,' zei
hij toen Sandra hem vertelde dat ik een winterjas nodig had.

Verdomme, waarom zegt ze dat nou? dacht ik. Dat is het
laatste wat ik wil, met hem een jas kopen. 'Nee, dat hoeft niet,'
zei ik, 'ik heb het druk.'

'Zeur niet,' zei hij, 'we gaan op de scooter en we zijn binnen
het halfuur terug.'

Hij liep al weg om zijn scooter te pakken.

'Bedankt San, lekker gedaan. Zit ik weer met hem in me
mik.'

'Sorry,' zei ze.

In de North Face-winkel in de Kalverstraat zei hij: 'Hier, pas
deze, die heeft Maike ook.' Hij pakte een driekwart lange
zwarte North Face-winterjas die nog enigszins elegant was.
North Face was zijn merk. Het beschermde hem tegen de kou
als hij op zijn scooter reed, en het zou mij ook beschermen.

De jas die ik aanhad, had ik volgehangen met afluisterapparatuur, dus ik stond niet te trappelen om die uit te trekken.

'Pas 'm even,' zei hij nogmaals. 'Geef mij je jas maar.'

Geef mij je jas maar? Nee, dat kon echt niet. Hij moest
vooral mijn jas niet in handen krijgen, want dan zou hij het
voelen. Maar als ik heel overspannen die jas niet zou willen geven, zou dat ook het verkeerde signaal afgeven, dus zei ik heel
rustig: 'Nee, dat hoeft niet, ik leg 'm wel even op de grond.'

'North Face is echt het beste,' zei hij. 'Die zit mooi, die moet
je nemen.' Hij gaf hem al aan de kassière.

Shit, die jas zal ik vanaf nu moeten dragen, want hij heeft 'm met me gekocht en als ik dan iets anders aanheb, vindt hij dat raar en gaat hij misschien mijn jas controleren. Aan de andere kant, als hij deze jas met mij samen heeft gekocht, zal hij nooit verwachten dat daar iets in zit, het zou zelfs in mijn voordeel zijn deze jas te dragen.

Geheel toevallig – maar tot mijn grote opluchting – leende de jas zich na enig creatief naaiwerk uitstekend voor de afluister-praktijken. Ik tornde mijn kraag op de naad open, waardoor er een smalle opening ontstond waar mijn afluisterapparatuur in paste, en zorgde dat de naad open en dicht kon door er klittenband tussen te zetten. De kraag zat het dichtst bij mijn oren, waar hij in fluisterde. Tegelijk zaten zijn ogen daar ook het dichtste bij en moest ik dus maar hopen dat hij het niet zag, dat het hem niet zou opvallen.

Bij onze eerstvolgende ontmoeting had ik de jas aan: mét klittenbandsluiting maar zónder afluisterapparatuur, want ik wist precies wat hij ging doen.

Ik had mijn jas uitgedaan, en inderdaad! Hij pakte hem op en zei: 'Kijk San, mooie jas, hè? Hier, moet je voelen. Hyvent. Superjas.'

Hij had de jas in zijn handen gehad, van dichtbij bekeken, eraan gevoeld, maar het was hem niet opgevallen dat de kraag een klittenbandsluiting had gekregen. De jas had de vuurproef doorstaan.

De eerstvolgende keer kon ik er de afluisterapparatuur in plaatsen.

De derde aanslag op Cor (2003)

Op 24 januari 2003 was ik op de rechtbank en kon elk moment naar binnen gaan voor een zitting. Ik had een vriendin bij me, die een keer een zitting bij wilde wonen. Ik weet nog precies waar ik stond toen mijn telefoon ging: vlak voor de Van Ovenzaal.

Ik nam de telefoon op en hoorde een hysterisch gegil. Ik hoorde de stem van mijn zus. Ze zei niets, gilde alleen.

'Wat is er? Wat is er?' vroeg ik, maar een onbekende mannenstem nam de telefoon over.

Hij zei: 'Sonja is hier.'

'Wie ben jij?' riep ik. 'Waar is mijn zus, wat heb jij met mijn zus gedaan?' Ik was volledig in de veronderstelling dat mijn zus was ontvoerd door die vreemde man aan de telefoon. 'Geef mijn zus aan de telefoon!' schreeuwde ik.

'As,' zei Sonja en ze begon weer te gillen. Ik werd bang van haar.

'Wat is er, Son? Zeg nou gewoon wat er is!' vroeg ik.

'Cor is dood! Cor is dood!' gilde ze.

De mannenstem nam de telefoon weer over, en vertelde dat Cor was neergeschoten.

'Nee! Nee, nee, nee! Sonja, waar ben je?' schreeuwde ik.

'Ik ga naar hem toe,' zei de onbekende mannenstem.

Ik wist niet waar zij was, ik wist niet waar Cor was. Het moment was te beladen om een normaal gesprek te voeren. Ik wilde naar Sonja toe. Ik vroeg mijn vriendin mij naar Sonja's huis te rijden, want ik was helemaal over mijn toeren en niet in staat een auto te besturen.

Onderweg belde Sonja. 'Ze hebben zich vergist, As! Cor is niet dood! Hij ligt in het ziekenhuis en ik rijd er nu heen.' Er klonk hoop in haar stem.

De man die naast Cor had gestaan was dood, maar Cor leefde nog en was naar het ziekenhuis gebracht, had de politie haar verteld.

Hij leefde nog!

Ik wilde naar het ziekenhuis, maar ik wist niet waar ik heen moest en kon Sonja niet meer bereiken om het te vragen. Uiteindelijk heb ik mij bij het huis van Sonja in Amstelveen laten afzetten. Vrijwel direct kwamen er twee politieagenten huiszoeking doen. Ik was verbijsterd dat ze ons zelfs onder deze omstandigheden niet alleen wilden laten met ons verdriet, maar toch nog even het huis wilden doorzoeken.

Ik belde mijn moeder of ze naar Sonja's huis kwam, omdat ik die twee agenten daar niet alleen achter wilde laten en ik een auto nodig had om naar het ziekenhuis te gaan. Mijn moeder ging naar Sonja's huis en Gerard haalde mij op om mee te gaan.

Ondertussen bleef ik Sonja bellen om te vragen hoe het met Cor was. De mannenstem nam weer op en zei schor: 'Ik zal je je zus even geven, ze moet je wat vertellen.'

Aan de manier waarop hij dat zei, voelde ik dat het niet goed was. Sonja kwam aan de lijn en zei niets. Ik hoorde alleen een zacht, intens gehuil.

'Son, ben je daar?' vroeg ik.

'Ja,' zuchtte ze.

'Is het niet goed?' vroeg ik, bang voor het antwoord.

'Nee, As.' Sonja klonk alsof ze geen kracht meer had om te praten.

'Is hij—?' Ik kon het woord niet uitspreken, bang dat het bevestigd zou worden.

Het bleef stil.

'Son?' vroeg ik weer.

'Ja, hij is—'

Hij is dood, herhaalde ik in mezelf. Dat kon niet, hij kon niet dood zijn. Twee aanslagen had hij overleefd, twee keer had hij het definitieve einde dat de dood brengt al verslagen en ik vond het bijna vanzelfsprekend dat het hem weer zou lukken.

We kwamen aan bij het ziekenhuis. Ik rende zo snel als ik kon de trap op naar de ingang en liep gehaast door de gangen naar de afdeling waar hij lag. Ik begon alvast tegen hem te praten, bang dat ik anders te laat kwam en zijn ziel mij niet meer zou horen: 'Cor, je mag nog niet dood zijn. Dat kan niet, je moet bij ons blijven. Ga niet weg.'

Aan het einde van de gang zag ik Sonja staan. Ik rende op haar af en vloog haar om de hals.

'Son, zeg me dat het niet waar is. Zeg me dat hij nog leeft.'

Ze schudde haar hoofd. 'Hij is dood, As.'

Een arts van het vu-ziekenhuis kwam naar ons toe. Terwijl we met hem in gesprek waren, zagen we Francis binnenkomen. Ze was ook naar het ziekenhuis gereden in de veronderstelling dat Cor zwaargewond was, maar nog leefde. Bij de ingang van het ziekenhuis was ze opgevangen door een vriend van Cor en toen wist ze genoeg.

'Hij is dood, hè?' zei ze, en die vriend knikte.

'Hoe kan dat nou?' vroeg ze de arts. 'Jullie hadden gezegd dat hij nog leefde.'

'Sorry,' zei de arts, 'dat is een miscommunicatie geweest. De man die naast hem stond vecht op dit moment voor zijn leven, maar je vader is overleden.'

Het was een vergissing die haar al haar hoop op een weerzien met haar vader ontnam.

'Kunnen we bij hem?' vroeg Francis.

'Nee,' zei de arts, 'hij is hier niet. Hij is nog in Amstelveen.'

'In Amstelveen?' vroeg Sonja. 'Dan gaan we daar nu heen. Willen jullie Richie ophalen van school voordat hij van een vreemde hoort wat er met zijn vader is gebeurd?' vroeg Sonja aan Gerard en mij.

'Ja, natuurlijk,' antwoordde ik. 'Moet ik het hem vertellen of doe je dat liever zelf?'

'Doe jij dat alsjeblieft, As. Ik kan dat echt niet aan,' huilde ze.

'Dat is goed, dan gaan we er nu heen.'

Richie was verbaasd ons te zien, maar wist duidelijk nog niet wat er was gebeurd. Zonder er op dat moment een woord over te zeggen, reden we naar het huis van Gerard, waar mijn moeder inmiddels ook was. Richie zat vrolijk achterin te vertellen wat hij allemaal op school had gedaan.

Mijn hoofd tolde. Hoe moest ik dit doen? Hoe moest ik hem vertellen dat zijn vader dood was? 'We gaan naar oma,' zei ik.

Richie was gek op haar en het was goed als zij er was wanneer hij het hoorde.

Mijn moeder was boven in de slaapkamer en Richie rende naar haar toe: 'Oma!'

Ik liep achter hem aan.

'Hé, mam,' zei ik.

'Hallo, lieverds.'

Ze keek naar Richie en begon te huilen. Richie voelde gelijk dat er iets aan de hand was.

'Wat is er, oma?' vroeg hij en pakte haar hand. 'Heb je pijn?'

'Nee, lieverd,' zei ze, 'ik heb geen pijn.'

Ik moest ook huilen, en zag dat het Richie verwarde. Hij voelde dat er iets ergs aan de hand was. Ik moest het hem vertellen. Ik raapte al mijn moed bijeen en zei: 'Kom eens bij me zitten. Ik moet je iets vertellen, lieverd.'

'Is mama dood?' vroeg hij geschrokken, alsof hij ineens begreep waarom we huilden.

'Nee lieverd, niet mama. Papa is dood,' hoorde ik mezelf zeggen.

Nadat ik die woorden had uitgesproken, kwam er uit zijn kleine lijfje een hartverscheurend, donker gebrul en hij begon te schreeuwen. 'Mama!' riep hij. 'Ik wil naar mama! Waar is mama?'

'Mama komt zo, lieverd, oma en ik zijn nu bij je. Hou me maar vast.'

Richie sloeg zijn armpjes om me heen en huilde tot het hem zo had uitgeput dat ik hem slap voelde worden in mijn armen.

'Hier mam, neem jij hem nu bij je. Dan kan ik Son vragen wat ik nog kan doen.'

Sonja en Francis waren naar de plek gereden waar Cor lag. Sonja wilde bij hem zijn, hem vasthouden, maar dat mocht niet. Er werd forensisch onderzoek gedaan en ze mocht de plaats delict niet verstoren. Cor was een plaats delict geworden. Hij lag daar op de koude grond, onbereikbaar voor iedereen die hem liefhad.

Het was zinloos daar nog langer rond te hangen. Francis kwam naar ons toe. Ze bleef bij haar oom en tante, haar oma en Richie. Sonja reed naar haar eigen huis en ik ging achter haar aan.

We zaten overmand door verdriet samen op de bank toen de bel ging.

Het was Wim.

Ik deed voor hem open, en ging weer bij Sonja op de bank

zitten. We huilden. Wim kwam tussen ons in zitten, legde zijn armen om ons heen en huilde met ons mee.

Even later stond hij op en ging weg. Na alles wat we met hem mee hadden gemaakt, voelde het niet goed.

We waren nog steeds niet bij Cor geweest en Francis deed er alles aan om naar haar vader toe te kunnen gaan. De politie deed daar moeilijk over, maar jong en verdrietig als ze was, kreeg ze het na lang aandringen voor elkaar dat we hem die avond konden zien.

Sonja, Francis en ik gingen er met zijn drieën heen. Richie lieten we thuis. Sonja wilde niet dat hij erbij zou zijn.

We kwamen aan bij het VU-ziekenhuis, waar we via een zij-ingang naar binnen moesten. Daar stond een aantal politiemensen op ons te wachten.

Voordat we bij Cor naar binnen gingen, waarschuwden ze ons dat we niet moesten schrikken.

Sonja en ik gingen eerst naar binnen, om te kijken of het verantwoord zou zijn dat Francis haar vader zo zou zien.

'Wacht jij hier, lieverd,' zei ik tegen Francis, 'laat ons eerst kijken hoe papa eruitziet. Als het te erg is, is het beter dat je je vader herinnert zoals je hem het laatst hebt gezien.'

Sonja en ik gingen naar binnen.

Daar lag Cor, in een wit gewaad op een tafel. Aan weerszijden van de tafel stonden twee kandelaars met brandende kaarsen. Ik keek naar Cors gezicht en naar zijn handen.

Ze hadden hem letterlijk kapotgeschoten.

Sonja liep gillend op Cor af. 'Nee, nee, nee!' schreeuwde ze. Ze nam zijn hoofd in haar handen en kuste zijn lippen. 'Word wakker, Cor, word wakker, alsjeblieft, word wakker!' huilde ze, en schudde zijn hoofd in de hoop dat hij wakker zou worden.

Het was beter dat Francis dit niet zag, maar ze was tegen ons advies in toch achter ons aan de kamer ingelopen.

'Ik moet hem zien,' zei ze, 'anders kan ik niet geloven dat hij dood is.'

'Kom maar dan,' zei ik.

Francis liep aarzelend op haar vader toe, pakte zijn gehavende hand en legde die tegen haar gezicht: 'Pappie, pappie!' schreeuwde ze. 'Nee pappie, je mag niet dood zijn!'

Door haar tranen heen kuste ze zijn kapotte vingers.

Ik legde mijn hand op zijn arm en probeerde een teken van leven in zijn gezicht te ontdekken. 'Kijk me aan, Cor,' fluisterde ik in de hoop dat hij zijn ogen open zou doen. 'Kijk me aan!' zei ik luider, maar er gebeurde niets.

Cor deed zijn ogen niet open.

Nooit meer.

Zijn ogen waren voorgoed gesloten.

Na enige tijd werden we gevraagd de kamer te verlaten, we moesten hem weer achterlaten. Een voor een kusten we hem gedag.

'Tot morgen, lieverd,' zei Sonja. Francis en ik keken elkaar aan. Sonja wilde nog steeds niet geloven dat Cor er niet meer was.

We reden naar huis. We waren kapot.

Het was al wat later op de avond toen er werd aangebeld. We schrokken. Wie kwam er nu nog aan de deur?

'Wie is daar?' riep ik.

'Ikke.'

Het was Wim.

'Son, kom even mee naar buiten,' riep hij langs me heen naar Sonja.

Sonja, nog helemaal in shock, liep als een zombie achter Wim aan.

Na een halfuur was ze weer terug.

'Wat had hij?' vroeg ik toen Sonja verdwaasd weer binnen-kwam. Ze gebaarde me mee te gaan naar de badkamer, zoals we dat altijd deden als het over Wim ging. Ze zette de droger aan, die het geluid van ons gesprek overstemde. De politie had vandaag het hele huis doorzocht en we vertrouwden er niet op dat ze geen afluisterapparatuur hadden achtergelaten.

'Hij vroeg om de aandelen van de Achterdam. Denk jij wat ik denk?'

'Ik denk het wel,' antwoordde ik.

De aandelen van de Achterdam: degene die ze in bezit had, was de eigenaar van een aantal prostitutiepanden in de rosse buurt van Alkmaar. Het was een gezamenlijk project geweest van Cor, Wim en Robbie, dat volgde op de investering van het Heinekenlosgeld in de Wallen. Bij de scheiding en deling in 1996 kreeg Cor de aandelen van de Achterdam toebedeeld.

In de aanloop naar de tweede aanslag op Cor in 2000 siste Wim – terwijl hij met zijn duim en wijsvinger een pistool na-bootste – herhaaldelijk in mijn oor: 'Eerst schiet ik hem dood en dan pak ik hem alles af,' en maakte bij die laatste woorden een graaigebaar.

'Box, ik moet de aandelen van die hoerenpanden hebben,' had hij tegen Sonja gezegd en door die vraag kon Sonja niet anders denken dan dat hij achter de dood van Cor zat.

Ze vertelde hem dat zij de aandelen niet had. Hij was woest geworden, had haar gesommeerd de aandelen te zoeken, was kwaad in zijn auto gestapt en weggereden.

De volgende dag kwam hij weer aan de deur. Hij nam Sonja opnieuw mee naar buiten en 'troostte' haar; Cor was toch een vieze kankerhond, ze zou slechts drie maanden om hem hui-len en dan zou het verdriet toch wel weer over zijn. Cor was een zware alcoholist en voor de kinderen was het beter zo. Had ze de aandelen al gevonden? En o ja, Cor had toch ook goud? Dat moest ze alvast aan hem geven.

Weigeren kon niet maar Sonja, vast van plan Wim niet te laten profiteren van de dood van Cor, improviseerde; Cor had het goud al verkocht, ze had nog maar één plakje en dat wilde ze graag voor de kinderen bewaren, als hij dat goed vond.

Wim ging uit zijn dak: 'Nog maar één plakje?!'

Met Cor uit de weg geruimd dacht Wim aan Sonja een gemakkelijke prooi te hebben, maar Sonja hield stand. Wim mocht zijn doel – Cor doodschieten en dan alles afpakken – niet bereiken.

Wim viste achter het net en werd bozer en bozer. Hij voerde de druk op en gaf zich daardoor meer en meer prijs.

Wim belde dat ik naar hem toe moest komen.

'Luister As, ik moet Sonja hebben. Je moet haar ophalen en meenemen naar het Amsterdamse Bos. Ze moet haar huis in Spanje aan Stanley Hillis afgeven, want de schutters moeten betaald worden. Dus ga nu naar haar toe. Ik zie jullie over een uur in het bos.'

Ik stond versteld. Hoorde ik dat nou goed? De schutters moesten betaald worden? Voerde hij met mij een gesprek over de moordenaars van Cor? Sonja moest betalen voor de moord op haar man, de vader van haar kinderen, door haar huis aan zijn groep af te geven? Het huis dat Cor naar zijn dochter had genoemd, Villa Francis?

Ik haastte mij naar Sonja en vertelde haar wat hij had gezegd. Ze trok wit weg.

'Zie je dat hij er achter zit, As!'

'Ja.'

'Wat nu?'

'Je moet mee naar het bos. Hij wacht daar op ons.'

'Nee!'

We waren bang voor wat ons daar in het bos te wachten stond. We parkeerden de auto en liepen op hem af.

'Hé, Son.'

'Ja.'

'Jij moet jouw huis in Spanje aan Stanley Hillis afgeven, want de schutters moeten worden betaald.'

Cor was net op beestachtige wijze afgeslacht. Sonja had nog niet eens de tijd gehad om te beseffen dat hij er niet meer was en Wim moest al geld hebben. Hij had kosten gemaakt voor de moord op haar man, en al twee keer van Sonja te horen gekregen dat er bij haar niks te halen viel. Hij werd ongeduldig, en net als voor de tweede aanslag – toen hij Richie een pistool op zijn hoofd zette – verraadde dat ongeduld zijn werkelijke rol.

Hij zat erachter.

***

Het was de dag dat we Cor hadden begraven. Sonja en ik waren heel moe en lagen samen in haar tweepersoonsbed na te praten over het verloop van de dag.

'Het is precies gegaan zoals hij het had gewild,' zei Sonja.

'Ja, dat denk ik ook. Ik denk dat hij het heel mooi had gevonden.'

Ik deed het licht uit. 'Kom, we gaan slapen.'

Nog geen vijf minuten later zei Sonja: 'Deed jij dat, As?'

'Wat Son?'

'Nee, dat dacht ik al, maar ik wilde het even zeker weten.'

'Wat bedoel je?' vroeg ik.

'Cor kwam me een kus brengen, ik voelde zijn lippen op de mijne.'

'Gaat het wel goed met je, Son, draai je niet een beetje door?' vroeg ik een tikje bezorgd.

'Nee hoor, echt niet, hij is nog steeds hier, hij laat ons niet alleen. Je weet hoe nuchter ik ben, ik geloof niet in die hocus-pocus, maar het is echt zo. Hij kwam me even een kus brengen.'

Ik begreep wat ze zei, ik voelde zelf ook de aanwezigheid van Cor in de kamer. Omdat ik vrij rationeel ben ingesteld wilde ik daar geen acht op slaan, maar nadat Sonja het tegen me zei, wist ik het zeker. Hij was er nog.

'Welterusten, Corretje,' zei Son.

'Welterusten, Cor,' zei ik.

Na de dood van Cor (2003)

Onmiddellijk nadat Cor was vermoord trok ik bij Sonja in en kwam niet meer naar huis, waar Rob elke dag om vijf uur op mij zat te wachten in afwachting van het eten dat om zes uur op tafel zou worden gezet.

Maar dat was wel het laatste waar mijn hoofd naar stond, en ik begreep echt niet waar iemand zich druk om kon maken. Hij steunde mij op geen enkele wijze bij het verlies van Cor. Ik was ongelooflijk verdrietig, maar kon hem dat niet tonen, want hij was jaloers op de aandacht die mijn familie wéér opeiste. Hij werd wéér buitengesloten. En dat was ook zo.

Op dat moment gingen Cor, Sonja en de kinderen voor.

Rob stuurde een sms waarin hij klaagde dat hij al drie dagen geen verse groente had gegeten. Ik moest lachen. Lachen om de absurditeit van die opmerking. Cor was dood en hij klaagde over verse groente! Zijn opmerking zei mij genoeg.

Wij hadden geen toekomst meer.

***

Na de dood van Cor bepaalde Wim Sonja's leven. Haar huis was zijn huis. Hij liep er in en uit, en nam ongegeneerd het restant uit zijn periode met Klepper en Mieremet mee: Sandra. Sonja moest op haar passen, zodat hij zich ongehinderd met zijn andere vrouwen bezig kon houden. En als Sonja niet kon, moest Francis opdraven.

Sandra was niet de enige vrouw die ze moest animeren, maar ze was wel de weduwe van de man die medeverantwoordelijk was voor de beschieting van haarzelf, haar man en kind. Een vrouw die kwam uit het kamp dat ze verfoeide, en tegen wie ze nu aardig moest doen.

Het animeren van zijn verschillende vrouwen was niet Sonja's enige taak. Wims leven liep gevaar, Sonja moest hem chauffeuren in zijn kogelwerende auto wanneer hij daar behoefte aan had. Dan moest Sonja de auto ophalen, die stond gestald in een garagebox in Amstelveen, van de straat af, zodat ze er geen volgapparatuur of bom onder konden plaatsen.

'Het is wel extreem dubbel, hè Son? Uitgerekend jij moet hem helpen te overleven,' zei ik toen Sonja tijdens het eten weer eens onmiddellijk weg moest, omdat ze Wim ergens heen moest rijden.

'Af en toe maakt het me gek in mijn kop,' antwoordde ze.

'Hoe hou je het vol?' vroeg ik.

'Voor de kinderen. Voor hen hou ik het vol, anders had ik allang een einde aan mijn leven gemaakt. Was ik lekker bij Cor gaan liggen.'

Ze stond op van de tafel. 'Ik ga, anders gaat hij weer schreeuwen waar ik blijf.'

***

Kort na de begrafenis zei Wim: 'Weet je wat het is, As, het is beter zo. Ze huilen twee maanden, en dan zijn ze het weer vergeten. Die dikke was toch een kankerhond.'

Op de dag zelf had hij nog met ons op de bank zitten huilen, deelde hij met iedereen zijn zogenaamde verdriet. Zo kon hij de verdenking niet op zich laden, maar nu zei hij dit. De toneelspeler.

Tegen Sonja had hij hetzelfde gezegd en later las ik datzelfde zinnetje terug in de achterbankgesprekken van Endstra, zelfs tegen hem had hij zo gepraat over de man die ooit zijn bloedgabber was.

Hij bemoeide zich opzichtig met de planning van de begrafenis, alles alleen maar om de verdenking bij zich weg te houden.

Later ging hij ook nog zogenaamd meebetalen. Hij hoorde een gesprek tussen Sonja en de begrafenisondernemer aan wie zij nog een klein bedrag moest betalen, maar dat op dat moment niet had. Wim zag daarin onmiddellijk een kans om zijn alibi kracht bij te zetten, liet mij het bedrag van zijn rekening overmaken en riep vervolgens overal dat hij de begrafenis had betaald.

Dat is waar hij het immers voor deed, voor de beeldvorming, beter gezegd: voor het beeld dat paste bij een onschuldige. De waarheid was dat hij het geld dat hij zo 'genereus' had gegeven, kort daarna weer terug had gevraagd. Hij liet me daarvoor naar de Stadhouderskade komen.

'Loop even mee,' zei hij. 'Nog nieuws?'

'Nee, geen nieuws.'

'Oké, goed zo. Hé As, dat geld dat ik voor die begrafenis heb betaald, ik vind dat eigenlijk toch wel zonde van mijn geld. Het is wit geld, ik moet het toch maar weer op mijn rekening zien te krijgen.'

Ik voelde een steek in mijn maag. Zei hij nou zonde? Ja, tuurlijk was het nu 'zonde'. Hij had zijn doel al bereikt, hij had kunnen roepen dat hij had meebetaald en maakte daar in het criminele circuit gemakshalve van dat hij álles had betaald.

'Ik heb het haar eigenlijk geleend, hè, omdat ze even niet genoeg had.'

Oké, het was ineens een lening. Prima, toch? Wij wilden toch niet dat hij mee zou betalen, Sonja al helemaal niet – ze raakte erdoor van streek.

Ik had Sonja alleen maar kunnen overreden het te accepteren omdat hij anders zou denken dat wij hem als dader zagen.

Sonja was blij dat ze het terug kon storten. Diezelfde dag stond het geld weer op zijn rekening.

Het verdriet van Sonja (2003)

De aanslagen op Cor maakten het onmogelijk als een gewoon gezin te functioneren. Na de eerste aanslag in 1996 was samenzijn plotseling niet langer vanzelfsprekend. De tweede aanslag in 2000, voor de deur van Sonja's huis in Amstelveen, bevestigde dat. Opnieuw liep niet alleen Cor gevaar. Hij werd beschoten toen hij voor de deur van hun huis uit zijn auto stapte. Hij kon de kogels ontwijken en zocht een veilig heenkomen. Sonja haastte zich om de deur voor hem open te doen.

De volgende morgen zag ze dat minder dan een halve meter van de deuropening een kogel zich in de muur had geboord.

Lange tijd zagen Sonja en de kinderen Cor alleen nog maar kortstondig en op geheime plekken. Het was geen gewone relatie, maar wel een situatie die ze inmiddels gewend waren en waar ze het beste van maakten.

Hun relatie werd niet alleen bepaald door de dreiging van een nieuwe aanslag, maar ook door het effect van de mislukte aanslagen. Cor ging na iedere aanslag meer drinken.

Ondanks alle diepe dalen bleven ze samen, vijfentwintig jaar met elkaar verbonden door hun liefde, vertrouwen, de kinderen, en alles wat ze samen hadden meegemaakt.

Cors dood maakte aan die periode een einde. Sonja dacht geen groter verdriet te kennen.

Maar het kon kennelijk nog erger.

Een paar dagen na de begrafenis kwam Peter langs bij Sonja. We zaten met hem aan de eettafel in haar huis aan de Catharina van Renneslaan toen hij zei dat hij haar iets wilde vertellen over Cor, maar dat hij niet wist of hij daar wel goed aan deed. Hij wilde niets voor haar achterhouden, maar misschien wilde ze het niet weten.

'Natuurlijk wil ik het weten,' zei Sonja nietsvermoedend.

'Oké. Nou, Cor had een verhouding met iemand van mijn redactie.'

Ik zag Sonja rood aanlopen, maar ze bleef kalm. Ze informeerde rustig hoe dat dan allemaal zo gekomen was en na de antwoorden van Peter zei ze: 'Ik ben blij dat je zo eerlijk tegen me bent geweest. Ik begrijp nu ook waarom sommige mensen zo geheimzinnig deden tijdens de begrafenis.'

Sonja liet Peter uit en zodra de deur achter hem dichtsloeg, begon ze onbedaarlijk te huilen. 'Wat een schoft! Dat hij me dat flikt! Hij had al twee jaar lang een ander!'

Cor was geen heilig boontje, dat wist ze, ze had hem vaak genoeg uit bordelen gesleurd. Maar dit was anders. Dit was een relatie, en zoiets had hij haar nog nooit geflikt. Hij had die vrouw meegenomen naar zijn huis in Nigtevecht, en naar haar huis in Spanje, waar hij met haar in hun bed had gelegen.

Nadat ze over die relatie alles wist wat ze te weten kon komen, wilde ze zien hoe zij eruitzag.

Sonja's verdriet om Cors bedrog bleef voor Francis niet onopgemerkt. Ook zij wilde weten hoe de vrouw eruitzag met wie haar vader een relatie had gehad.

We gingen langs bij Peter de Vries, om te vragen of hij een foto van haar had.

'Ja, die zal ik wel ergens hebben,' antwoordde Peter.

'Mag ik die zien?' vroeg Sonja.

'Als je dat wilt,' zei Peter. Hij zocht een foto en gaf die aan Sonja.

'Dus dat is ze…'

Sonja zweeg vrijwel de hele terugweg.

'Hoe gaat het, zus?' vroeg ik.

'Het doet pijn, As. Heel veel pijn. Ik ben gewoon twee jaar lang in de zeik genomen. Iedereen wist het, behalve ik. Het voelt als een mes in mijn rug.'

'Ja,' zei ik, 'ik begrijp het.'

'Nee, As, jij begrijpt het niet. Jij kon Jaap er nog mee confronteren toen hij vreemdging. Jij kon tegen hem schreeuwen, hem slaan. Ik kan niks meer. Cor is weg en ik blijf achter met zoveel woede en onbegrip. Dat neem ik hem nog het meest kwalijk. Jij hebt geen idee hoe dat voelt.'

Thuisgekomen ging ze in bed liggen. De hele avond hoorden we haar huilen.

De volgende morgen bracht ze me crackers met hagelslag op bed en ging naast me liggen.

'As, ik heb er goed over nagedacht. Ik ga geen vijfentwintig jaar aan herinneringen laten verpesten door wat er is gebeurd. Het is gelopen zoals het is gelopen, en ik hou niet minder van hem.'

Gouden hart (2003)

Twee weken na het overlijden van Cor zou Francis eenentwintig worden. Cor had voor haar verjaardag een ketting met een gouden hart gekocht. Maar net als vele andere roerende goederen die Cor op de dag van zijn overlijden nog bezat, was ook die weg.

Cors huis was goed beveiligd met camera's. Hij wilde alles kunnen zien wat zich in en om zijn huis afspeelde en zo was te zien dat, terwijl Cor nog op de koude grond in Amstelveen lag, vrienden naar zijn huis waren gesneld en het met tassen vol goederen hadden verlaten.

Sonja vroeg hun waar het hartje kon zijn, maar ze wisten het niet. Net zo min als ze wisten waar Cors verzameling peperdure horloges, sieraden en het miljoen dat hij in de kluis zou hebben liggen, waren gebleven. Geconfronteerd met de camerabeelden, was hun reactie dat het om tassen met wapens ging, waarvan ze niet wilden dat die gevonden zouden worden. Dat er een miljoen in de kluis had gelegen was een onzinverhaal, niemand had iets uit de kluis gehaald. Dat de kluisdeur openstond, kwam door de recherche die, vlak nadat de gevulde tassen het beeld hadden verlaten, gierend van de pret het beeld binnen kwam wandelen.

Zeker, de recherche had onmiddellijk het huis van Cor doorzocht, maar zij had geen toegang tot de kluis en de kluis was niet opengebroken. Maanden later doken de horloges van

Cor op, op de markt aangeboden door zijn vrienden. Daarvan stond nu dus wel vast dat ze waren verdwenen op het moment dat die tassen het huis verlieten.

Zou er dan toch een miljoen in de kluis hebben gelegen? Het zou kunnen, het is een typische *Godfather*-filmfantasie dat er in de onderwereld een erecode bestaat die ervoor zorgt dat de vrouwen en kinderen van een crimineel goed verzorgd achterblijven, als de man overlijdt.

Het tegendeel bleek waar: vanaf het moment van overlijden staan vrienden, collega's en soms ook familie in de startblokken om de achterblijvers te beroven. Wim was daarin echt niet alleen. Het enige verschil tussen Wim en de omgeving van Cor was dat zij aaseters waren die aanschoven zodra Cor dood was. Het was in hun geval de gelegenheid die de dief maakte en niet de dief die de gelegenheid maakte, zoals bij Wim het geval was.

Hoe oprecht erg de vrienden het overlijden van Cor ook vonden, hun eigenbelang verloren ze geen moment uit het oog. Ook in de dagen en weken erna was het een komen en gaan van figuren die allemaal kwamen kijken of er nog wat te halen viel.

Niemand kwam iets brengen, ook niet als Cors vrouw en kinderen daar recht op hadden, want de vrouw weet in negen van de tien gevallen niets van de illegale zaakjes van haar man. En als ze het wel weet, is het eenvoudig te ontkennen: er staat niets op papier en wat er op papier staat, staat vaak op andermans naam. Ze kan daar moeilijk mee naar een rechter gaan om het af te dwingen.

'Ze doen maar,' zei Sonja, 'als ze daar gelukkig van worden. Wat ik erg vind, is dat ze allemaal weten dat Cor het hartje speciaal voor Fran heeft gekocht en dat ze niet het fatsoen hebben het terug te geven. Een hartje van goud, wat is dat nou waard in geld, As? Maar voor Francis is het heel veel waard.'

Wim kwam na Cors overlijden vaak langs en hoorde wat Sonja over het hartje zei. Hij riep Francis bij zich en besloot dat hij voor haar verjaardag een nieuw hartje ging kopen.

Francis keek in paniek naar Sonja. Nee, dat hoefde echt niet, had ze herhaaldelijk gezegd. Maar Wim was, als altijd, onverbiddelijk. Ze gingen een hartje kopen, en wel nu meteen.

Sonja keek Francis strak aan om duidelijk te maken dat ze mee moest werken, ze wist dat als ze het hartje van Wim zou weigeren, hij dat zou opvatten als een belediging en dat zou hij haar niet in dank afnemen, nichtje of geen nichtje.

Francis begreep de boodschap en dus gingen zij en Sonja met Wim mee naar het Waterlooplein, naar de winkel van Jaap Lichtenberg, om een hartje te kopen. In de winkel probeerde ze er nog onderuit te komen. Ze zag niets dat ze wilde hebben, maar Wim gaf niet op. Hij besloot zelf welke ze moest nemen.

'Wat hebben jullie gedaan?' vroeg ik aan Sonja toen ze binnenkwam, en Francis met betraande ogen direct doorliep naar boven.

'Wim heeft net een hartje voor haar verjaardag gekocht,' zei ze, ook zichtbaar aangedaan. 'Ze haat mij, omdat ik het toelaat. Maar ik weet geen andere manier om haar te beschermen, As, dan te doen alsof er niets aan de hand is. Ik kan het toch niet opnemen tegen Wim?'

'Ik ga wel even naar haar toe om met haar te praten,' zei ik.

Ik liep naar boven. Francis zat op haar bed, en luisterde steeds opnieuw naar de stem van Cor. Vlak voor zijn dood had hij een voicemailbericht op haar telefoon achtergelaten en sinds zijn dood zat ze daar vaak urenlang naar te luisteren.

'Fran,' zei ik, 'ik weet hoe dit voor je is, maar we hebben geen keus. Je mag Wim niet de indruk geven dat je denkt dat hij iets met de dood van je vader te maken heeft.'

'Denkt?' zei ze en keek me boos aan. 'Jullie zijn niet eerlijk tegen me. Denken jullie dat ik niet doorheb wat er gebeurt? Hoe jullie terugkomen als jullie bij hem zijn geweest? Dat ik de afgelopen jaren blind en doof ben geweest? Dat ik ben vergeten wat papa tegen me heeft gezegd? En nu denkt hij even de plaats van mijn vader in te nemen? En mama laat het allemaal maar gebeuren. Nee, As, dat kan niet.'

'Je moeder doet wat ze moet doen, wat het beste is voor jou en voor Rich. Ik doe niet anders dan je moeder. Ik begrijp dat je ons laf vindt, maar wij zijn niet in de positie om dit uit te vechten. Wij zijn maar een paar vrouwen en we moeten aan onze kinderen denken. We kunnen het ons niet permitteren onze eigen mening te verkondigen, zo werkt het niet in onze wereld. We willen je alleen maar beschermen. En jij moet ons beschermen door te doen alsof er niets aan de hand is, anders breng je ons in de problemen. Heb je dat begrepen, Francis?'

Francis antwoordde niet, maar keek me uitdagend aan, hield haar telefoon voor mijn gezicht, en bleef de stem van haar vader afspelen.

'Heb je het begrepen!' herhaalde ik, nu op een indringende toon die geen tegenspraak duldde.

'Ja, As,' zei ze met tegenzin.

'Ik wil dit gesprek nooit meer met je hoeven voeren, is dat duidelijk?' voegde ik er streng aan toe.

'Ja, As,' antwoordde ze zo gedwee dat ik alweer spijt had van mijn strengheid.

'Het is echt het beste, lieverd,' zei ik zachtjes. 'Misschien wordt het ooit anders, maar voor nu is het echt het beste.'

DEEL II

Dagboek van een getuige

(2014-2016)

Tap (Willem & Sonja)

W: Opkankeren nou. Wegwezen. Wegwezen met die grote bek tegen mij, oprotten!

S: Nee, helemaal niet, jij zegt tegen mij—

W: Oprotten, zeg ik! Anders sla ik je eruit. Ga weg nou.

S: Ik ga helemaal niet weg.

W: Nee? Boxer, luister, ga niet te ver hoor. Ik zweer het je hoor, zet me niet voor schut. (spuugt) Vuile hoer!

S: Ik zet jou niet voor schut.

W: Als je nog één keer tegen me schreeuwt, zal je zien wat ik met je doe, kankerhoer! Jij moet je bek houden nou tegen mij, begrijp je dat?

...

W: Je weet wat ik doe als het me niet bevalt. Dat weet je. Dat weten ze allemaal. Zo simpel is het. En dat blijft ook zo!

...

S: Als ik gewoon alles met jou kan bespreken, is er niets aan de hand, Wim.

W: Vieze, smerige stinkgluiperd, dat ben je. Wil je wat op papier gaan zetten, vieze hoer?

S: Wat nou?

W: Hé: ik ga wel wat op papier zetten, vieze hoer die je er bent, met je op papier zetten. Wie denk je dat je bent? Je moet gewoon op de blaren zitten, voor wat je zelf doet. En niet allemaal: ik ga het op papier zetten voor de politie. Mafkees, denk je dat iemand daar wat van gelooft?

S: Nee, niet. Maar als ik ga, gaat een ander ook.

W: Ja, hoe gaat dat dan?

S: Nou, weet ik veel, kan mij het schelen.

W: Is dat een dreigement? Een dreigement?

S: Nee, dat is geen dreigement.

W: Dan maak ik gelijk korte metten, hoor.

S: Nee.

W: Maak ik gelijk korte metten, hoor. D'r blijft niets over. Kijk uit wat je zegt, hè! Kijk uit wat je zegt en wat je doet, hoor, want je kan niet overal mee wegkomen, hè! Niet zoals je nou weer doet, achteraf. Straks ook niet, hè! Eén fout, luister, één fout... Kijk uit wat je doet!

S: Ik weet wel wie je bent, hoor, je hoeft het mij niet te zeggen.

W: Eén fout, hoor, één fout nog en het is klaar, hoor! Zo'n stukje, hoor, zijden draadje. Eén fout nog. Kankerhoer!

Goudsnip (2007)

'Op dertig plekken in binnen- en buitenland werden acht arrestaties verricht die, vierentwintig jaar later, allemaal te maken hebben met de ontvoering van Freddy Heineken. Na de ontvoering van de biermagnaat bleef zo'n zes miljoen gulden losgeld spoorloos. Justitie denkt nu de witwassers van dat geld te pakken te hebben. Volgens justitie is het losgeld belegd in prostitutiepanden en gokhallen in Amsterdam en Alkmaar.'

Het was landelijk nieuws, in de krant, op de radio en op de televisie, die 3e juli in 2007. Sonja en ik werden ervan beschuldigd het Heineken-losgeld te hebben witgewassen, via de erfenis van Cor. De volgende dag stond op de voorpagina van *De Telegraaf*: 'Zus Holleeder verdacht'.

'Dat gaat Wim niet leuk vinden,' zei Sonja gespannen, 'weer het losgeld.'

'Nee, dat is een ding dat zeker is. Dit raakt hem ook. Maar ik heb nergens gehoord dat hij ook wordt vervolgd. Dat begrijp ik niet,' antwoordde ik.

'Nee, ik ook niet, laten we hopen dat het zo blijft, want anders hebben wij het weer gedaan.'

We waren niet bang om de strijd aan te gaan met justitie. Wij waren bang voor Wim.

'Zou hij het al weten?' vervolgde Sonja.

'Nou, dat lijkt me moeilijk te missen,' zei ik, 'als je die explosie op het nieuws ziet. En anders zal het niet lang duren voordat informant Sandra hem op de hoogte brengt.'

'Doe niet zo onaardig,' zei Sonja, 'dat meisje kan er ook niks aan doen, die moet ook alleen maar doen wat hij zegt.'

'Pas nou maar op dat je hierover niks tegen haar zegt, ze is helemaal idolaat van hem. Die vertelt hem nog wat wij een week geleden hebben gegeten.'

Wim was op 12 april 2007 geopereerd aan zijn hart, en revalideerde op de ziekenhuisafdeling van de gevangenis in Scheveningen. Daar had hij de publiciteit ongetwijfeld opgevangen.

'Hij wordt woest,' zei ik tegen Sonja. 'Het Heineken-losgeld witgewassen op de Wallen en de Achterdam. Robbie weer vol in beeld. Hij zit te wachten tot hij ook wordt aangehouden voor die zaak. Die slaapt echt niet. Dat gaat hij ons kwalijk nemen. Als hij zijn gokhallen kwijtraakt, wordt hij gek. Wij hebben echt een groot probleem.'

Wim was bang dat het verleden hem zou inhalen. Het Goudsnip-onderzoek ging over zijn misdrijven. De overvallen werden weer opgerakeld, het Heineken-losgeld was weer actueel, de investeringen op de Wallen, de verdeling en de erfenis die rechtstreeks samenhing met de moord op Cor, allemaal zaken waar hij tot nu toe mee weg was gekomen, stonden weer volop in de aandacht.

Het was een voor de buitenwereld onzichtbare, geheime werkelijkheid die tot in het heden voortduurde. Wim wist dat wij altijd zouden blijven zwijgen over het Heineken-losgeld, de verdeling, de aanslagen, en de uiteindelijke moord op Cor, op straffe van vergelding. Maar wat als er meer verklaringen volgden?

Sonja kon natuurlijk niet wegblijven bij het bezoekuur in het penitentiair ziekenhuis in Scheveningen en moest de confrontatie met Wim, en zijn vermoedelijke wetenschap over de kwestie die speelde, aangaan. Op het moment dat ze binnenliep, kwam de stoom al uit zijn oren. Hij was tijdens het hele bezoek zwaar geïrriteerd en maakte duidelijk dat hij pertinent geen last wilde krijgen van dit onderzoek naar ons. Het was onze schuld.

Sonja bracht mij de boodschap over, maar ik had allang begrepen wat ik moest doen: zorgen dat hij buiten dit zogeheten Goudsnip-onderzoek bleef, dat feitelijk volledig over hem ging, zijn carrière in de misdaad, zijn losgeld. Ik moest die zaak zien te winnen zodat hij geen schade leed, anders zou hij ons daar verantwoordelijk voor houden.

Daar ging ik weer: ik werd door justitie rechtstreeks in de armen van mijn gestoorde broer gedreven. Zouden ze zich bewust zijn geweest van het gevaar dat ze voor ons creëerden? Of deden ze het opzettelijk, om te kijken of wij onder deze druk zouden verraden dat hij Cor had gedaan? Dat zou nooit gebeuren, die keuze was makkelijk. Onze angst voor Wim was vele malen groter dan de angst om vast te komen zitten.

Vastzitten overleef je wel, Wim niet.

Ik had twee redenen om me meer dan honderd procent voor deze zaak in te zetten. Als ik werd veroordeeld, zou ik wellicht mijn werk als advocaat niet meer kunnen uitoefenen en dat gunde ik justitie niet, dat wilden ze al zo lang, en zo graag. De belangrijkste reden was echter dat ik Wim buiten het onderzoek moest houden. Ik had niet één maar twee geduchte tegenstanders.

Ik kon niet anders dan de volledige criminele loopbaan van Wim en Cor nagaan om op basis daarvan te verdedigen dat zij geen losgeld hadden en dat ook niet hadden geïnvesteerd. Dagenlang zat ik in de Koninklijke Bibliotheek in Den Haag om hun dertigjarige geschiedenis uit te zoeken. Veel was zo oud, dat het alleen nog op microfiche was bewaard. Een andere manier om het verleden te achterhalen was er niet.

Het was een vier jaar durende hel. Overdag las ik over Cor en Wim, 's nachts droomde ik over Cor en had nachtmerries over Wim. Door die vervolging leefde ik elke dag met hen.

Maar we slaagden erin Wim buiten het Goudsnip-onderzoek te houden. Hem werd het witwassen van Heineken-losgeld niet verweten, integendeel: in plaats van dat justitie hem vervolgde, onderzochten ze of er geld bij Sonja te vinden was. Precies zoals Wim graag wilde.

'Ze willen schikken,' had Sonja's advocaat Willem Jebbink gezegd. 'Ik adviseer je het niet te doen. We zijn vier jaar verder en ze hebben geen zaak, daarom willen ze schikken, anders hadden ze het allang voor de rechter gebracht. Maar jij beslist, uiteraard.'

'Ik denk er even over na,' antwoordde Sonja. 'Ik kom er later bij je op terug, is dat goed?'

We verlieten het advocatenkantoor en liepen over de gracht.

'Ik hoef daar niet over na te denken,' zei Sonja, 'ik heb daar al over nagedacht. Ik wil wél schikken, want weet je wat het is: ze gaan mij nooit met rust laten. Cor had een deal met Teeven en met de fiscus, en toch komen ze weer. Als je niet met ze praat, blijven ze achter je aankomen. En wij kunnen niet met hen praten. Niet over het losgeld, niet over de Wallen, niet over de Achterdam, niet over de moord op Cor, niet over hem, want dan vermoordt hij ons en onze kinderen. Weet je wat het is, As? Je kunt het nooit winnen, als je geen verrader bent. Dat is het,' sprak Sonja plechtig.

Ze had gelijk.

'En hij weet dat. Denk je dat ik over hem durf te praten, terwijl ik weet dat hij mijn man heeft laten vermoorden? En meer mensen, hè? As, we kunnen het niet winnen, want we kunnen niks over hem zeggen.'

'Dat ben ik niet met je eens. We kunnen het makkelijk winnen. Als advocaat zeg ik je dat je deze zaak gaat winnen.'

'En dan, As? Wat heb ik eraan om te winnen? Dat justitie mijn geld niet afpakt? Als justitie het niet afpakt, dan pakt hij het wel af. Denk je nou echt dat hij me met rust gaat laten? Dat is precies waar het hem om begonnen is: Cor uit de weg ruimen en alles afpakken. Cor bij me weghalen, en zodra ik alleen sta, precies doen wat hij zegt. Alles afgeven wat ik heb. Dan geef ik het nog liever aan justitie, want ik gun het hem niet dat hij wint, dat het hem gelukt is voordeel te halen bij Cors dood,' zei Sonja.

Ze had dit bijzonder goed doordacht en ik was het grondig met haar eens.

'Dan schik je. We laten het ze morgen weten.'

'Het Openbaar Ministerie stelt als voorwaarde dat je een verklaring aflegt,' zei Sonja's advocaat, nadat hij Sonja's bereidheid om te schikken had doorgegeven.

'Dat doe ik niet,' zei ze en keek me geschrokken aan. 'Dat is nou precies wat we niet wilden: verklaren. Dat kan ik niet hoor, As,' wendde ze zich tot mij.

Ik wist dat ze dat niet zou kunnen. Ze was doodsbenauwd iets verkeerds te zeggen over Wim.

'Ik kan vragen of ze instemmen met een schriftelijke verklaring,' opperde Jebbink.

Dat mocht. Sonja kon schriftelijk verklaren.

'Je begrijpt dat ik niets over hem ga zeggen in mijn verklaring, hè?' zei ze tegen me alsof ik haar daarom zou veroordelen.

'Natuurlijk begrijp ik dat,' antwoordde ik.

'Als ik niets over hem zeg, dan lieg ik toch niet?'

'Je kunt hem eigenlijk niet uit je verklaring weglaten. Je moet over het losgeld verklaren, de verdeling. Dan kun je niet anders dan liegen, maar het is niet zomaar een leugentje om bestwil: het is liegen om te overleven. We moeten wel, want we weten welke straf er voor ons op praten met de politie staat. Het is overmacht, je kunt niet anders.'

'Dan hou ik hem overal buiten,' zei Sonja.

'Je hebt het voordeel dat je hem die schriftelijke verklaring kunt laten zien als het nodig is, dat je kunt bewijzen dat je niet over hem hebt verklaard.'

'Ja,' zei Sonja. 'Vooruit dan maar.'

Sonja schikte en gaf alles af wat ze had. Maanden later werd mijn zaak geseponeerd.

Het Openbaar Ministerie maakte de schikking met Sonja op 30 januari 2013 openbaar. In de krant verscheen een persbericht dat Sonja 1,1 miljoen euro had betaald.

De volgende dag stond Wim bij me op de stoep. 'Kom even,' riep hij en ik ging.

We liepen de straat uit en hij begon er meteen over. 'As, ik heb het even laten rusten, maar ik ben natuurlijk niet achterlijk, hè? Sonja moet niet denken dat ze slim is, want dan word ik boos.' Het bericht over de schikking had zijn belangstelling weer gewekt. 'Ze heeft de hele tijd gezegd dat ze geen geld had, en nou moet ik in de krant lezen dat ze geld heeft betaald. Ze heeft dus wel geld, maar dat geld is niet van haar, daar heeft zij geen recht op. Je denkt toch niet dat zij de lusten kan hebben en ik de lasten?'

Als hij 'de lasten' uitspreekt beeldt hij met zijn hand het pistool uit waarmee hij Cor heeft laten vermoorden.

'Maar dat geld heeft ze anderhalf jaar geleden al ingeleverd,' lichtte ik hem Sonja's situatie toe. 'Ze komen nu pas met dat bericht, maar ze heeft allang niks meer. Sonja wilde juist dat ze met het onderzoek zouden stoppen, zodat jij er geen last mee kon krijgen. Daarom heeft ze het ingeleverd.'

Ik kon hem moeilijk vertellen dat Sonja dit al aan had zien komen en liever had dat justitie het geld kreeg, dan dat hij het zou krijgen.

'Daar heb ik me ook de pleuris voor gewerkt, om het bij jou weg te houden,' zei ik.

'Ja, schatje,' zei hij mierzoet, 'dat weet ik, maar je weet niet of ik er niet nog een keer last mee krijg, hè? En dat ga ik niet accepteren. Het kan niet zo zijn dat zij als een madam in de rondte gaat en in een auto rijdt, en dat ik de ellende heb. Dat gaat niet. Luister, zij heeft gewoon geld en dat geld is niet van haar, dat moet zij gewoon afstaan, en anders ga ik vervelend doen.'

***

Sandra belt: 'Kom je even langs?' Het betekent: je broer is hier, hij wil je spreken.

Voor de deur staat hij me al op te wachten, met een woeste blik in zijn ogen. Hij knikt met zijn hoofd dat ik hem moet volgen.

Zwijgend lopen we enkele honderden meters naast elkaar, ik voel dat hij door het dolle heen is. Plotseling staat hij stil en gaat voor me staan, trekt me naar zich toe en sist in mijn oor. 'Jullie hebben mij zwartgemaakt bij justitie, daarom heeft zij die schikking!'

'Nee, Wim, hoe kom je daar nou bij!' Ik schrik van de plotselinge aanval.

'Nee? Ja! Je kunt geen deal krijgen zonder dat je een verklaring aflegt! Jullie hebben over mij gepraat!' zegt hij woedend.

Ik word bang en probeer hem te kalmeren. 'Wim, echt niet! We hebben niet over jou gepraat.'

Dat was ten tijde van het treffen van Sonja's schikking in 2011 ook niet zo. Maar dat was nu – in 2013 – heel anders. De paniek vloog me naar de keel. Wat een ongelukkige samenloop van omstandigheden. Nu verdacht hij ons ervan te praten vanwege de schikking van Sonja met justitie, ruim anderhalf jaar eerder. Erger nog, hij scheerde mij met Sonja over een kam. Hij zag ons voor het eerst als één geheel, en dat was een slecht teken. Hij moet het idee houden dat ik met hem ben – dat we samen tegen Sonja zijn – als ik zijn vertrouwen wil behouden. Dit gaat niet goed zo.

'Wim, ik heb nog nooit een verklaring afgelegd, en dat ga ik ook nooit doen. Ik heb jou nou juist overal buiten gehouden. Ze kunnen niks beginnen tegen jou, daar heb ik me de pleuris voor gewerkt, Wim.' Ik probeer zo zeker mogelijk op hem over te komen.

Ik wist dat ik maar beter zo weinig mogelijk kon zeggen, want in zo'n situatie legt hij ieder weerwoord verkeerd uit. Het beste wat ik nu kon doen, was wachten tot hij klaar was met zijn monoloog.

Ik ging naar huis met een onbehaaglijk gevoel. Ik kon dit zaadje in zijn hoofd niet uit laten woekeren tot een volgroeide gedachte, want dan zou het verkeerd aflopen.

Toen ik hem weer zag, kwam ik er heel voorzichtig op terug. Ik moest laten zien dat het vanzelfsprekend was, dat zijn wantrouwen niet op mij van toepassing kon zijn, en begon daarom alleen over Sonja.

'Wim, ik heb het toch allemaal op papier staan. Ze heeft niet geprat met de kit, ze heeft alleen een schriftelijke verklaring afgelegd en die heb ik toch zelf met haar gemaakt? Ik kan het je zo laten lezen. Lees het, dan weet je het precies,' drong ik aan.

Ik zag dat hij ontspande.

Door het op die manier over Sonja te hebben, liet ik zien dat ik altijd zijn belang in het oog heb gehouden en dat overtuigde hem van mijn loyaliteit aan hem. Ik zat weer aan de goede kant.

'Maar het is allemaal wel heel vervelend, As,' vervolgde hij. 'Ik heb er allemaal niets aan.'

'Nee, maar echt: ze kunnen niks met jou.'

Hij leek voor het moment overtuigd. Hij liet het weer even rusten, maar dat duurde bij hem nooit lang.

In oktober 2013 verscheen een boek over Cor, waar zijn broer en zussen aan mee hadden gewerkt. De familie van Cor en onze familie waren altijd heel nauw betrokken geweest bij de jongens, ze waren getuige van hun vriendschap en alles wat zich daar tussendoor allemaal had afgespeeld, van het begin tot het einde.

'Nou komt er weer een boek over Cor. Zij is een nagel aan mijn doodskist, ik heb alleen maar ellende van die vrouw,' zegt Wim gekweld, alsof Sonja daar ook maar iets aan kon doen. 'En je weet hoe ze zijn, hè? Die zeggen het gewoon.'

De familie van Cor was ervan overtuigd dat Wim Cor had laten doen, maar die overtuiging was nog geen bewijs.

'Wat kunnen ze nou zeggen?' blufte ik, om hem gerust te stellen.

'As, het blijft toch heel vervelend als ze wat zeggen, en je weet hoe ze zijn, hè? En dat is allemaal Boxers schuld. Als zij die mensen gewoon geld had gegeven, hadden ze niks gezegd. Het is allemaal haar schuld, dat moet ze zich goed realiseren. En nou tegen mij doen alsof ze geen geld heeft? Ze heeft wel geld. En nou wil ik weten hoe het zit! Ga maar naar haar toe en zeg haar dat ik weet dat ze geld heeft en dat ik wil weten hoe het zit. Die Boxer moet begrijpen dat ik nu ga wroeten. Dus ze moet het zelf weten: ze kan het nu nog zeggen, maar anders ga ik rommelen en wroeten en daar kunnen tapgesprekken van komen. Daar kan van alles van komen, mij maakt het niet meer uit, hoor.'

Hij geeft haar eerst de gelegenheid vrijwillig 'te vertellen hoe het zit': of zij nog geld heeft, en waar ze dat dan heeft. Doet ze dat niet, dan zorgt hij dat ze weer in een onderzoek van justitie terechtkomt. Zo heeft hij het bij Goudsnip ook gedaan, denk ik onmiddellijk. De CIE-informatie die gebruikt was om de zaak tegen Sonja en mij te kunnen opstarten, kwam bij Wim vandaan. Het was desinformatie die Sonja alleen aan hem had verteld. Alles wat ze tegen hem gelogen had, om door hem met rust gelaten te worden, had hij als waarheid aan justitie doorgespeeld.

Ik wist niet wat ik erger vond: Wim de moordenaar, of Wim de prater met de kit.

'Dus het enige dat ze hoeft te zeggen, is dat ze geld heeft?' herhaalde ik.

'Ja,' zei hij, 'dat is het enige dat ze hoeft te zeggen.'

'Maar Wim,' zei ik, 'dan zegt ze dat toch gewoon om van je af te zijn, dat ze geld heeft, en dan? Is het dan klaar?'

'Nee,' lachte hij, 'dat is de eerste stap, ze moet het eerst zeggen, dan laat ik het een tijdje rusten en dan komt de volgende stap, haha.'

Ik begreep het: als je eenmaal hebt toegegeven dat je geld hebt, dan kun je ook geld geven.

Maar Sonja ging niet bekennen.

'As, ik heb geen geld en ik ga ook niet zeggen dat ik wel geld heb, om van hem af te zijn. Ik doe het niet. Laat hij me maar weer in een onderzoek gooien, er valt toch niks te onderzoeken,' zei ze strijdlustig.

De volgende dag belde hij alweer of ik even wilde komen.

W: Nou, en?

A: Ze heeft geen geld. En als jij denkt dat ze geld heeft, moet je
inderdaad maar naar justitie gaan, dan zal je horen dat ze alles
hebben onderzocht en dat er gewoon geen geld is.

W: Hahahaha! Ja, dat hebben ze niet gevonden, nee.

A: Justitie heeft alles afgenomen. Dus je kan wel proberen haar
weer voor justitie te gooien, maar die hebben alles al onderzocht.
Ze heeft geen geld, dus ze kan ook niet zeggen dat ze wel geld
heeft. Dus ik zeg: maar Box, als je gewoon zegt dat je geld hebt,
ben je klaar. Ik heb geen geld, zei ze, ik ga niet zeggen dat ik geld
heb, als ik geen geld heb.

W: Kijk, ze blijft gewoon bij d'r standpunt. Prima, wat zij wil. Kijk As,
wat ze zegt is letterlijk: justitie heeft het afgepakt, alles onderzocht, dus ik heb geen geld. Ja, maar zo... justitie weet niet hoe
het zit en zij heb geen 1,2 gehad, ze heeft meer. Nou simpel, duidelijk, klaar. Ik ga gewoon herrie maken. Ze kan lachen. Zij doet
net of ze gekke Gerritje is. Zij heeft die centen in d'r zak, moet zij
weten. Dus ze doet nog bijdehand ook?

A: Nee, niet bijdehand, maar gewoon heel overtuigd.

W: Van zichzelf.

A: Absoluut.

W: Dus As, jij bent ervan overtuigd dat ze geen geld heb?

A: Nou eh, na wat jij mij allemaal hebt laten zien...

W: Ze heeft gewoon het geld. Ze geeft het niet toe. Luister, als ze
van Corretje had gepikt zei ze ook altijd nee, dus dat kan ze als
de beste. 't Is goed, ik weet wat me te doen staat. En wat zei ze
van *Pauw & Witteman*?

A: Ja, vervelend natuurlijk.

W: Maakt haar niks uit, hè?

A: Jawel, dat vindt ze heel vervelend allemaal. Maar ja, ze zegt: dat doe ik toch niet? Daar kan ik toch niets aan doen? Dat zij daar gaan zitten?

W: Dan had je gewoon geld moeten geven, dan had je alles in harmonie gedaan, hè? Dan was er niks aan de hand geweest. De ruzie is gekomen, omdat ze toch ook bij Peter zijn geweest, of wil hij zorgen dat zij een deel van de erfenis krijgen?

A: Ja.

W: Die mensen zien die erfenis en denken: er is niks.

A: Nee.

W: Is dat gek dan, ofzo? Tuurlijk krijg je dan problemen. Ze doet het gewoon expres. Ze blijft bij hetzelfde verhaal, nou, dan krijgt ze het. Dan hoef ik haar niet te beschermen. Dat zal ik ook niet meer doen. Ik zal ook tegen iedereen gewoon zeggen dat ze bij haar geld moeten halen, dat ze gewoon geld heeft. En dan zoekt ze het maar uit. Dan gaat ze maar naar de politie maar... klaar (handgebaar). Begrijp je, klaar. 't Is triest, hè As?

A: Ja, maar goed, wat moet je d'r mee?

W: Ik weet wel wat ik ermee moet doen, dus het maakt mij niet uit. Ik neem de tijd en op een bepaald moment is het gewoon gebeurd, klaar. Maakt mij niet uit, jongen. Het interesseert haar niet, dan gaat ze het me vertellen gewoon. O, die krijgt een partij ellende zometeen. As, die krijgt echt ellende, wacht maar... (handgebaar)

A: Wat?

W: Ja! (handgebaar pistool) Nou, ik ben er klaar mee.

A: Ah.

W: Zal je zien, hoor. Hé, ik ben d'r echt klaar mee nou. Over, einde verhaal. Jij wil bijdehand doen tegen mij? Niet bijdehand doen, jongen. Ga ik ook tegen iedereen zeggen. Ze hebben gelijk. Ze moeten ook het geld gewoon halen, want dat heeft ze. Klaar. Nou, dan gaat ze... Ik heb haar de kans gegeven, As, hoe kan ze zo zijn over geld? Luister As, ze had alleen hoeven zeggen: het zit zo en zo met Peter, en dat doet ze niet.

A: Nee.

W: Weet je waarom niet? Ze denkt dat ze stoer is. Ze krijgt spijt,
hè? (handgebaar)

A: Ik weet het.

W: Luister, kijk me in me ogen!

A: Ik weet hoe jij bent, ja.

W: Echt, hè?

A: Ja! Ik weet het toch.

W: Hè?

A: Ja!

W: Zal je zien.

A: Ja.

W: Die krijgt echt spijt.

A: Ja.

W: Stom.

A: Ja Wim, ik kan daar niks meer aan doen.

W: Ik ook niet meer, het is klaar.

A: Ja, maar ik bedoel, eh...

W: Zal je dit zeggen, As (fluistert en verwijst naar wie hem in
de maling hebben genomen en hij allemaal heeft om laten
leggen)...

A: Ja, dat weet ik.

W: Maar, eh...

A: Ja, ze zijn er niet meer.

W: Begrijp je?

A: Ja.

W: Als zij dat zo wil, ik vind het dom.

A: Zij weet als geen ander natuurlijk hoe dat zit natuurlijk, daarom,
ik snap het ook niet, hoor.

W: Ze speelt powerplay, heeft ze met Cor ook altijd gedaan.

A: Ja, maar goed, ze weet natuurlijk wel wie je bent, hè?

W: Misschien denkt ze: het waait wel over. Dan heeft ze het toch
fout. Dat hebben ze allemaal gedacht, hè?

A: Ja.

W: Toch kan ik er met mijn verstand niet bij, bij die mensen. Waarom
doen jullie dat nou?

A: Misschien omdat het dan, hoe heet het, even rustig is, dan denkt
iedereen: het is weer even rustig.

W: Ja, en dan gaat het gebeuren. Nu is het even rustig, en dan
gaat het gebeuren. Ineens denken ze: jezus, had ik het maar niet
gedaan. Nou is het te laat.

A: Nou, dan kunnen ze niet eens meer denken.

W: Jawel, ze hebben een moment, hè, als ze het zien hebben ze een
moment, en denken ze: shit, had ik het maar niet gedaan.

A: Ik heb dat ook nooit begrepen, hè.

W: Wat?

A: Voor geld.

W: Voor geld, As, voor geld.

Op weg naar huis bad ik dat de opname gelukt was. Thuis
gekomen trilden mijn handen van opwinding toen ik mijn afluisterapparatuur tevoorschijn haalde. Dit was toch wel een
fantastisch gesprek. De verwijzingen naar de liquidatie van
eerdere afpersslachtoffers was wreed, maar voor mijn doel helemaal fantastisch.

Het was gelukt! Ik was blij, maar direct bekroop mij een
heel naar gevoel. Hij had het zojuist wel weer over het doodschieten van Sonja gehad. Ik moest naar haar toe om haar te
laten weten hoe hij tegenover haar stond.

'As, ik ben murw van al die dreigementen. Het sloopt me.
Als ik aan hem denk, begin ik al te hyperventileren,' zei ze. 'Ik
dacht dat ik door het geld aan justitie af te geven van hem af
zou zijn, maar hij gaat gewoon door. Ik kan het niet geloven.'

'Dat doet hij alleen maar omdat hij denkt dat er heel veel geld van die film aankomt. Hij denkt dat het miljoenen op gaat leveren. Dit geeft hem een goede reden om de hele opbrengst van je af te pakken. Je moet hem met het geld van de film compenseren wat hij niet van Cor heeft af kunnen pakken, zo speelt hij het, daarom haalt hij die twee dingen ook steeds door elkaar. Hij is je gewoon aan het afpersen, en zolang hij denkt dat er wat te halen valt, blijf je nog wel even leven. En dat kunnen we nog wel een beetje uitstellen, want de filmopnamen zijn pas begonnen. Dus ik zou me nog niet zo heel veel zorgen maken, je hebt nu nog waarde.'

'Nou, dat is een hele geruststelling,' antwoordde ze cynisch.

'En vergeet niet dat het ons de gelegenheid geeft om opnames te maken. Dus ik zie het positief.'

'Ik ook dan,' lachte ze, als altijd weer solidair met mij.

De opdracht is gegeven (2014)

Wim liet Sandra bellen en vroeg of ik naar haar – naar hem dus – toe wilde komen. Daar aangekomen neemt hij me gelijk weer mee naar buiten. Hij wil weten hoe Sonja had gereageerd op de twee boodschappen die ik haar door moest geven.

De eerste was: hij moet bij slecht weer en slecht zicht op een scooter rijden. Daardoor loopt hij het risico dat hij een keer valt met die scooter. Dat is haar schuld, want zij geeft het autootje van Richie niet af. Ik moest haar zeggen: 'Als ik val met die brommer en ik heb wat, dan schiet ik Francis en haar zoontje dood, wat een vieze hoer. Dus ik moet zo rijden? Zeg dat maar tegen haar. Zeg maar dat ik heel kwaad ben. Dat het me niks uitmaakt, dat ze gaat zien wat ik ga doen, maar dat als ik val met die brommer ik een van haar kinderen doodschiet.'

In datzelfde gesprek dreigt hij herhaaldelijk ook Sonja zelf dood te schieten. Ik breng haar die gecombineerde boodschap over.

'En?' vraagt hij.

'Ze kan die auto niet meer geven. Ze heeft hem al verkocht.'

Dat landt helemaal verkeerd bij hem. Ze doet niet wat hij zegt? Terwijl hij met haar kinderen dreigt? Hij is verbaasd. Hij gaat ervan uit dat Sonja geen risico neemt als het om haar kinderen gaat, en dat ze de auto zal afgeven. Dat is het normale patroon, en dat is hij gewend: zij doet wat hij zegt. En dat zou ook nu zo gegaan zijn, als Sonja en ik niet hadden afgesproken niet toe te geven, juist om zijn reactie te kunnen vastleggen.

'Aan wie heeft ze het eigenlijk verkocht?'

Ik antwoord hem dat zij dat niet gaat zeggen. 'Want dan ga jij daar weer voor de deur staan.'

Ik zie hem denken: nog meer ongehoorzaamheid van Sonja? Waar is zij mee bezig?

Ik vertel hem dat ik zijn boodschap over het doodschieten van haar en haar kinderen heb overgebracht, en dat Sonja heeft geantwoord dat het haar allemaal niet meer uitmaakt, omdat ze toch al haar hele leven bang is.

'Goed.'

Vervolgens vertel ik hem Sonja's reactie op zijn tweede boodschap. Die boodschap luidde – opnieuw – dat als de eerdere opmerking van Francis ertoe zou leiden dat hij voor de moord op Cor vast kwam te zitten, dat hij Sonja zou meetrekken en justitie zou vertellen dat zij hem de opdracht had gegeven om Cor te laten doen.

'Waarom denk je dat Cor zo lang heeft geleefd? Ik heb hem altijd gewaarschuwd,' had Sonja gereageerd.

Dit had hij niet verwacht. Hij is er even stil van. 'Wat een hoer, hè?' zegt hij met verbazing in zijn stem.

'Nee, maar nou snap ik 'm wel. Zij heeft gewoon dubbelspel gespeeld,' antwoord ik.

Hij kan het niet geloven en stamelt: 'Nee...'

Ik zie de twijfel in zijn ogen. Hij heeft de dubbelrol van Sonja al die jaren nooit doorzien. Hij is uit zijn evenwicht gebracht, hij wil niet geloven dat Sonja altijd haar eigen geheime agenda heeft gehad, en niet volledig werd geleefd door zijn agenda. Tegelijkertijd weet hij als geen ander dat dat precies is wat dubbelspel inhoudt.

'Wat een hoer, hè,' zegt Wim weer.

Ineens ziet hij in dat hij niet altijd de touwtjes in handen heeft gehad, en misschien ook nu niet heeft. Als ze met Cor over hem sprak terwijl hij dat niet wist, met wie praat ze dan nog meer? Hij heeft eerder meegemaakt dat de bedreigingen zijn slachtoffers te veel werden en zij een noodsprong richting justitie maakten. Zou het? Sonja die altijd gezwegen heeft als het graf?

Hij voelt dat hij de controle kwijt is en wil elk risico op dubbelspel door Sonja in de toekomst vermijden. 'Ik wil je vragen om nog één ding tegen haar te zeggen: nergens meer komen, bij mijn familie... en zeg maar dat zij hetzelfde voor mij is als mijn broertje Gerard.'

Wim en Gerard zien elkaar al jaren niet meer. Wim heeft hem 'afgeschreven'. Hij vertelt dat het een kwestie van tijd en voldoende geld is voordat hij ook aan hem toekomt, en beeldt het pistool uit.

Sonja heeft hij nu ook 'afgeschreven' en ik begrijp wat haar lot is. 'Zeg maar dat ik er klaar mee ben.' Wat zoveel betekent als: je moet achterom kijken en vrezen voor je leven.

Het maakt hem onzeker dat hij er zojuist achter is gekomen dat Sonja al die jaren haar eigen positie heeft ingenomen. Het betekent dat zij nu ook misschien wel haar eigen positie durft te bepalen, en hem zal verraden bij de politie.

Zijn gezicht toont een gekwelde blik. Hij stopt, staat stil, buigt zich naar me toe en fluistert in mijn oor: 'Als ze praat over Cor, dan heeft ze een probleem.'

Het is de enige keer dat ik hem de naam van Cor heb horen noemen. Wat hij nu zegt, verwoordt zijn angst: dat Sonja over Cor gaat praten, omdat hij weet wat zij daarover kan vertellen. Dat hij Cor heeft vermoord.

Ik hoop zo dat mijn afluisterapparatuur dit heeft opgenomen! denk ik terwijl hij verder praat.

Maar ik wil meer dan deze reactie op band. Hij en ik weten precies wat hij bedoelt, maar een ander die de opname zal horen niet. Ik moet voor de luisteraar duidelijker krijgen wat wij hier op onze manier bespreken, waar wij het over hebben. Maar ik wil het zelf niet benoemen, want ik wil niet dat hij later kan zeggen dat ik hem heb uitgelokt en dat zijn verklaring op band niets waard is. Dus als hij zegt over Sonja dat ze een viezerik is, zeg ik alleen maar kort: 'Om daar nog een keer ellende mee te krijgen.'

Hij en ik weten allebei wat die 'ellende' is: alsnog veroordeeld worden voor de liquidatie van Cor.

Dat ene zinnetje van mij was genoeg om hem terug te laten komen op de manier waarop hij omgaat met 'praters met de politie': 'Ik zal je zeggen, Astrid, dan moet ik dat gewoon oplossen, meteen.'

Hij maakte daarbij met zijn rechterhand het gebaar van een pistool. Het is het gebaar dat hem ongrijpbaar maakt voor justitie. Voor het fluisteren heb ik zo goed en zo kwaad als het gaat een oplossing gevonden, door het gebruik van afluisterapparatuur, maar een handgebaar kan ik niet opnemen.

Wat ik ook niet kan opnemen is de betekenis die we aan het gebruik van dat gebaar toekennen. Dus bevestig ik die betekenis met mijn eigen woorden: 'Nee, dat moet je niet doen, dat kan niet, Wim, daar kan je nooit mee leven.'

Zijn reactie is typerend: 'Ik wel. Ik kan er niet mee leven als ik het níet doe.'

Ik zoek naar nog meer bevestiging op band en wijs hem op zijn eigenbelang en de risico's die het opnieuw laten uitvoeren van een liquidatie in justitieel opzicht kunnen hebben.

'Nee. En weet je wat het is, dan heb je weer een los eindje,' zeg ik.

'Maakt me niet uit.'

'Dat moet je niet doen,' zeg ik om te laten horen op band dat ik hem op andere gedachten wil brengen.

'Maakt me niet uit, As.'

Hij zegt niet: 'Wat bedoel je: los eindje?' Of: 'Waar heb jij het nou over?' Nee, hij antwoordt dat een los eindje hem niets uitmaakt, hij is bereid het risico van een huurmoordenaar – en dus een mogelijke getuige – op de koop toe te nemen. Zijn vastberadenheid maakt me angstig, en ik probeer nog een keer de dreiging op Sonja af te wenden. Als hij zijn zin over die auto krijgt, is hij misschien nog mild te stemmen.

Het blijkt ijdele hoop.

'Je moet zeggen dat ze 'm niet meer mag geven, het maakt niks meer uit. En zeg ook maar dat ik weet dat ze 'm niet heb verkocht.'

Ik schrik, want die woorden heb ik eerder gehoord. Dat zei hij ook in januari 2004, het jaar dat Willem Endstra werd geliquideerd. Endstra 'mocht niet meer betalen'. En als je hem niet meer mag betalen, dan weet je dat het definitief te laat is voor je.

De boodschap die hij geeft, begrijp ik luid en duidelijk, maar Wim gaat verder en trekt de parellel met Endstra door. Hij denkt dat Sonja al met de politie praat. 'Neem van mij aan: mensen die zo doen, die praten met de politie.'

'Nou, dat lijkt mij heel sterk, Wim, hoe moet zij daar nou terechtkomen? Dat kan niet, dat geloof ik niet.'

Hij zet me stil door voor me te gaan staan, buigt zich naar mijn oor: 'Maakt mij niet uit, hoor. (fluisterend) Ik heb de opdracht al gegeven.'

'Oké.'

'Dat is goed. Als zij dat gaat doen. Doei.' (Handgebaar pistool)

Ik ging direct naar huis om te luisteren of ik zijn stem, en liefst zijn gefluister, had kunnen opnemen. Ik vroeg Cor me te helpen, zoals ik zo vaak deed. Hij was op de achtergrond aanwezig bij alles wat we deden om Wim voor zijn liquidaties veroordeeld te krijgen, hij gaf ons altijd de kracht om door te gaan door ons een teken te sturen. Noem het bijgeloof, noem ons gek, maar als we in de put zaten en het even niet meer wisten, gebeurde er altijd wel iets waardoor wij wisten dat hij nog bij ons was en alles deed om ons te steunen.

Dan weer was het een roos die in tijden van enorme stress en druk onverklaarbaar op de stoep van Sonja's huis lag, dan weer een liedje met betekenis, dan weer waaide er een plotselinge windvlaag door de kamer of gingen de lichten aan en uit. Wij waren er daardoor van overtuigd dat hij er nog steeds was.

Nu had ik hem weer hard nodig.

'Laat het gelukt zijn, laat het alsjeblieft gelukt zijn.' Ja! Het was gelukt! Ik hoorde hem zelfs de naam van Cor zeggen. Eindelijk noemde hij eens een naam. Het is zeldzaam, maar wat een geschenk dat hij dat net in dit gesprek deed. Ik was blij met het resultaat: zou dit eindelijk voldoende zijn voor een veroordeling voor de moord op Cor?

Ik was blij met de opname, maar tegelijkertijd zeer bezorgd over de inhoud. Hij had de opdracht voor Sonja al gegeven: 'Als zij dat gaat doen. Doei.'

De manier waarop hij voor me ging staan, de blik in zijn ogen, de kilheid in zijn stem, het fluisteren.

Ik moest onmiddellijk naar haar toe.

Ik zocht in huis naar een plek waar ik deze voor mij zo belangrijke opname kon bewaren, zonder dat iemand hem kon vinden. Deze opname was goud waard, maar ook duidelijk een opname waaruit zou blijken dat ik bezig was hem veroordeeld te krijgen. Ik moest er erg voorzichtig mee zijn.

Ik koos ervoor de opname mee te nemen naar Sonja, om haar te laten horen wat hij gezegd had.

'Ben je thuis?' sms'te ik haar.

'Ja.'

'Dan kom ik er nu aan.'

'Zusje, je moet de komende tijd goed opletten. Hij heeft gezegd dat hij de opdracht voor jou al heeft gegeven, voor het geval je met de politie gaat praten.'

'Dat meen je niet,' zei Sonja, 'echt waar? Waarom dan?'

'Hij is bang dat je met de politie gaat praten.'

'Weet hij het?' vroeg ze geschrokken.

'Nee, dat denk ik niet, maar hij is er gewoon bang voor, vandaar dat hij de druk bij jou zo opvoert. Hij legt een verband tussen het praten met de politie en de afpersing van de filmrechten, of hij doet dat expres om mij zand in de ogen te strooien, en weet hij wel dat we al hebben gepraat.'

'Nee, dan zou hij er niets over zeggen tegen jou,' zei Sonja. 'En nu? Wat moet ik nu doen?' vroeg ze met lichte paniek in haar stem.

'Hij moet vooral niet de indruk krijgen dat je met de politie praat. Maar je weet hoe hij is: als hij het denkt, heeft hij in zijn hoofd de bevestiging zo gevonden.'

'Wat moet ik doen?'

'Zo normaal mogelijk blijven doen, want als je je nu ineens anders gaat gedragen, dan vindt hij daarin de bevestiging dat je met de politie praat.'

'As, ik kan er allemaal niet meer tegen,' huilde ze zachtjes.

'Ik weet het, maar eens zal het toch goed komen. Ik heb namelijk ook goed nieuws,' probeerde ik zo opgewekt mogelijk te klinken.

'Wat dan?'

'Ik heb alles op band staan,' zei ik, 'dus als er iets met je gebeurt, zusje, kan ik ze laten horen dat hij de opdracht heeft gegeven.' Een grapje, om de ernst van de situatie enigszins te doorbreken.

'Nou, dat is dan tenminste nog iets,' zei ze gelaten.

De kuil (2014)

Na maandenlange terreur moesten Sonja en ik naar een afgesproken plek komen. Van daaruit reed hij voor ons uit naar een donker park.

Sonja is bang. Hij had kort ervoor aan mijn moeder gevraagd wat het huisnummer van Sonja was, maar dat had zij geweigerd te geven, omdat ze bang was dat hij haar wat aan zou doen. Wim was woest op die ouwe, het was een kankerwijf, maar ze hield voet bij stuk. Daarvoor was hij bij Sandra langsgegaan – ze lag te slapen en toen ze wakker werd schrok ze van een man met een helm die op de rand van haar bed naar haar zat te staren – en had haar naar het adres gevraagd. Zij had ons onmiddellijk ingeseind.

Na mijn moeder kwam hij bij mij. Ik wist het ook niet, ik kijk nooit naar huisnummers. Sonja sliep voor de zekerheid even niet thuis. We waren allemaal alert.

Wim vroeg me haar te bellen, want hij wilde het conflict over de filmrechten uitpraten. Ik ontmoet hem met Sonja op de afgesproken plek in Laren en hij gebaart ons dat we achter hem aan moeten rijden. Hij stopt in een buurt grenzend aan de heide.

> S: Waar gaat ie helemaal heen, zeg? Hij gaat toch niet het enge bos in, hè?

Hij wijst ons waar we moeten parkeren. We stoppen de auto,

stappen uit en lopen zijn kant op. Hij staat te pissen langs de weg, zoals altijd. Er volgt een gesprek over een kompaan die aangehouden is met 80.000 euro, en of dit effect op hem kan hebben. Sonja loopt achter ons, want zij mag niet weten waar Wim en ik het over hebben.

W: Mooi hier, hè?

Ik vind het helemaal niet mooi, ik vind het een hele enge plek, een onveilige plek, maar ik probeer de sfeer luchtig te houden.

A: Enig! Echt heel goed van jou! Mooi plekje.

Alsof hij niet weet dat Sonja al tien minuten slaafs achter ons aanloopt, terwijl hij haar speciaal heeft laten komen, zegt hij tegen haar:

W: Hoe kom jij hier nou weer?
A: Haha, doemt zo ineens op.
W: Hoe kan dat nou weer? Ineens zie ik je weer.
S: Ja, ik ben het, die stoorzender weer, ik was aan het sporten.

Dan komt de vraag:

W: Hé, welk nummer woon je nou eigenlijk?
S: Hoezo dan, 226, dat weet je nou toch wel.
W: Ik vergeet het steeds... 226.
S: Ga je nou weer aan de deur komen, dan?

En vervolgens quasi-grappig:

W: Nee... voor als ik je wil pakken.

S: Als je me wilt pakken, ja.

A: Haha.

Ik probeer het nog steeds luchtig te houden, maar ik vertrouw het niet. Wat gaat hier gebeuren?

S: Ja, dat is het.

W: Ik moet dat weten.

S: Ja, dat vermoedde ik al, ik denk: hé, wat is er aan de hand?

Van uitpraten komt het niet, het gaat alleen maar weer over de film. Ik blijf hard lachen, van de zenuwen en om de situatie ontspannen te houden. Ik voel me helemaal niet prettig in die bosrijke omgeving. Hij speelt met haar angst, dat vindt hij leuk, mensen bang zien, spelen met zijn prooi. Ik weet niet goed waar ik aan toe ben, het kan zomaar heel serieus worden bij hem. Ik ben altijd bang dat ik het niet aan zal zien komen. Dan zegt hij tegen haar, lachend:

W: Kom even hier. Ik heb hier een plekje.

S: Ja.

A: Haha.

Ik blijf lachen, in de hoop dat het goed komt. Ik ben op een afgelegen plek en ik kan hem niet meer inschatten.

S: Zou me niks verbazen met jou. Ik zweer het je, hij is gek...

Ik hoor de paniek in Sonja's stem, door haar zogenaamde luchtigheid heen.

A: Haha.

S: Ja, echt waar, ik weet toch...

W: Graven.

A: Als je maar niet denkt dat ik in een spelletje zit hoor, Box.

Ik ben bang dat Sonja denkt dat ik haar heb gelokt. Dat denkt ze echt, heel even.

S: Nee ja, dat ga ik—

W: Jullie moeten allebei graven.

S: Nou word ik echt een beetje bang jongens, hé.

W: Dat hoeft niet, hoor, je merkt er niks van. Twee tellen werk.

A: Nee toch, je bent toch mijn allerliefste zusje.

S: Maakt me toch allemaal niet meer uit.

W: Ja, maakt allemaal niet uit, maar als het dichtbij komt, is alles toch anders.

Weer een dreiging. Ik blijf lachen. We blijven lopen. Het is aardedonker, het is een voor mij onbekende plek. Hij kent er wel de weg. Hij zeurt weer over de film. De locatie bevalt me niet.

A: Au, ik stapte bijna in jouw gat, Wim.

Ik probeer grappig te zijn.

S: Haha.

W: Nee, dat is pas verderop.

Het zijn zogenaamd grapjes, maar gemaakt in een situatie die me beangstigt en dat heb ik niet zo snel. Wat gaat hij doen?

A: Laten we ophouden over die filmrechten.

W: Wat nou, ophouden? Waarvoor moet er nou altijd opgehouden worden, als jullie het gedaan hebben?

A: Hé (en in koor met Sonja), jullie? Haha.

Ik blijf lachen, maar ik denk maar één ding: dat ik door de mand ben gevallen, dat hij me doorheeft. *Jullie*. Hij heeft door dat ik onvoorwaardelijk trouw ben aan Sonja, hij schaart mij bij zijn tegenstanders, ik ben uit de gratie. In een poging daar weg te komen, zeg ik:

A: Hé, rot jij lekker op, ik ga weg, naar de auto, jullie zoeken het maar uit.

S: Nee, je laat me echt niet alleen met hem, hoor.

W: (grapt) Kom maar, ik heb één kuil, meer niet.

Weer even opluchting. Ik ben nog steeds in zijn gratie. Hij blijft doorgaan, hij is afgeperst door Peter, dat hij aangifte heeft gedaan.

W: Weer even mijn andere veter vastmaken.

Hij maakt voor de tweede keer zijn veter vast. Dat deed hij zojuist ook al en heb ik hem nog nooit zien doen. Ik krijg een vreemd gevoel, paniek. Ik kijk om me heen.

A: Ik wou al zeggen: is dit een seintje ofzo?

Ik zeg het hem, maar hij lacht het weg.

W: Ik zoek die kuil… Ik zit te kijken steeds…

Pffft. Ik ben opgelucht.

A: Moet ik je even bijschijnen, ik heb nog wel een lampje bij me. Volgens mij zit je in het verkeerde bosje, volgens mij zit je in het kabouterbos.

W: Nou ik ga nou niet opnieuw graven, dan komen we van de week wel weer.

S: Ik kom hier echt nooit meer, dat weet ik nu al.

W: Laten we het maar vergeten, maar je moet niet denken dat je slim bent.

A: Is het nou uitgepraat?

W: We houden erover op. Laten we proberen normaal met elkaar om te gaan. Niet meer liegen, Boxer. En als ik zeg: iets doen, dan moet jij dat doen. Heb je morgen tijd?

Dan komt de aap uit de mouw. Ze moet iets voor hem doen, iets wat hij zelf niet wil doen. Deze hele angstpolitiek was bedoeld om zich ervan te verzekeren dat ze niet zou weigeren. Hij kan haar weer 'even gebruiken', zoals hij dat zelf noemt. Tijdens het weggaan rijdt hij langs de auto. Ik doe het raam naar beneden, en hij roept ter afsluiting van deze vreselijke avond, en om te zorgen dat de angst voortduurt: 'Boxer, ik laat die kuil wel open, hoor. Ik laat die kuil open, hè!'

De tegenaanval (2014)

De bedreigingen van Sonja bereikten in maart 2014 hun hoogtepunt: ze dook opnieuw onder bij Francis.

We konden niets anders bedenken dan dat ik als garantie op haar leven tegen hem moest zeggen dat ze alle gesprekken had opgenomen die ze met hem had gevoerd, en dat als er met haar kinderen, Peter of haarzelf iets zou gebeuren, die automatisch bij de politie terecht zouden komen.

Ze zou hem levenslang geven.

Dat heb ik doorgegeven. Even was hij uit het veld geslagen. Dit had hij niet zien aankomen. Zij is in zijn ogen zo stom, zij moest dat met iemand anders gedaan hebben, was zijn conclusie. Sonja kan dat niet alleen, zij kan dit niet bedenken en heeft daar de apparatuur niet voor.

Gewoonlijk als iemand iets doet wat hem niet bevalt, ontploft hij. Maar dat is anders als het écht ergens om gaat, om iets dat voor hem een probleem kan opleveren. Dan blijft hij ijzig kalm, gaat direct de situatie analyseren en zet een strategie uit. Een tegenaanval.

Hij hield stil, ging voor me staan. Zijn ogen leken dwars door mij heen te kijken.

Mijn hart klopte in mijn keel. God, hij zou mij ontmaskeren, hij had me door. Ik had dit spel te ver doorgevoerd, hij zou me ter plekke fouilleren en de opnameapparatuur vinden. Voor de zekerheid, want: 'Controle is geen wantrouwen, hè.'

Ik werd misselijk en had het gevoel dat ik moest overgeven.

Ik begon te praten, wetende dat tegenspreken in dit soort situaties geen zin heeft, want dan wordt hij nog wantrouwiger. Dus gaf ik hem onmiddellijk gelijk.

Zeker moest ze dat met een ander gedaan hebben, zij is daar inderdaad echt te stom voor. Ze kan niet eens een internetoverboeking doen, laat staan iets anders met technische apparatuur. Maar met wie?

W: Met Peter. Ze hebben dit samen verzonnen. Ze spelen een spel met me.

O nee, ik wilde graag de verdenking van mezelf afleiden, maar het was ook niet mijn bedoeling dat dit bij Peter terecht zou komen, daar had hij het toch al zo slecht mee voor.

Ik voelde me schuldig. Die arme Peter wist van niks. Sonja en ik hadden samen voor deze strategie gekozen, maar Peter stond daarbuiten en nu kreeg hij de schuld.

A: Nee, dat geloof ik niet. Dat doet Peter niet.
W: Francis dan?
A: Nee, zeker niet.

Ik voelde dat mijn ontkenning ervoor zorgde dat hij mij juist meer ging vertrouwen. Doordat ik als enige nog in aanmerking kwam als haar hulp, wekte ik de indruk dat ik het niet van mezelf wilde afleiden.

Hij ontspande.

W: Ga jij zorgen dat je die opnames krijgt. Ik zie jou vanavond.

Goddank, ik was weer even veilig. Zolang hij mij kan gebruiken, zit ik goed.

Die ochtend had echter zo'n impact op mijn zenuwstelsel gehad, dat ik het niet aankon om mij in de avond alweer te bepakken met afluisterapparatuur. Maar het gesprek staat in mijn geheugen gegrift.

We vertrokken vanaf de woning van Sandra en zijn door Oost gaan lopen.

W: En? Heb je ze?

A: Nee, ze zegt dat ze ze veilig heeft opgeborgen. En ze gaat het mij niet vertellen, want als het erop aankomt ben ik met jou.

W: Wat een vieze kankerhoer. Ik wist het al. Praat ze ook met de politie?

A: Weet ik veel. Waarom zou ze die opnames opbergen als ze al met de politie praat?

W: Ze praat met de politie. Maar het maakt me niet uit. Je weet wat ik doe met mensen die met de politie praten. Maar bij haar ga ik het anders doen. Ik ga haar heel langzaam laten sterven. Echt laten lijden. Eerst haar kinderen, haar kleinkind en dan zij. Ik laat haar niet doodschieten. Ik laat haar martelen. Dagenlang.

A: Nou, ze zegt juist dat als er iets met haar of haar kinderen gebeurt, dat die opnames dan naar de politie gaan. Dus dat lijkt me niet verstandig. Daar heb je niks aan.

W: Maakt me niet uit. Is ze naar het buitenland?

A: Waarom zou ze?

W: Ik weet niet wat ze van plan is. Ze doet dit met Peter.

A: Nee, dat geloof ik niet. Die zou dit nooit durven.

Ik moest de verdenking bij mezelf vandaan houden.

A: Ze zegt: ik heb jou ook opgenomen. Alle boodschappen die je van hem moest doorgeven, dat hij mijn kinderen dood zou laten schieten. Peter en mij. Ik heb alles. En nog veel meer, want ik neem al heel lang alles op.

W: Dus ze gaat jou ook ophangen. Wat een viezerik. Ze gaat jou ook ophangen.

A: Hoezo dan? Ik heb toch alleen maar jouw boodschappen door-gegeven? Ik help toch alleen maar? Ik ontken gewoon dat jij dat tegen mij hebt gezegd. Dan stopt het bij mij.

W: Ze gaat jou ophangen. Ze is een vieze verrader. Hoelang neemt ze al op?

A: Weet ik niet. Dat zegt ze niet. Maar je moet rustig blijven denken. Denk na wat je allemaal tegen haar hebt gezegd, wat ze daarmee kan. Jij verspreekt je nooit.

W: Ik heb gewoon een beetje boos gedaan. Maar ik weet natuurlijk niet hoelang ze al opneemt, en of ze al met de politie praat. Wat ze daar gaat zeggen. Ik moet die opnames hebben. En ik krijg ze ook, hoor. Op zeker. Ik trek haar gewoon van de straat en martel haar net zo lang tot ze zegt waar ze zijn. Ik breek elk botje in haar lichaam. Snij d'r helemaal aan stukjes.

A: Doe normaal!

W: Wat doe normaal? Ik doe normaal. Dit had ze kunnen verwach-ten.

A: Ik ga wel zoeken in haar flat, kijken of ik het kan vinden.

W: Ja, ga zoeken. Wat een kankerhoer. Dit moet opgelost worden.

Ik kreeg het gevoel dat wij onze hand hadden overspeeld. Hij was zo eng rustig onder de situatie, dit had niet het effect waar we op hadden gehoopt. Dit zou niet goed gaan. Ik moest het op de een of andere manier terugdraaien. Maar hoe?

Ik ging weer naar hem toe.

A: Nou, ik heb uren met haar opgetrokken, maar volgens mij bluft ze, volgens mij heeft ze helemaal niks. Ze is niet goed. Ze dreigt alleen maar.

W: Denk je?

A: Ja, ik ken d'r toch, ik ken d'r als geen ander. Ze kan helemaal niks, ze kan niet eens een computer aanzetten. Het is een debiel.

Als ik enigszins geloofwaardig over wilde komen, moest ik haar helemaal tot aan de grond afbreken.

A: Maar ik snap haar wel, ze is bang voor jou, ze is bang dat je haar kinderen dood laat schieten. Ze weet niet meer wat ze moet doen. Het is een noodsprong.

W: Ze is bang, hè? Moet ze ook zijn.

A: Ik denk dat ze spijt als haar op d'r hoofd heeft dat ze het heeft gezegd. Ze was bloednerveus.

W: Dat begrijp ik. Ze weet hoe ik ben. Of ze doet het met Peter, dat ze wel opnames heeft, dat ze met een heel spel bezig zijn.

A: Nou, ik zie niet in waarom.

W: Je weet het niet, hè? Je weet niet wat ze van plan zijn.

A: Nou, ik denk dat het bluf is.

W: Denk je?

A: Ik weet het zeker.

W: We gaan het zien.

Wij willen vernietiging kluisverklaringen (2014)

Ruim een jaar geleden hadden we onze verklaringen bij justitie afgelegd, maar er gebeurde niets. Alles bleef bij het oude. Ondertussen had ik de band met Wim zo aangehaald dat het een strop om mijn nek was geworden en ik nauwelijks nog kon ademen. Al die tijd hield ik vol dat justitie echt wel een keer in actie zou komen, maar ik geloofde er inmiddels zelf ook niet meer in.

Al die tijd moesten we balanceren op het randje van de dood met deze gevaarlijke gek. Ik kon het niet geloven. Sonja, die alle bedreigingen moest ondergaan, was zwaar teleurgesteld in justitie.

Wim voerde de druk steeds meer op.

Het enige waar ik hem nog rustig mee kon houden, was het vooruitzicht dat de film geld zou gaan opleveren, maar hij was zo met Sonja bezig dat ik niet wist hoelang het nog zou duren voor hij haar iets aan zou doen.

'As, we worden gewoon in de zeik genomen,' zei Sonja. 'Hij heeft gewoon iemand bij justitie die hem de hand boven het hoofd houdt. Laat ze doodvallen. Ik stop ermee. Het is veel erger mét hen dan zonder hen. Ik heb elke dag de verwachting dat ze eens iets gaan doen, en elke dag word ik teleurgesteld. Dat geeft zoveel stress.'

Ze had volkomen gelijk. Wij waren justitie allebei spuugzat. Ze deden helemaal niks, en konden niet uitleggen waarom het zo lang duurde. Wij staan al meer dan een jaar bloot aan het gevaar dat onze verklaringen uitlekken en zij houden ons aan het lijntje.

We bespraken met Peter wat hij ervan vond en hij was het met ons eens: justitie toonde geen enkele daadkracht en het risico dat onze verklaringen een keer uitlekten bleef reëel. Hij steunde ons in de beslissing de verklaringen te vernietigen.

We waren liever helemaal op onszelf aangewezen dan dat we zo weinig serieus werden genomen.

We krijgen een zogenaamd exitgesprek. Betty vertelt dat ze niet met ons mag delen waarom het allemaal zo lang duurt. Dat ze ons graag 'aan boord' had gehouden, maar dat ze begrijpt dat wij ons vertrouwen verloren hadden. Ze zou opdracht geven onze kluisverklaringen te vernietigen.

Bij mij slaat al snel de twijfel toe. Kunnen we ze toch niet beter laten bestaan? Lopen we niet een groter risico op het uitlekken van onze verklaringen op het moment dat we ermee stoppen? Als justitie denkt dat we nog meewerken, ligt de verantwoordelijkheid voor eventueel lekken heel duidelijk bij hen.

Bovendien bieden die verklaringen mij ook bescherming tegen mijn overvloedige contacten met hem. Ik wil doorgaan met het vastleggen van wat hij mij vertelt zonder door justitie als zijn verlengstuk te worden gezien, en ik meen dat het dan beter is dat ik de kluisverklaringen en het contact met de CIE in stand laat, zodat er ten minste één dienst binnen het justitiesysteem op de hoogte is van de ware achtergronden en redenen dat ik contact met hem onderhoud. Mocht ik ooit eens gearresteerd worden om hem, dan heb ik daar in ieder geval getuigen van.

Bij nader inzien leek het mij toch beter de kluisverklaringen niet te vernietigen. Niet omdat wij nog geloofden in een vervolging van Wim, maar wel omdat het bestaan ervan ons nog een zekere bescherming kon bieden.

Enkele dagen later bel ik met de vraag of de verklaringen al vernietigd waren. 'Nee? Mooi. Vernietig ze maar niet. Misschien komen ze ooit nog van pas,' zeg ik tegen Manon.

Ik vermoord hem

De bel ging. Ja hoor, daar stond hij weer.

Ik voelde alle energie uit mijn lichaam vloeien, ik voelde me zo moe. Ik wil stoppen, maar ik zit er nu zo diep in met hem, dat gaat niet meer. Dit zou nooit meer ophouden.

We liepen door de Maasstraat en gedurende zijn monoloog lachte hij om de angst die hij Sonja weer eens had aangejaagd. 'Ze is zo bang, ze is echt bang.'

Ik liep naast hem en keek van opzij naar de grijns om zijn mond. Iemand die zo geniet van het pijn doen van anderen, heeft toch geen recht om te blijven leven, dacht ik.

Het is genoeg.

Ik ga hem vermoorden.

Sonja was op de sportschool. Aan die sportschool was een fysiotherapiepraktijk verbonden en daar had ik mijn eerste afspraak. Sonja zat al aan de koffie en ik schoof aan.

'Vandaag schiet ik hem kapot,' deelde ik haar mee. 'Ik haal straks mijn wapen op.'

'Zeg dat niet. Dat ga je helemaal niet doen. Dat kan je niet doen voor Mil, de kleintjes. Dan zijn ze jou kwijt.'

Maar zelfs dat woog niet meer op tegen mijn gevoel, dat schreeuwde om een einde aan deze situatie. Ik wilde niet langer afhankelijk zijn van anderen, ik zocht niet langer naar een andere manier om hem te stoppen. 'Ik doe het zelf wel. Ik had het al veel eerder moeten doen.'

Liquideren of geliquideerd worden was een belangrijk onderdeel van ons leven. Cor was doelwit van Wim, Wim doelwit van onder meer Mieremet, Endstra en Thomas van der Bijl. We leefden ermee, het had mij geleerd wat er bij kwam kijken om een liquidatie te voorkomen en wat er nodig was om een liquidatie uit te voeren; het naderen van het doelwit tot op een afstand die het mogelijk maakt het dodelijke schot te lossen.

Weten waar iemand zich bevindt is belangrijk, weten wanneer iemand zich daar bevindt is noodzaak. Het is onmogelijk uren op de hoek van de straat te staan wachten tot iemand bij zijn woning aankomt, dat valt op. En opvallen betekent: het risico op aandacht van de politie of van oplettende burgers, en de mogelijkheid later herkend te worden. Het moet relatief snel kunnen. Weten waar en wanneer het doelwit er is, aankomen, de klus klaren en dan weg.

Erin en eruit, zoals Wim dat noemt.

Om het doelwit te kunnen naderen moet je locatie en tijd weten. Weten waar het doelwit is en wanneer het daar is. Dat is niet makkelijk en vandaar dat er bij veel liquidaties sprake is van verraad. Dat verraad zit vaak dichtbij: iemand vertelt waar het doelwit woont, welke uitgaansgelegenheid hij bezoekt, wat zijn gewoontes zijn, de vaste locaties waar hij komt, wanneer hij daar komt.

Het waar en wanneer was voor mij geen probleem: ik zag Wim wanneer hij wilde. Ik had elke dag de gelegenheid hem dicht genoeg te naderen. Het enige wat ik hoefde te doen was verschijnen op een afspraak, hem dicht naderen en overrompelen. Voor een ongeoefend schutter als ik was dat laatste het belangrijkste.

Ik weet hoe ik met een vuurwapen om moet gaan, maar

ik kan niet iemand van vijf meter afstand dodelijk raken. Ik moest zo dicht mogelijk bij hem gaan staan en zonder dat hij er erg in had het wapen in zijn buik zetten – en de trekker overhalen.

Ik moest het hebben van het verrassingseffect, zodat hij de kans niet had zich te verzetten. Een schot in de buik verzekerde mij niet van een dodelijke afloop, maar zou hem zo verbazen dat ik de tijd zou hebben de fatale schoten te lossen. Zo had ik het bedacht en, bij wijze van oefening, gevisualiseerd.

'Dat moet je niet doen,' zei Sonja.

'Ik zou niet weten waarom niet,' antwoordde ik.

Ik had ook echt geen reden waarom ik het niet zou moeten doen, alsof ik geen morele rem had. Net als hij.

Als ik eraan dacht voelde ik geen weerzin of angst. Ik voelde helemaal niks. Ik vond het vanzelfsprekend: hij was een kwaadaardig gezwel dat verwijderd moest worden. Ik begreep dat hij tot moorden in staat was, omdat ook hij die morele rem niet voelde. Het enige wat me al die tijd al tegenhield, waren de woorden van mijn dochter: 'Mam, ik wil geen moordenaar als moeder.'

Zij beschikt kennelijk wel over die morele rem, en wilde het pertinent niet. Ik probeer dat te begrijpen, maar eerlijk gezegd kon ik er verstandelijk en gevoelsmatig niet bij. Sonja begreep Miljuschka heel goed: zij wilde en kon het ook niet, terwijl het eigenlijk logischer was voor haar om het te doen. Het ging om haar man, haar kinderen.

Het was een discussie die we al vaker hadden gevoerd. Ik vond dat zij voor haar kinderen op moest komen, wat ze daarvoor ook moest doen. Maar dat kon zij niet.

'Ik doe het wel,' beëindigde ik ons gesprek. 'Er staat bij mij thuis een tas met kleding klaar, die moet je brengen als ik op het bureau zit.'

Ik zou niet proberen ermee weg te komen, ik ben niet zoals hij. Ik zou mijn verantwoordelijkheid nemen en mijzelf aangeven. Ik realiseerde me dat niemand mij een gevangenisstraf gunde, maar voor mij was dat vooruitzicht vele malen aanlokkelijker dan met hem verder te moeten leven.

Ik liep de trap op, naar mijn afspraak met de fysiotherapeut. Het was het laatste waar mijn hoofd naar stond, maar de man was altijd razend druk en ik was daar op voorspraak van Sonja. Zij had hem uitgelegd dat ik met spoed een behandeling nodig had en hij had speciaal voor mij een gaatje in zijn agenda gemaakt. Ik kon het niet maken af te zeggen.

Na mijn afspraak zou ik een wapen ophalen, een klein revolvertje, net handzaam genoeg voor mij. Ik moest alleen voorkomen dat ik toevallig in een verkeerscontrole terecht zou komen, en het wapen gevonden zou worden voordat ik het had kunnen gebruiken.

Ik klopte op de deur van de fysiotherapeut.

'Hallo,' zei een getinte, gespierde man. 'Jij bent Astrid?'

'Ja,' zei ik.

'Ik ben Vincent. Neem maar even plaats op de behandeltafel.'

Ik ging op de behandeltafel zitten en hij vroeg waar de pijn zat. 'In mijn kuiten.'

'Je kuiten zijn je tweede hart,' antwoordde hij. Hij voelde eraan en zei: 'Ik begrijp dat je pijn hebt. Er staat heel veel spanning op.'

Zijn handen begonnen aan de behandeling en ik kon me nauwelijks goed houden van de pijn.

'Astrid, je staat op een kruispunt in je leven. Je kuiten houden je tegen een bepaalde weg in te slaan en dat geeft de spanning die jouw pijn veroorzaakt. Misschien moet je een heel andere weg inslaan.'

Ik schrok en dacht: waar heeft hij het nou over, hij kan toch niet weten wat ik van plan ben? 'Wat bedoel je?' vroeg ik achterdochtig.

'Misschien moet je alles wat er nu in je leven gebeurt even loslaten en eens van een heel andere kant bekijken. Wij zijn allemaal energie. En soms wordt je energie verstoord door de energie van anderen. Blijf bij je eigen energie, laat hem niet vervormen, waardoor je dingen doet die niet jouw energie zijn.'

Ik voelde me betrapt. Waarom begon hij nou net hierover? Probeerde hij me in bedekte termen duidelijk te maken dat hij wist wat ik van plan was en dat ik ervan af moest zien? Ik kreeg er de zenuwen van. 'Ik ben gewoon een beetje moe,' zei ik. 'Ik heb het ook zo druk.'

'Je bent moe omdat anderen jouw energie afnemen. Jij hoeft niet ieders problemen op te lossen.'

Zo! Die laatste kwam wel aan. Ik leek ook inderdaad wel gek. Waarom zou ik me geroepen voelen tot het uiterste te gaan om anderen te helpen? Om Sonja te helpen, Peter, waarom? Iedereen moet zijn eigen problemen maar oplossen. Vincent had net voor het fatale moment een stroom van gedachten bij me losgemaakt die me behoedden voor wat ik van plan was.

Ik liep naar Sonja die nog steeds beneden op me zat te wachten.

'Ik doe het niet. Ik ga niet zitten, omdat ik het zo nodig voor iedereen wil oplossen. Jij doet niks, justitie doet niks. Het is mijn probleem niet. Het is jouw man, het zijn jouw kinderen. Je moet het zelf maar oplossen. Als hij mijn kind bedreigt zou ik het onmiddellijk doen, maar als jij dat wilt ondergaan moet je het zelf weten.'

'Gelukkig,' zei Sonja. 'Ik ben blij dat je het niet doet.'

Ze was oprecht blij. Ze had liever dat de terreur doorging, niet in staat te doen wat nodig was om daar een einde aan te maken. Ik kon haar niet begrijpen. Wat was zij toch anders dan ik en anders dan Wim.

Ik reed naar huis. Ik had net op het punt gestaan mijn broer te doden, iets dat ik vreselijk zou moeten vinden, maar het voelde rechtvaardig. Oog om oog, tand om tand. Jij slaat mij, ik sla jou terug.

Nu, achteraf, denk ik: had ik het maar wel gedaan, dan was ik eerder vrij geweest, dan had ik misschien negen jaar gekregen en stond ik met goed gedrag binnen zes jaar buiten, jong genoeg om weer een leven op te bouwen.

Nu heb ik levenslang: of hij veroordeeld wordt of niet.

Ik heb spijt.

Sandra & de vrouwen (2014)

Vrouwen spelen een belangrijke rol in het leven van Wim. Zijn moeder, zijn zussen, zijn vriendinnen, alle vrouwen in zijn leven hebben een functie.

Ik ben zijn klankbord, Sonja is zijn manusje-van-alles en mijn moeder blijft de rol van moeder spelen en moet hem, als hij daar behoefte aan heeft, nog steeds als een kind verzorgen. De rol van zijn vriendinnen hangt af van wat Wim op dat moment nodig heeft. Een auto, een scooter, een huis, een financier.

Wim heeft altijd minimaal vier vrouwen en ze willen allemaal geloven dat ze de enige zijn. Hij rouleert voortdurend. Hij vertelt dat hij gevaar loopt geliquideerd te worden en dat hij daarom niet te lang op een plek kan blijven. Hij móét wel weg, voor zijn veiligheid. En daar ga je als liefhebbende vrouw toch niet moeilijk over doen, je wilt toch niet dat hem iets overkomt?

Dat hij meerdere vrouwen zou kunnen hebben tegen wie hij hetzelfde zegt, komt niet eens in ze op. Het is triest om te moeten aanschouwen, al die vrouwen die hij in de maling neemt, die hem allemaal zo goed willen begrijpen en met hem meeleven. Vaak heel lieve vrouwen, die helemaal door hem gehersenspoeld zijn.

Zelfs als ze hem betrappen en de werkelijkheid ineens zien zoals die is, weet hij het zo te draaien dat zij zich vijf minuten later niet kunnen voorstellen dat ze ooit aan hem hebben kunnen twijfelen.

Wat een slechte mensen zijn ze toch eigenlijk. Gelukkig mogen ze hem nog hun excuses aanbieden.

Wij leven ook met al zijn verschillende vrouwen. Hij schakelt ons sinds jaar en dag in om zijn polygame leven voort te kunnen zetten.

***

Mijn moeder was getraind om te voorkomen dat haar gedrag de jaloezie van mijn vader opwekte. De vriendinnetjes van Wim begrijpen aan het begin van de relatie totaal niet wat hij van ze verwacht, maar hij brengt ze dat vlot bij.

Hun eerste les: Wim is jaloers. Zonder enige aanleiding, vonden zij vaak zelf, maar dat vond Wim niet, hij was niet jaloers. Zij gedroegen zich sletterig en dat hoefde hij niet te accepteren.

De tweede les: als Wim jaloers is, kan hij zijn agressie maar moeilijk beheersen, hij schreeuwt en slaat. Dat pikten ze niet! Maar misschien had Wim toch wel gelijk, en lag het aan hen. Ze bleven bij hem.

De derde les: om zijn agressie te voorkomen, moesten ze elke aanleiding voor Wim om jaloers te worden, vermijden. Dus veranderden ze in zijn aanwezigheid van spontane meisjes die blij de wereld in keken, in nerveuze typetjes die alleen nog maar oog voor hem hadden. Als ze naast hem liepen keken ze niet meer om zich heen, maar strak naar de grond. Gingen ze wat eten of drinken, dan namen ze recht tegenover hem plaats, zodat hij er toezicht op kon houden dat ze alleen naar hem en naar niemand anders keken. Nee, kijken naar andere mannen mocht niet en met ze praten al helemaal niet.

Hoe eerder de meisjes leerden wat ze wel en niet mochten doen, des te beter, want het was altijd weer aangrijpend om te zien hoe zo'n meisje schrok als ze ontdekte dat ze kennelijk weer iets verkeerds had gedaan en de consequenties daarvan moest voelen.

Wij hielpen ze de gebruiksaanwijzing van Wim zo snel mogelijk onder de knie te krijgen.

'Je kunt beter niet zo'n bloesje aantrekken, want dat vindt Wim niet goed.'

'Dat truitje zit wel erg strak, zo zie je alles zitten.'

'Die mannen zitten naar je te kijken. Kom mee, we gaan weg hier.'

Ze voelden onze steun en namen ons in vertrouwen.

'Zeg maar niets tegen Wim, alsjeblieft,' vroegen ze als ze per ongeluk een bekende van het mannelijk geslacht tegen waren gekomen.

'Nee, natuurlijk niet!' zeiden wij dan.

Als er weer trammelant was, bliezen ze stoom bij ons af.

'Zit ik met Wim aan de telefoon en zie ik allemaal beestjes over mijn schaamstreek lopen. Ik zweer het je, Sonja! Ik zie ze zo krioelen,' vertelde Martine aan de keukentafel tegen Sonja.

Ik zat erbij en hoorde hen aan.

'Nee, echt waar? Beestjes?' zei Sonja.

'Ja, beestjes!' zei Martine nog steeds in shock. 'Dus ik heb gelijk de dokter gebeld. Weet je wat het zijn? Platjes!'

'Platjes?' vroeg Sonja, onbekend met het woord.

'Schaamluis!' antwoordde Martine.

'Schaamluis? Wat is dat dan?' De opbouw van het woord – schaam en luis – deed bij Sonja geen belletje rinkelen.

'Dat zijn allemaal kleine beestjes die in je schaamhaar zitten, daar beneden,' verduidelijkte Martine door te wijzen op haar kruis.

Het kwartje viel bij Sonja en vol afschuw riep ze: 'O jakkes, beestjes? Hoe kom je daar nou aan?'

'Door jouw broer!'
'O, echt? En hoe komt hij daar dan aan?'
'Hij is vreemd geweest!' brieste Martine.

Ook dat was een dingetje dat zijn vriendinnen niet helemaal begrepen: kennelijk veronderstelden ze dat Wim niet wilde dat zij vreemd zouden gaan, omdat hij zelf ook niet vreemdging. En dat deed hij ook niet, riep hij dan, terwijl hij zijn handen in de lucht gooide en grote, onschuldige ogen opzette. Ook toen het onomstotelijke bewijs in Martines kruis rondkrioelde, schreeuwde hij dat het van haar moest komen. Hij hoopte voor haar dat ze hem niet had besmet, want dan had ze een probleem. Hij zou snel naar de dokter gaan om zich te laten onderzoeken, en wilde haar voorlopig even niet zien.

Wim ging vreemd, ontkende het en zijn vriendinnetjes konden het niet bewijzen. Onzeker over hun eigen waarnemingen konden ze alleen zichzelf in twijfel trekken, en werden zo de ideale partner.

Klaar voor hun relatie met Wim.

In 2003 introduceerde Wim Sandra den Hartog in ons leven. Zij was de weduwe van Sam Klepper, die in oktober 2000 was geliquideerd.

Rob Grifhorst stond in 1999 op het punt een luxe appartement aan de Van Leijenberghlaan te huren, toen hij werd bezocht door Wim. Hij moest van de huur van het appartement afzien, want zijn vrienden Klepper en Mieremet gingen daar wonen. Wim woonde al in het complex: nadat hij van Beppie af was gegaan, was hij daar met Maike gaan wonen. Het appartement lag direct aan de overkant van het gelijknamige politiebureau. 'Lekker veilig,' grapte Wim.

Klepper en Mieremet namen er hun intrek – hun vrouwen

woonden in België – en Wim bracht zijn nieuwe vrienden elke ochtend versgebakken broodjes met de beste vleeswaren en kaas, net zoals hij dat vroeger bij Cor deed. Na het ontbijt ging hij dan met Mieremet op pad, om hem te laten zien in welk onroerend goed de criminele miljoenen van het duo via Willem Endstra waren belegd.

Wim werd in de loop der tijd steeds inniger met Mieremet, terwijl Klepper meer naar de Hell's Angels trok. Het was een tweedeling die zich eerder ook tussen Cor en Wim had gemanifesteerd. Mieremet richtte zich met Wim meer op de bovenwereld, Klepper vertoefde net als Cor liever in de onderwereld.

Op 10 oktober 2000 werd Sam Klepper, bij het verlaten van het appartementencomplex, op klaarlichte dag geliquideerd. Wim en Mieremet zaten op dat moment samen een broodje bij de nieuwe RAI te eten.

Sonja en Cor zaten in Dubai. Mijn moeder paste op Francis en Richie in het huis van Sonja. Nadat ik het nieuws over Klepper hoorde, begreep ik direct dat de groep van Mieremet zou denken dat Cor erachter zat, als wraak op zijn eigen aanslag. Vanwege de bestaande vete en omdat hij 'toevallig' in het buitenland zat. Zorgen dat je niet in de buurt bent wanneer het gebeurt, is altijd het beste alibi.

Maar er was nog een reden waarom ik dacht dat Cor er misschien wel wat mee te maken had. Sonja was altijd al bang dat er een moment zou komen dat zij met Cor in de auto zou zitten en ze er allebei het volgende moment niet meer zouden zijn om voor de kinderen te zorgen. Ze wilde sinds de eerste aanslag al vastleggen dat ik de zorg over Francis en Richie zou krijgen, om te voorkomen dat andere familieleden ze misschien op zouden eisen.

Cor deed niet aan een testament, dat vond hij nieges. Hij geloofde dat je met een testament de dood over jezelf afriep.

Maar dat veranderde kort voordat ze samen op vakantie naar Dubai gingen. Cor had een testament laten maken. Wanneer hij en Sonja er niet meer voor de kinderen konden zijn, zouden ze naar mij gaan. 'Dat is goed toch?' zei Sonja.

'Ja, natuurlijk. Dat weet je toch.'

Ik was verbaasd. Cor zette zich over zijn bijgeloof heen. Wel verstandig van hem, dacht ik toen. Maar nadat Klepper werd geliquideerd, vroeg ik me onmiddellijk af of hij een testament had laten maken omdat hij wist wat er stond te gebeuren, nu wraak verwachtte en daarom ineens wel de zorg voor zijn kinderen wilde regelen. Alles bij elkaar maakte het dat ik niet kon uitsluiten dat Cor er iets mee te maken had.

Ik was bang dat er wraak zou worden genomen. De verhalen van Wim over het uitmoorden van onze hele familie, en het naar binnen schieten van een raket als er niet gebeurde wat zij wilden, stonden mij nog helder voor de geest. Ik was doodsbang dat de kinderen iets zou worden aangedaan, en ik wist dat Sonja daar net zo bang voor zou zijn als ze hoorde wat er was gebeurd.

Ik kon Sonja niet bereiken om te vragen wat ik met de situatie aan moest, maar ik wist dat ze op mij zou rekenen waar het de veiligheid van de kinderen betrof. Ik reed naar mijn moeder om te overleggen.

'Heb je het gehoord?' vroeg ik.

'Nee, wat?' antwoordde ze.

'Ze hebben die Klepper doodgeschoten.'

'O, echt?' Ze reageerde geschrokken. Ook zij realiseerde zich dat door alles wat er de afgelopen jaren was gebeurd, dit weleens een probleem zou kunnen worden.

'Ja, dus ik heb liever niet dat je hier nog langer blijft. Je weet nooit of ze denken dat Cor erachter zit en dat ze hier aan de deur komen. Beter neem je de kinderen mee naar jouw eigen huis. Bij jou komen ze niet, want Wim hoort bij hen. Ik kom met Miljuschka naar je toe.'

Ik haalde Miljuschka op, want die wilde ik niet onder deze omstandigheden bij de oppas achterlaten, en reed naar mijn moeders huis, waar ze met Francis en Richie op mij zat te wachten.

'Weet je zeker dat het hier wel veilig is?' vroeg mijn moeder. 'Straks komt Wim langs en dan ziet hij de kinderen hier. Hij is nu toch met hen? Ik heb ze liever niet bij me.'

'Maar ik kan ze ook niet mee naar huis nemen, want daar komt hij ook. Ik ga wel met ze naar een hotel, totdat we weten hoe het ervoor staat. Kom kinderen, we gaan,' zei ik tegen ze.

'Waar gaan we heen dan, Assie?' vroeg Francis.

'We gaan op vakantie,' grapte ik en ze begrepen dat vragen niet beantwoord zouden worden. We gingen, punt uit.

Ik begon mijn zoektocht naar een veilige plek bij een hotel iets buiten de stad, in Badhoevedorp, maar die hadden geen kamers vrij. Bij het volgende hotel kreeg ik hetzelfde te horen, en bij het volgende weer. Ik reed met de kinderen van hotel naar hotel, omdat ik niet wilde bellen. Ik wilde niet dat de politie kon meeluisteren en horen dat we op de vlucht waren, want dat zou alleen maar verdacht overkomen. Maar waar ik het ook probeerde, er was nergens plek. Ik weet niet wat er die dag aan de hand was, maar elk hotel waar we aankwamen zat vol.

Het was inmiddels al laat en de kinderen vielen om van de slaap toen ik een laatste poging waagde in een onooglijk, smerig hotelletje op het Surinameplein, waar je zelfs je hond nog niet zou willen laten slapen: het Belfort Hotel. Ik ging met de kinderen naar binnen, want in Amsterdam durfde ik ze niet alleen in de auto achter te laten.

'Heeft u nog een vierpersoonskamer vrij, meneer?' vroeg ik

aan de man achter de balie, die er net zo smotsig uitzag als het hotel.

'Néé mevrouwtje, ik heb alleen nog één eenpersoonskamer.'

'O, dat is prima!' riep ik opgelucht, omdat we dan in ieder geval iets hadden.

'Nee, mevrouwtje, het woord zegt het al: het is een kamer voor één persoon en niet voor vier,' zei hij met onverstoorbare logica.

Ik zag mezelf alweer vertrekken en de nacht met de kinderen in de auto doorbrengen. 'Maar meneer,' smeekte ik, 'alstublieft, ik sta hier met drie kinderen en er is nergens een kamer te krijgen. Alstublieft, help ons voor deze nacht.'

'Hoe wilt u slapen dan, mevrouwtje, er staat maar één bed. Het woord zegt het al: éénpersoonskamer,' herhaalde hij stoïcijns.

De tranen sprongen in mijn ogen bij zo weinig empathie, en ik begon onbedaarlijk te snikken. Ik was moe en bang en ik had mezelf niet meer in de hand. 'Meneer, ik weet niet meer waar ik naartoe moet,' huilde ik. Richie, ook doodmoe en gespannen, begon spontaan mee te huilen.

Dat was zelfs deze gevoelloze eikel te veel en hij riep: 'Goed, goed, maar dan betaal je voor vier personen.'

'Geen probleem,' zei ik en telde bijna vierhonderd gulden uit op de toonbank.

'Eerste verdieping, laatste deur,' zei hij terwijl hij het geld in zijn broekzak schoof. 'Hier is de sleutel.'

Dolblij met een slaapplek liep ik met mijn kroost naar boven, deed de deur open en stond in een hondenhok. Dat had ik kunnen verwachten, zoals het er vanbuiten uitzag, zo zag het er ook vanbinnen uit: vies en niet groter dan twee bij drie meter, geen douche te bekennen, alleen een smerig wastafeltje.

Rich gooide zich gelijk op het eenpersoonsbed en kwam er niet meer vanaf. Miljuschka probeerde nog bij hem te liggen, maar eindigde net als Francis en ik op de grond. Met zijn drie-en lagen we lepeltje-lepeltje klem tussen het bed en de deur.

Ik probeerde tussendoor contact met Sonja te krijgen om te weten of Cor erachter zat, maar ik kreeg geen gehoor. Het was midden in de nacht toen ze eindelijk belde.

'Blij dat je belt, zusje, ik kon je de hele dag niet bereiken,' zei ik.

'Nee, we waren de hele dag op jeepsafari,' antwoordde ze.

Ik moest de irritatie in mijn stem onderdrukken. Ik zat me de hele dag op te vreten van de zenuwen en zij was lekker op safari. 'Heb je een leuke dag gehad?' vroeg ik.

'Ja,' zei ze, 'een hele leuke dag!'

Door de manier waarop ze het zei, wist ik dat ze het al wist. Om er zeker van te zijn, vroeg ik of Cor ook een leuke dag had gehad. 'Die helemaal!' antwoordde ze.

'Ik ben gezellig bij de kinderen,' zei ik, zodat Sonja wist dat ik ze in veiligheid had gebracht.

'Ja, dat hoorde ik al van mama.'

'Moet ik nog iets doen?' vroeg ik.

'Nee, niets bijzonders. Ga je morgen gezellig weer naar mama met ze?' Ze bedoelde dat ik niet hoefde af te wijken van de normale gang van zaken en ze gewoon bij mijn moeder kon laten.

'Ja, morgen ga ik weer met ze naar mama,' antwoordde ik. 'Zeker?' vroeg ik nog.

'Heel zeker,' zei ze.

'Cor ook?'

'Ja, Cor ook,' antwoordde ze.

'Oké, slaap lekker dan. Ik hoor je morgen wel.'

Zonder ook maar iets over de liquidatie van Klepper te zeggen, vertelde ze me dat Cor er niet achter zat en dat hij vond dat ik de kinderen gewoon bij mijn moeder kon laten.

'Was dat mama?' vroeg Francis, die mee had liggen luisteren.

'Ja, alles is goed, ga maar verder slapen. Morgen gaan we vroeg op en weer naar school.'

We lagen weer lepeltje-lepeltje met Miljuschka in het midden. Francis boog over haar heen en fluisterde zachtjes in mijn oor, zodat Richie het niet kon horen: 'Ik wil niet naar huis, Assie. Ik wil bij jou blijven. Ik ben zo bang dat ze ons gaan pakken.'

'Ik ook,' zei Miljuschka, die Francis had gehoord. 'Ik wil ook niet naar huis.'

Dat Cor aangaf dat hij niets met de dood van Klepper te maken had, betekende nog niet dat het hem door het kamp-Mieremet niet aangerekend zou worden. Mieremet had zijn beste vriend verloren, en had waarschijnlijk weinig behoefte aan een doorwrocht onderzoek naar wie het gedaan had. De vete tussen Cor, Klepper en Mieremet was nog steeds niet beslecht en het was een voor de hand liggende theorie dat het een wraakactie van Cor was voor de aanslag op hem en zijn gezin, vier jaar eerder. Alleen al een verdenking van Cor zou voor Mieremet mogelijk voldoende zijn om wraak te nemen op iemand die Cor dierbaar was.

Ik was er na alle dreigementen richting de kinderen niet gerust op dat ze veilig waren, en besloot ze nog even van de bekende locaties weg te houden. Met Richie bleek dat onmogelijk. Hij voelde de spanning en was zo onhandelbaar dat ik hem maar naar mijn moeder heb gebracht. Francis en Miljuschka hield ik bij me. Ik ging op zoek en vond een ander hotel op de Churchilllaan.

Ik zag vreselijk op tegen het moment dat ik Wim zou zien,

en dat moment zou ongetwijfeld komen. Ik zat met Francis en Miljuschka op de hotelkamer toen hij belde.

'Ik moet even weg. Jullie moeten hier blijven. Hou de deur op slot en doe voor niemand open. Ik ben zo terug,' zei ik en ging naar Wim.

Ik verwachtte niet anders dan dat Wim direct de schuld bij Cor neer zou leggen en hem verantwoordelijk zou houden voor de dood van zijn vriend. Ik voorzag al een hoop agressief geschreeuw over die 'schele kankerhond', met alle daarbij behorende bedreigingen, ook naar de kinderen toe.

Direct betoonde ik mijn medeleven over het verlies van zijn vriend, in de hoop zijn woede iets te dempen. 'Erg voor je, Wim,' zei ik zo gemeend mogelijk.

Maar anders dan ik had verwacht, reageerde hij volstrekt onverschillig. Klepper was volgens hem een kankerhond en hij had het verdiend, want hij had er zelf genoeg laten doen. Ik was van verbazing even uit balans. Ik wist niet beter of Wim had het ervoor overgehad om ons voor deze nieuwe vrienden te verraden. En nu sprak hij zo? Hij was er helemaal niet rouwig om dat Klepper was overleden.

'Moet ik me zorgen maken om die kinderen van Son?' vroeg ik hem, maar hij reageerde verrast. Ik hoefde me daar geen zorgen om te maken, want 'het kwam uit de eigen hoek'.

Uit de eigen hoek? dacht ik. Dat is hij toch zelf? Hij was toch samen met Klepper en Mieremet? Ik kon die opmerking van Wim niet anders interpreteren dan dat Mieremet en Wim zelf te maken hadden met de dood van Klepper. Zou Klepper echt hetzelfde als Cor zijn overkomen? Zijn vriend Wim die ongemerkt zijn vijand was geworden? *What comes around, goes around*, dacht ik.

Wim ging niet tekeer over Cor en bedreigde hem niet, hij noemde hem niet eens. Het was duidelijk dat hij geen enkel verband legde tussen de dood van Klepper en een eventuele wraakactie van Cor.

Ook in de maanden daarna niet. Wim wilde Cor nog steeds dood, maar de reden daarvoor was niet veranderd. Er was op geen enkel moment sprake van een vergelding voor de moord op Klepper. Het ging nog steeds om 'alles afpakken'.

Niet lang daarna sprak ik met Wim af bij autowasstraat Loogman in Aalsmeer. Hij ging even weg, vertelde hij opgetogen; hij was bezig met 'geld halen' bij de vrouw van Klepper – hij ging haar 'beschermen'.

Ergens na de dood van Cor, in 2003, vroeg Wim me een broodje te komen eten bij Sal Meijer in de Scheldestraat en toen werd ik met Sandra geconfronteerd. Ze had een andere boekhouder nodig en nam dezelfde die ik had. Ik moest even met haar mee, anders moest ze alleen. In 2004 stelde hij mij voor aan haar kinderen. Ze hadden problemen met de belastingdienst en justitie over de erfenis van hun vader. De erfenis waar zij geen cent van hadden gezien.

Sandra was het klassieke voorbeeld van Wims 'bemiddelende rol'. Hij vertelde Sandra dat haar man was geliquideerd door Sreten 'Jotsa' Jocić, een Joegoslavische zware crimineel, en dat hij het wel voor haar op zou nemen. Hij zou haar leven en dat van haar kinderen beschermen, en ondertussen het conflict oplossen. Dat conflict, zo vertelde hij haar, kon alleen worden opgelost door fors te betalen. Maar geld interesseerde Sandra niet, ze wilde alles wel betalen als ze daarmee haar kinderen kon redden. Kwetsbaar en volledig emotioneel in de war door het verlies van haar echtgenoot, viel ze ten prooi aan de man die verkondigde geheel belangeloos zijn leven voor haar en haar kinderen te wagen door ze te beschermen tegen de levensgevaarlijke Joegoslaaf.

Het was een droomscenario voor Wim.

Hij zou wel voor haar en haar vermogen zorgen. Haar geld werd zijn geld en haar leven werd zijn bezit.

Sandra's intuïtieve reactie op het overlijden van haar man zei haar dat Willem Holleeder achter zijn dood zat, en ook in de media werd die mogelijkheid geopperd. Maar Sandra, dagelijks gehersenspoeld door Wim en geïsoleerd van eenieder die haar een andere kijk op de situatie kon geven, raakte volledig in de ban van haar ridder op het witte paard – ze had volstrekt niet in de gaten dat zij niet een wit paard haar gezin had binnengehaald, maar het paard van Troje. Hij nam de plaats van haar man in haar gezin in.

Toen Wim zes jaar voor verschillende afpersingen moest zitten, kreeg zij ook zes jaar. Huisarrest, zoals Wim dat altijd eist van zijn vrouwen als hij vastzit. Vanuit de bajes controleerde hij haar hele daginvulling, haar contacten, haar doen en laten. Ze mocht zich alleen met hem bezighouden, ze mocht alleen contact hebben met een beperkt aantal door hem goedgekeurde mensen en daar vielen eigenlijk alleen wij onder. Ons werd opgedragen om bij haar langs te gaan, zodat ze af en toe iemand zag. Van ons wist hij dat wij het niet in ons hoofd zouden halen om Sandra's ogen te openen. Wij waren haar chaperonnes.

Na verloop van tijd kon ik door het 'kamp-Klepper-Mieremet-stigma' dat ik haar had opgelegd heen kijken. Sandra was naïef maar eigenlijk best aardig. Haar kinderen waren lief en keurig opgevoed. 'Zij kan er toch ook niks aan doen, wat die mannen allemaal hebben gedaan,' had Sonja me al vaker gezegd. En dat was waar. Zij kon er niets aan doen, net zoals wij er niets aan konden doen wat Wim allemaal deed.

Het leverde de krankzinnige situatie op dat onze Richie –

die beschoten was door de combinatie Klepper, Mieremet & Holleeder – op verjaardagen kwam van de kinderen van Klepper, over wie Wim mij had verteld dat hij hem had laten vermoorden. Ik werd misselijk als ik bij dat tafereel aanschoof. Vier onschuldige kinderen, allemaal hun vader verloren. Wim was de enige overlever en heerste over hun beide gezinnen.

In Sandra's huis was geen enkele foto van Sam te bekennen. Wim tolereerde dat niet. De enige foto die er hing was verbannen naar de berging. Het was alsof hij nooit had bestaan. Ik was benieuwd hoe ze zou reageren als ik daar iets over zei. Maar ze reageerde alsof ze het heel normaal vond, ze viel geen moment uit haar rol. Wat ik op dat moment niet wist, was dat zij niets negatiefs over Wim durfde te zeggen, omdat zij ervan overtuigd was dat ik door hem op haar afgestuurd was om haar uit te horen.

In de tijd dat Wim vastzat kreeg Sandra problemen met de belastingdienst. Ze kreeg een naheffing over de miljoenen die Sam bij Willem Endstra had geïnvesteerd. Endstra zou die aan haar terug hebben gegeven. In werkelijkheid had Wim die zich toegeëigend. Zij had niets, maar werd wel aangeslagen. De volgende dag ging ze op bezoek bij haar redder in nood maar kwam van een koude kermis thuis. Hij maakte haar duidelijk dat hij op háár problemen niet zat te wachten. Tegelijkertijd kon Wim zich geen vrouw permitteren die 'verkeerde dingen' over hem zou zeggen. Ik zou haar wel helpen. Ik kreeg de opdracht dicht bij haar te blijven, haar in de gaten te houden, mee te gaan naar alle afspraken met haar fiscalist en te zorgen dat zijn naam niet genoemd werd.

Sandra's ridder was van zijn paard gevallen. Natuurlijk wist ze hoe slecht hij kon zijn, maar daar gaf hij haar altijd goede redenen en logische verklaringen voor. Voor haar –

dacht zij oprecht – was hij nooit slecht geweest.

Ik vond het beter dat Sandra wist waar ze aan toe was, en vertelde haar dat ik haar alleen maar moest 'helpen' om te zorgen dat zij hem overal buiten zou laten.

'Het lijkt me ook niet dat ik daar een keuze in heb. Denk je dat ik iets over hem durf te zeggen?' reageerde ze. Ik was verrast. Het was de eerste keer dat ik haar iets negatiefs over Wim hoorde uiten.

In januari 2012 kwam Wim vrij, nam zijn intrek in een chalet en keek niet naar Sandra om. Ze was bijna leeg en wat ze had lag onder beslag. Hij ging weer investeren in Maike. Daar zat nog toekomst in.

Voor Sandra had hij nauwelijks tijd. Hij had het druk met zijn 'veiligheid', met Mandy uit Utrecht die zes jaar op hem had gewacht, en met zijn andere vrouwen.

Sandra's huis met tuin op het zuiden was de voornaamste reden dat hij haar erbij hield. Een woning in Amsterdam, dicht bij zijn contacten, anders moest hij steeds op en neer rijden naar zijn appartement in Huizen.

In maart 2012 vroeg Sandra mij of ik ene Mandy kende. Dat was een vraag die ik onmogelijk naar waarheid kon beantwoorden. Wij waren er om de rust in Wims harem te bewaren, niet om onrust te creëren.

Maar Sandra had in de afgelopen jaren niet alleen mijn sympathie maar ook mijn respect gewonnen. Het huisarrest dat Wim haar oplegde, betekende voor haar nog een relatief grote vrijheid, in vergelijking met de periode die daaraan voorafging. Sinds de dood van Sam leefde ze in een isolement en Wim beheerste haar leven volledig. Door zijn detentie stond ze minder onder zijn directe invloed en werd haar duidelijk in welke situatie ze beland was. Haar vermogen was zijn vermogen geworden. Ze had niets meer en hoefde daardoor ook niets meer van hem te verwachten. Ze moest een baan zien te vinden. Maar wat en hoe? Sandra was haar hele leven een gangsterliefje geweest en had nooit geld hoeven verdienen, ze hoefde het alleen maar met bakken uit te geven. Stiekem volgde ze een opleiding tot nagelstyliste. Toen ze bijna klaar was vertelde ze Wim wat ze had gedaan en dat ze aan het werk kon. Woest was hij, maar ze kalmeerde hem met het argument dat ze toch een regulier inkomen moest hebben. Hij had geen legaal inkomen en kon toch niet voor haar zorgen?

Wim, die dat laatste geenszins van plan was, stemde in. Als ze maar goed begreep dat ze ondanks haar werk gewoon vierentwintig uur per dag telefonisch bereikbaar moest zijn. Hoorde hij geluiden die afweken van de geluiden op haar werk of nam ze een keer niet op, dan ging ze vreemd en maakte hij haar leven tot een hel. Maar ze hield vol.

Ik vond het triest te zien hoe Sandra was misbruikt en werd afgedankt. Als ze dan in ieder geval nog recht had gehad op een eigen leven, was het beter voor haar geweest, maar zo doet Wim het niet met zijn vrouwen. Eenmaal van hem, blijf je van hem. Dan kom je nooit, maar dan ook nooit meer van hem af, tenzij hij van jou af wil.

Ik besloot haar de waarheid te vertellen over Mandy, als ze me beloofde dat ze niet tegen Wim zou zeggen of laten merken dat ze het wist. Ook niet in een emotionele bui tijdens een ruzie of tijdens het goedmaken. Sandra zweerde op haar kinderen dat niet te doen. Ik nam een risico haar de waarheid te vertellen. Weinig bedrogen vrouwen hadden deze kennis voor zich kunnen houden, maar Sandra hield haar belofte. Door deze gebeurtenis groeide ons vertrouwen in elkaar.

Vele gebeurtenissen later vroeg Sandra mij te bevestigen

wat Wim haar in zijn woede had toegebeten: dat hij Sam had laten doen. 'Weet jij hoe dat zit?' vroeg ze trillend van emotie.

Nu zij het zo op de man af vroeg, vond ik dat ik het niet mocht verzwijgen. Ik kon haar dat niet nog langer aan doen. Maar ik was niet van plan dat zomaar met haar te bespreken, in ieder geval niet in huis, niet hardop en zeker niet zonder dat ik haar had gefouilleerd op afluisterapparatuur. Ik dacht haar wel te kunnen vertrouwen, maar voor hetzelfde geld spande ze toch met Wim samen of zou ze hem in een zwak moment nog ter wille willen zijn.

'Trek eerst je trui en je bh uit,' zei ik en ik controleerde haar op apparatuur. Ik fouilleerde haar broek, maar er zat niets. 'Kom, we gaan lopen,' zei ik en nam haar mee naar buiten.

'En?' vroeg ze.

Ik ging voor haar staan en knikte. Meer hoefde ik niet te doen.

***

Sandra belde me. Wim was helemaal door het lint gegaan over haar jongste zoon Mitri. Woedend had hij haar huis verlaten en zelfs zijn sleutel ingeleverd. Ze klonk volledig in paniek. 'Ik heb afgesproken met je broer bij de Omval. Wil jij er alsjeblieft ook heen komen?'

'Hij heeft mij ook gebeld. Ik ben al op weg. Kom jij maar wat later, dan praat ik eerst met hem,' probeerde ik haar gerust te stellen.

Enkele maanden daarvoor was Wim ook vanwege Mitri bij haar weggegaan. 'Assie, luister, ik heb een beetje problemen met Sandra, dus daar ben ik even weg. Allemaal door dat gluiperige kankerjoch. Bakt gewoon eieren overdag, stinkt het hele huis, moet ik in die stank zitten. En elke keer als ik binnenkom, zit hij in de huiskamer, op de PlayStation. Hij irriteert me zo verschrikkelijk, dat kankerjoch. Precies ze vaar.'

Maar ondanks de mededeling dat hij nooit meer terug zou keren, liet hij zichzelf na enkele dagen haar huis weer binnen, lag op de bank te wachten tot zij klaar was met werken, deed of er niets aan de hand was, en gebood dat ze zijn voeten masseerde. Ze kwam niet van hem af.

Bij de Omval stond hij me al op te wachten. Naast zijn scooter, met een agressieve kop. Woest stak hij van wal.

'Weet je wat hij flikt, die gluiperd? Hij brengt mijn leven in gevaar! Het is zo'n leugenaartje, altijd maar liegen.'

'Wat is er gebeurd dan?'

'Zit ie weer pontificaal in de huiskamer, heeft ie een t-shirt van Excalibur aan. Ik kijk, ik denk: Excalibur? Het was een nieuw shirt! Weet je wat dat betekent? Dat hij gewoon bij de Hell's Angels komt! En weet je wat dat betekent? Dat zij te weten komen waar ik zit, dat ze via hem informatie krijgen over mij! Weet je wel hoe gevaarlijk dat is? Via dat kankerjoch! Wat een gluiperd. Nou heb ik er echt genoeg van. Nou gaat ie eruit.'

'Wim, doe even rustig, het is een kind, die kun je toch niet zo op straat zetten. Waar moet ie naartoe dan?'

'Dat interesseert me niet, dan gaat ie maar naar zijn tante. Voor mijn part slaapt ie op straat, maar hij moet eruit.'

'Nee, dat kan niet. En hij gaat echt niks over jou vertellen. Die jongen weet dat ie niet mag praten.'

'Luister, ze horen hem gewoon uit. Daar heeft hij geeneens erg in. Hij zit in hun kamp. Hij gaat er echt uit. Hij is een gevaar voor me. Hij denkt bijdehand te zijn.'

'Oké, en nu?'

'Nu laat ik Sandra komen, en dan ga ik haar zeggen dat hij eruit moet.'

'Dat kan je niet van een moeder vragen. Het is wel haar kind.'

'Als hij tot laat op stap is, is het geen kind en nou is het in-eens wel een kind? Hij is geen kind! Nee, hij gaat eruit. Ik ga niet weg daar, ik laat me niet wegjagen door zo'n snotneus. As, het is een heerlijke woning. Ik kan daar de hele dag in de tuin liggen. Ik zit overal centraal. Ik ga daar niet weg. Als zij hem er niet uitgooit, dan gaat ze maar ergens anders met hem wonen. Ik wil die woning houden.'

'Nou Wim, zo makkelijk is dat niet. Hoe ga jij die woning huren dan?'

'Moet zij op d'r naam houden!'

'Dat kan niet.'

'O, dus hij heeft gewonnen? Maar hij wint niet. Jij weet wel wat ik doe.'

Sandra kwam bij ons staan en Wim begon onmiddellijk tegen haar te schreeuwen. Bedolven onder zijn verbale geweld kon ze geen woord uitbrengen. Ze probeerde tot drie keer toe weg te lopen, maar Wim schreeuwde haar terug.

'Ssst, Wim!' zei ik. 'Doe rustig, er rijdt politie langs, straks stoppen ze!'

'Dat kan me niet schelen!' richtte hij zich tegen mij. 'Laat ze maar komen dan! Ik ben dit zat, Assie. Dus ik moet de straat op voor zo'n kutkind? Wie denkt hij dat hij is? Denkt hij dat hij zoals zijn vader is? Wacht maar. Hij komt aan de beurt. Dan doe ik hem, net als ik zijn vader heb gedaan.'

Ik schrok en keek naar Sandra.

Ze draaide zich om en liet zich niet meer terugschreeuwen. Sandra hield voor het eerst voet bij stuk maar was tegelijkertijd doodsbang. 'Ik weet niet wat hij uitspookt, nu hij niet meer bij me is. Als ik hem elke dag zie, kan ik nog polsen hoe zijn stemming is, inschatten wat hij van plan is. Hij doet Mitri zeker wat aan, en dan komt hij weer met tranen in zijn ogen aan de deur vertellen hoe erg hij het voor me vindt, en of hij me kan helpen. Ik weet het zeker!'

'Ik houd hem voor je in de gaten, en als hij wat van plan is met Mitri vertelt hij het me toch wel, en dan weet jij het weer van mij,' probeerde ik haar gerust te stellen.

Ik deed mijn best Wim te voeden met de gedachte dat het beter was dat hij niet meer bij Sandra ging wonen. Het zou toch niet meer goed komen.

'Weet je wat het is, As? Het komt ook nooit meer goed. Sandra is heel erg veranderd sinds ik vrij ben. In al die jaren stond mijn veiligheid op nummer 1. Daar was alles op gericht, en nou gaat ze zo even achter mijn rug die jongen naar de Hell's Angels toe laten gaan? Mijn vijand? Weet je wat het is, As, vroeger kon ze echt crimineel denken, maar sinds ze werkt is dat over. Die vrouw is gek geworden. Ik vind het alleen zonde van die woning. Nou moet ik weer een ander wijf zoeken waar ik in de tuin kan liggen overdag.'

Wim berustte er wonderwel in dat hij niet meer bij Sandra zou wonen maar hij vergat niet wat Mitri hem had 'aangedaan'. Hij kwam zeker aan de beurt.

'Wim, je kan niet een kind van Sandra doen. Dat kan niet. Die vrouw heeft zoveel jaar voor je klaargestaan. Dat kan je echt niet doen.'

'Oké, voor Sandra zal ik dat niet doen. Maar ik laat het er toch niet bij zitten, dat kan ik niet. Hij heeft me tot op het bot beledigd. Hij krijgt hem echt nog. Nu nog niet, want dan denkt Sandra dat ik erachter zit. Maar over een tijdje. Dan loopt hij in de stad tegen de verkeerde aan, die hem helemaal de kanker slaat.'

Ik vertelde Sandra dat ze gelijk had. Wim liet het er niet bij zitten maar voorlopig zou hij Mitri niets doen, want dat zou opvallen. Ze was volledig ontredderd. 'Hij heeft mijn man vermoord, hij heeft al mijn geld afgepakt en nu bedreigt hij mijn kind,' zei ze. 'Wat heeft die man zich geraffineerd in mijn leven genesteld en wat heeft hij een enorme schade aangericht.'

'Je bent niet de enige. Hij heeft inmiddels al een spoor van vernietiging getrokken. Wij vinden dat hij moet boeten voor wat hij heeft gedaan.'

'Ik ook!' zei Sandra.

'Maar wij gaan ons daar ook echt voor inzetten,' zei ik.

'Hoe bedoel je?'

Ik twijfelde of ik het haar zou zeggen, maar nam de gok. 'Ik ga tegen hem getuigen,' zei ik.

'Dan leef je niet lang meer,' was haar onmiddellijke reactie.

'Die kans is erg groot.'

'Ben je niet bang voor zijn Petten?'

'Die angst houd ik, maar ik ken de mensen met wie ik spreek inmiddels een beetje, en ik denk dat ze oké zijn. Ik ben er al heel lang mee bezig en het is nog niet uitgelekt, dus...' Heel voorzichtig polste ik haar: 'Is het niks voor jou?'

'Je bedoelt of ik ook zelfmoord wil plegen?'

'Ja, zoiets,' lachte ik.

'Ach ja, waarom niet. Ik heb altijd al jong en mooi willen sterven,' zei ze cynisch.

Sandra was een vreemde meid, maar met een heel sterk karakter. Als ze iets zei, deed ze het.

Die avond maakten we samen met Sonja een wandeling

langs de Bosbaan. We liepen met zijn drieën naast elkaar toen er een man ons tegemoet liep. Hij lachte naar ons en riep: 'De drie musketiers!'

Wij keken elkaar geschrokken aan.

Ik zei: 'Wat was dit nou? Was dit een smeris? Hebben ze ons afgeluisterd?'

'Nee joh,' zei Sonja, 'dat kan helemaal niet.'

'Maar hij heeft wel gelijk,' zei Sandra. Ze ging voor ons staan met haar arm omhoog alsof ze een zwaard vasthield en riep: 'Eén voor allen, allen voor één!'

'Eén voor allen, allen voor één!' riepen Sonja en ik haar in koor na. Voor het eerst sinds lange tijd konden we weer eens lachen. Haar cynische humor was een welkome aanwinst.

Wim wil bij mama intrekken (2014)

Wim ging niet meer naar Sandra terug en had woonruimte nodig. 'Bel Sonja even, en laat haar hiernaartoe komen. Ik kan haar weer even gebruiken. Ik ga bij haar slapen en dan kan zij mooi mijn was doen. Mazzel voor haar. Zal ik haar voorlopig met rust laten. Bel even.'

Bij Sonja slapen? Dat kon absoluut niet. Ik kon het niet aan hem bij Richie in de buurt te laten. Ik heb dat jongetje moeten vertellen dat zijn vader dood is en nu wilde Wim daar lekker gaan liggen?

Dat ging echt niet gebeuren.

Sonja trok dat ook niet, dat wist ik zeker, bovendien was zij bang dat het tussen die twee een keer uit de hand zou lopen. Richie lijkt zoals gezegd sprekend op Cor, en het is alsof die beeltenis van Cor Wim uitlokt om Richie altijd te kleineren. Maar net als zijn vader kaatst Richie de bal elke keer terug.

Toen Wim zijn vader beledigde, door Richie een *Son of No One* te noemen, toen hij naar de gelijknamige film keek, raakte Richie daar zo opgefokt van dat hij tegen Wim zei dat hij maar lekker moest gaan slapen en hopen dat hij de volgende morgen wakker zou worden.

Wim nam dit heel serieus en vroeg of hij hem bedreigde. Hij zei dat Sonja Richie in de hand moest houden, anders zou hij hem niet groot laten worden.

'Dan moet ik even mijn telefoon uit de auto halen,' antwoordde ik.

Zonder dat hij het zag sms'te ik snel naar Sonja dat ze niet op moest nemen als ik belde. Ik moest haar namelijk bellen waar hij bij stond.

'Ze neemt niet op. Ik rijd wel even langs om te kijken waar ze is. Als ik haar heb gevonden, laat ik het je weten.'

'Is goed.'

In de auto belde ik haar, om te zeggen dat we elkaar moesten zien. 'Hij wil bij jou gaan slapen! Kom naar mama toe, dan moet zij maar zeggen dat hij daar kan slapen.'

Als er een alternatief was wanneer Sonja weigerde, zou hij hopelijk niet moeilijk doen.

Mijn moeder had er natuurlijk geen zin in om hem in huis te nemen. Wim zou haar hele sociale omgeving verpesten, maar zij vond ook dat het te erg was dat Richie met hem in één huis zou moeten verblijven. Ook zij was bang dat het tussen hen zou escaleren.

Ze stemde toe, en hij gelukkig ook. Hij kon bij haar verblijven als hij dronken was en niet meer wilde rijden. Voor de rest zou hij bij zijn verschillende vriendinnetjes slapen, van wie hij er in ieder geval nog twee in Amsterdam had. Sonja zou zijn was doen, want op zijn kleren was hij heel secuur, dat moest perfect gebeuren en dat kon Sonja als geen ander.

Het bleek weer een heel slecht idee van me te zijn geweest. Hij gebruikte het huis van mijn moeder wanneer het hem uitkwam, als openbaar toilet, en om te douchen. Ze liep met haar oude lijf de hele dag zijn troep op te ruimen. Hij bleef er inderdaad slapen als hij dronken was, dan kwam hij midden in de nacht aanzetten en was lastig en luidruchtig tot in de vroege ochtend. Hij moest per se een cola light naast zijn bed, die de kat steevast omgooide, waardoor mijn moeder elke keer midden in de nacht stond te dweilen. Hij kwam tot na haar bedtijd om te poepen en stond voordat ze wakker werd alweer binnen om te douchen. Ze had geen enkele privacy meer, hij kwam te pas en te onpas langs. Vragen of hij zich een beetje aan kon passen, vond hij gezeur. Die paar keer dat hij daar sliep, die paar keer dat hij dronken was, die paar keer dat hij moest poepen en die paar keer dat hij moest douchen, moest hij toch ergens terecht? Jaag je me weg? Wat ben jij voor moeder die haar zoon buiten in de kou wil laten staan?

Hij had een prachtig appartement in Huizen, een vriendin in de Jordaan, een vriendin in Amsterdam-West, andere vriendinnen waar hij zat en sliep, en een vriendin uit Duitsland met wie hij de nacht in een hotel doorbracht. Maar het was niet genoeg. Hij moest en zou ook haar huis gebruiken.

Mijn moeder, bijna tachtig, werd ziek en knapte niet meer op. Ze kreeg te weinig rust. Hij joeg haar op stang door te zeggen dat ze dement aan het worden was en dat hij haar in een ziekenhuis zou laten opnemen, dan kon hij mooi in haar woning blijven wonen.

Ze werd er bloednerveus van.

De buren spraken haar aan op de aanwezigheid van haar zoon. Hij was zo aardig! Zo sociaal. Maar mijn moeder kon het niet meer opbrengen om de schone schijn op te houden, te doen alsof hij zo'n 'leuke zoon' was, terwijl zij wel beter wist.

In korte tijd was ze sterk vermagerd. Ik ben ervan overtuigd dat zijn arrestatie in december 2014 haar leven heeft gered.

Thomas (1980)

Thomas van der Bijl was voor Cor meer dan een vriend. Hij was als een broer, en door die verwantschap hoorde hij bij de familie. Hij was er altijd, bij alle belangrijke familieaangelegenheden en na elke ingrijpende gebeurtenis. Vanaf het moment dat hij zijn auto meegaf, zodat Cor met Wim kon vluchten om niet gepakt te worden voor de Heineken-ontvoering, tot aan het dragen van Cors kist na zijn dood.

Thomas was van de partij gedurende Cors gehele loopbaan in de onderwereld, en vervulde functies binnen zijn activiteiten in de bovenwereld. Hij groef samen met een familielid van Cor het losgeld op in Parijs en wisselde het geregistreerde en gemerkte geld om, zodat het geïnvesteerd kon worden. Hij exploiteerde gedurende enige tijd de Achterdam en verzorgde de schoonmaak van de bedrijven op de Wallen.

Thomas was blind te vertrouwen, hij zweeg als het graf.

De laatste jaren voor Cors overlijden kwam hun relatie echter onder druk te staan. Cor was altijd al een stevige drinker geweest en na de geboorte van Bo, twee liquidatiepogingen en het verraad van Wim, was hij inmiddels zwaar alcoholist: zijn zonnige karakter ontwikkelde een grimmige kant.

Zijn oude vrienden, onder wie Thomas, kenden Cor nog uit de periode dat hij nog nauwelijks iets bezat. Zijn nieuwe vrienden kenden alleen de Cor die altijd de rekening betaalde en als hij flink dronken was iedereen geld toestopte. Van Cor kreeg je geld of met Cor kon je geld verdienen.

Cor stond symbool voor geld en dat trok bepaalde mensen aan. En Cor liet dat gebeuren, omdat betaalde vrienden niet weglopen als je dronken en vervelend bent. Het maakte Cor onuitstaanbaar. Hij liet 'vrienden' voor duizend gulden zijn voeten kussen – ze stonden in de rij.

Thomas pikte dat gedrag niet, maar in Cor zat geen verbetering meer. Hij wilde wel, maar het lukte hem niet en Thomas had er genoeg van. Hun meer dan twintig jaar tellende vriendschap bekoelde.

Twintig jaar lang had Thomas niet alleen voor Cor maar ook voor Sonja klaargestaan. Vlak nadat Cor en Wim gearresteerd waren, had Sonja geen cent te makken. Voor de bezoeken aan de Santé in Parijs werd hutje bij mutje gelegd en Thomas leverde daaraan zijn bijdrage. Geld voor benzine was er vaak niet en dan zette Thomas de auto waarmee Sonja naar Parijs zou rijden naast een andere auto, schroefde de tankdop eraf, stopte er een slangetje in en liet de benzine in de tank van Sonja's wagen lopen. Hij zette advertenties: 'huis te huur', verhuurde het tegelijkertijd aan iedereen die het wilde huren, incasseerde van elke 'huurder' het sleutelgeld en verdween met de noorderzon. Het geld werd weer gebruikt om de tank vol te gooien en Sonja naar de jongens te brengen.

Thomas bracht Sonja waar Cor haar wilde ontmoeten en bleef dat altijd trouw doen. Hij hielp haar met alle klussen die een man in huis hoorde te doen. Een man in huis had Sonja nauwelijks, want Cor zat of vast of was de hort op, of hij zat ondergedoken. En als hij er was, verhinderden zijn twee linkerhanden zelfs het indraaien van een lamp. Thomas deed het allemaal voor haar. Wat er ook was, hij was er.

Net na de vrijlating van de jongens vroeg hij mij of ik facturen wilde maken voor zijn timmer- en schoonmaakbedrijf.

Thomas werkte hard en had een broertje dood aan de administratie. 'Jij kan toch goed lezen en schrijven? Kan jij het doen? Ik betaal je ervoor.'

Zo verdiende ik wat geld bij en ik vond het altijd wel gezellig, die momenten met Thomas en zijn chaos aan papier, verspreid door zijn auto, in een plastic tas gepropt en die hij vervolgens in mijn handen duwde. Na enige tijd had ik genoeg van het factuurtjes maken en wilde ik ermee stoppen, maar ik vond het lullig om Thomas zijn chaos weer terug te geven.

Hij reageerde zoals altijd vriendelijk: 'Is niet erg. Jij kunt je tijd toch beter gebruiken om te leren.'

Thomas mocht Wim niet. En niet, zoals Wim altijd opwerpt, omdat Cor op zijn zestiende met Anneke ging, het zusje van Thomas, en haar verliet voor het zusje van Wim, Sonja. Het klopt wel dat Cor Anneke bedroog met Sonja en Sonja weer met Anneke, totdat Sonja aan dat getouwtrek een definitief einde maakte door zwanger te worden.

Maar die perikelen speelden zich af toen ze alle drie nog jong waren. Later stonden Sonja en Anneke samen als moeders op het schoolplein, en bakte Anneke pannenkoeken als Francis een keer tussen de middag bij haar dochtertje Melanie speelde. De volwassenheid van alle betrokkenen had hun verhouding al lang genormaliseerd. Daar lag geen oud zeer meer, en dat was ook niet de reden dat Thomas Wim niet mocht.

Thomas mocht Wim niet vanwege zijn karakter.

Wim, op zijn beurt, heeft Thomas ook nooit gemogen. Waarom? Misschien omdat Thomas Wims toenmalige vriendin Beppie weleens van Amsterdam naar het hotel Beauvais bracht om daar bij Wim op bezoek te gaan? Omdat Beppie dan uren alleen met Thomas in de auto zat en Wim haar er vervolgens van beschuldigde dat zijn dochter Evie niet van hem was, maar van Thomas? Het zou kunnen, maar ik vermoed dat hij

447

Thomas niet mocht omdat hij nu eenmaal een hekel heeft aan vrijwel iedereen.

Thomas was oprecht in zijn vriendschap naar Cor. Hij was zelfstandig, had zijn eigen leven, zijn eigen bedrijven en ging zijn eigen weg. Hij was niet geïnteresseerd in de oppervlakkige Cor die zoop, feestte en zich liet uitvreten. Hij was geïnteresseerd in zijn vriend, en Cor had zich geen betere vriend kunnen wensen. Zelfs na zijn dood kwam Thomas nog voor hem op, en keerde zich tegen degene die hij verantwoordelijk hield voor de dood van Cor.

De Thomas die nooit sprak, ging praten. En praters met de politie legt Wim het zwijgen op: Thomas werd op 20 april 2006 geliquideerd. Wim zat in de gevangenis, maar had de liquidatie al geregeld voordat hij vast kwam te zitten. Fred Ros werd in het Passageproces in 2014 voor de moord op Thomas vervolgd en veroordeeld.

Fred Ros (2014)

Ik word gebeld door Michelle, ze vraagt of wij tijd hebben om een gesprek met Betty te voeren. Ze wil ons graag morgen zien, maar ik heb verplichtingen en geen zin om op stel en sprong op te komen draven wanneer het hun uitkomt. Ik heb al zo vaak tijd voor ze vrijgemaakt, mijn hele agenda overhoop gegooid, en het heeft helemaal nergens toe geleid.

'Nee, vrijdag lukt niet. Doe maar ergens volgende week.'

Of het dan toch maandag kan, want ze willen ons echt graag zien. Ik vraag me af waar die haast plotseling vandaan kwam, we waren al ruim anderhalf jaar verder en van enige haast had ik nooit iets gemerkt.

'Doe dan maandag maar,' zeg ik, en zo werd het dus maandag 15 september.

Vrijdag 12 september

Op vrijdagochtend 12 september lees ik op internet dat er een nieuwe kroongetuige in het Passageproces is opgestaan: Fred Ros. Hij heeft verklaringen afgelegd over de moord op onder anderen Thomas van der Bijl. Hij wijst Dino Soerel aan als de directe opdrachtgever voor die moord, maar voegt eraan toe dat Willem Holleeder 'erachter zit'.

Nu begrijp ik waarom Betty ons wilde spreken, en begrijp ik ook de haast.

Het is in alle media groot nieuws, maar ik hoor Wim niet. Pas tegen het einde van de middag belt hij me en wil afspreken bij de Viersprong in Vinkeveen. Ik neem op dat moment aan dat hij inmiddels weet van de Ros-verklaringen, stap in de auto en rijd naar hem toe. Ik verstop mijn afluisterapparatuur in mijn kleding, ik wil graag opnemen wat hij hierover te zeggen heeft.

Op 17 oktober 2013 had hij al eens eerder met mij over Ros gesproken, toen hij met mij het boek van Hendrik Jan Korterink over Cor beoordeelde op belastende passages.

W: Dat boek is helemaal niks, hij zegt toch dat ik eh… hij beschuldigt me toch niet een keer.

A: Nee, niet een keer.

W: Dat gaat ie in het laatste stuk ook niet doen. Ik heb Ferry laten bellen. Korterink zegt: ik heb het nog niet af. Ik zeg: stuur maar vast wat je al hebt. Hij zegt…(fluisteren) (onverstaanbaar) dus ik verwacht van dat laatste stukkie ook niks.

A: Heb jij dat eerder gelezen, dat Ros de motor bestuurd had?

W: Ja, dat staat overal in. Hè, dat heb toch overal in de boekies gestaan. Het proces, alles.

A: O, dat wist ik niet.

W: Maar ik wel. (fluisteren) (en luid bevestigend) Dat is niet zo. Begrijp je, As? (fluisteren)

A: Ja, ja… Dat is erg. (mimiek: dat je vals wordt beschuldigd)

W: Ja, maar zo gaat dat.

A: Dat is ook erg.

W: Waarom?

A: Nou, hij is er ook niet voor veroordeeld.

Met die kennis in mijn achterhoofd ga ik ervan uit dat het gesprek dat nu gaat komen, misschien wel een bruikbare opname kan opleveren. Als ik hem tref, is hij echter opmerkelijk jolig en ik vraag hem:

A: Weet je het al?
W: Wat?

Hij weet het dus niet.

A: Dat die Ros heeft verklaard.
W: Och jezus! Kelere zeg, o, wat erg. Ik ken die hele gozer niet.

Dat hij zegt dat hij Ros nog nooit heeft gesproken, is voor mij een domper. Tegelijkertijd is het evident dat hij niet blij is met het nieuws over Ros. Hij wil weten hoe ik eraan kom.

A: Dat staat op internet, alles.
W: Wat?
A: Dat ie kroongetuige is, die verklaringen over jou heeft afgelegd. Hij heeft over Soerel verklaard, over Akgün, liquidaties, Cor, Nemic, en eh... hoe heet ie, Thomas.
W: Cor, Nemic, Thomas.
A: Ja.
W: Wat heeft ie over mij verklaard dan? Ik heb die hele man nog nooit gesproken.
A: Dat weet ik niet.

Hij wil zien wat er op internet staat, maar zoals altijd heb ik mijn telefoon uitstaan als ik met hem loop. Hij vindt het goed dat ik de telefoon voor dit doel even aanzet, en ik lees hem voor wat er staat.

A: 'Hij heeft ook verklaringen afgelegd over moorden die niet in het Passage-dossier vallen, en noemt daarbij ook de naam van Willem Holleeder. Hij zou betrokken zijn geweest bij de moord op zijn vroegere kompaan Cor van Hout in 2003. Holleeder is al in verband gebracht met zeker drie liquidaties, maar nooit voor vervolgd.'

W: Dus hij praat over Cor? Dat is wat ze mij ten laste willen leggen?

A: Ja, nou ja, kennelijk. Ik zet 'm even uit hoor.

W: Ik heb hem nooit gesproken.

A: Oké, mooi.

W: Ik heb in de bajes gezegd dat ze hem naast me weg moesten halen.

In de tijd dat Wim vastzat in PI De Schie in Rotterdam, voor de afpersing van Endstra, werd Fred Ros in de cel naast hem gezet. Ros zat toen al vast in de zaak-Passage, dezelfde zaak waarin hij uiteindelijk in hoger beroep kroongetuige zou worden. Wim vroeg gelijk overplaatsing aan naar een andere gevangenis.

W: Toen ie in de bajes naast me werd gezet, heb ik gelijk gezegd: deze man heb ik nog nooit gesproken en dat wil ik in dit stadium ook niet doen.

Hij is strategisch zo slim. Vanaf het begin heeft hij het gevaar dat Ros zou kunnen opleveren, afgewend. Hij vermoedde meteen dat Ros met justitie samenwerkte en werd ingezet als infiltrant. Hij wilde pertinent voorkomen dat Ros ooit zou kunnen zeggen dat hij hem gesproken had en is vanaf het moment dat Ros naast hem zat, zelfs zijn cel niet meer uitgekomen.

W: Ik heb een afspraak met Stijn, morgen om drie uur. Hij had verklaringen binnen.

Hij begrijpt nu waarom Stijn hem vroeg te komen en was geïrriteerd dat Stijn dat niet onmiddellijk ter sprake had gebracht. Stijn had hem wel gezegd dat hij een doos verklaringen binnen had gekregen, maar niet dat die van Ros afkomstig waren. Dit kon toch niet wachten! We moesten meteen naar hem toe en we rennen naar de auto.

We rijden er heen, ook al konden we Stijn niet meer bereiken om aan te kondigen dat Wim hem onmiddellijk wilde zien en was de kans groot dat het inmiddels zo laat was dat Stijn niet meer op kantoor zou zijn.

Hij is er inderdaad niet.

We bellen zijn kantoorgenoot Chrisje Zuur, of zij weet waar Stijn is, en of zij hem kan bereiken. Maar zij kan ook niks betekenen. Wim zal moeten wachten en onder deze omstandigheden raakt hij daar erg gespannen van.

Om zo veel mogelijk de spanning bij hem te reduceren, speuren we al het nieuws op internet af. Hij wil weten of hij meer over de inhoud van de verklaringen van Ros te weten kan komen, maar het blijft beperkt tot algemeenheden.

We rijden terug richting mijn huis en belanden in het Beatrixpark. Wim is bang gearresteerd te worden. Het gesprek richt zich met name op de moord op Cor. Al jaren wordt gespeculeerd over wie de bestuurder van de motor is geweest.

Ik zeg hem dat ik me herinner dat hij tegen mij heeft gezegd dat Ros niet gereden heeft. Wim bevestigt dat.

Ik probeer hem gerust te stellen. Als Ros de motor niet heeft gereden, kan hij over de liquidatie zelf toch niets verklaren? Hij was er toch niet bij? Hoe zou hij Wim dan kunnen belasten?

Wim zelf blijft hameren op het feit dat hij hem nog nooit heeft gesproken.

W: Op een bepaald moment zeg ik: ik wil de directeur spreken. Toen heb ik de directeur gesproken, en gezegd: jullie hebben die Fred Ros hier gezet. Die heb ik nooit gesproken en dat wil ik zo houden.

A: Dan heb jij geen probleem. Anderen kunnen zoveel over jou zeggen.

Hij vertrouwt op mijn juridisch oordeel en was veel kalmer nu, maar zijn onrust om een ophanden zijnde arrestatie bleef.

Zaterdag 13 september

De kwestie-Ros is voor hem een crisissituatie, en dus staat hij de volgende dag weer op de stoep.

'Ik zie dat je er nog bent,' zei ik, doelend op het feit dat hij niet gearresteerd is.

Hij vraagt of ik mee ga naar Stijn Franken. Stijn zou inmiddels een indruk hebben van de verklaringen van Ros. Op kantoor blijkt Stijn minder positief gestemd te zijn dan ik en – logischerwijs – veel voorzichtiger in zijn uitspraken.

Hij wil de tijd nemen om de verklaringen nog eens goed na te lezen.

Zondag 14 september

De volgende dag treffen Stijn, Chrisje, Wim en ik elkaar bij een ziekenhuis ergens in het Gooi. Daar kunnen we ongestoord praten.

Wim loopt en praat met Stijn. Ik loop en praat met Chrisje. 'Hij heeft gewoon weer mazzel,' zeg ik tegen haar. 'Die Ros wordt niks.'

Stijn is daar na nadere lezing van de verklaringen ook van overtuigd, maar Wim blijft gespannen. Hij heeft een meisje al een hotel laten reserveren, zodat hij kan kiezen waar hij gaat slapen. Ik zeg hem het zekere voor het onzekere te nemen, maar dat ik geen arrestatie verwacht, omdat dat anders al zou zijn gebeurd. Ze hebben geen enkele reden – als ze een sterke zaak zouden hebben – om daarmee te wachten.

Maandag 15 september

We spreken af bij 'Kopje thee', oftewel de Gummmbar.

A: Het is ongelooflijk, maar het is echt alleen maar in je voordeel.
W: Ja.
A: Hè?
W: Precies wat ik nodig had.
A: Ja.
W: God is met me.
A: Ongelooflijk, God of de duivel, dat weet je niet, hè?

Wim is er inmiddels van overtuigd dat hij ermee wegkomt, hij ziet in Ros eigenlijk alleen maar voordeel. Na zijn aanvankelijke paniek, is Ros bij nader inzien 'precies wat ik nodig had'.

Ik heb serieus het gevoel dat hij een pact met de duivel heeft gesloten.

Dezelfde dag hebben wij de afspraak met Betty. Ze vraagt of we inmiddels weten dat Fred Ros tegen Willem getuigt. Uiteraard wisten we dat al.

'Maar dat is niet genoeg. Wim heeft hem nooit gesproken, dus daarmee kom je er niet,' zei ik. Ik vertel Betty wat ik dit weekend allemaal heb meegemaakt met Wim, inclusief de reden dat Ros kroongetuige is geworden; hij werd niet meer betaald.

Ze is ontstemd, maar herpakt zich snel. 'Ik wil graag weten of jullie loyaliteit inmiddels niet weer bij Wim ligt.'

'Die ligt nog steeds hetzelfde, niet bij Wim,' antwoord ik. 'Als je hem wilt veroordelen, heb je ons nodig.'

'En dat wil ik nou liever niet,' zegt ze, bezorgd als altijd. 'Ik vind het nog steeds veel te gevaarlijk.'

'Wij zijn er allebei nog steeds toe bereid.'

'Dat is in ieder geval goed om te weten,' beëindigt ze het gesprek.

Kennismakingsgesprek Sandra met de CIE (2014)

Voor Sandra is het onmogelijk om verhoord te worden zolang Wim nog buiten is: hij controleert vierentwintig uur per dag haar doen en laten en zal het onmiddellijk opmerken als ze een aantal uren afwezig is. Dat maakt hem wantrouwig. Nu hij niet meer bij Sandra woont is de controle nauwelijks minder, maar Sandra waagt de gok. Ze heeft een goed verhaal voor het geval hij wil weten waar ze was.

We hebben om tien uur afgesproken bij het Bosbaanrestaurant, en vertrekken van daaruit naar de locatie waar wij haar aan Betty en consorten voor zullen stellen. Sonja en ik zitten al op haar te wachten aan een tafel buiten. Als ze aan komt lopen, is de spanning van haar gezicht af te lezen.

'Ga je nog mee?' vraag ik.

'Ja, ik ga mee.'

Na haar aan onze mensen te hebben voorgesteld, laten wij haar achter en na een aantal uren zien we elkaar weer.

Terug bij het Bosbaanrestaurant loopt ze naar haar scooter en blijft daar dralen.

'Wat doet ze nou?' vraag ik aan Sonja.

'Hoezo: wat doet ze nou?'

'Waarom blijft ze nou zo lang bij haar scooter staan, de koffie staat hier. Zie jij of ze misschien afluisterapparatuur op doet?'

'As, ben jij gek ofzo? Ze is net mee geweest naar de kit. Waar heb je het over?'

'Dat kan wel zo zijn, maar je weet nooit of dit weer een spel is van die Neus. Dat hij haar stuurt. Ik vertrouw haar toch nog niet helemaal.'

'Nee,' zegt Sonja, 'zij is wel te vertrouwen. Wij zijn gewoon helemaal verknipt door hem, omdat we iedereen moeten wantrouwen.'

Sandra komt teruglopen en ik vraag het haar: 'Wat was je nou aan het doen daar?'

'Ik moest heel even een momentje voor mezelf hebben, ik vond het best heftig vandaag.'

'Oké. Ik zeg je eerlijk, San, als jij dat doet, denk ik toch: wat doet ze en is ze te vertrouwen? Ik hoop niet dat je mij dat kwalijk neemt?'

'Nee hoor, ik begrijp dat heel goed. Ik heb dat ook nog steeds met jullie. Dat komt omdat je altijd iedereen hebt moeten wantrouwen, omdat hij iedereen altijd tegen elkaar uitspeelt.'

'Dat denk ik ook, ik ben misschien para, maar ik ben als de dood dat hij jou nog in zijn kamp heeft.'

'O, maar dat heb ik precies zo. Je wil niet weten hoe ik me voelde toen ik hier vanmorgen naartoe kwam. Ik was zo bang dat hij er ook zou zijn, dat jullie met hem onder een hoedje speelden en dat hij er zou zitten. Ik dacht dat als dat zo zou zijn, ik ter plekke dood neer zou vallen van angst.'

'Wat erg, hè? Wat hij met ons vertrouwen in de mens gedaan heeft,' zeg ik.

'Nou ja, dat is ons leven. Het is niet anders.' Sandra is nuchter als altijd.

Testament (2014)

We zijn inmiddels alweer twee maanden verder sinds men heeft gevraagd of wij nog steeds bereid waren tegen Wim te getuigen, maar we hebben niets meer gehoord. Ondertussen loopt Wim gewoon buiten en waant zich onaantastbaarder dan ooit. Ros kan hem niks maken, en het feit dat hij nog niet gearresteerd is, bewijst dat.

Ik probeer mee te blijven denken over mogelijkheden om hem desnoods voor een heel andere zaak te laten arresteren. Als hij eenmaal daarvoor vastzit, zouden we ook met onze verklaringen naar buiten kunnen treden.

Ik ben ervan op de hoogte dat Wim geld in ontvangst gaat nemen dat afkomstig is van een drugsdeal en ik wil justitie daarover inlichten. Ik kan mijn vaste contact niet bereiken, en stuur daarom een bericht naar een andere medewerker, dat ik koffie met hem wil drinken.

Dat wordt kennelijk opgevat als verveling mijnerzijds en ik krijg bericht terug dat men het te druk heeft. Ik ontplof bijna en stuur een berichtje dat ze niet goed wijs zijn. Na wat boze berichtjes van mijn kant, willen ze een paar dagen later een afspraak.

Ik leg uit wat er te gebeuren stond, en dat ze Wim hadden kunnen arresteren aangezien ze dat in de liquidatiezaken kennelijk toch niet van plan waren. Het was allemaal miscommunicatie, volgens hen. Ik was gefrustreerd over de gang van zaken, maar stortte zowat in toen zij – nadat ik vroeg of ze onze verklaringen nog gingen gebruiken – antwoordden dat ik die verklaringen maar als mijn testament moest zien.

Pardon? Twee maanden geleden vroegen jullie mij nog of jullie mijn verklaringen mochten gebruiken en nu moet ik ze als mijn testament zien? Jullie gaan hem dus niet arresteren? Daar konden ze nog niets over zeggen. Ik was volledig van slag. Deze mensen maken mij echt helemaal knettergek.

De aanslag in Amstelveen (2014)

Sonja is net bij me weg en ik lig lekker thuis op mijn bankje te doezelen als mijn telefoon gaat. Mijn secretaresse belt me huilend op, ze is helemaal over haar toeren en kan nauwelijks een woord uitbrengen. 'Ik dacht dat jij het was,' snikt ze. 'Mijn zus belde me of ik teletekst op RTV Noord-Holland al had gelezen, omdat daar stond dat de zus van Holleeder was geliquideerd. Je weet niet wat ik voelde op dat moment. Ik heb echt even gedacht dat je dood was. Wat een kutmedia!' riep ze.

En dat bleef zo nog even doorgaan.

Francis had mij daarvoor ook al gebeld, dat er een vrouw in Amstelveen Westwijk was geliquideerd en vroeg waar Sonja was. Maar die was toen nog bij mij, dus zij was het niet. Ik was het niet en Francis ook niet, en Miljuschka had ik direct al gecheckt, dus ik wist dat geen van ons het slachtoffer was. Het is niet voor niets dat we elkaar voortdurend bellen, want we houden er altijd rekening mee dat dit kan gebeuren.

Altijd als we sirenes horen, traumahelikopters zien, op het nieuws horen dat er iemand is doodgeschoten, checken we of het niet een van ons is. Dat doen we al sinds de eerste aanslag op Cor, maar waar het vroeger altijd om een van de jongens ging, houden we er door de laatste ontwikkelingen met Hillegers en Wim ook rekening mee dat het een van ons vrouwen kan overkomen.

Mensen waren heel erg geschrokken en ik kreeg verschillende telefoontjes en berichtjes met de vraag of we nog leefden. Het was een rare belevenis, even was het alsof ik een blik in de toekomst kon werpen. Ik was levend en wel getuige van de berichtgeving van mijn eigen overlijden, of dat van Sonja, ik was getuige van het verdriet dat het mensen deed.

Het was voor Sonja en mij echt een bizarre situatie en het kwam op een moment dat we er al rekening mee hielden dat dit ons kon gebeuren. We waren er flink van onder de indruk, vooral omdat wij wisten dat dit ons lot zou kunnen zijn, als duidelijk werd dat wij tegen hem getuigden.

En toen belde hij.

Hij lachte: 'Haha, haha. Ze dachten dat het Sonja was, hè? Nou, had gekund.'

'Moet je daarom lachen?' vroeg ik.

'Ja, is toch grappig. Kan haar ook zomaar gebeuren, hè?'

Wat een imbeciel was het toch. Wat een zieke geest. Nog even duidelijk maken hoe de verhoudingen liggen, over de telefoon zelfs, hij durfde wel.

Ik kan me van de rest van het gesprek niets meer herinneren, zo woest was ik. Ik weet alleen nog dat hij Sonja nog even ging bellen om te vragen of ze echt niet dood was.

De slechtheid van die man blijft me verbazen.

9 december 2014

De volgende ochtend stond hij al heel vroeg voor mijn deur.

'Bel Sonja even, en zeg dat ze komt.'

Ik belde Sonja en vroeg of ze koffie kwam drinken.

Hij wilde weer even druk op de afpersketel zetten en deze

gebeurtenis kwam hem daarbij goed uit. We zaten samen binnen op haar te wachten.

S: Goedemorgen. Wat gezellig zo vroeg, zeg.

W: Ja, wij gaan straks een kogelvrij vest voor je kopen.

S: Ach, sodemieter op nou, echt niet?

W: Ja, echt wel.

S: Ach, doe jij nou eens normaal, mafkees.

W: Ja, wat denk jij nou?

S: Wat?

W: Denk jij dat het jou niet kan gebeuren? Dat die Boellaard, die een psychopaat is en die de hele dag met een wapen rondloopt... Als die een spin in ze hoofd krijgt, dat hij jou niet doodschiet dan? Hij heeft die douanier ook doodgeschoten. Het is gewoon een imbeciel, hè. Jij denkt maar dat het allemaal zo makkelijk is, met je Petertje. Maar daarom denk ik inderdaad dat ik een kogelvrij vest voor je moet kopen. Je bent levensgevaarlijk.

Hij haalde zijn bekende truc weer uit de doos: nee, ik bemiddelde alleen maar tussen Mieremet en Endstra, ik heb Endstra alleen maar willen beschermen. Of nee, ik heb Cor alleen maar willen waarschuwen tegen Klepper en Mieremet. Zij hadden slechte plannen, ik wilde alleen maar Cor helpen.

Dit keer haalde hij Meijer en Boellaard van stal, niet wetende dat wij het met hen allang hadden 'uitgesproken' in 't Kalfje, in Ouderkerk aan de Amstel. Zij wilden ook geld van de film en probeerden ons daartoe te bewegen. Wij hebben hen toen luid en duidelijk te verstaan gegeven dat er niks te halen viel, behalve de schulden van Cor, en dat ze die maar op zich moesten nemen, want dat ging om hún Heinekenontvoering.

Dat riepen we zo luid en zo duidelijk in het restaurant dat

iedereen naar ons keek, en al snel verging hen de interesse om hun plan door te zetten.

Ik was dat ook echt zat: het afpersen van een weerloze vrouw en haar kinderen, en zich ondertussen maar beroepen op hun intense vriendschap met Cor. Wat voor een vriend ben je dan, als je dat zijn vrouw en kinderen aan wilt doen? Neem de schulden van Cor uit de periode dat je zelf geld met hem verdiend hebt, wees een echte vriend of op zijn minst een kerel.

S: Ik ga wel naar die jongen toe.

W: Naar wie?

S: Naar Boellaard.

W: Wat ga je doen dan? Ga je bijdehand doen?

S: Nee, ik ga niet bijdehand doen.

W: Ga je bijdehand doen dan? Denk jij dat hij dat gaat pikken?

S: Ik ga niet bijdehand doen. Maar waarom zou die jongen mij wat doen dan?

W: Omdat jij de centen van de film hebt, Box. En omdat hun voelen dat ze in de mailing worden genomen en ze ook niet die film wilden. Ik heb het nou honderd keer met je besproken. En dan kan je wel net doen alsof je stoer bent, met je ik ga ernaartoe...

S: Ik doe niet stoer!

W: Maar als je stoer gaat doen dan neem je je eigen verantwoording hè, en wat er dan gebeurt is je eigen verantwoording, want je moet niet mij in de problemen brengen omdat jij nog denkt stoer te doen.

S: Ik doe niet stoer.

W: Want je kan wel stoer doen, maar gisteren was je niet zo stoer.

S: Maar ik—

W: Als ze morgen naar je toe komen en je door je pan schieten, wat dan? Dan moet ik het op gaan lossen. Met je Petertje. Het is iets wat gewoon zo kan gebeuren, hè. Want denk je nou echt... Kijk, die mensen zijn wel bang voor mij... Denk je nou echt dat hun twee imbecielen zijn die gewoon niks durven? Wat denk jij nou, Son... Ze hebben op de politie, op alles geschoten. Ze hebben toen die tijd die douanier doodgeschoten. Denk jij nou echt dat zij gek zijn? Dat ze naar jouw pijpen dansen omdat jij zegt van—

Zo doet hij het. Ik was blij met dit soort opnamen, want het toont precies zijn werkwijze en de reden waarom hij altijd buiten schot blijft bij justitie. Hij gebruikt de naam van een ander, zodat hij altijd als alibi kan opvoeren dat hij alleen maar heeft willen waarschuwen. Hij zegt niet dat hij zelf degene is die afperst en vermoordt. Nee, het is altijd een ander voor wie hij komt waarschuwen, mensen die zelf niet eens weten dat ze gebruikt worden, maar zo wel zijn alibi vormen.

S: Naar mijn pijpen?

W: Omdat jij zegt... Oprotten, want ik ben Sonja Holleeder.

S: Helemaal niet. Dat zeg ik helemaal niet.

W: O nee, maar hoe zie je het dan?

S: Hoe ik het zie?

W: Ja, hoe jij het ziet. Want als jij doodgeschoten wordt, moet ik toch weer wat doen. Waarom moet je mijn leven verkankeren met die Peter van je? Waar heb ik dat aan te danken? Ik moet voorkomen. Ik moet er gewoon voor gaan zitten, omdat jij dat met Petertje besloten hebt. Jullie hebben me wat laten tekenen, ik weet niet eens wat. Dat weet ik gewoon echt niet. Maakt verder niet uit... maakt verder niet uit... Maar ga niet stoer doen met je ik ga er wel even naartoe met je grote bek.

S: Nee, maar ik bedoel—

W: Nee, want je weet, jij kan helemaal niks.

S: Nee, ik kan ook niks.

W: Begrijp je, je weet niet wat je aangehaald hebt, Son. Dat is gewoon een slapende cel. Want er ken van alles gebeuren. Dan ken je wel stoer doen.

S: Nee, ik doe niet stoer. Maar ik denk niet dat zij mij wat gaan aandoen.

W: Maar weet je wat het is, of het nou vrienden van Cor zijn, het is allemaal ellende van jouw gedrag. Mensen voelen zich allemaal benadeeld en zitten allemaal tegen mij samen te spannen voor jou, omdat jij gewoon met je Petertje die film hebt gemaakt. En iedereen naar die film heeft uitgekeken en gedacht er wat aan te verdienen. En jij loopt maar als madam...

S: Ik loop helemaal niet als madam.

Het gesprek wordt vervolgd op straat, waar hij Sonja publieke-lijk helemaal verrot scheldt. Ze zegt iets over de persoon waar zijn woede zich nu weer op richt, volgens hem een vriendje van Zwarte Leen, iemand waarvan het vermoeden bestond dat Wim die ook wilde laten omleggen.

S: Die man vindt jou alleen maar aardig.

W: Weet je wat het is, Son, van de honderd mensen die zeggen dat ze me aardig vinden, menen drie het echt.

A: Nou, ik denk geen drie.

W: Oké, één dan. En die ene durft waarschijnlijk nog niet eens eerlijk te zeggen dat ie me niet aardig vindt.

Aan zelfkennis geen gebrek, zou ik zeggen, en zo is het ook. Hij kent zichzelf heel goed, weet wanneer hij gas moet geven en gas terug moet nemen, het touw moet aantrekken of het touw wat moet laten vieren. Hij verliest geen controle, hij doet alleen maar alsof om angst aan te jagen en zo zijn doel te be-reiken, want even verderop, nadat wij Sonja stijf gescholden achter hebben gelaten, zegt hij, als ik hem wijs op de juridische status van de filmrechten: 'Maar As, het gaat me er niet om hoe het juridisch zit, juridisch zit het helemaal dichtgetimmerd, het gaat erom dat mensen zich in de maling genomen voelen.'

Hij was aan het afpersen en de intens trieste liquidatie van een vrouw met jonge kinderen in Amstelveen gebruikte hij als aanleiding om zijn slachtoffer, Sonja, te intimideren.

Wim aangehouden op verklaringen van Ros (2014)

Ik stond met Sonja in het winkelcentrum van Amstelveen toen ik werd gebeld.

'Wim is aangehouden op de verklaringen van Ros,' hoorde ik iemand zeggen.

De impact van die boodschap was zo kolossaal, dat ik niet meer weet wie er heeft gebeld en wat die persoon verder heeft gezegd, ik hoorde alleen maar: 'Wim is aangehouden.'

Eindelijk!

Sinds mijn laatste gesprek, op 27 november 2014, hadden wij niets meer gehoord van justitie en had ik de hoop laten varen dat hij ooit nog gearresteerd zou worden.

Maar wat nu?

Gaan ze onze verklaringen gebruiken en – veel belangrijker – weet hij al dat we tegen hem hebben verklaard?

We zijn gespannen en onzeker als Michelle belt. Ze willen een gesprek op 17 december, om te bespreken of ze onze verklaringen kunnen gebruiken.

Dit was het moment waarop we moesten beslissen. Gaan we openlijk tegen hem getuigen of niet? Als we nu zouden beslissen het te doen, konden we niet meer terug naar hoe het was.

Nu ik er zo concreet voor sta, twijfel ik ineens. Ik vraag me af of ik het hem wel aan kan doen: nooit meer een vooruitzicht op vrijlating. Oud te worden en te sterven binnen de muren van een gevangenis. Alleen, zonder familie en vrienden.

Ik besluit mijn therapeute om advies te vragen.

'Je lijkt wel gek,' zegt ze, 'waarom zou je dat doen, getuigen? Je gooit je hele leven overhoop! Alles waar je zo hard voor hebt gewerkt. Je moet dat niet doen, je kan nooit meer met jezelf leven als je dat doet.'

Met die laatste opmerking raakt ze me vol in het hart; ik weet niet of ik wel met mezelf kan leven, als ik hem levenslang geef.

Op het laatste moment bel ik de afspraak af. Ik twijfel. Bijna twee jaar heb ik alles gedaan voor dit moment en nu weet ik het niet meer.

Die middag vertel ik mijn beste vriend, die al twintig jaar getuige van mijn leven is, wat mijn therapeute had gezegd en dat ik daarom mijn afspraak met Betty heb afgezegd.

'Die vrouw is niet goed wijs,' zegt hij, 'die snapt niet in welke ellende jij leeft, al zoveel jaar. Zij heeft makkelijk praten. Ik zeg niet of je het wel of niet moet doen, dat moet je zelf weten. Maar ik ken jouw leven, ik heb het van dichtbij meegemaakt en jouw leven is zwaar kut, dat kan volgens mij echt niet slechter. En als je je schuldig voelt over wat je hem aandoet, moet je af en toe maar weer even naar die bandjes luisteren. Dan weet je precies waarom je het doet.'

Robert ter Haak (2015)

Peter kwam op bezoek. Hij had de verklaringen van Fred Ros bij zich waarin stond dat Ros had gehoord wie degene was die de aanwezigheid van Cor had doorgegeven aan zijn moordenaars. Van het moment direct na Cors dood was een video gemaakt die op internet was verschenen. Volgens Ros was hem verteld dat de tipgever op die beelden te zien is. Het zou een van de twee mensen zijn die op de beelden druk heen en weer renden.

Sonja en ik hebben altijd willen weten wie de tipgever was. We kenden die videobeelden en zijn die meteen gaan bekijken. Door het beeld renden inderdaad twee personen druk heen en weer: Adje, de halfbroer van Cor, en Bassie, een vriend. Zou het een van die twee zijn geweest? En wie van de twee dan? Want daarover gaf Ros geen uitsluitsel. We konden het ons moeilijk voorstellen.

Adje viel voor ons eigenlijk al direct af. Met Bassie was wel iets vreemds aan de hand. Sonja moest hem in opdracht van Wim de auto geven waar hij in die tijd Cor in rondreed en zij moest hem doorbetalen wat Cor hem daarvoor betaalde. Het was ook Bassie die Cor die dag chauffeerde. Hij haalde de auto op het moment dat Cor op de stoep onder vuur werd genomen. Het uitparkeren duurde wat langer volgens Bassie omdat hij door twee auto's ingebouwd stond. Om die redenen verdachten Sonja en ik Bassie destijds onmiddellijk.

Bassie was als verdachte echter eerder al afgevallen toen Wim mij ooit lachend vertelde dat hij hem in het openbaar een draai om zijn oren had gegeven omdat hij 'Cor had verraden'. Dit toneelstukje was een typische afleidingsmanoeuvre van Wim. Door Bassie een klap te geven, gaf hij hem publiekelijk de schuld van het wegtippen van Cor en toonde daarmee zijn eigen onschuld aan. Bassie was het dus blijkbaar niet.

Maar nu twijfelden we weer, want Bassie was wel een van de twee mannen die door het beeld renden.

'Als we willen weten wie de tipgever is, moeten we bij Wim zijn,' zei ik. Sonja en Peter knikten instemmend.

Als Wim het zou vertellen, zou het bovendien aantonen dat hij daderkennis had. Maar dan had ik alleen aan het voeren van het gesprek niet genoeg. Hoe moest ik aantonen wat wij tijdens dat bezoek hadden besproken? Wim zou de inhoud van het gesprek makkelijk kunnen ontkennen.

De enige oplossing was het gesprek opnemen. Maar hoe? Wim zat in een bewaakte gevangenis: hoe kregen we daar afluisterapparatuur ongemerkt naar binnen? Om de Penitentiaire Inrichting Alphen aan den Rijn binnen te komen, moet je door een metaaldetector, en in elk opnameapparaatje zit metaal verwerkt, hoe minimaal ook.

'Hoe ga je dat doen?' vroeg Sonja.

'Ik ga er zo veel mogelijk metaal afhalen,' zei ik en stripte de opnameapparatuur. Ik had een handmatige metaaldetector aangeschaft om te kunnen checken of het resterende metaal nog steeds de detector af zou laten gaan. En dat deed het. Ik moest het metaal op een plek verbergen die ervoor zorgde dat dat laatste restje niet opgemerkt zou worden.

'Son, haal even condooms.'

Sonja kwam terug, ik omwikkelde het gestripte apparaatje met wc-papier en stopte het in een condoom.

'Hier, stop eens in je doos, kijken of ie nog afgaat.'

Sonja ging naar de wc en toen ze terugkwam ging ik met de metaaldetector langs haar kruis om te kijken wat er gebeurde. Het bleef stil! Ik maakte voor mezelf ook zo'n tampon, testte het en opnieuw bleef het stil.

'Dat is in ieder geval positief,' zei ik tegen Sonja, 'maar ik weet niet hoe die metaaldetector in de gevangenis staat afgesteld.'

Uit mijn ervaring als strafrechtadvocaat weet ik dat dat nogal verschilt. In sommige gevangenissen kom ik geluidloos door de scanner met mijn sleutels nog in mijn zak en bij andere gaat hij bij mijn beugel-bh nog af. Ik had wel ervaring met Alphen aan den Rijn, maar de scanner kon zomaar die dag scherper staan afgesteld, daar was geen peil op te trekken. We konden het ons niet permitteren dat we bij de ingang al een rel zouden veroorzaken, omdat er metaal bij ons was gevonden.

'We moeten een broek aantrekken met een ijzeren knoopje bij ons kruis. Als dan de scanner afgaat kunnen we zeggen dat het daar wel door zal komen,' zei ik. 'Maar er moeten ook niet te veel knopen aan zitten, zodat de broek zeker afgaat, want dan komen we niet binnen. Kijk even in je kast.'

Wij pasten de ene na de andere broek en testten ze met de handmatige metaaldetector.

'Ik doe deze aan,' zei Sonja.

'Ja, die is goed. Dan neem ik deze.' Het was een spijkerbroek. Ik was er niet heel blij mee, want ik hou niet van spijkerbroeken en draag ze nooit.

'Denk je dat het hem opvalt als ik ineens een spijkerbroek aanheb?' vroeg ik Sonja.

'Denk het wel, maar we hebben niet zoveel keuze. Dus het moet maar.'

Oké, dat was de broek. Nu het shirt waar ik de opnameapparatuur op of in kon doen. Het vinden van een geschikt shirt was niet makkelijk, de dagen ervoor had ik met verschillende kledingstukken geëxperimenteerd. Ik was gewend buiten met hem te lopen als we gingen praten, en dan had ik altijd een geprepareerde jas aan. Nu ging dat niet op, ik kon daar moeilijk met een jas aan gaan zitten.

In de zomer had ik ook weleens een geprepareerde jurk aan, maar dat was ook niet iets wat je droeg als je op bezoek ging. En hij kende mij door en door. Hij wist precies welke kleding ik altijd droeg, want ik draag – net als hij – altijd hetzelfde, weliswaar elke dag een schone versie van hetzelfde, maar wel altijd hetzelfde. Als ik plotseling iets afwijkends aan zou trekken, zou hij dat direct wantrouwen.

Bovendien wist ik van alle keren dat ik eerder bij hem op bezoek was geweest, dat wij met elkaar zouden fluisteren en dat we dus heel dicht op elkaar zouden zitten. Een situatie waarbij ik niet kon weglopen of me weg kon draaien, als ik dacht dat hij ergens naar keek.

In het tl-licht van de bezoekersruimte zou elke afwijking opvallen, elk bobbeltje in mijn shirt werd uitvergroot. Als hij ook maar enige afwijking zag, zou hij de apparatuur onmiddellijk ontdekken en dan was ik echt de sjaak. Bij hem, maar ook bij het gevangenispersoneel.

En dan was er nog het probleem van het fluisteren. Als ik het apparaatje aan de voorkant onder mijn bh-bandje zou plaatsen zou het niet dicht genoeg bij mijn oor zitten om zijn gefluister op te vangen. Het moest ter hoogte van mijn schouder aangebracht worden.

Ik had verschillende shirts uitgeprobeerd, stukgeknipt, ingenaaid, en uiteindelijk vond ik een shirt waarmee ik het moest doen. Maar het fluisteren opnemen zou toch heel moeilijk worden, dus zocht ik naar een alternatief en vond dat in een spyshop in Zuidoost: een horloge dat kon opnemen.

Als ik dat zou durven, dan kon het weleens werken. Ik weet uit ervaring dat ik in de gevangenis tijdens het fluisteren meestal met mijn arm om zijn nek zit. Dan zou mijn pols vrijwel ter hoogte van zijn mond zitten en kon ik het fluisteren misschien opnemen. Ik experimenteerde en het werkte enigszins. Het probleem was alleen dat het opvallend grote horloges waren en dat hij wist dat ik nooit een horloge droeg.

Ik gokte erop dat zijn vertrouwen in mij, en de stress van de situatie, hem blind zouden maken voor dit soort veranderingen. Als hij mij zou zien, zou hij rekenen op mijn steun en niet op het verraad dat ik hem die dag aan zou doen.

Het moment was daar om de gevangenis binnen te gaan. Wims nieuwste vlam zou ook komen en die hadden we enige voorsprong gegeven. Zij was al binnen en kon er geen getuige van zijn als er bij ons iets mis zou gaan. Ik was behoorlijk zenuwachtig. De theorie is toch altijd anders dan de praktijk. Ik kon het me niet veroorloven gepakt te worden, dus deed Sonja dienst als proefkonijn. Zonder een geluidje kwam ze langs de detectie. Dat was mooi. Ook het horloge kwam door de controle. De bewaking had geen idee dat dit een afluisterapparaatje was. Nu ik nog. Pffft! Gelukkig, geen geluid! We gingen de trap op, richting de bezoekzaal.

We waren binnen.

Ik wist dat voor de bezoekzaal een wc was. Daar moest ik onopvallend de apparatuur van haar overnemen. Overal hangen camera's, dus met zijn tweeën de wc in gaan zou opvallen. Daarom ging zij eerst, haalde het apparaatje uit haar doos en liet het in de wc achter. Daarna ging ik naar de wc om de mijne eruit te vissen en de apparatuur zo onzichtbaar mogelijk op mezelf aan te brengen.

Wim heeft uiteraard een apart kamertje om zijn bezoek te ontvangen. We groeten elkaar. Ik beef inwendig, bang voor ontdekking. Hij zou me ter plekke wurgen.

Hij pakt me bij mijn schouder en ik voel zijn hand trillen, ik voel zijn angst voor de boodschap die ik hem kom brengen. Wat erg, ik vind mezelf zo gemeen. Iemand in het diepst van zijn ellende nog eens ontfutselen wie Cor nou eigenlijk erin heeft laten lopen: wat een vreselijk bedrog. Hoe kan ik zo slecht zijn? Ik voel de neiging over te geven.

Sonja ziet dat ik twijfel, ze zet grote ogen op en kijkt me strak aan. Doorgaan nu, betekent dat. Ze heeft gelijk: ik heb A gezegd, nu moet ik B zeggen.

Ik haal diep adem en probeer niets te laten merken.

W: Hoe is het?
A: Goed.
W: Ja?
A: Ja. Gezellig.

Ik begin gelijk bij de deur, nog voordat we gaan zitten, over de verklaring van Ros.

A: (fluisteren) Die Ros, die heeft iemand aangewezen.
W: Ja.
A: Die heeft iemand aangewezen op de videobeelden en nu zijn ze dus bezig met de tipgever... om zo uiteindelijk er te komen...

We gaan naast elkaar zitten, hij slaat zijn arm om mij heen en fluistert in mijn oor.

W: Nog een keer.
A: De tipgever, die hem in Amstelveen... die hem heeft weggetipt.

W: Ja, hoe dan?

A: Ja, Ros zegt dat degene die op de beelden te zien is—

W: Ja.

A: Op tv hè, wat je kan zien... degene die heel druk heen en weer loopt... dat is de tipgever.

W: (zachtjes) De tipgever van wat?

Wim begrijpt niet over welke tipgever het gaat. Ik sla mijn arm om zijn nek en fluister in zijn oor: om de tipgever van de moord op Cor. Hij zegt meteen dat het niet kan wat Ros zegt.

A: Van de moord op Cor... andere zaak.

W: Kan niet.

A: Oké. (fluisteren) (niet te verstaan)

Ik begrijp het zelf even niet. Wat 'kan niet'? Ik herhaal wat Ros heeft gezegd. Maar Wim is resoluut, en geeft aan dat hij met die verklaring geen probleem heeft. Ik laat mijn twijfel zien, maar hij is stellig:

W: Nee.

A: Dat is zijn (Ros) verklaring, hij heeft het van Danny.

Wim schudt zijn hoofd.

W: Heb ik geen probleem mee.

A: Dat weet ik niet?

W: Nee.

A: Nee? (fluisteren) Op het moment dat het gebeurde...

W: Nee.

A: Nee?

W: Nee...

Ik vraag het hem drie keer maar hij zegt drie keer nee. Hij is er zeker van. Met die verklaring van Ros heeft hij geen probleem Wim richt zich tot Sonja en de vriendin.

W: Gaan jullie maar even praten, hoor.

Zoals altijd als Wim ongestoord met een van zijn bezoekers wil praten, moeten de anderen lawaai maken, nevengeluiden die ons gesprek overstemmen op een geluidsopname.

Wim legt mij uit waarom het geen probleem is. Tussen de lokker en hem zat een tussenpersoon. Die kent hij niet, dus die kan hem niet noemen. De 'lokker' noemt hij de tipgever: ik had dat woord niet gebruikt.

W: (fluisteren) Zat een persoon tussen maar die ken ik niet..
A: Zeker?
W: Ja (fluisteren).
A: Praten...
W: Ja.

Wim wil weten hoeveel rennende mensen er in beeld te zien waren.

A: Het zijn er twee, meer niet.
W: Nou. Dus.

Geen van die twee was de lokker, volgens Wim.

Wim wil weten of die ene die naast Cor stond tijdens de schietpartij op de beelden te zien was. 'Nee,' vertel ik hem.

Degene die naast Cor stond was ook geraakt en lag net als Cor op de grond en was niet zichtbaar op de beelden. Ik verbaas me over zijn vraag.

Ik verzin dat Sonja ook over de moord op Cor gaat worden gehoord. Ik had dat van tevoren met haar afgesproken. Ik weet nog steeds niet wie nou wel de tipgever is en breng het gesprek op een van de twee personen die door het beeld rennen. Ik geef aan dat ik bang ben dat als Bassie de tipgever is en hij gehoord gaat worden, dat hij doorslaat.

A: (fluisteren) Omdat Sonja ook is gevraagd om te komen...
   Bassie... dat ie is gaan praten...
W: Nee.
A: Nee?

Wim fluistert in mijn oor. Zoals ik denk dat het is gegaan, met Bassie, zo is het niet gegaan.

Bassie is het dus niet. Adje is het ook niet. Maar wie is het dan wel? Ik breng het gesprek weer terug op Bassie.

A: Dat is een wous, hè?
W: Ja, maar dat is niks. (fluisteren) Zo!

Wim is het met mij eens dat hij een wous is, maar dat is niks. Met andere woorden: hij is de lokker niet.

Maar hij heeft mij nog steeds niet verteld wie de lokker dan wel is. Ik probeer het nog één keer.

A: Laatste, en dan ga ik—

Wim wil weer weten wat er op de beelden te zien is.

A: Ik ben die beelden gaan kijken en toen zag je Bassie heen en weer rennen.
W: (fluisteren) (luid) Ik schrok me rot.

A: Ja, ik ook.

W: Ik denk: wat lul je nou weer.

A: Ik schrok ook want ik denk: nou dat eh...

W en A: (fluisteren)

Ik leg hem weer uit dat ik bang ben dat de lokker gaat praten.

A: Ben bang dat—

Dan legt Wim mij uit dat dat niet kan. De lokker stond ernaast, en die is dood. Het is Ter Haak.

Nu begrijp ik waarom Wim in eerste instantie niet begreep om
welke tipgever het ging.

Nu begrijp ik waarom Wim meteen zei dat het niet kon wat
Ros vertelde.

Nu begrijp ik zijn vraag of degene die naast Cor stond op de
beelden te zien was.

Nu begrijp ik waarom hij zo zeker wist dat Bassie de lokker
niet was.

Nu begrijp ik waarom hij wist dat geen van de twee personen die door het beeld renden de lokker was.

Wim kijkt zelfgenoegzaam het bezoekkamertje rond, alsof
hij trots op zichzelf is dat ze hem met een dode tipgever niets
kunnen maken en mij bekruipt direct het gevoel dat Ter Haak
doelbewust om het leven is gebracht. Ik zie Sonja naar Wim
kijken, en vervolgens vragend naar mij.

Ik knik onopvallend, ik weet wie het gedaan heeft.

In de bajes wil ik nog niet praten, bang dat iemand ons zou
opnemen via het camerasysteem.

We lopen naar buiten. 'En?' vraagt Sonja.

'Het is niet wie wij denken. Het is iemand anders.'

479

Veilig in de auto zeg ik haar wat zij ook al jaren wil weten: 'Het is Ter Haak.'

Dat Robert ter Haak volgens Wim de lokker was, betekent niet dat hij zich van die rol ook bewust is geweest. Die vraag heb ik Wim niet kunnen stellen, omdat dat onmiddellijk zijn wantrouwen zou wekken. Mogelijk is dat ook hij, wellicht door de tussenpersoon over wie Wim sprak, in de val is gelokt. Zeker is dat ook aan de brute moord op hem recht dient te worden gedaan.

Die avond zegt Sonja tegen mij: 'As, je moet je niet schuldig voelen tegenover hem. Hij is een monster. Hij zou geen seconde moeite hebben jou dit aan te doen.'

De zegen van mama (2015)

'We moeten het mama vertellen,' zei ik tegen Sonja.

'Zullen we er nu maar gelijk heen rijden?'

'Dat is goed.'

'Ben je zenuwachtig?'

Ja, best wel. We zijn hier al ruim twee jaar mee bezig, maar als mama het niet wil, kunnen we het niet doorzetten. Dan hebben we twee jaar ellende voor niks achter de rug en gaan we nog eens jaren ellende tegemoet. Maar ja, het is haar kind, zij beslist.

'En je weet hoe ze is.'

'Daarom ben ik bang voor haar reactie. Ze heeft altijd haar kop in het zand gestoken en al zijn gedrag goedgepraat.'

Onze kinderen hadden we al veel eerder verteld waar we mee bezig waren, en dat we misschien uiteindelijk zouden gaan getuigen. Hoewel we ons tegenover justitie hadden verplicht dat niet te doen, was het onmogelijk om dat tot op het laatste moment voor ze te verzwijgen. Onze actie zou immers ook op hun levens een enorme impact hebben, en ze hadden het recht om daar goed over na te kunnen denken en daar niet op het laatste moment mee geconfronteerd te worden. Als zij vonden dat we het beter niet konden doen, zouden we er onmiddellijk van afzien. Dat konden we dus maar beter in een zo vroeg mogelijk stadium weten, en daarom waren zij al geruime tijd op de hoogte wat er speelde.

Ze waren getuige van al onze twijfels, de keren dat we besloten ervan af te zien en de keren dat we toch maar weer besloten door te zetten. Maar nu was het moment daar dat de knoop definitief moest worden doorgehakt.

We wezen ze er nogmaals nadrukkelijk op dat de kans groot was dat we onze actie met ons leven zouden moeten bekopen.

Francis zei onmiddellijk: 'Doen! Hij gaat mama toch vermoorden, dus ze kan hem beter voor zijn.'

Richie was het daar volledig mee eens.

Voor mij ging die reden niet op. Mijn positie tegenover Wim was anders: ik was zijn bondgenoot. Hoe kon ik het tegenover Miljuschka verantwoorden dat ik mijn leven op het spel zette, zonder dat ik (nog) acuut gevaar liep, zoals Sonja?

'Je weet wat de consequenties kunnen zijn als ik dit ga doen, lieverd?' vroeg ik haar.

'Ja, dat weet ik, mam,' zei ze zacht.

'Ik moet nu beslissen.'

'Ja...'

'Ik kan niet één reden bedenken die opweegt tegen het risico dat ik ga nemen. Ik zou het niet moeten doen, want ik weet hoe dit gaat aflopen, maar toch...'

'Ik begrijp het, mam. Soms moet je gewoon het goede doen.'

***

We arriveerden bij het huis van mijn moeder.

Sonja parkeerde de auto, we stapten uit. Mama stond ons al in de deuropening op te wachten, altijd blij ons te zien.

'Wat gezellig dat jullie langskomen,' zei mijn moeder verheugd over ons onaangekondigde bezoek. 'Ga lekker zitten. Thee?'

'Lekker, mam,' antwoordde ik.

'Doe mij ook maar,' zei Sonja.

'Mam, we willen even met je praten,' viel ik direct met de deur in huis.

'Is er weer wat?' vroeg ze.

'Ja,' antwoordde ik. 'We gaan tegen Wim getuigen.'

'Hoezo getuigen?'

'Nou, vertellen wat hij allemaal heeft gedaan.'

'Dat lijkt me heel onverstandig. Dat pikt hij nooit,' zei ze bezorgd.

'Dat weet ik, maar het moet een keer ophouden. Jij weet ook dat Son vroeg of laat een keer aan de beurt komt, en daar wil ik niet op wachten,' zei ik.

'Dan moet je het doen,' zei ze resoluut.

Sonja en ik keken elkaar aan. We waren allebei verbaasd. Gaf ze zich zonder slag of stoot gewonnen?

'Maar besef je wel dat als we dat doen, de kans groot is dat hij levenslang krijgt?' vroeg ik.

'Dat is te hopen, want anders komt hij alsnog achter jullie aan.'

Sonja en ik keken elkaar opnieuw verbaasd aan. 'Weet je wel wat je zegt, mam?' vroeg ik voor de zekerheid.

'Assie, wat denk jij nou: hij bedreigt Sonja, hij bedreigt mijn kleinkinderen! Dat kan toch niet! Denk je dat ik niet weet hoe hij in elkaar zit? Ik ben als de dood dat hij jullie pakt. Dan heb ik toch veel liever dat hij vastzit. Ik weet me geen raad als er wat met een van jullie gebeurt. Dan kan ik net zo goed mijn keel aan de kapstok hangen!'

'Oké, mam. Ik ben blij dat je ons steunt. Ik was echt even bang dat je het niet zou willen.'

'Niet zou willen? As, hij heeft zijn hele leven alleen maar voor iedereen ellende veroorzaakt. En nu wil hij mijn kind en mijn kleinkinderen ook nog pakken? Hij is mijn zoon, en ik vind het vreselijk om te zeggen, maar het is gewoon een beest! Ik heb toch eigenlijk ook geen leven gehad door hem? Altijd alleen maar op bezoek, altijd met die gekke wijven van hem. Altijd maar schreeuwen en schelden als hem even iets niet naar de zin is. Ik durfde er niet eens een normale relatie met Roy op na te houden, bang dat hij hem tegenkwam en hem de deur uit zou slaan.'

Het was inderdaad triest. Mijn moeder ontmoette Roy enkele jaren na haar scheiding. Hij kwam langs aan de fruitstal waar ik werkte, en mijn moeder raakte met hem aan de praat. Elke week kwam hij terug om te vragen hoe het met haar was. Hij was een lange, knappe vent van Surinaamse afkomst, ze kregen een relatie.

Dat laatste mocht niet van Wim. Hij wilde niet hebben dat zijn moeder omging met een 'neger'. Dat was een schande. Angstvallig hield ze hem dertig jaar lang voor hem verborgen. Een kans op een normale relatie had ze niet en nu zat ze alleen.

'Wist je dat Wim de Deurloostraat heeft aangewezen?' vroeg ik.

'Nee, dat hebben jullie me nooit verteld. Echt waar?' vroeg ze verbaasd. 'Was hij dat?'

'Ja, dat was hij.'

'Wat een schoft. Ik zie het nog zo gebeuren, als een film speelt het zich voor mijn ogen af. Het is al zo lang geleden, maar ik lig er nog weleens wakker van. Dan zie ik weer pang, pang, pang, zo op het raam van de auto. Hoor ik het gegil van Son. Het gehuil van Richie. Zie ik weer overal bloed bij Cor. Ik vergeet dat nooit meer. Ook dat nog, hoe kan het?'

'Maar mam, laat het even goed tot je doordringen wat ik nu zeg: als we verklaren, is de kans groot dat hij levenslang krijgt.

Besef je dat? Dan kun je ook nooit meer bij hem op bezoek, je kunt nooit meer met hem bellen, want contact met jou, op wat voor manier ook, zal hij gebruiken om ons te vinden. Begrijp je dat? Als je 'ja' zegt, neem je afscheid van je oudste zoon. Kun je dat wel?'

Ik zag de tranen in haar ogen komen.

'Zie je, je begint al te huilen bij de gedachte.'

Ik begin ook te huilen en zeg: 'Son, we doen het niet!'

Mijn moeder probeert haar tranen te bedwingen. 'Maar As, het is toch niet gek dat het me allemaal heel veel verdriet doet? Dat doet het jou toch ook? Ik zal hier de rest van mijn leven verdriet om hebben, maar toch moet het. Het gaat zo echt niet langer.'

'Weet je het zeker?'

'Heel zeker.'

'Ga je me geen verrader vinden?'

'Jou een verrader? Waarvoor? Omdat je je zusje helpt? Omdat je opkomt voor je neef en je nicht? Ben je gek geworden? Jij bent geen verrader! Hij is een verrader! Hij heeft het NSB-bloed van je opa.'

Naast mijn moeder was er nog iemand met wie ik rekening moest houden bij onze beslissing om Wim levenslang te geven: zijn zoon Nicola.

Als ik ook maar de geringste indruk had gehad dat ik die kleine jongen verdriet zou doen als ik hem zijn vader af zou nemen, zou ik het misschien niet hebben gedaan. Hij werd opgevoed door Maike en haar moeder, en Wim noemde hem zijn 'witte bron', omdat het jongetje erfgenaam was van een vermogende vastgoedondernemer.

Maike, die Wim nog altijd tot zijn harem rekende, had mij – toen Wim net was gearresteerd en niemand nog iets wist van onze rol als getuigen – uit zichzelf gebeld om af te spreken. Tijdens deze ontmoeting vroeg ze of ik haar wilde helpen bij het stopzetten van de omgang tussen Wim en Nicola. Ze maakte zich vreselijk zorgen hoe het moest als Wim weer werd vrijgelaten en hoopte dat hij vast zou blijven zitten.

Daaruit leidde ik af dat het voor Nicola niet bepaald traumatisch zou zijn als Wim misschien wel veel langer dan voorlopig vast zou zitten, dus dat ik door Wim levenslang te geven niet een klein jongetje zijn liefhebbende vader zou afnemen.

Die relatie was geen reden om niet te gaan getuigen.

De dag voordat het bekend werd, ben ik samen met Sonja bij Maike langsgegaan om haar te vertellen wat wij hadden gedaan. Omwille van Nicola wilden wij graag dat ze van tevoren op de hoogte was, zodat ze hem kon opvangen als dat nodig zou zijn.

Gebruik kluisverklaringen (2015)

Van medio december 2014 tot 19 maart 2015 voerden we besprekingen over het gebruik van onze kluisverklaringen. Het resultaat daarvan was dat wij instemden met het gebruik van onze verklaring.

Op 20 maart 2015 zouden de verklaringen aan de rechtbank, aan het Openbaar Ministerie en aan de verdediging worden verstrekt. Eindelijk, na zo'n lange, zenuwslopende tijd, was het dan zover. Wij hadden ons helemaal ingesteld op die dag en toen kwam ineens het bericht dat het niet doorging! Het was een enorme klap en mijn zenuwstelsel kon niet veel meer hebben.

Het zou worden verplaatst naar maandag 23 maart. Op woensdag 25 maart zou de pro-formazitting zijn, ik wist dat Stijn Franken daar om Wims vrijlating zou vragen. Een verzoek dat naar mijn oordeel een kans van slagen had. De verklaringen van Ros over Wims betrokkenheid bij liquidaties waren immers uit de tweede of derde hand. Als onze verklaringen er op 23 maart waren, dan was dat nog net op tijd.

Inmiddels hadden wij – uitgaande van de toezegging dat de verklaringen maandag bij alle procespartijen zouden liggen – de pers ingelicht. *De Telegraaf* en *NRC Handelsblad* zouden die dinsdag onze interviews publiceren.

Maar op maandag 23 maart om 12.08 uur kreeg ik bericht van Betty dat het opnieuw niet doorging. De verklaringen zouden later pas worden verstrekt.

Weer uitstel? Ik belde met Betty om te vragen wat de reden was. Zij vertelde me dat het nog te vroeg was, in verband met onze veiligheid en de maatregelen die daarvoor getroffen moesten worden. Ik vertelde haar dat ik het niet kon afblazen, omdat we de media al ingeschakeld hadden. Ze vroeg me de pers af te blazen, omdat de verklaringen niet die dag werden verzonden en het rampzalige gevolgen kon hebben als de kranten publiceerden vóórdat de kluisverklaringen bij de advocaten en het Openbaar Ministerie lagen.

Maar wij wilden de media niet afblazen. Wij wilden dat onze verklaringen openbaar werden op de dag die afgesproken was. Onze veiligheid was erbij gebaat dat onze verklaringen wél naar buiten kwamen. Inmiddels wisten al een niet in te schatten aantal mensen van onze rol als getuige af, en nam de kans toe dat hij het ook te weten zou komen.

Het OM durfde het niet aan in verband met onze veiligheid, maar wij waren al heel lange tijd niet meer veilig. Niet meer veilig toen hij met zijn daden onze levens riskeerde, niet meer veilig vanaf het moment dat we het eerste gesprek met justitie aan waren gegaan en zeker niet veilig in de twee jaren dat wij, in de wetenschap dat wij hadden verklaard, met hem in de rondte moesten gaan.

Wij waren helemaal op door de immense en langdurige stress die dat teweeg had gebracht, en wilden niet nóg langer in onzekerheid zitten. Dan zagen we wel wat er gebeurde, maar dinsdag 24 maart stonden we tegen hem op, met of zonder Openbaar Ministerie.

Ik zei dat wij wisten wat we deden, en ook wisten wat de consequenties zouden zijn. Dat was onze keuze en dat kon het OM niet voor ons bepalen, en ik zei daarom tegen Betty: 'Ik ontsla jou van alle verantwoordelijkheid wat onze veiligheid betreft. Maak je niet druk. Het is onze beslissing en we doen het met jullie of zonder jullie.'

Die dag, net voor vijf uur, ontving ik het bericht dat er definitief groen licht was en dat de stukken beschikbaar waren gesteld voor rechtbank en verdediging. Uiterlijk morgen, maar ik sloot zeker niet uit nog dezelfde dag, zou Wim dus weten dat wij tegen hem waren opgestaan.

Ik was in mijn hoofd inmiddels al twee jaar bezig met dat moment, dat een keerpunt in de relatie met mijn broer zou betekenen. Het moment dat hij zou horen dat zijn eigen kleine zusje al jaren bezig was hem veroordeeld te krijgen. Zijn kleine zusje, aan wie hij zijn angst voor levenslang had toevertrouwd, zou hem nu zelf levenslang geven. Ik kan nog huilen bij de gedachte hoe dat moment voor hem gevoeld moet hebben, als een mes recht in het hart.

Vrouwen vloeren Holleeder (2015)

Op dinsdag 24 maart 2015 verscheen ons verhaal in de media. Het begon al vroeg in de ochtend.

'Vrouwen vloeren Holleeder', kopte *De Telegraaf* boven een interview van John van den Heuvel met Sonja en Sandra. Die avond stond mijn eigen verhaal, dat ik aan Jan Meeus had verteld, in *NRC Handelsblad* en werkelijk ieder televisieprogramma besteedde er aandacht aan. Ik moest die dinsdag zelf de hele dag in Assen op zitting zijn, en had me niet gerealiseerd hoe groot de impact was van de boodschap die wij brachten.

Die dag en die avond, nadat ook geluidsfragmenten werden uitgezonden bij *RTL Late Night*, werd Willem Holleeder ontmaskerd, en toonde hij zijn ware aard.

Het leek alsof er een golf van opluchting door Nederland ging: iedereen had het wel aangevoeld, maar niemand kon er ooit een vinger achter krijgen. Willem Holleeder was echt een slecht mens en had alle foute dingen gedaan waar justitie hem al jarenlang van verdacht.

Gelukkig gebeurde niet waar ik zo bang voor was: dat mensen verkeerd op ons zouden reageren. Integendeel, ik denk dat ik die dag alleen al ongeveer driehonderd steunbetuigingen ontving van mij bekende, maar ook veel onbekende mensen. En echt, ieder berichtje deed mij goed. Eén bericht raakte mij in het bijzonder. Ik kreeg het doorgestuurd via John van den Heuvel:

Beste Sonja en Astrid en Sandra,

Op deze wijze wil ik mijn bewondering uitspreken dat u de moed hebt gehad om op deze wijze afscheid te nemen van Willem Holleeder.

Wat een klasse om als drie vrouwen die onder zo'n geweldige stress en angst hebben gestaan, desondanks de beslissing te hebben genomen een getuigenverklaring af te leggen; u behoort wat mij betreft tot de ruggengraat van Nederland. Ik weet uit ervaring wat bedreigingen met de dood en de daaropvolgende angst bij mensen teweeg kunnen brengen; dat je radeloos bent en je machteloos voelt, altijd onder spanning leeft en voortdurend alert bent omdat 'het onbekende' elk moment gewelddadig kan toeslaan. Toch hebt u het verschil gemaakt door karakter te tonen.

Denk nog maar even terug aan de ontvoeringszaak van Heineken en Doderer. Misschien herinnert u zich nog wel de codes die toentertijd gebruikt werden om te communiceren: de adelaar (Holleeder c.s.) en de haas (Heineken c.s.).

De rollen zijn nu omgedraaid. Van een angstige 'haas' kunt u nu weer verder vliegen als een vrije 'adelaar'.

Ik hoop intens dat u samen met uw kinderen in de nabije toekomst weer kunt genieten van mooie en veilige vluchten, want u verdient deze ten volle.

Met hartelijke groet,

Kees Sietsma
Leider van het zgn. Heinekenteam (1983)

Die avond zat ik bij Sonja aan de eettafel. We zaten tegenover elkaar.

'Voel jij het ook?' vroeg ik.

'Ja,' zei ze.

'Wat dan?'

'Het voelt als de dag dat Cor doodging,' zei ze.

'Ja,' zei ik, 'dat heb ik precies zo.'

We waren allebei twaalf jaar terug in de tijd, naar het begin van ons verdriet, en het was alsof wij er nu pas klaar voor waren om dat verdriet te gaan verwerken.

Gevolgen van het getuigen (2015)

Het heeft me veranderd, de stap die ik gezet heb, de wetenschap dat ik niet oud zal worden.

Vroeger vulde ik mijn leven met het oplossen van andermans problemen, daaraan ontleende ik zowel zakelijk als privé mijn identiteit. Maar als iemand nu over zijn problemen begint, denk ik: waar zeur je over, los het op.

Je kunt het nog oplossen.

Mijn probleem daarentegen, valt niet op te lossen. Daar komt nooit een oplossing voor, daar komt een einde aan, een bloedig einde.

Het zal niet lang duren voordat hij weer zoveel bewegingsruimte krijgt dat hij eenvoudig wraak kan nemen. Heb ik er wel goed aan gedaan? Die vraag blijft voortdurend terugkeren. Nee, ik heb er geen goed aan gedaan. Maar ik kon niet anders. Het zij zo.

Wij – Sandra, Sonja en ik – hebben alle drie van Liesbeth, de zus van Sam Klepper, een armbandje gekregen met een klavertjevier. Zij begrijpt dat we een beetje extra geluk goed kunnen gebruiken.

Als we samen zijn, praten we er regelmatig over wie van ons drieën als eerste zal gaan. Eigenlijk zijn we er allemaal van overtuigd dat ik de eerste ben, mijn verraad heeft hij niet aan zien komen en daar zal hij mij grenzeloos om haten.

Hij nam mij serieus, hij vroeg mijn adviezen, hij heeft mij

vertrouwd en ik heb hem verraden. Dat trekt hij echt niet, daar 'ken hij echt niet mee leven'.

Ik ben van mening dat een kogelvrij vest nog wel nuttig kan zijn, maar Sandra gaat liever meteen. We bespreken het bij haar thuis op de bank. Het lijkt suïcidaal, maar ze heeft wel een punt. Wat als je het door dat vest overleeft, maar in een rolstoel terechtkomt, zoals Ronald van Essen? Dan liever goed en in één keer.

Dat is waar, maar ik schaf toch maar een vest aan.

Mijn oog valt op haar arm, en ik zie dat haar armbandje niet meer om haar pols zit. 'Waar is je klavertjevier?' vraag ik.

Ze schrikt zich kapot, ze krijgt een rood hoofd en snakt naar adem. 'O nee, waar is het?' roept ze verschrikt.

Ik weet wat ze denkt, we zijn allebei bijgelovig en ik begrijp gelijk waarom ze zo schrikt.

'Daar ligt het, op de bank,' zeg ik.

Opgelucht en blij doet ze het weer om.

'Dacht je dat je de eerste zou zijn?' vraag ik.

'Ja!' roept ze. 'Ik dacht: dit is het voorteken dat ik de eerste ben, het geluk dat mij in de steek laat.'

'Dat dacht ik ook.'

Nog geen week later kom ik erachter dat ik mijn klavertjevier kwijt ben.

Wasstraat (2015)

Op 30 mei verscheen het artikel van Jan Meeus over de lokker in *NRC Handelsblad*. Om mijn moeder zo veel mogelijk te betrekken bij wat wij deden, ging ik met de *NRC* naar haar toe. Onderweg ging ik nog even naar de wasstraat, om mijn auto te wassen.

Ik parkeerde de auto in een wasbox en haalde wasmuntjes bij de automaat. Teruggekomen zag ik een auto de uitgang van de wasboxen in rijden, met twee jonge mannen erin. Ze reden langs me en achteruit weer terug. Ze keken me gedurende die actie beiden aan, alsof ze er zeker van wilden zijn wie ze voor zich hadden. Ze parkeerden twee wasboxen verderop, en bleven erin zitten.

Ik was inmiddels uitgestapt en bedekte mijn auto met schuim. De ene man bleef mij aankijken terwijl de andere man bukte en, naar het leek, iets van de vloer oppakte. Iets zei me dat dit niet goed was, ik wilde weg en begon het schuim van de auto te spuiten, omdat ik anders geen zicht had door mijn ramen.

Op datzelfde moment parkeerde een tweede auto naast de auto van de twee mannen. Een slanke vent, getooid met een zonnebril met spiegelglazen, stapte uit en kwam mijn richting op lopen. Ik kreeg het koud van binnen en haastte mij het schuim weg te spuiten.

Ik moest daar weg.

De man liep op mij af en vroeg: 'Ben jij Astrid?'

Op dat moment voelde ik het bloed uit mijn gezicht weg-
trekken. Direct dacht ik aan het zinnetje dat bij de liquidatie
van Mieremet was gebruikt: 'Are you Johnny?' Toen hij 'ja' antwoordde, werd het vuur op hem geopend en werd de al zo lang
door mijn broer beoogde liquidatie volbracht.

Ik wist niet wat ik zeggen moest.

'Ben jij Astrid?' vroeg hij nogmaals.

Ik zei 'ja' en verwachtte dat mijn leven op dat moment zou
eindigen.

'Ik ben Makali,' zei hij. 'Hoe gaat het met je?'

'Met mij gaat het goed, met jou ook, jongen?'

Makali, die familienaam kende ik wel. Het zou een cliënt
van een van mijn kantoorgenoten kunnen zijn, maar ik herkende hem niet. Hij deed vriendelijk, dus ging ik ervan uit dat
hij mij niets aan zou doen, maar even verderop zaten die twee
mannen nog steeds in de auto en hij liep weer terug hun kant
op. Misschien kwam hij even checken of ik de juiste persoon
was die ze moesten omleggen en zouden zij nu het vuur openen?

Ik gooide de waterslang op de grond, stapte snel in mijn auto
en met het schuim nog op het dak reed ik zo snel mogelijk
weg. Ik trilde over mijn hele lichaam. Dat is wat hij altijd wil
bereiken.

'Hij is zo bang', zei hij over zijn slachtoffers. 'Ze weten hoe
ik ben, ze weten wat ik doe en als ze iemand met dat ding op
zich af zien stormen dan weten ze: het is klaar, en dan denken
ze: had ik het maar niet gedaan.'

Ik weet het ook, ja, ik weet hoe je bent en wat je gaat doen.
Ik zal het ook weten op het moment dat ze met dat ding op
me afstormen: het is klaar. Maar ik zal niet denken: had ik
het maar niet gedaan. Want ik weet, broer, dat als ze mijn kist
in de fik steken, jij langzaam wegrot in je celletje, zonder de

sterrenstatus die je altijd hebt gehad, want die heb ik je afgenomen. Zonder de privileges die je altijd hebt gehad, want die heb ik je ook afgenomen, en dan mag jij je afvragen: wat is erger? Steek mij dus maar in de fik, maar reken er wel op dat ik bij je kom spoken, en als al je slachtoffers samen met mij bij jou op bezoek gaan, zonder toezicht, in jouw cel, kom jij zuurstof tekort.

Wat er in de middag was gebeurd, was aanleiding om even met mijn dochter te praten. Ik zie haar die avond.

'Lieverd, vanmiddag dacht ik even dat ik er was geweest. Je weet dat dat ieder moment kan gebeuren, hè?'

'Ja, ik weet het mam,' zegt ze en ze bijt op haar lip, maar de tranen komen toch.

'Daarom is het belangrijk dat we het even hebben over mijn begrafenis en hoe jij verder moet zonder mij.'

Ik kan mijn tranen ook niet meer tegenhouden. Ik verman me, omdat vandaag nog eens laat zien dat ik dit gesprek zo snel mogelijk met haar moet voeren.

'Ik wil geen open kist, zodat mensen mijn zielloze gezicht kunnen zien. Ik wil een gesloten kist. En ik wil gecremeerd worden. Lekker warm. Ik moet er niet aan denken om in die koude grond te liggen. Doe bij mij maar de fik erin, urntje vol, en zet dat maar gezellig in de woonkamer. Bloemetje erbij, fotootjes om me heen, gezellig en warm. Geen graf waar je helemaal heen moet, waar het toch nooit van komt. Nee, lekker gezellig bij jou en de kinderen thuis. Dat is wat ik wil.'

'Ik ook mam,' huilt ze.

'Fijn, lieverd. En je zal ook verder moeten zonder mij. Je moet blijven wie je bent. Je hebt nu genoeg meegemaakt om te weten dat je altijd bij jezelf terugkomt. Zo ben jij, dus daar maak ik me geen zorgen om. En de kleintjes weten op een ge geven moment niet beter. Wijs ze een ster aan en zeg ze dat ik daar woon en elke dag bij ze ben.'

We huilen allebei.

'Maar ik zal je zo missen, mam,' fluistert ze door haar tranen heen. 'Je stem, je geur.' Vervuld van verdriet staat ze op, en begint kledingstukken op te rapen. 'Ik moet je geur bewaren. Ik moet zo veel mogelijk kledingstukken hebben waar jouw geur aan zit. Dan kan ik je tenminste nog ruiken als je er niet meer bent.'

Mijn hart breekt. Wat een leven is dit. De dood lijkt haast een beloning voor mij, maar wat een verdriet moet ik achterlaten.

Toch moet ik het er met haar over hebben, want ik weet niet hoelang ik nog heb. En het is uiteraard niet de eerste keer dat we erover praten: voordat we de stap namen, hebben we de consequenties met alle kinderen besproken, maar hen tegelijkertijd voorgehouden dat we dat risico ook liepen als we niet zouden getuigen. Dat risico kenden zij.

Ik heb hun uitgelegd dat ik liever door hem sterf dan om hem. Als ik om hem sterf, loopt hij nog steeds vrolijk buiten rond, ondanks alle slachtoffers die hij gemaakt heeft, en is mijn dood zinloos. Als ik door hem sterf, heb ik tenminste de genoegdoening dat de waarheid over hem eindelijk bekend is geworden, en dat hij boete doet voor het leed dat hij Cor en vele anderen heeft aangedaan.

'Ga maar lekker slapen. Morgen ziet alles er weer anders uit,' zeg ik tegen Miljuschka. 'Voorlopig ben ik er nog, en ik ben niet van plan me zomaar af te laten schieten.'

Zelfmoord (2015)

We zitten met zijn vieren in mijn auto: mama, Sonja, Miljuschka en ik. John van den Heuvel belt en vraagt of ik het bericht al heb vernomen dat Wim vannacht in de EBI zelfmoord zou hebben gepleegd.

Wat!? Zelfmoord? De tranen springen spontaan in mijn ogen. Mijn eerste gedachte is: we hebben hem vermoord.

Altijd hield hij rekening met de mogelijkheid dat hij een keer levenslang voor de liquidaties zou krijgen, en elke keer als het daarover ging vertelde hij ons dat hij dan zelfmoord zou plegen.

Aan mijn moeder liet hij zien hoe hij dat zou doen: 'Kijk, dan knijp ik dit bloedvat dicht, en dan ben je er geweest.'

Dus vonden wij het een hele logische stap dat hij zelfmoord zou hebben gepleegd.

'Wat is er?' vraagt mijn moeder.

Ik zeg huilend dat Wim zelfmoord heeft gepleegd. En dan voel ik een ongekende ontspanning, voor vijf seconden voel ik me voor het eerst in een hele lange tijd vrij, en vooral veilig. John verstoort dit gevoel door te zeggen dat het niet is bevestigd door justitie en vraagt of ik het misschien kan nagaan.

'Ja,' zegt mijn moeder, 'ga het maar na, straks maak je ons blij met een dode mus.'

Ik bel met Betty en zij weet binnen vijftien minuten te vertellen dat het gerucht niet waar is.

Hij stond, toen zij belde, te koken in de EBI.

Wim wordt vervolgd voor de moord op Cor (2015)

Ik zit samen met Sonja in de auto als we van Betty Wind te horen krijgen dat het officieel is: Wim wordt vervolgd voor de moord op Cor. Waar het ons allemaal om begonnen is, is nu, bijna tweeënhalf jaar later, eindelijk een feit.

Sonja kijkt me aan, de tranen stromen over haar wangen en ik voel dat ik het ook niet meer droog houd.

'Voor altijd samen,' huilt ze.

'Voor altijd samen,' zeg ik.

Het is de tekst die we op Cors grafsteen hebben laten graveren en die symbool staat voor onze missie; gerechtigheid voor Cor, voor Richie en voor Francis.

'Je krijgt eindelijk rust, lieverd,' zegt ze tegen Cor.

Schietles (2015)

'Geef me een wapenvergunning, dan kan ik nog iets doen als ik ze op me af zie komen,' zeg ik tegen onze getuigenbescherming. Maar dat is tegen de wet en daar gingen ze uiteraard niet mee akkoord. Met andere woorden: je moet je als een mak lam laten afslachten.

Ik zeg tegen Sandra: 'Dan moeten we zelf maar een wapenvergunning halen.'

'Denk je dat we worden toegelaten op een schietvereniging?'

'Als dat niet zo is, maken we trammelant, wij zijn toch niet anders dan anderen? Ik heb geen zin om me zomaar af te laten schieten. Ik ben inmiddels zover om, zonder angst of verdriet, te accepteren dat het komen gaat, maar ik vind het toch eigenlijk te gek dat ik me zonder slag of stoot moet overgeven, ook al verkeer ik in concreet levensgevaar. Met die passiviteit kan ik niet leven, dan geef ik hem net zoveel macht over mij als hij altijd al heeft gehad, omdat hij zich niet houdt aan de wet en ik wel. Ik sta daardoor altijd op een achterstand. Dus wil ik hoe dan ook op het moment dat ik de schutter zie, iets kunnen doen waardoor ik er op zijn minst één meetrek. Ik laat me niet zomaar afslachten.'

'Ik ook niet,' zegt Sandra.

'Dan gaan we zelf iets ondernemen.'

21 juli 2015

Sandra heeft alles uitgezocht: s.p.e.a.r.-training en schietles. Op 24 juli hebben we onze eerste proefles op de schietvereniging.

Sandra heeft onze achternamen niet opgegeven, maar we moeten onze identiteitskaart laten zien, dus het zal niet lang duren voordat die bekend zijn. Als we richting het verenigingsgebouw lopen, zeg ik: 'Die schrikken zich helemaal de kolere als ze mijn achternaam zien.'

Het is altijd weer afwachten hoe dat zal uitpakken. Daarom wacht ik altijd zo lang mogelijk met mijn achternaam geven, liefst totdat ik al persoonlijk contact met mensen heb en ze zelf hebben kunnen vaststellen dat ik niet eng ben. Dat lukte ook nu weer.

We waren al binnen, en kletsten met twee gezellige, naïeve dames. We hadden al leuk contact voordat ik mijn identiteitskaart moest laten zien. Er nu nog op terugkomen dat ik de les in mocht leek me onwaarschijnlijk, maar je weet het nooit.

De instructeur kwam op ons af lopen en keek ernstig. 'Jullie kwamen voor de proefles?'

'Ja,' zeggen we zo blond mogelijk.

'Nou, kom dan maar mee.'

27 juli 2015

Sandra stuurt me een berichtje dat ze om kwart over acht bij me is, en vraagt of we met mijn of met haar auto zullen gaan. Ik was het even kwijt, maar we hebben om negen uur 's ochtends een afspraak met een s.p.e.a.r.-trainer.

Ik wil eerst weten wat voor vlees we in de kuip hebben. Als

ik er een slecht gevoel bij heb, neem ik afscheid zonder te vertellen wie wij zijn en waarom we dit willen. Als de indruk goed is, wil ik vooraf weten of hij bereid is tot geheimhouding. We hebben er geen enkel belang bij dat er iemand rondloopt die met onze namen en onze situatie interessant gaat lopen doen: het is juist de bedoeling dat we onze voorbereiding geheimhouden.

We hebben in het Hilton Hotel in Amsterdam afgesproken. Sandra wijst hem de tafel waar ik al zit, hij loopt op me af en stelt zich voor.

Mijn eerste indruk is direct goed. Lichaamshouding, stem, energie, ik ben gelijk oké met hem. De korte introductie die hij van zichzelf geeft, is ook goed. Geen jongen die zichzelf heel interessant vindt, zichzelf overschat. Ik heb geen moment van irritatie. Dus ik besluit open te zijn over wie wij zijn en wat ons doel is. 'De reden dat wij geïnteresseerd zijn in jouw training is dat wij de vrouwen zijn die tegen Willem Holleeder getuigen. Wij verwachten op korte of langere termijn geliquideerd te worden en willen ons daar niet zonder slag of stoot bij neerleggen.'

De arme jongen moet even slikken, hier is hij niet op voorbereid. Hij wordt op een zondagmorgen getrakteerd op een mededeling waar hij zich vooraf geen voorstelling van had kunnen maken.

'Oké, wat heftig,' zegt hij en herstelt zich, 'maar dat moet kunnen. Jullie lijken nogal luchtig met de situatie om te kunnen gaan.'

'Dat komt,' zeg ik, 'omdat wij dit geaccepteerd hebben op het moment dat wij de stap hebben gezet. Wij weten dat het voor ons een eindig verhaal is. Hij zal deze krenking nooit accepteren. Wij weten alle drie dat het enige wat hem in leven houdt de gedachte aan wraak is. Hij heeft ons altijd gezegd dat als hij levenslang zou krijgen, hij zelfmoord zou plegen. Maar dat doet hij niet voordat hij ons alle drie heeft uitgemoord.'

'Dus je weet dat het gaat gebeuren, maar alleen niet wanneer?' vraagt hij.

'Ja, en zoals we het nu inschatten hebben we nog even de tijd om jouw trainingen te volgen. Maar ik neem geen jaarkaart bij je, haha, tenzij je het ongebruikte deel terugstort!'

'Ik denk dat je er wat aan kunt hebben, maar je moet weten dat als ze je echt willen hebben het altijd zal lukken, en deze training ze daar ook niet van zal weerhouden.'

'Dat weten wij. We vragen ook geen garantie: niet goed, anders geld terug. Wij hebben niet de illusie dat we het door jouw training gaan overleven, maar we willen het gevoel hebben, en de waardigheid, om terug te kunnen vechten. Misschien dat we dan sporen – bijvoorbeeld DNA onder onze vingernagels – kunnen verzamelen, waardoor de recherche de daders kan aanhouden en daarmee ook de link zal vinden naar Wim. Wij willen ons niet als een lam naar de slachtbank laten voeren, en moeten er niet aan denken dat hij net als bij Thomas van der Bijl zijn straf kan ontlopen, omdat hij het perfecte alibi heeft.'

'Toch heftig,' zegt hij, 'maar laten we volgende week beginnen.'

'Mooi,' zeg ik, 'doen we. Dan komt mijn zus ook mee.'

We verlaten alle drie het Hilton Hotel en op weg naar de auto zeg ik tegen Sandra: 'Nou, meer kunnen we niet doen.'

'Nee,' zegt ze, 'misschien helpt het.'

Gerard getuigt niet (2015)

Mijn moeder zou vandaag door mijn broertje Gerard opgehaald worden om bij hem te eten. Rond een uur of een belt ze met de vraag of ik haar kan ophalen na het avondeten, omdat Gerard haar niet terug kan brengen.

Ik weet dat dit codetaal is om te zeggen dat Gerard mij wil spreken, maar ik heb geen tijd om vanavond weer vijfenveertig kilometer helemaal naar hem toe te rijden.

Als hij mij wil spreken kan dat, maar dan moet hij maar mijn kant op komen: 'Ik kan niet, mam, maar je kan wel even een ijsje komen eten. Ik ben thuis.'

'Gezellig,' zegt ze.

Die ouwe weet precies hoe het werkt, die heeft ook een jarenlange training achter de rug. We begrijpen elkaar en ze komen naar mijn huis.

Gerard vertelt me dat vlak voordat hij wegging om mijn moeder op te halen de politie aan de deur was gekomen met de vraag of hij een gesprek met ze wilde voeren over Willem. Ze hadden hem een kaartje gegeven. Zijn eerste vraag was of ik dacht dat het echt politie was, want zijn vrouw had al eens eerder de deur opengedaan voor politie, maar dat bleken zijn ontvoerders te zijn.

Hij geeft me het kaartje en ik herkende de naam als een van de rechercheurs die mij ook had verhoord.

'Ja, die ken ik, die is inderdaad van de politie. En?' vraag ik. 'Wat ga je doen?'

'Ik wil wel met ze in gesprek over hem maar ik wil geen verklaring op papier, zodat het in het dossier komt en hij het te lezen krijgt.'

Ik ken zijn standpunt. Sonja en ik hadden hem al in 2011, nog voordat Wim vrijkwam, gevraagd of hij ook wilde getuigen als wij dat zouden doen. Maar ook toen zei hij hetzelfde: 'Je gaat het niet overleven, dus waarom zou je het doen? Wat heb je daaraan?' Dat standpunt neemt hij nog steeds in. 'Wat hebben we er aan om alle drie dood te gaan? Dan kan ik tenminste nog voor mama zorgen als jullie er niet meer zijn.'

Sterven 11 (2015)

Aan het eind van de week word ik opnieuw geconfronteerd met het feit dat mensen die mijn familie kennen, mijn naderende dood als een gegeven zien. Ik loop met Sonja in de Scheldestraat als ik bij de ijssalon Netteke tegen het lijf loop.

Ik was haar voor het eerst tegengekomen op de Palmschool, de locatie waar wij in de laatste klas van de basisschool Engelse les konden volgen.

Zij was het sterkste meisje van haar klas en haar klasgenoten hadden besloten dat zij met het sterkste meisje van onze klas moest vechten; met mij dus. Het was de Palmschool tegen de Theo Thijssenschool.

Arme Netteke, opgejut door haar klasgenootjes liep ze na de Engelse les achter me aan in de hoop onderweg voldoende moed te verzamelen om het gevecht aan te gaan. Ze volgde me tot in de sigarenwinkel.

Ik was me niet bewust van haar missie en dacht dat ze net als ik wat wilde kopen.

'Hi,' zei ik toen ik me omdraaide en haar daar zag staan.

'Hi,' antwoordde ze schuchter en stoof de winkel uit.

'Ze kwam achter je aan, omdat ze met je wilde vechten!' riep mijn vriendin Hanna, die mee was gelopen, opgewonden.

'O,' zei ik, niet onder de indruk.

'Jaaah! Maar ze durfde niet. De bangerik. Weet je dat haar

vader in de gevangenis zit? Echt waar. In Engeland!'

'O,' antwoordde ik opnieuw, niet begrijpend wat het een met het ander te maken had.

Netteke kwam ook uit de Jordaan. Natuurlijk werd er gekletst over haar vader die in de gevangenis had gezeten, maar dat was meer een constatering dan een oordeel. De Jordaan was de onderkant van de samenleving, en het was al knap als je je gezin te eten kon geven. Het ging er niet zozeer om hoe je je geld verdiende, maar meer om hoeveel geld je verdiende.

Netteke was het eerste vriendinnetje dat ik mee naar huis durfde te nemen. Overdag, als mijn vader niet thuis was, gingen we warme boterkoek eten bij mijn moeder. Zo maakte Netteke kennis met mijn overige gezinsleden.

'Werkt jouw broer?' vroeg ze op het moment dat we buiten stonden en Wim met een Mercedes aan kwam rijden.

'Weet ik niet,' antwoordde ik.

'Weet je dat niet?'

'Nee,' zei ik. Ik wist het echt niet.

'Mijn vader kent jouw broer,' zei Netteke op samenzweerderige toon en mijn hoofd maakte razendsnel een optelsom. Mijn broer reed in een dure auto zonder dat ik wist of hij werkte, en zij kenden elkaar.

Netteke bedoelde te zeggen dat Wim een boef was.

Mijn vader had het ooit heel anders bedacht voor Wim. Hij wilde dat zijn oudste zoon een eerzaam, gerespecteerd burger zou worden, en daar paste de functie van politieagent prima bij. Zijn oudste zoon Wim moest bij de politie.

Mijn vader had hem aangemeld en Wim zou de volgende dag een sollicitatiegesprek hebben. Die avond ging mijn vader hem op zijn eigen vertrouwde manier nog even bijbrengen dat hij zich fatsoenlijk moest gedragen en beleefd moest zijn. Dat deed hij wat al te ijverig en Wim hield er een blauw oog en een dikke lip aan over. Hij weigerde zo te solliciteren.

Misschien was Wims leven wel heel anders gelopen als mijn vader hem die ene keer met rust had gelaten, als hij wel was gaan solliciteren.

Maar wat Wim deed en op welke manier dat crimineel was, daar had ik geen flauw benul van. Ik zag alleen fragmenten van zijn leven. Fragmenten van Wim samen met Cor lachend aan de eettafel die mijn moeder vulde met het brood, beleg en de biefstuk die ze voor hen moest halen, als ze in hun dure auto's terugkwamen van het trainen op de sportschool.

Een bezoek aan het huis van zijn Surinaamse vriendinnetje Peggy, die showdanseres was en mij al haar make-up en glitterondergoed liet zien.

De dag dat hij me meenam naar de hoerenbuurt, waar hij bij een Italiaanse ijssalon een milkshake met slagroom voor me bestelde en ik moest wachten tot hij terugkwam.

De bruine brok die hij me als klein meisje liet zien waarvan ik later begreep dat het hasj was, omdat veel kinderen op school het rookten.

Het waren fragmenten waarin ik Wim niets naars of gemeens zag doen, terwijl mijn vader, die om het hardst riep dat Wim niet wilde deugen, elke avond iets naars en gemeens deed.

***

'Wat erg, hè? En wat nu? Hoe ga je daarmee om?' vraagt Netteke.

Ze neemt het woord 'dood' niet in de mond, maar dat maakte het niet minder duidelijk. Tja, hoe ga je om met, en dan benoem ik het maar, een naderende dood? Ik doe luchtig en ondertussen scan ik de omgeving op mogelijke opdrachtnemers: zo ga je daarmee om.

'Je probeert zo lang mogelijk te blijven leven, meer niet.'

Het gesprek toont pijnlijk aan hoe onze levens uit elkaar zijn gaan lopen. Zij leeft, en ik overleef alleen maar. Toch vind ik mijzelf niet minder gelukkig. Ik geniet alleen van andere, wat kleinere dingen.

'Dus je hebt een leuk leven?' vraagt Netteke. 'Wat doe je dan zoal?'

'Ik vind het lekker om 's morgens hier in de buurt mijn kopje koffie te drinken.'

Ze kijkt een beetje meewarig. Was dat nou mijn invulling van een leuk leven? zag ik haar denken.

'Daarna eet ik een yoghurt,' zeg ik, 'hier in de straat. En 's avonds zo vaak mogelijk Japans, daar ben ik gek op.'

'Maar doe je ook iets anders dan eten?' vraagt ze met medelijden in haar stem.

'Nee,' zeg ik, 'eigenlijk is dat het enige wat me gelukkig maakt. De kleine dingen in het leven, weet je.'

'Maar waarom ga je niet weg?' vraagt ze.

'Ik houd niet van het buitenland. Ik houd zelfs niet van vakantie in het buitenland. Wat moet ik daar doen?'

Ze begrijpt het niet. 'Je bent nog geen vijftig, vind je het leven het niet waard om te leven?'

'Ik ben eigenlijk best wel moe van alles. Ik heb geen zin meer om op de vlucht te zijn.'

Ik heb ook geen zin in dit gesprek. Ik word er niet vrolijk van. Ik zal nooit bevredigend kunnen uitleggen waarom ik mijn dood op de koop toe heb genomen, ik kan het zelf niet eens bevatten. Ik weet niet waarom ik dit heb gedaan, ik weet alleen dat ik voelde dat het moest.

'Hoe is het met je moeder?' stuur ik het gesprek vlug een andere kant op.

'Goed,' zegt ze.

'Mooi,' zeg ik, 'ik ga weer. Zie je snel,' lieg ik.

Afscheid van mijn werk (2015)

Ik haastte me om op tijd te komen voor het getuigenverhoor van een cliënt, dat om negen uur bij het gerechtshof begint. Altijd bewust van het risico van de meters die ik tot aan mijn auto moet overbruggen, loop ik de trap af. Ik weet nooit wat er aan het eind van die trap gaat gebeuren. Ik ben er iedere keer op voorbereid dat mijn schutter daar staat te wachten. Niet dat ik daar wat tegen kan doen, ik moet nu eenmaal die trap af.

Als de schutter er staat, ben ik altijd te laat. Het is nou eenmaal een zwak punt dat je niet kunt voorkomen. Eenmaal in de auto heb je wel weer kansen, ook al hangt dat erg af van de auto waarin je rijdt.

Ik haast mij naar mijn auto en dat zijn nogal wat meters, omdat ik gisteren vanwege de drukte niet voor de deur kon parkeren, maar pas helemaal om de hoek. Hoe meer meters ik moet afleggen naar de auto, des te langer ik kwetsbaar ben en hoe groter het risico, vooral als ik, zoals nu, geen zicht heb op mijn auto. Als de auto in mijn straat of voor de deur staat, kan ik zien of ik daar word opgewacht. Als de auto om de hoek staat, is dat alweer een stuk lastiger. Ik weet dat een schutter weet wat mijn looprichting naar mijn auto zal zijn. Je auto is een vast punt, net als je huis. Trek een lijn tussen die twee punten, en je hebt de looprichting. Een hoek om gaan maakt je nog kwetsbaarder, je weet niet wie je op staat te wachten.

Ik heb haast, en je kunt je geen haast veroorloven als je de tijd moet hebben om op een situatie in te kunnen spelen.

Deze bewuste maandag zit alles tegen. Bewust van het gevaar dat om de hoek op de loer kan liggen, ren ik eerst naar de overkant, zodat ik de straat waar mijn auto staat kan overzien, voordat ik die in zal lopen. Mijn auto zelf is niet te zien, die staat verscholen achter een grote bus. Dat is niet fijn, mijn eerste gedachte is: is dat bewust zo gedaan, heeft iemand bewust het zicht op mijn auto geblokkeerd? En wat, of beter gezegd: wie zit er in die bus?

Ik ben halverwege mijn auto en zie een persoon die niet in het straatbeeld past. Hij gebruikt de straat niet om zijn weg te vervolgen, maar staat daar maar. Ik zie van de zijkant dat hij kijkt in de richting van mijn auto.

Ik vertraag mijn pas en kruip dichter langs de huizen. Hij heeft mij nog niet zien aankomen, reageert althans niet als zodanig. Ik schiet een van de vele portieken in, om even uit het straatbeeld te verdwijnen. Het voelt niet goed. Ik weet zeker dat hij mij stond op te wachten.

Ik durf ook niet te lang in het portiek te blijven staan, voor het geval hij me wel heeft gezien en op me af zal komen. Ik overweeg om zomaar ergens bij een van de woningen in dat portiek aan te bellen, net te doen of ik onwel ben geworden, en te vragen of ik even de dokter mag bellen. De kans dat een sjiek geklede, zieke vrouw met een hulpvraag niet binnengelaten wordt is niet zo groot.

Maar ik heb ook haast, die verdomde haast, ik moet naar dat getuigenverhoor. Misschien zie ik wel spoken en wat moet ik dan voor verklaring geven voor het feit dat een rechter, een getuige en een griffier op mij hebben zitten wachten? Uitleggen dat ik dacht dat ik vermoord zou worden, en daarom te laat ben? Dat ik het zekere voor het onzekere moest nemen, om geen risico te lopen neergeschoten te worden? Hoe zal dat overkomen? Daar kan ik toch niet mee aan komen zetten?

Wat moet ik doen? Ik ga niet naar mijn auto lopen, dat staat vast. Ik besluit terug te lopen naar de hoek waar ik vandaan kom. Ondertussen bel ik Sonja om te vragen waar ze is.

'Ik ben op weg naar jou, om je huisje op te ruimen,' zegt ze.

'Kun je me oppikken?' vraag ik. 'Er staat iemand bij mijn auto.'

'Natuurlijk, ik kom eraan.'

'Hoelang nog?' vraag ik. 'Ik heb haast, ik moet naar het hof.'

'Tien minuten,' antwoordt ze.

'Oké, schiet alsjeblieft op, dan red ik het allemaal nog net. Rij voor de deur van de Coffee Company, daar is het lekker druk, dan stap ik in en rij jij gelijk weg.'

Voor de zekerheid bel ik Sandra. We waarschuwen elkaar altijd als we iets verdachts zien.

'San, ik heb een gozer bij mijn auto staan, ik vertrouw het niet, Son pikt me op, maar pas jij ook op als je de deur uit gaat.'

'Doe ik,' zegt ze.

Sonja komt aanrijden en ik stap in.

'Dit gaat zo niet langer,' zucht ik.

Ik ben net op tijd voor het verhoor. Daar blijkt de getuige niet door de politie te zijn afgeleverd, dus kon ik onverrichter zake terug. Al die stress is voor niks geweest. Het is voor mij de druppel.

Als ik een kans op overleven wil hebben, moet ik net zo leven als hij, op de manier waarop hij het ook al zo lang had overleefd.

'Ze hebben al honderd keer geprobeerd me te vermoorden,' zei hij me vorig jaar nog.

Nu zal dat overdreven zijn, maar ik wist zeker dat er mensen zijn geweest die in ieder geval het voornemen hadden hem om te laten leggen.

Thomas van der Bijl die er met Teeven openlijk over sprak dat het niet lukte hem om te leggen. Dat een groep mensen, waaronder Kees Houtman, druk bezig was. Dat het met de kerst 2005 niet gelukt was, maar dat ze doorgingen.

Willem Endstra die het geprobeerd had via de gebroeders Piceni, en via Kleine en Grote Willem, pogingen waarover hij mij zelf vertelde toen het speelde.

De keer dat de zoon van Srdjan 'Serge' Miranovic hem met een doorgeladen wapen was komen zoeken in restaurant Kobe, als vergelding voor de dood van zijn vader.

Genoeg mensen die het voornemen hadden hem om te leggen, nog even los van Mieremet cum suis.

De keer dat het volgens hem tot een uitvoering was gekomen op een moment dat hij met mijn moeder op de Westerstraat stond. Hij wilde daar nog aangifte van doen.

Of die keer dat wij samen in een restaurantje in de Van Woustraat zaten en een man met dode ogen naar zijn binnenzak greep. Ik geloof best dat hij vaak aan de dood is ontsnapt. Zo vaak, dat het voor hem voelt als honderd keer.

Hij had het allemaal overleefd en dat had hij mede te danken aan het feit dat hij geen vast patroon had, geen vaste locaties waar hij heen moest, geen vast woonadres, maar verschillende slaapplaatsen.

In Huizen, in de woning die een bevriende arts voor hem huurde, in Utrecht bij Mandy, de woning van Maike in Amsterdam waar hij incidenteel weleens mocht verblijven, hotel Newport in Huizen waar hij met Nicky sliep, in Amsterdam-West bij Marieke, een nieuwe jonge vlam, en in de Jordaan bij Jill. En dan had hij nog het huis van Sandra.

Hij was niet aan één slaapplek te koppelen. Geen normale baan met een vast werkadres, maar per scooter van de ene plek naar de andere. Afspreken in openbare horecagelegenheden waar het zo druk was dat het een schutter de lust ontnam daar het vuur te openen. Afspraken lang van tevoren maken deed hij niet, hij kon altijd op het laatste moment de afspraken wijzigen of niet door laten gaan, als hij er geen goed gevoel bij had.

Geen auto voor de deur, maar een garage waar de zoon van Sandra, de zoon die hij zo haatte, elke ochtend zijn scooter uit moest halen en 's avonds zijn scooter weer in moest zetten. Dat deed hij zelf niet, want dat was te gevaarlijk. En stond zijn scooter in de garage, dan kon niemand zien of hij er was of niet.

Hem opwachten was er dus niet bij. Een telefoon had hij alleen om te bellen en niet om gebeld te worden. Hij was voor niemand bereikbaar en, batterij eruit, voor niemand traceerbaar.

Nee, dan ik met mijn appartementje waar ik altijd slaap en altijd weer naar buiten moet, mijn auto voor de deur van huis of van kantoor, waardoor je weet waar ik ben. En vooral: mijn normale baan, met mijn vaste kantooradres waar iedereen mij elk moment van de dag kon vinden. Vooral dat onderdeel van mijn leven dwong mij tot een patroon waar ik niet aan kon ontsnappen.

Thuis slapen hoefde ik niet per se, ander vervoer regelen was ook geen probleem, maar dat werk, dat zou mij de das om doen. Ik kon mijn zittingen niet op het laatste moment afzeggen of omzetten. Die waren maanden van tevoren gepland en stonden vast. Vaak waren het zaken waarin cliënten gedetineerd zaten en uitstel betekende dat ze langer – misschien wel onnodig langer – vast zouden zitten. Dat was in strijd met mijn taak als advocaat.

Ik kon mijn bezoeken aan de gevangenissen vaak niet pas op het laatste moment maken of mijn cliënten onaangekondigd bezoeken. Zo werkt dat niet. Ze weten wanneer ik kom, ik moet dat dagen van tevoren plannen en ik kan dat niet bij verrassing doen. Een zaak voorbereiden doe ik samen met mijn cliënten, het is een samenwerking waarbij ik van tevoren moet plannen en dus weet iedereen wanneer ik waar ben. Niet alleen mijn cliënten weten dat, maar ook medegedetineerden, hun families en het gevangenispersoneel. Een hele poule van personen van wie er maar een tussen hoeft te zitten die honger heeft, en die wat wil verdienen door mij weg te tippen. Die geen enkele band met mij heeft, of juist iemand die een band heeft met Wim, iets voor hem wil doen en mij uitlevert aan een schutter.

Het is onmogelijk strafrechtadvocaat te zijn zonder mensen tegen te komen die geen raakvlak met hem hebben.

En wat als Wim uit de EBI komt en weer gewoon gezellig met de jongens in de penitentiaire inrichting contact heeft? Jongens die hij met zijn manipulatieve vaardigheden eenvoudig voor zijn karretje spant? Jongens die vaak zwakbegaafd zijn of anderszins beperkt, en makkelijk aan te zetten zijn om de gekste dingen te doen voor hun idool?

Het zou er alleen maar gevaarlijker op worden. Ik ben dol op mijn werk. Maar ik begeef me daarmee ook in een wereld waarvan ik weet dat die de gelegenheid biedt mij eenvoudig te traceren en weg te tippen. Het had er al eerder toe geleid dat ik bang was om in de val gelokt te worden.

Het was toen net uitgekomen dat we gingen getuigen, en het betrof een cliënt met een bepaalde achtergrond waar ik te vrezen van kon hebben. Die dag had ik een zitting met hem en kreeg een onbehaaglijk gevoel.

Zekerheidshalve trok ik in de auto mijn kogelvrije vest aan. Het tijdstip waarop ik aan zou komen was bekend, het zou heel eenvoudig zijn mij op de trap van de rechtbank tegemoet te komen. Als advocaat hoef ik gelukkig niet door de scanner, waardoor ik eenmaal binnen, in de wc, mijn kogelvrije vest kon vervangen door mijn toga. Na de zitting heb ik in de wc mijn toga weer omgewisseld voor het vest, dat ik onzichtbaar onder mijn jas aantrok, zodat ik enigszins beschermd terug kon lopen naar mijn auto. Er was niets gebeurd.

Maar mijn angst voor sommige werksituaties maakte het functioneren lastig. Als bepaalde cliënten tegen mijn advies in toch naar een zitting wilden komen, maar dan niet mee naar binnen gingen, was ik wantrouwig. Dan dacht ik: wil je me aanwijzen, zodat ik na de zitting eenvoudig te pakken ben?

Als ik een afspraak buiten kantoor of de rechtbank maakte, wijzigde ik vlak ervoor de locatie en ging er een halfuur eerder heen, om de situatie af te leggen. De kans in dit soort werksituaties gepakt te worden was aanwezig, en ik moest daar rekening mee houden. Maar het vermoeide me, het ontnam me al het plezier in het werk en ik wist dat dit vaste patroon mijn ondergang zou worden. In eerste instantie wilde ik niet opgeven, ik wilde blijven werken, maar het was onverantwoord.

Die dag heb ik mijn maatje, met wie ik al bijna twintig jaar samen kantoor hield, ge-sms't dat ik ermee stopte.

Mijn maatje, met wie ik al bijna twintig jaar kerst, en oud en nieuw vierde. Mijn maatje, die alles met mij had meegemaakt, de dood van Cor, de vervolgingen, de rol als getuige, en me altijd is blijven steunen. Mijn maatje, die ik in die twintig jaar nog nooit op zijn wang goedendag had gezoend, net zomin als hij dat bij mij had gedaan, omdat we als mannen onder elkaar functioneerden, en we allebei tegen ongevraagd – en vooral ongewild – fysiek contact waren, allebei een hekel hadden aan sociale gelegenheden, en als we gingen, dan maar met elkaar, als we echt niet konden weigeren. Mijn maatje, die als enige in mijn leven nooit tegen mij of tegen een ander heeft gelogen, je kunt hem nog niet op een leugentje om eigen bestwil betrappen. Het is om eng van te worden, maar hij is o zo betrouwbaar. Mijn maatje, die ik sms'te omdat ik niet in staat was hem te woord te staan, ik kon na het nemen van die beslissing alleen nog maar huilen.

Twintig jaar lang elke dag samen en nu niks. Alleen zijn. Alweer had mijn broer mijn leven bepaald. Dat wat mij, op mijn familie na, het meest dierbaar was, mijn werk en mijn collega's, was ik nu ook kwijt.

Diezelfde maandag heb ik het al mijn kantoorgenoten en mijn secretaresse medegedeeld. Mijn secretaresse, die mijn vriendin was geworden, en met wie ik het zo fijn had. Samen hebben we gehuild, bang voor het onvermijdelijke gemis, boos om de oneerlijkheid van de ellende die je zomaar cadeau krijgt.

Mijn maatje kon ik na het uitspreken van mijn beslissing niet eens meer onder ogen komen, zonder dat mijn hart uit zijn voegen barstte van verdriet. Hem te zien in ons kantoor, wetend dat ik nooit meer bij hem zou zitten, deed mijn maag omdraaien.

Die middag liep ik het kantoor uit en hij liep langs me, beiden zwijgend, niet bij machte iets zinnigs te zeggen, tot we ons tegelijkertijd omdraaiden en elkaar huilend omhelsden.

'Ik hou van je,' zei hij.

'Ik hou van jou,' zei ik en we liepen snel door.

Het verdriet was te groot om aan te raken, om zelfs maar bij in de buurt te zijn.

Ik moest daar heel snel weg, om er niet aan onderdoor te gaan. Wij deden nooit aan emoties, wat voor drama's zich ook voltrokken – dat vonden we allebei te ingewikkeld. De enige manier waarop wij met verdriet omgingen, was door nog harder te werken, zodat je er niet aan kon denken. Maar dat ging voor mij niet meer op.

Dinsdag heb ik al mijn zaken overgedragen. Donderdag deed ik mijn laatste zitting. Die vrijdag was ik voor het eerst in mijn leven werkloos. Zaterdag en zondag heb ik mijn kantoor leeggehaald.

Nu leef ik omringd door kogelwerende ramen en deuren. Mijn werk ben ik kwijt.

Wim hoort ons als getuige (2015)

We worden voor de eerste keer in de zaak van Wim, die de naam Vandros heeft, gehoord als getuige. Wij hebben de rechter verzocht te voorkomen dat Wim visueel contact met ons kan maken. Geen van ons kan de gedachte aan dat hij ons met zijn ogen kan bewerken. We weten dat hij ons via non-verbale communicatie, die anderen niet zien of begrijpen, zal intimideren en zijn bang dicht te klappen, te bevriezen.

Dat eerste verhoor ben ik vooral emotioneel. Ik vind het vreselijk dat Wim vlak naast mij zit en de glazen wand die ertussen zit, maakt voor mij geen verschil. Ik ben me bewust van zijn aanwezigheid en voel me daardoor geremd. Alleen al de wetenschap dat hij daar zit, maakt dat ik hem onder mijn huid voel kruipen.

Zo lang heeft hij mijn geest in bezit gehad.

Ik durf niet alles te zeggen wat ik wil zeggen. Ik ben bang, en tegelijkertijd vind ik het nog steeds vreselijk dat ik hem dit aandoe. Ik word heen en weer geslingerd tussen angst en medelijden. Het maakt me terughoudend in mijn antwoorden en ik wil dat het stopt: laat hem maar vrij, denk ik, want ik wil hier niet doorheen. Ik kan dit niet aan en om er vanaf te zijn wil ik bijna zeggen: laat maar, rechter, ik neem hem wel weer mee.

Maar dat kan niet, en dat zou ook onzinnig zijn. Mijn gevoel verwart me. Hoe kan ik nog medeleven voelen voor iemand die zo slecht is? En zoals ik empathie voor hem voel, zo voel ik ook empathie voor Stijn. Het moet een enorme schok voor hem geweest zijn: ik, die altijd de vertrouwenspersoon van – en het contact naar – Wim was, sta nu lijnrecht tegenover hem. Voor ons allebei is dat geen prettige situatie, en ik voel me er niet goed bij.

Al die verschillende emoties slopen me. Het verhoor zou nog de hele dag duren, maar om vier uur ben ik uitgeput – ik kan niet voorkomen dat mijn ogen af en toe dichtvallen. De rechter ziet het en besluit dat we het verhoor beter kunnen beëindigen. Er zullen nog vele verhoren volgen. Hoe ga ik dat volhouden? Misschien heeft mijn therapeute toch gelijk. Misschien kan ik niet leven met wat ik deed.

EBI (2016)

Op 3 maart wordt door een speciale commissie besloten of Wim langer in de extra beveiligde inrichting moet blijven.

In de aanloop naar die dag groeit mijn besef dat overplaatsing naar een ander regime onze overlevingskansen minimaliseert. In een normaal regime hebben gedetineerden vrij contact met elkaar, bovendien verwerven vermogende gedetineerden, die altijd de grootste criminelen zijn, allerlei privileges bij corrupte bewaarders: telefoons op cel, computer en ga zo maar door. Ze leven daar in relatieve weelde. Daardoor kunnen ze ook weer ongecontroleerd contact met de buitenwereld hebben. Onder die omstandigheden en met zijn natuurlijke overwicht en charisma heeft hij zo weer iemand gevonden die hij als schutter – als onze moordenaar – kan inzetten. Ik wist dat het EBI-regime niet voor altijd zou zijn, maar had gehoopt dat het zo lang mogelijk zou duren.

Ik zit naast Sonja op de bank als John van den Heuvel belt. Hij vertelt dat hij heeft gehoord dat de gezondheid van Wim slecht is en dat hij weer geopereerd moet worden.

Sonja reageert onmiddellijk en zegt dat dat een van zijn spelletjes is, en dat hij bij zijn vorige plaatsing in de EBI precies hetzelfde heeft gedaan om eruit te komen.

Wat Sonja zegt is waar. Hij had destijds zelfs ingestemd met psychologische en psychiatrische rapportage, maar behield altijd de controle. Het EBI-regime was niet goed voor zijn hart. Hij voerde aan bang te zijn te sterven in de EBI en dat hij daarom zo veel mogelijk tijd met zijn familie, met ons dus, wilde doorbrengen.

Onze verklaringen en de geluidsopnames – waarin hij vooral Sonja afperst en met de dood bedreigt – tonen aan hoezeer hij een onjuist verhaal ophangt, maar hij heeft er altijd succes mee gehad en hij probeert nu opnieuw via zijn medische toestand de situatie naar zijn hand te zetten. Ik realiseer me dat hij echt uit de EBI probeert te komen. Als hem dat lukt, is de volgende stap het organiseren van onze moord.

Ik voel het verzet tegen een mogelijke verandering in mijn nadeel in mij opkomen.

Het is toch eigenlijk te belachelijk voor woorden. Omdat hij meer vrijheden zou krijgen, zou ik helemaal geen vrijheid meer kennen: nergens meer naartoe kunnen, constant alert zijn, niet meer in publieke gelegenheden kunnen komen. Het zou mijn leven nog meer beperken dan het nu al deed en waarom? Waarom zou ik in een soort EBI moeten zitten, zodat hij eruit kan? Waarom zou hij privileges mogen krijgen die hij enkel gaat misbruiken om ons om te leggen?

Ik bel Piet, hoofd van ons beveiligingsteam, en vraag hem of het klopt dat Wim ziek is. Ik vertel ook dat ik hem wil waarschuwen voor een herhaling van de geschiedenis en dat ze een second opinion moeten laten doen. Wim weet namelijk dat een arts zijn medisch geheim niet mag doorbreken, dus hij kan justitie wijsmaken wat hij wil. Het is de dag dat de commissie over de verlenging van de EBI-plaatsing beslist en ik hoop vurig dat ze zich geen zand in de ogen laten strooien.

Piet begrijpt mijn boodschap en is alert. Meer wil hij, zoals gewoonlijk, niet kwijt, om Wims privacy niet te schenden. Maar dat hoeft ook niet, als hij maar luistert naar wat wij te zeggen hebben en scherp let op de spelletjes die Wim speelt.

Het is te laat om dit nog mee te nemen in de behandeling over de verlenging, de commissie is al bezig. We zijn bang dat het hem zal lukken uit de EBI te komen. Urenlang zitten we in spanning.

Om vier uur zouden we de uitslag horen, maar pas om half-vijf komt het verlossende bericht; hij blijft de komende zes maanden nog in de EBI.

Wat een opluchting.

Wim wil ons vermoorden (2016)

Wout Morra, onze advocaat die ons vanaf het moment dat wij daadwerkelijk moesten beslissen of we zouden getuigen met raad en daad bijstaat, belt ons, en vertelt dat het beveiligingsteam een afspraak wil. Ze willen Sonja, Peter de Vries en mij een mededeling doen.

Dat kan niet goed zijn, het kan maar twee dingen betekenen. Of ze hebben een poging tot liquidatie verijdeld of hij gaat een liquidatie laten uitvoeren, en gelet op de samenstelling van het gezelschap dat is uitgenodigd, zal dat om Peter, Sonja en mij gaan.

Piet neemt het woord en vertelt ons dat hij er lang over heeft nagedacht hoe hij dit moet brengen. De boodschap is dat Wim erin is geslaagd opdracht te geven ons te laten liquideren. Hij heeft bevolen dat ik eerst moet gaan, en daarna Peter en Sonja.

Ik voel mijn bloeddruk stijgen en het begint te bonzen in mijn kop. Ik heb dit voorspeld, maar nu het zover is, wil ik niet dood. Het beeld van mijn prachtige kleinkinderen doemt voor mij op, en ik kan mijn tranen nauwelijks bedwingen.

Ik wil niet huilen ten overstaan van iedereen en al helemaal niet omdat ik zelf altijd degene ben geweest die dit heeft voorspeld. Dan had ik er niet aan moeten beginnen. Maar het doet me wel wat: mijn eigen broer die me wil vermoorden.

Niet eerder was de dreiging zo dichtbij.

Er zit volgens Piet echter ook een andere kant aan dit verhaal.

Met deze daad bevestigt Wim immers alles wat wij over hem hebben verklaard.

'Ik wil toch ook graag de positieve kanten benadrukken,' zegt Piet daarom.

'Ja, doe dat vooral,' zeg ik luchtig.

'Uit deze daad blijkt dat hij eigenlijk nooit uit de EBI mag.'

'Daar ben ik het volledig mee eens,' zeg ik. 'Hij creëert zijn eigen grond om hem daar te houden. En hij bevestigt alles wat ik al over hem heb verklaard.'

Zeker, er zijn ook positieve elementen aan deze situatie. Maar die wegen niet op tegen de treurigheid van het verhaal. Het treurigst vind ik zijn voorspelbaarheid, dat zijn enige manier om te reageren moord is. Het feit dat zijn gedrag altijd wordt ingegeven door wraak, een emotie die alles in hem overheerst en hem onvoorzichtig maakt.

Hij moet zijn honger naar wraak stillen en kan zich niet beheersen.

Bij sommigen had hij er wel tien jaar over gedaan. Dat wist ik, en dat verwachtte ik. Het feit dat ik boven aan zijn lijstje sta, maakt duidelijk dat hij mij het meest haat, mij het meest zijn situatie verwijt.

Het is de eerste keer dat hij mij met de dood bedreigt, en ik kan me nu pas voorstellen waarom Sonja hem al die tijd niet zielig heeft gevonden. Ik had alleen maar aangehoord hoe hij haar en anderen met de dood bedreigde, maar was nog niet door hemzelf met de dood bedreigd. Nu hij dat doet, is mijn medelijden met hem over.

Ook dat is positief.

Fort Knox (2016)

In Fort Knox, mijn huis, voel ik me veilig en ik besluit vandaag maar thuis te blijven en niet naar buiten te gaan. Het risico de trap af te gaan en de tien meter van mijn huis naar mijn auto te lopen is met de concrete dreiging van nu te groot. Het hoeft niet en waarom zou ik dan het lot tarten? Ik moet wel een aantal zaken regelen, maar dat kan ook als mensen naar mij toe komen.

Als eerste komt Sandra. Toen ik onze koffieafspraak afzegde wist zij dat er wat aan de hand was, en ze komt meteen. Ik vertel haar over het gesprek dat we hebben gehad, en dat zij niet was uitgenodigd omdat zij niet genoemd werd in de opdracht van Wim. Ik vind wel dat zij het recht heeft om het te weten en ik ben blij dat ze is gekomen. Het feit dat hij zelfs vanuit de EBI opdrachten kan verstrekken is zeer zorgwekkend en ook voor haar reden om alert te zijn.

Ik vertel haar wat ons verteld is.

'Ja,' zegt ze nuchter en emotieloos als altijd, 'ik vind het heel lullig voor jou, maar we wisten toch dat dit ging gebeuren? En ik geloof nooit dat hij mij en Mitri niet gaat laten doen. Als het lukt om een van jullie te doen wordt hij weer hebberig en word ik gewoon aan zijn lijstje toegevoegd.'

'Daar ben ik van overtuigd. Met een succesje krijgt hij weer hoop op meer,' zeg ik. 'Hij weet dat hij er nooit meer uitkomt, het maakt hem niets meer uit. Een keer levenslang of twee keer levenslang, hij gaat gewoon gas geven op ons, ook al neemt hij daarmee het risico op ontdekking. Het moet hem niet lukken, dus ik blijf voorlopig maar even binnen.'

'Dat vind ik wel een goed plan,' zegt Sandra. 'Hebben ze ook verteld hoe ze dit weten?'

'Nee, ze willen niets zeggen.'

In de avond gaat de bel en staat Miljuschka voor de deur. Ik had haar gevraagd te komen om wat papieren door te nemen. Mocht ik onverhoopt toch op de straat terechtkomen dan wil ik dat ze weet wat ze moet doen. De tranen staan al in haar ogen als ik opendoe.

'Niet huilen,' zeg ik, 'er is niks aan de hand. Ik ga dit overleven, maar ik wil toch dat je weet waar alles ligt. Doen alsof dit probleem niet bestaat is onzin, we moeten wel praktisch blijven. Dus kom op, niet huilen.'

Arm kind. Ik praat stoer, maar van binnen huil ik. De gedachte aan haar en haar twee kleine moppies slaat een gat in mijn hart. Ik ben gek op die kleintjes en vind het vreselijk dat ik ze wellicht zo jong met een overlijden moet confronteren, ik ben bang dat ze er een trauma aan overhouden.

'Mag ik in bad?' vraagt Miljuschka. 'Kom je bij me zitten?'

Al vanaf dat ze zo oud is dat ze rechtop kan zitten gaan we samen in bad. Eerst in een tobbe, en toen we daar samen uitgegroeid waren heb ik een tweepersoons bad laten bouwen. Het is ons kwaliteitsmoment samen. Ze vraagt het alsof ze weer vijf jaar oud is.

'Is goed,' zeg ik.

In bad komen de tranen weer.

'Wie gaat er als eerste uit?' is altijd de vraag die we elkaar stellen.

'Ik moet mijn haar nog wassen,' zegt ze.

'Oké, dan ga ik er wel als eerste uit.'

Dan vraagt ze: 'Wil je mijn haar wassen, mam? Net als vroeger?'

Het klinkt alsof het de laatste keer kan zijn.

'Altijd toch. Draai je om,' zeg ik zodat ze niet ziet dat de tranen over mijn wangen rollen. Ik was haar dikke bruine haar, zoals ik dat vanaf haar geboorte altijd heb gedaan.

13 maart 2016

Sonja komt eten. Ik heb gezegd dat ze haar kogelwerende vest moet dragen, maar ze heeft het niet aan. 'Waarom draag je je vest niet?' vraag ik.

'Vind ik niet nodig.'

'Hoezo niet?'

'Ik ga ook gewoon overal naartoe.'

'Wil je het hem makkelijk maken?'

'Ja,' zegt ze beslist, 'ik heb liever dat hij mij dood laat schieten, dan jou. Jij kan tenminste nog voor de kinderen zorgen, dat kan ik toch niet.'

Ze zegt het broodnuchter, alsof ze al afscheid van het leven heeft genomen. Ik zie aan haar dat ze het echt meent en ik krijg er de rillingen van. Ze vindt écht dat ik beter achter kan blijven dan zij. Dat is onzin en bovendien niet te voorspellen.

'Maar ik kan niet zonder jou,' zeg ik. 'Wie moet er dan mijn huis schoonmaken en wc-papier halen? Zonder jou kom ik om in mijn eigen rommel.' Het is volledig naar waarheid maar ik bedoel natuurlijk: ik hou van jou, zusje, ik kan niet zonder jouw liefde.

En dat is zo. We hebben zoveel samen meegemaakt, zoveel samen gedeeld en doorstaan, zij is de enige op de wereld die ik vertrouw en ik zou me zonder haar geen raad weten.

'Box, we gaan hem niet laten winnen. Volgende keer heb je je vest aan, oké?'

14 maart 2016

Nu ik toch thuis zit, maak ik er maar het beste van en bel Francis of ze mijn moeder wil ophalen en steaks, beleg, brood en fruit meeneemt om met z'n allen bij me te lunchen. Sonja en Richie zijn er ook, Miljuschka laat ik op advies van Sonja niet meer naar me toe komen, omdat ze haar misschien voor mij aanzien.

Behalve in onze manier van doen en bewegen lijken we totaal niet op elkaar, maar dat zou nou precies de reden kunnen zijn dat ze haar met mij verwarren. Dus zie ik mijn kind en mijn kleinkinderen niet.

Mijn moeder hebben we niets verteld over de dreiging, ze is al tachtig en zou de gedachte niet aankunnen. Wat niet weet wat niet deert: onwetend geniet ze van het samenzijn met haar kinderen, kleinkinderen en achterkleinkind. We eten en drinken samen en hebben het naar ons zin. Haar te zien genieten maakt me blij.

Als ze op het punt staan allemaal weg te gaan, komt ze naar me toe. 'Het gaat helemaal niet goed met Francis, ze doet zo vreemd, weet jij wat er met haar aan de hand is?'

Mijn lieve moeder. Ze kent Francis door en door, omdat ze haar als baby al bij zich heeft gehad. Vandaag de dag trekken ze nog veel samen op, ze bellen elke dag en gaan minstens een dag per week samen op pad. Ze hebben een bijzondere band en mijn moeder merkt het meteen als iets met haar is.

'Nee,' lieg ik, 'niets dan een beetje moeder-dochtergedoe

met Sonja, maar dat gaat wel weer over. Niks aan de hand, mam.'

Ik laat iedereen uit en bij de deur omhelst Fran me stevig, ze huilt zachtjes.

'Loop jij maar vast naar beneden, mam, want het duurt een uur eer jij daar bent,' stuur ik mijn moeder vooruit, zodat ze niet ziet dat Fran huilt.

'Niet huilen, lieverd, het komt allemaal wel goed,' probeer ik haar te troosten. De arme schat, ook zij leeft al haar hele bewuste leven met de dreigende dood van haar dierbaren. Wat een zware last is dat voor een kind. 'Jij denkt toch niet dat ik me door hem laat doodschieten? Echt niet!' probeer ik het nog een keer.

'Bij papa is het hem uiteindelijk gelukt en ik wil niet ook nog eens jou kwijtraken,' huilt ze.

'Dat gaat niet gebeuren. Heb een beetje vertrouwen. Kom op, ga naar oma, anders heeft ze door dat er iets aan de hand is.'

'Ik hou van je,' snikt ze.

'Ik hou van jou, lieverd,' zeg ik met een brok in mijn keel en duw haar naar buiten, net voordat de tranen zich een weg naar buiten banen. Ik wil niet dat ze ziet dat ik huil. Ik wil sterk zijn voor haar.

Wat een ellende.

15 maart 2016

Sinds ik weet dat Wim de opdracht heeft verstrekt om mij als eerste te laten liquideren zit ik thuis, maar ik kan dat moeilijk de rest van mijn leven blijven doen. Ik moet een manier vinden om een beetje veilig de straat op te kunnen, en het enige wat ik kan bedenken is dat aangezien hij mij de oorlog heeft verklaard, ik in oorlogstenue over straat moet gaan: ik draag al een kogelwerend vest dat de vitale delen van mijn torso beschermt, maar op internet ga ik op zoek naar bescherming voor mijn hoofd en hals. Na enig zoeken vind ik al snel de geschikte materialen. Mijn keuze valt op een helm en een keelbeschermer.

Richie en Sonja zijn die dag bij mij en Richie vraagt wat ik doe. 'Ik ga een kogelwerende helm bestellen, dan kan ik de kogels terugkoppen,' grap ik tegen hem, om het onderwerp enigszins luchtig te houden. 'En ik neem er een keelbeschermer bij: twee halen, een betalen.'

Het is een krankzinnig onderwerp om met een jongvolwassene te bespreken, maar de kinderen weten dat het kan gebeuren. Op mijn eigen naam die helm en kraag bestellen is niet handig, want daarmee kan ik het onderzoek in gevaar brengen. Je weet immers nooit wie wie kent en als de informatie op straat komt te liggen dat Astrid Holleeder bezig is zich te kleden op een aanval, kan dat een schutter waarschuwen. Ik laat de helm en de kraag daarom door een ander ophalen, een keurige jongen die er niet snel van verdacht zal worden met die attributen gekke dingen uit te halen zodat de goederen geweigerd zouden kunnen worden. Om vijf uur die middag belt hij bij me aan.

'Is het gelukt?' vraag ik.

'Ja,' zegt hij, 'ik heb ze allebei, de helm en de kraag.' Hij geeft me een grote blauwe tas.

'Top!' zeg ik en pak de kraag en de helm direct uit de tas. 'Nu maar hopen dat het past,' zeg ik, omdat de helm alleen in de maat L te krijgen was.

Het is even wennen. Bij het opzetten stoot ik de helm tegen mijn voorhoofd en er komt meteen een bult opzetten. Nou, hard zat, lijkt me. Na wat oefenen en verstellen lukt het me de helm in een keer goed vast te maken.

De kraag is een stuk simpeler om te doen. Het past allemaal, maar het ziet er niet uit. Ik val ermee op als een olifant in een bed aardbeien, en kan zo echt niet over straat. Afgezet tegen het doel dat het dient, zal dat toch moeten.

Ik pak een grote sjaal, drapeer die over de helm en de kraag als een soort hoofddoek en camoufleer het geheel daarmee.

'Zo,' zeg ik tegen mezelf, 'dat is beter.'

17 maart 2016

Ik krijg telefonisch bericht dat mijn straatcamera plotseling is uitgevallen en de verklaring die de technische beveiliging daarvoor geeft, is dat de kabel moet zijn doorgeknipt. Het beangstigt me. Wat als die kabel echt is doorgeknipt? Dan is er de kans dat ik word opgewacht door iemand die niet te zien wil zijn op de camera.

Ik stuur Piet een bericht met de opmerking van de technische beveiliging erbij en dat ik wil dat hij dat weet, omdat ik nu naar huis ga. Mocht er wat gebeuren, dan moeten ze dat in hun onderzoek meenemen.

Ik heb mijn vest al aan. Op weg naar huis doet mijn auto vreemd, hij hapert, schokt. Ook dat nog. Er zal toch niet mee zijn geknoeid? Eerst die camera, nu de auto. Ik voel de angst als een knoop in mijn maag, ik moet nu niet stil komen te staan.

Ik doe alvast mijn kraag om en leg mijn helm klaar. Nu maar hopen dat de auto het blijft doen. Ik rijd een route die langs een politiebureau leidt, als de auto dan stil komt te staan, is hulp dichterbij. Ik neem me voor de auto dan achter te laten en te gaan rennen, tussen de huizen door.

Al de hele weg zit er een auto achter me. Het zweet loopt in stralen langs mijn hoofd en mijn hart bonkt in mijn keel. Ik kijk constant in mijn spiegel.

De meters kruipen voorbij. Ik nader een rotonde en ik wil weten of de auto mij volgt, dus rij ik door op de rotonde, een extra rondje. Het is een risico om nog langer te rijden in een auto die hapert, maar ik kan het maar beter zeker weten. Ik passeer alle afslagen van de rotonde en gelukkig neemt de auto achter mij een afslag.

Ik word paranoïde.

Tergend langzaam kom ik in de bewoonde wereld. Het is er licht, en dat voelt al wat beter. Ik parkeer de auto, zet de helm op en ga naar binnen.

Ik heb aldoor gezegd: hij krijgt levenslang, maar ik krijg het ook. Al verwacht ik dat mijn leven minder lang zal duren dan het zijne.

De aanvaring (2016)

Ik had de hele nacht liggen draaien en zweten. Ik voelde me koortsig en slikte maar weer wat aspirine, in de hoop dat ik me wat beter ging voelen.

Ik wist dat ik ziek was van de spanning. Over enkele uren moest ik in dezelfde ruimte plaats nemen als de opdrachtgever van mijn liquidatie.

Hoe ga ik dat doen?

Normaal gesproken reageert een mens bij acuut gevaar met een vlucht-of-vechtreactie. Vluchten kon ik niet, want de verdediging had het recht om mij te verhoren en dus moest ik opdraven bij de rechter. Vechten kon ook niet, want we waren door glas en meerdere parketwachten van elkaar gescheiden.

Ik moest rustig worden, mijn woede onder controle krijgen, zoals ik dat al twee jaar lang deed, toen ik zijn verhalen moest aanhoren over het afpersen, bedreigen en liquideren van Sonja, zijn post-mortem vernederingen van Cor, het degraderen van mijn moeder, het bedreigen van de kinderen.

Allemaal gesprekken waarbij mijn bloed kookte en ik in het belang van de bewijsgaring maar net deed of het allemaal normaal was wat hij zei en deed.

Twee jaar lang werd ik op momenten verscheurd door mijn verstand, dat me opdroeg vooruit te blijven denken en te wachten tot justitie in actie kwam, en mijn gevoel dat hem het liefst ter plekke zijn keel afsneed.

Jarenlang had ik aangehoord wat hij anderen had aangedaan óf aan zou doen, en dat maakte me al woest.

Nu ging het over mij.

Hoe kon ik nog rustig blijven zitten in die waardeloze getuigenbox en braaf zijn vragen beantwoorden alsof er niets aan de hand was? En hem bovendien niet te laten merken dat ik al wist wat hij met ons van plan was, om het tegen hem lopende proces niet te frustreren? Ik zou het liefst dwars door die glazen wand heen breken om bij hem te komen en hem zijn keel dicht te knijpen. Hoe moest ik nog de kracht opbrengen om dit lijdzaam te ondergaan?

Ik moest rustig worden voordat ik in het beveiligde vervoer stapte, en weer werd afgeleverd bij De Bunker. De enige manier om niet door te draaien, was door het overlevingsmechanisme uit mijn jeugd in te zetten, door te doen wat ik als kind deed in overweldigende situaties: ik ging 'achter mijn ogen zitten'. Ik was lijfelijk aanwezig maar geestelijk afwezig, alsof ik uit mezelf was getreden en alles van een afstandje aanschouwde.

Het voelde vertrouwd en het dempte alle emotie die ik in mijn lijf achterliet. In die staat kwam ik met Wout aan in De Bunker, waar we als eerste door de officieren van justitie werden bezocht. Zij wensten mij sterkte en toonden begrip voor de krankzinnige omstandigheden waaronder ik het belang van de verdediging moest dienen.

Ik vroeg hun of de rechter-commissaris die ons getuigenverhoor leidde wist van de opdracht die Wim vanuit de EBI had gegeven. Dat wist ze. Dat vond ik prettig, dan zou zij ook begrijpen hoe moeilijk het voor mij was hier nu met hem te zijn.

De rechter-commissaris kwam binnen. 'Hoe gaat het met u?' vroeg ze.

Die simpele, persoonlijke vraag doorbrak mijn verdedigingsmuur en ik begon te huilen: 'Niet zo goed. Het is vooral voor de kinderen heel moeilijk.'

'Ja,' zei ze, 'maar dit had u al verwacht toch?'

'Ja,' zei ik, 'ik wist wel dat dit zou gaan gebeuren—'

'Maar dat maakt het er niet beter op!' onderbrak Wout ons.

'Goed,' zei ze en haar stem werd zakelijk toen ze verderging, 'maar waar ik eigenlijk voor kom is dat ik u wil vragen alleen maar te antwoorden op de vragen van de heer Franken. Een toelichting "die we al kennen" wordt niet op prijs gesteld. Zo komen we er het snelst doorheen.'

Het was hetzelfde als mijn andere verhoor: voordat ik überhaupt aan het verhoor begonnen was, werd me al de mond gesnoerd. Maar ik liet me niet het zwijgen opleggen. Ik had lang genoeg gezwegen, en antwoordde zoals ik vond dat nodig was.

Maar dat kon ik nu niet opbrengen, niet onder deze omstandigheden, niet na deze bejegening.

Ik voelde het restje energie dat ik bij elkaar had kunnen sprokkelen om het verhoor aan te gaan uit me wegvloeien. Ik had hier geen zin meer in en was te moe om me ook nog tegen deze beperking te verzetten.

Ik nam me voor ja en nee te antwoorden en te wachten tot deze ellende voorbij was en ik weer naar huis kon. Ik sleepte me naar boven om plaats te nemen in de getuigenbox. Ik voelde zijn aanwezigheid door de beglazing van de box heen.

Ik sneed me af van mijn gevoel en beantwoordde als een robot de vragen, zo kort mogelijk. Ik dacht dat ik eindelijk de rechter-commissaris tevreden stelde, maar toen was Stijn Franken weer niet blij. Het ging, net als tijdens mijn vorige verhoren, opnieuw over de opnames die ik had gemaakt.

Kennelijk was er in een uitzending van *Pauw* een fragment uitgezonden van opnames waarover de verdediging niet beschikte.

'Dat kan best,' antwoordde ik. 'Misschien ligt dat bij Peter of Sonja?'

'Maar aan u is herhaaldelijk gevraagd, en u heeft verklaard, dat u alles heeft ingeleverd?'

'Ja, dat klopt, er is naar gevraagd en ik heb verklaard dat ik alles heb ingeleverd. Maar die vraag is alleen aan mij gesteld en niet aan Sonja.'

Dat antwoord was reden voor Stijn Franken de rechter-commissaris te 'bevelen' mijn verhoor te schorsen.

Wout en ik werden naar beneden gedirigeerd, namen daar plaats en wachtten af. Na bijna twee uur te hebben gewacht, ging de deur open.

'Komt u even mee, meneer Morra?' vroeg de parketmedewerker.

Wout stond verbaasd op en liep richting de deur.

'En ik dan?' vroeg ik.

'U niet,' zei hij.

'Hoezo ik niet? Het is toch mijn verhoor? Ik zit hier al twee uur te wachten en ik mag niet mee? Luister, ik wil weten waar ik aan toe ben, want ik ga niet nog langer wachten! Wout, zorg dat ik te horen krijg wat er gebeurt.'

Maar ik kreeg helemaal niets te horen. En weer zat ik te wachten in een afgesloten ruimte. Ik hoorde niemand en zag niemand. Ik stond op het punt om 112 te bellen, toen ik gestommel hoorde op de gang. Het klonk als de voetstappen van mijn zus. Ik hoorde meer voetstappen. De deur zwaaide open en de rechter-commissaris kwam binnen. Alle opgekropte emoties over mijn broer die mij wil vermoorden, het maandenlange thuiszitten, het verdriet van de kinderen, de zorg om mijn moeder en het feit dat ik inmiddels tweeënhalf uur opgesloten zat kwamen naar buiten en stortte ik als een lawine over haar heen.

'Wat is dit?' vroeg ik boos. 'Jullie sluiten mij ruim twee-enhalf uur op zonder dat ik weet waar ik aan toe ben! Dat is volstrekt onfatsoenlijk. Kon u niet even de moeite nemen om mij te vertellen wat er ging gebeuren?'

'Sorry,' antwoordde ze.

'Sorry?' zei ik woest. 'Dit flikken jullie mij echt nooit meer. Jullie sluiten me meer dan twee uur op. Ik ben een vrije getuige en ik ga nooit meer in een afgesloten ruimte zitten. Ik ga nu weg!'

'Wacht u nog heel even, ik moet hiernaast uw zuster horen.'

'Ik geef je tien minuten, als de deur dan niet open is, trap ik 'm in!' schreeuwde ik zonder nog over enige zelfbeheersing te beschikken.

De rechter-commissaris verliet de kamer, deed de deur op slot en korte tijd later hoorde ik Sonja gillen.

Nu begon mijn bloed pas echt te koken. Ik raakte buiten mezelf van woede. Wat gebeurde hiernaast? De deur zat nog steeds op slot. Ik kon geen kant op, en ik zag geen andere mo-gelijkheid om de aandacht te trekken dan hard tegen de deur aan te trappen. Dat werkte. Binnen drie minuten stonden er drie bewakers aan de deur. Ik kende ze allemaal.

'Doe rustig, Astrid,' zei een van hen.

'Ik hoor mijn zusje gillen,' riep ik. 'Waar is ze? Wij gaan hier weg. Jullie gaan haar niet terroriseren. Eerst wordt ze haar hele leven geterroriseerd door hem, dan door justitie en nu door de rechterlijke macht? Dat gaat niet gebeuren! Box, we gaan hier weg. We stoppen ermee!'

'Nee, dat kan niet, we moeten beveiligd vervoer regelen.'

'Ik hoef geen vervoer. Maak de deur open, wij gaan zelf naar huis!'

Sonja kwam mijn ruimte binnenlopen en was helemaal overstuur. 'Ze hebben mijn huis bevroren en willen een huiszoeking doen, alsof ik de verdachte ben! Stijn Franken wil dat ze bij mij naar die bandjes gaan zoeken. Maar ik heb al zo vaak gezegd dat ik ze kwijt ben.'

'Wat?' zei ik. 'Zijn jullie helemaal gek geworden?'

'As, ik ga hier weg en ik kom nooit meer terug! Hij heeft het gewoon weer voor elkaar. Hij zet alles weer naar zijn hand. Hij wil ons vermoorden, maar wij worden behandeld als verdachten.'

De gebeurtenissen getuigden van weinig empathie met onze situatie, en we waren dagenlang van slag. Van Wim was het bijzonder knap hoe hij het incident had weten te creëren. We hadden allebei al gezegd dat we bandjes kwijt waren geraakt waarop meer opnamen stonden. We hadden geen bandjes en als we ze hadden gehad, dan bewaarden wij die natuurlijk niet thuis, dat hadden we juist van Wim geleerd! Dat wist hij ook wel. Er zat iets anders achter.

Ik draaide mentaal alle verhoren van de laatste maanden terug. Tot op heden was er niet één vraag gesteld over een van de feiten waar Wim van werd verdacht. Het ging tot nu toe alleen maar over de jaren voorafgaand aan de moorden en over de bandjes. Het schoot maar niet op. Meerdere verhoren werden gecanceld, eenmaal was een verhoor halverwege op verzoek van de verdediging afgebroken, en ook dit verhoor was blijven steken bij maximaal vijf vragen over bandjes.

Hij probeerde tijd te rekken!

Wat was hij toch een meesterlijk strateeg. Iedereen, inclusief mijzelf, had hij weer in slaap gesust. Incidenten gecreëerd die afleidden van waar het werkelijk om ging, de zaak vertragen zodat hij de tijd had ons om te leggen voordat wij ten overstaan van de rechtbank onze verklaring hadden kunnen bevestigen. Het moet gezegd: petje af, broer! Jij blijft toch de meester.

De volgende dag belde ik Peter de Vries, die in de bewuste uitzending van *Pauw* voorkomt. Samen met hem reconstrueer ik waar de stick met de bewuste opname is gebleven en lever die in.

Moe (2016)

Ik voel me zo moe. Ik probeer me ertegen te verzetten, maar de afgelopen dagen hebben me gesloopt. Ik ben het zo zat dat dit alles mijn dagen, mijn leven en mijn humeur bepaalt. Ik mis mijn oude leven, dat ik heb opgegeven voor deze ondankbare taak. Ik reageer chagrijnig op iedereen, maar niemand in mijn omgeving kan er wat aan doen dat ik me zo zwart voel. Ik kan maar beter gaan slapen, in de hoop dat ik wakker word met een ander humeur.

Ik droom dat ik word gebeld en hoor de stem van Wim. Hij praat onsamenhangend, verward bijna, maar hij vraagt me niets. Niet of ik hem wil helpen eruit te komen, niets.

Ik schrik wakker en het enige wat ik kan denken was: kon hij maar hier zijn, en was alles maar normaal. Ik wil dit helemaal niet. Ik kan het niet aan dat ik hem dit aandoe. Hoe kan het toch? Hij wil mij vermoorden, en ik wil hem het liefst in vrijheid zien.

Ik voel dat ik verlang naar de dood. Dit is geen leven. De last is in alle opzichten te groot, te zwaar, overal aanwezig. Elke dag naar buiten moeten met de gedachte dat het de laatste keer kan zijn. En tegelijkertijd de last dat hij nooit meer naar buiten zal komen.

Eigenlijk zijn we allebei al dood.

De rust die de dood zou brengen, lokt.

Ik doe echt mijn best te zoeken naar de kleine dingen in het leven die het de moeite waard maken, maar vandaag lukt me dat niet.

29 maart 2016

We spreken met de recherche over de gang van zaken tijdens de verhoren en ik overhandig ze het bandje dat ik ook bij de rechter-commissaris had ingeleverd. Ik licht de inhoud van het gesprek toe en laat wat stukjes horen. Het bandje is een schoolvoorbeeld van zijn afpersmethode.

Maar waar ik eigenlijk op gehoopt had, waar ik naar uit had gezien, was of ze misschien wat meer konden vertellen over de opdrachtnemer van mijn liquidatie. Ik wil zo graag weten uit welke hoek het komt, zodat ik eindelijk zelf actie kan ondernemen. Maar ze willen niets vertellen en dat respecteer ik, uiteraard.

We bespreken dat onze verhoren zijn afgeblazen en tegelijkertijd vraag ik de officier van justitie wat daar de reden voor is. Na enkele minuten krijg ik het antwoord. De verdediging wenst het uit te stellen.

Het voelt als een klap in mijn gezicht. Ik dacht oprecht dat de rechter-commissaris dat had besloten om ons tot rust te laten komen, naar aanleiding van de afgelopen keer, maar het was kennelijk alleen maar op instigatie van de verdediging.

Het voelt als een race tegen de klok. Hij voorkomt dat wij op zijn verklaringen kunnen reageren. Het onbegrip over zijn strategieën sloopt me. Ik ben kapot, somber, en dat blijft de hele dag zo.

30 maart 2016

Ik ben nog steeds somber en ga maar weer even slapen.

Ik ontvang een berichtje van Peter: '3 jaar en 4 maanden'. Zo uit mijn slaap gerukt, kan ik het even niet plaatsen. Waar heeft hij het over?

Dan ontvang ik nog een berichtje, van een collega, met een afbeelding van klinkende champagneglazen. Dan begint het te dagen: vandaag was de uitspraak in hoger beroep in de strafzaak van Wim over de bedreiging van Peter de Vries. In eerste instantie kwam hij er met drie maanden vanaf, maar nu krijgt hij drie jaar en vier maanden opgelegd. Vier maanden voor de bedreiging van Peter, en hij moet ook zijn volledige voorwaardelijke straf van drie jaar alsnog uitzitten.

Een terechte beslissing van het Hof. Want hij verdient geen voorwaardelijke straf, hij gebruikt die vrijheid alleen maar om weer, en nog heviger af te persen, en daar is een voorwaardelijke straf niet voor bedoeld. Het is een grote opsteker in deze vervelende tijd. Het voelt alsof het Hof begrijpt met wat voor manipulator zij te maken heeft, hoe subtiel hij het rechtssysteem bespeelt, hoe hij altijd alles toch weer naar zijn hand zet.

3 april 2016

Ik sta voor het eerst in weken redelijk fit op, ik voel me in vergelijking met de dagen ervoor een stuk beter. Ik besluit me over mijn angst om het huis te verlaten heen te zetten. Het is prachtig weer en ik ga gewoon.

'We gaan lekker wandelen en dan koffiedrinken.'

'Goed plan,' zegt Sonja.

We genieten van een lekker broodje ei en een ontspannen

moment, tot Sonja haar telefoon pakt. 'As, moet je kijken! Al onze verklaringen staan op Vlinderscrime! En die van Wim ook.'

Ons leven lag op straat.

Ik wist dat dit een keer zou gebeuren, en ik vond eigenlijk dat het nog lang had geduurd. De vraag was alleen wie daar verantwoordelijk voor was en welk belang diegene daarmee wilde dienen?

Op de website stonden een aantal van Wims verklaringen, verklaringen waar voor ons nog een embargo op lag. Wij mochten daar absoluut geen kennis van nemen voordat we er over werden gehoord en nu was daar een klein deel van in de openbaarheid. Een klein deel, maar meer dan genoeg om vast te kunnen stellen dat hij deed wat ik had voorspeld: hij reed een strontkar over ons uit.

Zijn verlangen om ons terug te pakken door ons te beschadigen, spatte van zijn verklaringen af. En meesterlijk schaker als hij was, deed hij dat redelijk subtiel. Hij creëerde gevaar voor ons. Ik was een mol met een hoog contact binnen justitie, ik wilde topcriminelen opknopen, Sonja en ik waren betrokken bij zijn cocaïnehandel, en beschikten over de inkomsten daarvan.

Gevaar waardoor hij later als een van ons geliquideerd zou worden, kon zeggen: 'Ik krijg overal de schuld van! Ze hadden wel meer vijanden, je moet niet bij mij zijn! Ik zit nota bene in de EBI. Ik kan het niet eens hebben gedaan. Ik zie niemand, ik heb met niemand contact.'

Was dat de reden dat het nu ineens naar buiten kwam? Zat hij erachter? Of waren het toch anderen? Het Openbaar Ministerie deed er onderzoek naar, maar kon het niet achterhalen, dus bleef het een vraagteken. Men startte een kort geding tegen Vlinderscrime en Martin Kok, die de site runt, moest van de rechter alles van zijn website af halen, maar de volgende dag stond het alweer op een andere site. Weer ging het OM erachteraan.

Ik zag het positieve er maar van in; ik had nu in ieder geval duidelijk voor ogen op wat voor manier hij mij probeerde te beschadigen en mijn betrouwbaarheid in diskrediet wilde brengen. En, nog belangrijker, het stelde mij in de gelegenheid aan te tonen dat juist zijn verklaringen onbetrouwbaar en onjuist zijn.

Arrestatie Wim in cel (2016)

Het is kwart over acht in de ochtend als ik een sms ontvang. Het is de recherche, met de vraag of ze me al kunnen bellen.

Ik stuur terug: 'Jazeker,' en vraag me af wat er aan de hand is.

'Goedemorgen, Astrid.' Ik herken ik de stem van een van de verhorende rechercheurs.

'Goedemorgen,' antwoord ik.

'We willen je even op de hoogte stellen van het feit dat we je broer vanmorgen hebben gearresteerd op verdenking van het voorbereiden van de moord op jou, Sonja en Peter.'

De harde realiteit van die woorden slaat me volledig uit het veld. Dat hij ervan verdacht werd wist ik maar hij is er nu ook voor gearresteerd en dat maakt het wel heel echt.

Ik voel de tranen opwellen en ik kan ze niet bedwingen.

'Oké,' breng ik nog net uit.

'We dachten: we kunnen je het maar beter vertellen, voor het geval het uitlekt.'

'Sorry hoor, maar het raakt me zo. Het is net alsof ik me nu pas realiseer dat deze hele situatie echt is. Wat een drama, mijn eigen broer,' zeg ik door mijn tranen heen.

'Ja, ik weet het,' zegt de stem aan de andere kant begripvol.

'Bedankt voor de mededeling,' zeg ik.

'Graag gedaan,' zegt hij en hangt op.

De tranen lopen over mijn wangen. Mijn eigen broer heeft

opdracht gegeven om mij als eerste te laten vermoorden, omdat ik heb verteld wat hij heeft gedaan. Hij wil dat ik stop met praten, en me voor altijd het zwijgen opleggen.

Ik zie hem voor me, als hij de mededeling krijgt dat – en waarom – hij is gearresteerd en ik heb plotseling zo'n medelijden met hem. Wat moet hij geschrokken zijn, zijn almacht wordt op alle mogelijke manieren doorbroken. Alles wat hij gewend is ongemerkt te doen, wordt opgemerkt. Gelukkig maar, en tegelijkertijd vind ik het triest voor hem. Hij komt steeds dieper in de put te zitten, en ik zie niet hoe hij daar nog uitkomt.

Wim ontkent de beschuldiging en verklaart dat als het aan hem ligt, er niets met zijn familie gebeurt: 'Als ik iets zou horen in die richting, dan zou ik ze zeker waarschuwen.'

Waar heb ik dat nou eerder gehoord?

NLS (2016)

Op deze dag wacht ik al sinds februari. Vandaag krijgen Sonja, Peter en ik een toelichting van de officieren van justitie over de dreiging die er op ons leven zou zijn.

Twee keer eerder hadden zich al situaties voorgedaan waarbij het vermoeden was dat Sonja en ik 'aan de beurt waren'. Dit was de derde keer, maar deze zaak was in zoverre anders dat er genoeg concrete aanwijzingen waren waar justitie onderzoek naar kon doen.

Officieren Stempher en Tammes leggen uit dat Wim in de strengst beveiligde gevangenis van Nederland contact heeft gelegd met twee leden van NLS.

NLS staat voor No Limit Soldiers. Het is een internationale groepering die bekendstaat om drugshandel en liquidaties, met vertakkingen in Nederland. Ze zijn onder meer verantwoordelijk gehouden voor de moord op Helmin Wiels, leider van de grootste politieke partij op Curaçao, Pueblo Soberano.

De twee leden die Wim heeft benaderd, zijn allebei veroordeeld voor moord. Liomar W. zit een straf uit van vierentwintig jaar voor de moord op een Nederlands echtpaar. Edwin V. is veroordeeld voor een schietpartij waarbij een dode viel.

Ze zijn in de strengst beveiligde inrichting in Nederland geplaatst, omdat ze probeerden te ontsnappen uit de gevangenis op Curaçao.

Sonja en ik kijken elkaar verschrikt aan. Dit hadden we niet verwacht, het komt uit een voor ons volstrekt onbekende hoek. Dit is een serieuze zaak, dit zijn geen kleine jongens. Hoe konden ze hem daar in godsnaam mee laten luchten, recreëren en koken? Dat is de kat op het spek binden. Wij zijn verbijsterd.

Volgens Liomar W. ging Wim met hen in een hoekje van de luchtplaats staan, buiten het zicht van de camera's, om ongezien en ongehoord met hen te kunnen praten.

Typisch Wim, denk ik onmiddellijk, dat strookt precies met zijn werkwijze. En de NLS-leden zijn geen amateurs, ook zij weten hoe ze onopvallend moeten communiceren. Dat is geen goede combinatie voor ons.

Gelukkig is justitie scherp en komen ze de plannen op het spoor. Onder meer het bericht vanuit de EBI dat zijn medegedetineerde Edwin V. zonder reden overgeplaatst wil worden, viel op. Het deed het vermoeden ontstaan dat Wim wellicht bewust afstand van zijn medegedetineerde creëerde.

Terecht, denk ik, want zo doet hij dat inderdaad: zorgen dat je niet in de buurt bent als er iets gaat gebeuren, zodat je er niet aan gelinkt kunt worden.

Het tweede dat justitie opviel was dat Wim de laatste tijd wel erg vrolijk was. Ook dat ken ik van hem. Als wij eenmaal dood zijn, heeft hij de controle over ons weer terug, en dat vooruitzicht maakt hem blij.

Het onderzoek ging van start en Edwin V. werd betrapt op het doorgeven van een telefoonnummer, waar hij maar weinig over kwijt wilde. Op de directe vraag van de recherche of hij ooit gehoord heeft dat Holleeder wil dat er iets met zijn zussen gebeurd, ontkent hij niet, maar antwoordt ontwijkend:

EV: Dat is mijn zaak niet. Ik geef geen commentaar op die vraag. Ik zit niet hier om te getuigen over zijn zussen. Nee, dat is niet mijn probleem.

Liomar W. daarentegen verklaarde uitvoerig over wat Wim hun had gevraagd.

LW: Hij heeft tegen mij en die andere Antilliaanse jongen over zijn zus gezegd dat hij boos is. Hij wil ze dood. Weet je wat het ding is? Hij wil die mensen, die personen, die tegen hem hebben getuigd, speciaal zijn zussen, over die mensen heeft hij gezegd: om ze zo snel mogelijk te doen. Dat ze vermoord worden. Zo heeft hij het gezegd.

Wim wil dat ze een moordenaar regelen en heeft ze veel geld beloofd.

LW: Sowieso is geld geen probleem, dat zegt hij gewoon. Zestigduizend, zeventigduizend: is veel geld toch? Dat is wat hij betaalt voor het doden van mensen.

Wim wil vijfendertigduizend per zus betalen.

LW: Hij zei: vijfendertigduizend. Dus zeventigduizend. Zulke bedragen zijn gewoon goed. Dat heeft hij zelf in het verleden betaald.

Om de betaling in gang te zetten geeft hij degene die binnenkort naar een minder strenge gevangenis wordt overgeplaatst de volgende instructies.
- Hij moet een nummer bellen dat Wim hem heeft gegeven.
- Tegen de persoon die opneemt moet hij een door Wim opgegeven codewoord zeggen.
- Dan weet die persoon dat hij een vertrouwenspersoon van Wim is.
- De persoon die de telefoon opneemt zal vervolgens alles voor Wim regelen.

Hmm, dacht ik. Die moet het geld regelen. Ik heb wel een vermoeden wie dat kan zijn.

LW: Hij wil gewoon eh... dat zijn zussen worden afgemaakt en zo. En eh... hij wil daarvoor gewoon betalen.

Dat hadden we al voorspeld. Maar het klinkt toch wel heel hard, als je een ander hier zo nuchter over de mogelijke moord op jezelf hoort praten. Alsof het een timmerklusje is.

Liomar W. gaat verder. Wim heeft momenteel niet de mogelijkheden om het zelf te regelen. De twee medegevangenen moesten via hun contacten buiten de liquidaties organiseren.

LW: Jaja, hij wil dat wij gewoon mensen zoeken voor hem. Wat er moet gebeuren? Gewoon eh... hij wilde gewoon, ja gewoon: huurmoordenaar. Dat wil ie.

De persoon die dat zou kunnen uitvoeren zou er volgens Liomar W. al zijn, en was een leider van de NLS.

Wim had wel, zoals ons eerder al was verteld, een prioriteitenlijstje. Nummer 1 op zijn 'to do-lijstje' was ik. De belangrijkste om vermoord te worden was diegene die advocaat is. Terecht. Ik zou hem ook willen vermoorden als hij mij had aangedaan wat ik hem heb aangedaan.

Maar de zussen waren niet de enigen die dood moesten. Hij heeft ook nog over andere mensen gesproken.

LW: Wat ik weet, wat belangrijk is, dat die zussen zeker, Peter R. de Vries, ja, hij wil hem en zo, zegt hij, zet veel druk op zijn zaken. Hij praat: hij wil gewoon dat die kankerlijer... zo zegt hij... gewoon: dat die ook dood gaan. Die drie mensen die ik weet, dat dus de belangrijkste mensen zijn: dat heeft hij zelf gezegd, ook tegen die partner van mij.

Arme Peter, ook dat had Wim al voorspeld: 'Als ik één dag voor hem moet zitten, regel ik het net zoals ik het bij Thomas heb geregeld.'

Zijn medegedetineerden hebben toegezegd 'het' te kunnen regelen, en er is ook al een voorschot betaald en ontvangen.

LW: Ja, eerlijk gezegd. Wij hebben gezegd tegen hem dat het kan. En we hebben geld ook daarvoor gekregen, maar dat was niet zoveel. Was gewoon 5000 euro gedeeld over ons twee. Via een tussenpersoon.

Over de reden waarom wij dood moeten, vertelt hij:

LW: Hij wil ze dood, dat ze er niet meer zijn... weet niet... volgens mij dat ze niet kunnen getuigen tegen hem.

Zie je wel, mijn vermoeden is juist. Wim is tijd aan het rekken. Hij is bereid het risico van het inschakelen van vreemden te nemen om ons tijdig, voordat we onze verklaring tegenover de rechter kunnen bevestigen en zijn verklaring kunnen ontkrachten, het zwijgen op te kunnen leggen.

Sonja en ik, we hadden het allebei voorspeld, maar toch zijn we er diep van onder de indruk. Vooral van zijn brutaliteit, dat hij dit vanuit Nederlands best bewaakte gevangenis probeert te regelen. Wat staat ons dan wel niet te wachten als hij naar een milder regime gaat?

Moederdag (2016)

'Vandaag quality time, moeders. Het is Moederdag.' Miljuschka wekte mij heel vroeg in de morgen.

'Dat is goed, lieverd. Laten we dan gaan wandelen. Zullen we gelijk gaan? Het is nog lekker vroeg.'

'Dat is goed. Ik kom eraan,' zei ze en binnen een kwartier stond ze voor de deur.

'Kom, vanaf hier is het tien minuten naar het bos, dan gaan we daar lekker wandelen.'

Je kon voelen dat het een hele warme dag zou worden, maar in de vroegte van de ochtend was het nog lekker koel. We liepen door de prachtige oeverlanden, nog helemaal bedekt met dauw.

'Lekker, hè?' genoot ik hardop. 'Wat hebben we toch een mooi leven.'

'Is dat sarcastisch bedoeld?' vroeg Miljuschka.

'Nee, helemaal niet, ik meen het echt. We lopen hier toch heerlijk, zo samen. Afgezien van die gekkigheid met Wim gaat het met ons allemaal toch heel goed. We hebben het altijd fijn met zijn allen. Ik ben niet ontevreden.'

'Toch is het best zwaar. Het zit de hele tijd in mijn achterhoofd dat ik je ieder moment van de straat kan peuteren,' zei Miljuschka en ik moest spontaan lachen om haar onbedoeld grappige opmerking. Dit is kennelijk de manier waarop ze over mijn situatie nadenkt.

'Ja, je kan erom lachen, maar het geeft mij echt wel stress. Ik ben er de laatste maanden best somber door geweest,' zei ze serieus. 'Heb je geen spijt dat je het gedaan hebt?'

'Nee, geen spijt. Maar ik vind het wel heel erg dat ik jou dit aan moet doen. Ik vind het vreselijk dat je met de dood moet leven en ik vind het heel naar dat ik je misschien wel achter moet laten. Dat je alleen bent. Dat ik er niet meer zal zijn om je te steunen, te helpen met de kinderen, dat je niet meer tegen me aan kan kletsen, advies kan vragen. Ja, die gedachte…

Als je nou nog een vader had gehad, dan was het weer anders geweest. Ik vraag me toch af of het niet door mij komt dat je geen contact met hem hebt. Dat mijn verdriet contact voor jou gevoelsmatig onmogelijk maakte, omdat je solidair aan mij wilde zijn. Ik heb jou nooit bewust in een loyaliteitsconflict willen plaatsen, en ik heb geprobeerd mijn verdriet en jouw relatie met je vader gescheiden te houden, maar misschien ben ik daar toch niet in geslaagd, heb ik je onbewust toch te veel belast met mijn situatie en heeft dat ertoe geleid dat jij je van je vader af bent gaan keren. Begrijp je wat ik bedoel?'

'Mam, ik begrijp heel goed wat je bedoelt. Natuurlijk heb ik jouw verdriet wel opgemerkt. Maar ik zag ook dat je graag wilde dat ons contact goed was. Je hebt me nooit tegengehouden in het contact, integendeel, ik moest ook naar hem toe als ik er zelf geen zin in had. Maar ik wilde op een bepaald moment zelf echt niet meer.'

'Dat denk je misschien, maar hoe oud was je nou? Twaalf? Ik denk dat je dan nog niet in staat bent om zulke beslissingen te nemen. Die worden toch gestuurd door invloeden waar je je misschien niet helemaal van bewust bent. Of misschien door signalen die ik jou geef. Ik denk niet dat je op je twaalfde kunt bepalen of je geen contact hebt met je vader uit gevoelens van solidariteit ten opzichte van je moeder of om andere redenen. Ik ben gewoon bang dat je een onbewuste keuze hebt gemaakt, en ik vind dat je je dat moet realiseren. Misschien kun je er daardoor nu anders tegenaan kijken.'

'Mam, dat heb je al geprobeerd toen ik achttien werd en daarna toen ik zwanger werd. Toen vond je ook dat ik me ervan bewust moest zijn dat jouw verdriet misschien de oorzaak was van het gebrek aan contact, en dat het misschien tijd werd om de relatie met Jaap te herstellen. Weet je nog dat je me op mijn achttiende hebt meegenomen naar zijn galerie, en dat je probeerde het gesprek tussen ons op gang te krijgen? Dat we nu allebei volwassenen waren, en misschien als volwassenen contact op konden bouwen? Maar dat had geen zin, want ik had er geen zin in, en hij ook niet.'

'Mil, dat is inmiddels ook alweer jaren geleden, misschien denk je er in de huidige situatie anders over?'

'Ik heb geen behoefte aan contact. Ik wil daar nooit meer heen. Weet je nog dat ik in de zomer voordat ik naar de middelbare school ging op zeilkamp was? Jij belde mij iedere dag; ik schaamde me kapot, want geen enkele moeder belde iedere dag. Ik had toen tegen Guy gezegd, je weet wel, die jongen met wie ik later verkering kreeg, dat ik van jou mijn vader moest bellen en dat ik daar geen zin in had. Hij zei daarop dat mijn vader mij toch ook kon bellen, dus waarom moest ik hem bellen? Daarvan dacht ik: hij heeft gelijk, en toen heb ik hem nooit meer gebeld maar hij mij ook nooit meer, en is er nooit meer contact geweest. Zo is het gegaan. Ik was blij dat ik van hem af was.'

Ik had Miljuschka in stilte aangehoord en voelde een enorme opluchting. Ik was niet de oorzaak voor het gebrek aan contact met haar vader, dat was hij zelf.

'Zie je nou dat er toch ook positieve aspecten aan deze situatie zitten? Anders waren wij nooit tot dit gesprek gekomen.'

'Pffft! Ja hoor, mam!'

Scooterincident (2016)

Ik woon nog steeds in de straat waar Wim altijd bij mij aan de deur kwam, waar hij me ophaalde en waar we buiten tussen de huizen gingen lopen. Het is een straat die bekendstaat om haar vele horecagelegenheden en die populair is bij de onderwereld.

Ik woon er al eenentwintig jaar naar mijn zin, en ik ben niet van plan dat op te geven omdat ik getuig tegen Wim. Ik geloof ook niet dat verhuizen naar een ander huis mijn veiligheid zal vergroten. Ik ken de ondernemers in de straat en ik denk baat te hebben bij die sociale controle.

Justitie heeft mij vaak geadviseerd toch te verhuizen, maar al had ik gewild, ik kon niet verhuizen. De rol van getuige had me mijn werk gekost en ik kon het nog wel even uitzingen, maar verhuizen kon financieel niet, tenzij ik een huis zou vinden waar ik ongeveer hetzelfde zou betalen als nu en die kans was gering. En dan betrof het zeker geen woning met de ruimte en de omgeving waar ik nu over beschikte, en ik wilde er niet nog meer op achteruit gaan. Dus bleef ik er gehuisvest, op een plek waarvan half crimineel Amsterdam wist dat ik daar woonde.

Me bewust van het gevaar dat ik eenvoudig te lokaliseren ben, en het risico dat ik om mijn huis in en uit te komen eerst een trap op of af moet, doe ik uitermate voorzichtig. Voordat ik overdag de deur uit ga, controleer ik of ik opvallende figuren in de straat zie, trek mijn op maat gemaakte kogelwerende vest aan, raap de moed bij elkaar en ga naar mijn kogelwerende auto, stap in, doe eerst de auto op slot, zodat niemand die open kan trekken, want dan heb ik nog niets aan die kogelwerende ramen, en rij weg.

Onderweg check ik of er iemand achter me rijdt en als ik het niet vertrouw, neem ik een rotonde helemaal of keer ik plotseling om en rij verder in de tegengestelde richting. Altijd hou ik minimaal zes meter afstand van de auto vóór me, voor het geval er een scooter of een motor naast me stilhoudt. De afstand ten opzichte van de auto voor mij geeft me dan nog de kans weg te rijden, desnoods over de motorrijder of de scooter heen, dat maakt me dan niet meer uit. Als ik er maar voor zorg niet ingebouwd te staan, waardoor ik niet meer wegkom.

Terug mijn huis in is wat ingewikkelder. Door mijn straat rijden, op zoek naar een plek voor de deur, is niet verstandig. In een van die horecagelegenheden kan iemand mij makkelijk ongezien afleggen, positie kiezen, wachten tot ik de straat in kom lopen en dan: boem. Door mijn straat rijden kan alleen na twaalf uur 's avonds, als de horeca is leeggelopen en er zeker plek is, meestal ook vlak voor mijn deur. Vaak wacht ik daarom tot twaalf uur om naar huis te gaan. Het nadeel is dat als het donker is, ik zelfs over die korte afstand van mijn auto tot mijn deur, niet goed iemand aan kan zien komen. Bij een slecht voorgevoel trek ik daarom in de auto niet alleen een vest aan, maar zet ook de kogelwerende kraag en de helm op, check op mijn telefoon via het camerasysteem of er niemand in het portiek staat en ren naar boven.

Soms ben ik ergens waar ik niet tot middernacht kan blijven, of kan ik het niet opbrengen ergens zo lang te blijven hangen, alleen maar omdat ik anders mijn auto niet voor de deur kan parkeren. Dan komt het voor dat ik eerder mijn woning in moet.

Vanavond was zo'n avond. Het was halfnegen, en ik moest naar huis. In de auto trok ik mijn vest vast aan. Onderweg hield ik goed in de gaten of ik niet werd gevolgd, maar ik zag niks achter mij. Ik reed om mijn huis heen, zodat ik de straat niet in hoefde en onnodig gezien zou worden. Ik had besloten de eerste de beste vrije plek op de Churchilllaan, de laan die haaks op mijn straat staat, te nemen, zodat ik niet rond hoefde te cirkelen met de kans gespot te worden.

Alles wat ik nodig had lag voorin, ik hoefde niet de achterbak te openen. Ik zorgde altijd dat ik gelijk kon uitstappen en snel uit de buurt van de auto was.

Ik parkeerde de auto, liep de Churchilllaan door en zag na honderd meter een dubbel geparkeerde auto staan, een nieuw model. Terwijl ik de auto naderde, zag ik door de achterruit dat er geen bestuurder in de auto zat, maar wel een passagier.

Waar is die bestuurder? ging het direct door mijn gedachten, en ik keek zoekend door de straat. Ik kreeg een vreemd gevoel. Ik zag hem nergens in het straatbeeld en hield er rekening mee dat hij mij in een van de portieken van de huizen op stond te wachten. Ik liep langs de auto en keek naar binnen.

Op dat moment draaide een jonge Antilliaans uitziende man zijn hoofd van me weg en richtte zich op zijn telefoon. Ik dacht onmiddellijk: is hij aan het seinen? Het type stelde mij niet gerust, maar misschien waren deze jongens wel met heel andere dingen bezig en stond hij gewoon te wachten op iemand die even in een van de woningen was. Het kon. Maar het kon ook niet, en ik versnelde mijn pas nog meer. Ik moest zo snel mogelijk door deze straat heen. Nog honderd meter en ik was op de kruising.

Ik ging de hoek om en zag een lint aan skeelerrijders voor het stoplicht staan. Pffft, ik was opgelucht. Bij deze drukte zal niemand het in zijn hoofd halen iemand te liquideren, maar nog steeds niet gerustgesteld hield ik het tempo hoog.

Ik liep langs de schoenenwinkel toen ik in mijn ooghoek zag dat ik van achteren werd genaderd door een scooter. Ik schrok en keek om. Op de scooter zat een donker geklede jongeman met een pothelm op. Hij had een latino uiterlijk, donkere ogen en een dun snorretje. We keken elkaar in de ogen en ik voelde dat dit mijn einde zou worden. Het was een heel sterke sensatie.

Mijn verstand inventariseerde razendsnel mijn kansen. Hij stond op nog geen meter van mij af en zat op een scooter, ik was lopend en kon onmogelijk wegkomen. Ik zag hem voorover bukken om iets te pakken en dacht: zal ik me er dan maar bij neerleggen?

Instinctief liep ik iets van hem weg en hij probeerde dat te voorkomen door te roepen: 'Dame, mag ik u wat vragen?'

Ik voelde uit een gevoel van fatsoen de neiging opkomen te blijven staan, misschien wilde hij gewoon de weg vragen, zei mijn verstand, maar op dat moment nam mijn instinct het over.

Ik schreeuwde: 'Nee, jij mag mij helemaal niks vragen!' en begon te rennen. Ik rende zo hard ik kon, maar het voelde alsof ik stil stond. Ik durfde niet achterom te kijken, bang om tijd te verliezen. De hele weg leek een eeuwigheid te duren en ik dacht: hij komt eraan, hij komt eraan, ik ben niet snel genoeg, hij komt eraan.

Ik rende naar boven en stak met trillende handen de sleutel in het slot. Ik was binnen, veilig achter mijn stalen deuren. Mijn hart klopte en mijn adem voelde rauw in mijn keel.

Ik rende naar het raam om te kijken of ik hem nog kon zien, maar niets, hij was weg. Ik belde mijn beveiliging en vertelde over de situatie.

'Je moet daar weg,' was het antwoord.

Ik ben de volgende dag weggegaan. Mijn verlies is bijna compleet: mijn werk, mijn huis, ik ben het allemaal kwijt.

Maar ik leef nog steeds.

Wij vieren de verjaardag van Cor (2016)

Net als ieder jaar vieren we op 18 augustus Cors verjaardag bij Royal San, het Chinese restaurant waar Cor het laatst gegeten had. Aan de overkant was twee jaar geleden café Het Wapen gekomen. Cor had dat humor gevonden. Op de plek waar hij de laatste seconden van zijn leven doorbracht, was nu een terras vol bier drinkende mensen. Cor had zich geen betere gedenkplek kunnen wensen.

Vlak voor zijn dood pakte hij om elf uur 's morgens al een biertje uit de ijskast. 'Freddy Heineken heeft me te pakken,' grapte hij toen Francis hem daar een keer op aansprak.

Het was waar. Freddy Heineken had hem te pakken gekregen: niet door het bier dat hij brouwde, maar door de vloek die er op het Heineken-losgeld rustte, de verdwenen zes miljoen gulden die zonder dat Cor het in de gaten had zijn vriendschap met Wim corrumpeerde en de reden was voor de eerste, de tweede en de fatale aanslag. Een vloek die zich uitbreidde naar alles en iedereen die direct of indirect met het losgeld in aanraking was geweest.

Naar Thomas van der Bijl, die verklaarde dat hij het losgeld had opgegraven en die – mede daarom – het zwijgen was opgelegd.

Naar Willem Endstra, die ervoor zorgde dat Wim de vervloekte gokhallen kon behouden, daardoor in zijn web verstrikt raakte en er niet levend uitkwam.

En naar Wim zelf – de vloek had hem tot de waanzinnigste misdrijven gedreven.

Allemaal waren ze gegrepen door de vloek van het Heineken-losgeld.

We kijken naar twee dikke bierbuiken die de grootste lol hebben. 'Mensen met dikke pensen, dat zijn pas gezellige mensen, zei papa altijd,' merkt Francis op.

'Ja, maar toch wilde hij zelf altijd afvallen,' zegt Sonja. 'Weet je nog dat hij die klappillen nam, dat xenical? Dat brak zijn vet af, waardoor hij vond dat hij nog wel een extra bami- en nasischijf kon nemen. Gooide hij er gewoon een paar extra pilletjes bij. Even later was zijn hele broek oranje. Of hij ging weer intensief sporten, zoals toen hij elke dag met zijn vriend Kai ging tennissen.'

Ieder jaar halen we dezelfde herinneringen op, omdat er geen nieuwe meer worden gemaakt.

'Weet je nog in Zandvoort? Ze waren klaar met tennissen en een jaloerse vrouw had op de auto van Kai HOER gekrast,' zeg ik.

'Ja,' zegt Sonja. 'Kai vond het een verschutting om met die auto te gaan rijden. Toen nam Cor een sleutel, kraste er een A bij en zei: "Zo, opgelost!"'

'Hoera voor jou vandaag, Cor,' zegt Sonja. 'Fijne verjaardag!'

We heffen het glas.

Voor altijd samen!

EPILOOG

Daar gaat meneer Heineken (1985/1973)

Sonja en ik liepen door de P.C. Hooftstraat toen er aan de overkant een zwarte limousine stopte. Uit de auto stapten twee kleerkasten, van wie er een de deur opendeed voor de passagier achterin. Er stapte een man in een donkere jas uit, en toen zag ik het.

'Son, daar is meneer Heineken! Hij stapt net uit die zwarte auto daar. Kijk, daar is hij! Hij gaat bij Sama Sebo naar binnen. Kom,' zei ik opgewonden, 'laten we onze excuses aanbieden voor wat de jongens hebben gedaan. Hij is nu zo dichtbij, die kans krijgen we nooit meer!'

Ik trok haar mee aan haar arm, maar ze zette zich schrap. 'Nee!' zei ze. 'Ben je gek geworden, straks schrikt hij van ons. Heb je die bodyguards niet gezien? Die zijn gigantisch, die laten ons niet eens dichtbij komen, die slaan ons misschien wel tegen de grond! Nee, dat kunnen we echt niet doen.'

Ik bleef bij haar staan, terwijl ik van een afstand naar binnen probeerde te kijken bij het oudste Indonesische restaurant van Amsterdam, een restaurant waar onze jongens ook regelmatig kwamen. Ik probeerde een glimp van meneer Heineken op te vangen, maar zag hem niet.

'Maar Son, hij zit daarbinnen. We moeten hem zeggen hoe

erg we het vinden wat ze hebben gedaan. Dat moet gewoon!'

'As, ik wil wel, ik wil heel graag. Maar ik durf het echt niet. Misschien vindt hij het wel heel vervelend als we dat doen. Wil hij onze excuses helemaal niet,' sputterde ze tegen.

Eén keer eerder had ik hem gezien. Thuis in de Eerste Egelantiersdwarsstraat. De bel ging en ik stond boven aan de trap te kijken voor wie mijn moeder de deur opende.

'Dag, meneer Heineken,' groette mijn moeder.

Meneer Heineken? dacht ik. Is dat meneer Heineken? Een forse man in een lange jas stapte over de drempel. Hij kwam niet verder dan de hal, en hij schudde mijn moeder de hand. Dus dat was hem nou! Dat was de man die mijn vader elke avond in zijn verhalen mee naar huis nam. De man die er altijd was, doordat mijn vader altijd over hem sprak. De man die zo'n belangrijke plaats in ons gezin innam, zonder dat we hem ooit hadden gezien.

Het enige wat we van hem zagen, was zijn naam. In groene, hoekige letters stond die overal. Op de vrachtwagen waar mijn vader in reed, op de bierviltjes en de kladblokjes die hij mee naar huis nam, boven de ingang van de brouwerij waar we wekelijks heen gingen, en op al die duizenden bierflesjes die mijn vader aan zijn mond had gezet. Zijn naam had ik overal gezien, maar zijn persoon nog nooit. En nu stond hij daar, beneden in de hal.

Ik zag donker haar om een vriendelijk gezicht. Hij leek wel een gewoon mens, maar dat was onmogelijk, want als ik mijn vader hoorde was er niets menselijks aan deze meneer, maar was hij een god.

Tien jaar later, in 1983, leerde ik dat meneer Heineken een gewoon mens was, iemand die pijn kon lijden en had geleden

– door mijn broer. Mijn broer die behoorde tot mijn familie, de familie die in mijn genen zit. De familie die ik ben, omdat elk mens nu eenmaal behalve zichzelf ook zijn familie is. En daarom moest ik meneer Heineken mijn excuses aanbieden.

'As, alsjeblieft doe het niet,' smeekte Sonja. 'Je gaat ons in de problemen brengen, geloof me,' en ze duwde me in de tegengestelde richting van het restaurant waar meneer Heineken zat te eten.

'Die kans krijgen we nooit meer,' zei ik gelaten en liet me door haar meetrekken.

Die kans heb ik inderdaad nooit meer gekregen.

Nawoord

Broer,

Het breekt mijn hart dat ik jou moet laten opsluiten, maar geloof me dat ik samen met jou daarbinnen zit. Ik geef jou levenslang, maar heb daardoor zelf ook levenslang. Een leven lang angst, tot aan het moment dat mijn tijd gekomen is. Of zoals jij zegt: 'Als je hem op je af ziet stormen met dat ding heb je nog een moment. Een moment om te denken: had ik het maar niet gedaan.' Maar ik heb het gedaan. Ik had zo graag gewild dat het anders kon, maar je hebt mij geen keuze gelaten.

In 1996 ben jij de jacht op Cor begonnen. Heb je Cor, Sonja en Richie voor de deur van hun huis, dat jij had aangewezen, laten beschieten. Een jacht die jij voortzette toen er in 2000 opnieuw een aanslag op Cor werd gepleegd. Een jacht waarvan ik wist dat jij die voltooid had toen ik in 2003 naast Cors levenloze lichaam in het mortuarium stond. Na twee mislukte pogingen was het eindelijk gelukt, heb jij tegen Sandra gezegd: Cor is dood.

In de jaren die volgden, zaaide je dood en verderf. In 2006 werd je gearresteerd voor de afpersing van onder anderen Willem Endstra en Kees Houtman. Niet voor de moord op Endstra, niet voor de moord op Houtman, enkel voor de afpersing van die slachtoffers. Ten onrechte.

Toch, we kregen de gelegenheid om te ademen. Maar zodra

jij in 2012 vrijkwam, begon het weer van voren af aan en dat is de aanleiding geweest te gaan verklaren. Peter, die net als Thomas moet gaan, zodra je één dag binnen zit. De zoon van Sandra, die gaat, omdat hij contact heeft met mensen met wie jij ruzie hebt. Jouw zus, die de opbrengst van de verfilming van het boek *De ontvoering van Alfred Heineken* van Peter R. de Vries aan jou moet afstaan. Jouw zus, die mag tossen wie van haar kinderen het eerst wordt doodgeschoten.

Ik moet getuigen, want ik weet dat je je bedreigingen ten uitvoer zal brengen. Of zoals jij altijd zegt: 'Ik dreig niet, ik zeg gewoon waar je voor moet uitkijken.' De boodschap is duidelijk: jij dreigt niet, jij voert uit – althans, jij laat uitvoeren, want je doet het nooit zelf.

'Je weet wat ik doe, hè?'

Ja, we weten wat je doet en we weten wat je hebt gedaan. Dat laat je ons nooit vergeten. Als een seriemoordenaar die trofeeën bewaart, kom je er altijd weer op terug.

Ik weet dat ik de laatste ben van wie jij dit had verwacht, zoals ik de laatste was die verwachtte dat mijn eigen grote broer zijn eigen familie zoveel verdriet kon doen.

'Wij zijn hetzelfde,' zei jij vaak tegen mij. En dat is ten dele waar. Ik kan inderdaad denken zoals jij, ik kan redeneren zoals jij en ik kan acteren zoals jij. Dat is ook de reden dat jij nu binnen zit.

Maar die overeenkomsten maken mij niet zoals jij. Want alles wat jij doet, beschadigt anderen. En ik probeer dat juist te voorkomen.

Ik weet dat jij mij hebt vertrouwd. Van dat vertrouwen heb ik misbruik gemaakt. Ik vind dat heel naar van mezelf, maar ik heb het weloverwogen gedaan. Ik vind het geoorloofd, omdat jij op dezelfde manier van het vertrouwen van Cor en vele anderen misbruik hebt gemaakt, want dat is jouw werkwijze.

Nietsvermoedend laten jouw slachtoffers jou toe in hun huis, bij hun kinderen, in hun leven. En terwijl ze dat doen heb jij al een eigen agenda.

Ik heb dat de afgelopen jaren ook gehad. Jarenlang heb ik gesprekken met jou gevoerd, met maar één gedachte: vast te leggen wat je allemaal hebt gedaan, zodat ik kon bewijzen dat jij mij inderdaad over jouw misdaden vertelde.

Was het nodig daarvoor een deel van mijn gesprekken met jou op te nemen? Ja, want niemand heeft mij geloofd. Iedereen zei me dat als jij het zou ontkennen, ik geen poot had om op te staan. Dus heb ik gedaan wat Endstra al jaren geleden heeft willen doen maar niet kon, omdat hij dan zijn eigen strafbare feiten bloot moest geven: jou opnemen.

Nu weet jij al genoeg. Jij weet dat het hier voor jou eindigt, want jij weet wat jij mij allemaal hebt verteld.

Jij weet dat jij levenslang krijgt.

Anderen moet ik nog uitleggen waarom dat terecht zou zijn. Ik heb dat geprobeerd via mijn verklaringen, maar daarin komt te weinig nuance tot uitdrukking. Dat kan ook niet, omdat ik niet verklaar over een gebeurtenis, maar over mijn leven van alledag.

Mijn verklaringen zijn mijn levensverhaal.

En een heel leven is veel te gecompliceerd om in een paar verklaringen op te schrijven. Een politieverhoor, zelfs geen tientallen politieverhoren, kunnen een verklaring opleveren die onze relatie, de complexiteit van jouw persoon en onze gezamenlijke werkelijkheid, weergeven.

Het is een krankzinnige werkelijkheid en er zitten vanwege jouw bijzondere intelligentie zoveel lagen in dat het ondenkbaar is dat verbalisanten de vragen kunnen verzinnen die de antwoorden opleveren om hierin inzicht te verschaffen.

Bij jou is alles anders dan het lijkt. Als jij in de EBI geen telefonische contacten onderhoudt en geen bezoek ontvangt, vindt de recherche dit een geruststelling voor ons. Wij daarentegen worden daar juist heel angstig van, want wij weten wat het betekent. Jij gaat geen lijntje leggen met de buitenwereld, zodat wanneer wij gaan, jij altijd als de vermoorde onschuld kunt zeggen: 'Maar meneer de rechter, ik heb zelfs niemand gebeld in de EBI en geen bezoek ontvangen. Hoe moet ik nou de opdracht hebben gegeven hen te liquideren?'

Als je je afvraagt, Wim, waarom ik dit jou heb aangedaan, dan is dit mijn antwoord: voor Cor. Voor Sonja. Voor Richie. Voor Francis. Voor alle kinderen die hun vader moeten missen door jou. En voor alle kinderen die ik dit wil besparen.

Het is tijd dat het moorden stopt.

Dat Sonja, Sandra en ik onze getuigenis tegen jou met de dood moeten bekopen, weet jij en weten wij. De enige reden dat jij nog leeft, is dat je ons het leven wilt ontnemen.

Maar ondanks die zekerheid, Wim, hou ik nog steeds van jou.